Chère lectrice,

Je lisais récemment que, si l'on compare la recherche du bonheur à celle de l'or, on trouve plus souvent des paillettes, ou des pépites, qu'un Eldorado. Ma foi, quelques paillettes, et mieux encore, une ou deux pépites de temps en temps, cela fait mon affaire — et je suis presque sûre que cela fait aussi la vôtre.

D'ailleurs, qu'est-ce que « le » bonheur, le « grand » ? Existe-t-il ? Tous les poètes nous avertissent : Presse-toi de le saisir avant qu'il ne file !... Ou au contraire : Fuis-le car sois certain qu'il finira par te quitter ! Tous nous glissent le même message : ce qui caractérise le bonheur, c'est sa volatilité. Un instant, il est là et nous comble ; l'instant suivant, pffft, il s'est envolé. Il est passé par ici et repassera par là mais jamais il ne s'attarde, et encore moins ne s'arrête. Autrement dit, mieux vaut se montrer sage et réaliste : on ne retient pas le bonheur ; il faut savoir l'apprécier quand il passe.

Ce qui n'empêche pas l'émerveillement, l'éblouissement. Toute la magie du bonheur est là : dans notre capacité à nous laisser subjuguer par une joie profonde qui nous ramène à la vie. Le temps d'une éclaircie, d'un sourire d'enfant, d'un moment d'harmonie parfaite avec l'être aimé. Françoise Hardy chantait : « Le premier bonheur du jour, c'est un ruban de soleil qui s'enroule sur ta main et caresse mon épaule… » Si, en plus, chère lectrice, vous avez la chance que cette main soit la même depuis longtemps, et que vous ne vous lassiez pas de ses caresses, vous pouvez être certaine qu'il fera beau pour vous tous les matins…

Et, me direz-vous, dans les moments où, décidément, on ne trouve pas la moindre paillette ? Vers où se tourner pour retrouver un peu d'épanouissement ? Je vais laisser vous répondre un vieux monsieur qui avait beaucoup vécu et connu, comme nous tous, de grandes joies et de grandes tristesses : « Ne faisons pas de quelques fausses contrariétés un malheur authentique. »

Bonne lecture !

...ion

Une page d'amour

*

La force d'aimer

JANICE CARTER

Une page d'amour

ÉMOTIONS

éditions**Harlequin**

Cet ouvrage a été publié en langue anglaise
sous le titre :
PAST, PRESENT AND A FUTURE

Traduction française de
ISABELLE GAMOT

HARLEQUIN®

est une marque déposée du Groupe Harlequin
et Émotions® est une marque déposée d'Harlequin S.A.

Photos de couverture
Couple : © DEBORAH JAFFE / GETTY IMAGES
Page manuscrite : © COMSTOCK IMAGES / GETTY IMAGES

1.

Bonne nouvelle. Et mauvaise nouvelle. Bizarre comme elles survenaient souvent simultanément, songea Clare. Elle lut l'e-mail pour la seconde fois et un frisson de joie mêlée d'envie la parcourut : sa meilleure amie était l'heureuse maman d'une petite Emma.

Le mauvais côté de la chose, c'est que Laura lui demandait d'être la marraine du bébé. Pour cela, il fallait retourner dans le Connecticut, à Twin Falls, sa ville natale, où elle n'avait pas mis les pieds depuis dix-sept ans, et qu'elle n'avait pas le moindre désir de revoir.

Alors, elle renvoya aussitôt un message de félicitations, exprimant le plaisir qu'elle avait ressenti en lisant la demande de son amie, mais sans donner de réponse définitive, ajoutant qu'elle l'appellerait durant le week-end. Ce qui lui laissait deux jours pour trouver un prétexte et se dérober ainsi sans fâcher Laura. Clare était flattée que son amie de toujours ait pensé à elle ; toutefois, elle ne se voyait vraiment pas dans le rôle de marraine.

Mais quel prétexte invoquer ? se demanda-t-elle en s'adossant à son siège. Comment pourrait-elle refuser ? Laura Kingsway, autrefois Dundas, était son amie depuis le jardin d'enfants. Leur amitié avait survécu à tous les bouleversements de l'existence, au divorce des parents de Clare lorsqu'elle avait neuf ans, aux brouilles de l'adolescence lorsqu'elles commençaient toutes deux à s'intéresser aux garçons. Et bien que la vie les ait éloignées géographiquement, elles avaient continué de communiquer par mails ou par téléphone. La dernière fois qu'elles s'étaient vues, à l'occasion du mariage de Laura avec Dave Kingsway, deux ans plus tôt, Clare avait constaté qu'elles étaient restées très proches.

Twin Falls. Clare répugnait encore à prononcer le nom de sa ville natale. Même en pensée. Elle ne pouvait toujours pas croire que Laura et Dave aient délibérément choisi de s'y installer. Mais il est vrai que les sordides événements qui s'y étaient produits dix-sept ans auparavant n'avaient pas affecté Laura de la même façon qu'elle.

Clare éteignit son ordinateur. Elle déjeunait avec son éditrice afin de mettre au point les derniers détails de la tournée de promotion organisée pour la sortie de son second livre. C'était une rencontre importante que Clare attendait avec impatience depuis plusieurs jours. A sa grande surprise, le livre était entré dans le classement des best-sellers du *New York Times* trois semaines après sa parution. Elle espérait seulement que les nouvelles du Connecticut n'allaient pas gâter le plaisir qu'elle éprouvait à fêter son succès.

— Tchin-tchin ! dit Alix Bennett en heurtant délicatement la coupe de Clare.

Clare but une gorgée de son champagne, fruité à souhait, en se disant qu'elle pourrait facilement s'habituer aux agréments de la réussite.

— Alors, quand nous proposez-vous votre prochain projet ? s'enquit Alix.

— Dans une quinzaine de jours ?

Alix hocha la tête.

— Essayez de nous le faire parvenir le plus tôt possible. Ce serait bien qu'on puisse y faire allusion lors des prochaines interviews.

— Vous ne m'avez pas encore offert de contrat, remarqua Clare.

— Après le succès de *Grandir au paradis*, je suis sûre que cela ne posera pas le moindre problème. Et ce que vous m'avez confié à propos de votre nouveau sujet m'a mis l'eau à la bouche.

— Tina a beaucoup aimé le premier jet, dit Clare, faisant référence à son agent.

— Dommage qu'elle n'ait pas pu venir aujourd'hui.

— Elle est très prise, mais elle a promis d'être là la prochaine fois.

— Pour la signature du contrat ? suggéra Alix en souriant.

Clare éprouva une sorte de bref vertige. Elle avait encore du mal à croire que tout cela lui arrivait, à elle.

— En admettant que vous acceptiez mon manuscrit, dit-elle, pleine de doutes.

— Je ne devrais sans doute pas le dire déjà, mais vous pouvez considérer que c'est fait, glissa Alix en baissant la voix.

Elle fit une pause tandis que le serveur posait leurs hors-d'œuvre devant elles, puis reprit.

— A part ça, quoi de neuf dans votre vie ces jours-ci ? Hormis l'ivresse du succès.

Clare sourit. Son éditrice prenait plaisir à la taquiner et adorait manier l'hyperbole, ce qui était indéniablement un plus lorsqu'il s'agissait de défendre un livre au sommet de la hiérarchie de la maison d'édition, devant l'équipe des directeurs de la publication.

— Ma meilleure amie vient juste d'avoir une petite fille. Elle voudrait que je sois sa marraine.

— Oh, c'est vraiment gentil. Et flatteur.

— Oui. Laura et moi ne nous sommes pas vues depuis deux ans, mais nous nous connaissons depuis le jardin d'enfants. Elle habitait à cinquante mètres de chez moi quand nous étions petites.

— Waouh ! Peu de gens peuvent s'enorgueillir d'avoir entretenu une aussi longue amitié.

— Elle a épousé un garçon de Twin Falls, Dave. Ils étaient

sortis quelque temps ensemble au lycée, puis s'étaient séparés, et ils se sont finalement retrouvés à l'université.

— Vraiment ? s'exclama Alix. Quand je pense aux garçons avec qui je suis sortie entre quinze et dix-huit ans, il n'y en a pas un avec qui je souhaiterais m'imaginer aujourd'hui !

Clare, qui pensait justement à l'un de ses anciens petits amis, baissa les yeux. Elle attendit que la pénible gêne qui accompagnait d'ordinaire le souvenir de Gil Harper s'empare d'elle, mais rien ne se produisit. Elle releva la tête en laissant échapper un soupir de soulagement.

— Tout va bien ? J'ai eu l'impression que vous étiez ailleurs pendant un moment.

— Ce doit être l'effet du champagne. Je n'ai pas l'habitude de boire au déjeuner.

— Eh bien, il va falloir vous y habituer. Je peux d'ores et déjà vous prédire de nombreuses occasions de célébrer vos succès.

— Croyez-moi, vendre mes livres me suffirait amplement. Tout ça est magnifique, fit-elle en ébauchant un geste vers le somptueux décor du Plaza, mais ce n'est pas vraiment ma tasse de thé.

— La mienne non plus, à dire vrai, repartit Alix en piquant un cube d'artichaut dans son assiette. Mais que cela ne nous empêche pas d'en profiter tant que la direction régale.

Clare sourit, bien que l'évocation de Twin Falls lui ait ôté un peu de son appétit. Elle essaya de se concentrer sur le bavardage d'Alix, mais son esprit ne cessait de revenir à Gil Harper, l'homme à cause duquel elle avait dû quitter sa ville natale. Après cinq ou six bouchées, elle repoussa son assiette de salade.

— Je viens d'avoir une idée, lança soudain Alix pendant que le serveur débarrassait.

— Dites-moi.

— La tournée de promotion commence dans quinze jours, n'est-ce pas ?

Clare hocha la tête.

— Et vous avez dit que votre amie vivait toujours dans votre ville natale ?

De nouveau, Clare acquiesça tandis qu'une sourde appréhension s'insinuait en elle.

— Que penseriez-vous dans ce cas d'organiser une première séance de dédicace à Twin Falls ? Le symbolisme est parfait : après tout, c'est un livre d'initiation basé sur votre propre vie dans cette ville…

— Librement inspiré, corrigea Clare.

Alix haussa légèrement les épaules.

— Si vous voulez. Mais je ne pense pas que vous trompiez quiconque là-bas en ayant changé quelques noms et modifié quelques faits.

— Peut-être pas, dit Clare en jouant nerveusement avec sa fourchette, mais je n'avais pas l'intention de présenter mon livre comme un ouvrage autobiographique. C'est un roman. Une fiction.

— Aucune importance. C'est l'aspect humain qui m'intéresse dans cette idée. Une jeune femme issue d'une petite ville reculée sort de l'ombre en écrivant un roman inspiré justement de sa vie dans ladite ville, donne des interviews à la presse locale et signe ses livres dans la librairie désuète de son enfance…

— Il n'y a pas de librairie à Twin Falls. En tout cas, il n'y en avait pas autrefois.

— Les choses changent, Clare. Et même s'il n'y en a pas, il existe bien une bibliothèque communale, non ?

— Je ne sais pas si…

Clare hésita. Alix et elle avaient des rapports cordiaux, mais elles n'étaient pas à proprement parler des amies. Comment pouvait-elle lui faire part de sa répugnance à l'idée de retourner à Twin Falls sans tout lui raconter des événements qui avaient bouleversé la vie de tant de gens dix-sept ans plus tôt ?

— Oui ? Quoi ?

— Hum ?

— Vous aviez commencé à dire quelque chose…

— C'est seulement que… je ne suis pas sûre de vouloir devenir marraine. C'est un réel engagement.

C'était une piètre objection, même à ses propres oreilles, et Alix ne manqua pas de paraître surprise.

— Mais… ne s'agit-il pas de votre meilleure amie ?

Le serveur qui apportait le plat principal arriva à point nommé, donnant à Clare le temps d'élaborer une explication qui ne la classerait pas à jamais dans la catégorie des êtres totalement insensibles.

— Pour dire la vérité, répondit-elle quand le serveur se fut éloigné, je crois que j'éprouve de l'appréhension à l'idée de rencontrer certaines personnes. Vous savez, des gens qui pourraient se sentir offensés par le livre.

— C'est une fiction, Clare.

Clare se sentit agacée par l'obstination d'Alix. Vite, que le déjeuner se termine ! Aussi plaisamment que possible, bien sûr.

— Je vais y réfléchir, concéda-t-elle en fixant son attention sur ses tagliatelles.

Après un bref silence, Alix prit elle-même sa fourchette en disant :

— Il faudrait que j'en parle au service marketing de toute façon, mais pensez-y.

Deux semaines plus tard, Clare voyait ses craintes se réaliser. En sortant de New York dans sa voiture de location, elle continuait à se demander par quel tour du destin elle se retrouvait jetée sur le chemin de son passé.

D'abord, il y avait eu le coup de fil à Laura, que les réserves de Clare n'avaient pas trompée. « Ne prétexte pas l'éloignement pour te défiler, Clare, quand nous savons très bien toutes les deux ce qui te retient », avait dit Laura. Et quand Clare avait protesté, Laura avait simplement remarqué qu'il était grand temps de tirer un trait sur le passé. « Affronte tout ça une bonne fois et tu en seras débarrassée à jamais. Tout le monde parle de ton livre, ici, et puis, ce n'est que pour quelques jours, n'est-ce pas ? Nous serions si heureux de te revoir ! »

Le sentiment de culpabilité qu'éprouvait Clare avait fini par l'emporter. Laura et Dave étaient les seuls amis qui lui restaient à Twin Falls et elle ne voulait pas les perdre. De menus ajustements avaient suffi à faire coïncider le baptême et le début de sa tournée de promotion, et Clare n'avait plus aucune raison crédible de refuser — à moins de s'inventer une maladie grave, ou de passer pour folle.

Et finalement, une fois sur l'autoroute, Clare se surprit à apprécier l'excursion. On était à la mi-octobre, et la journée était parfaite. Le ciel était bleu vif, le soleil brillait, et l'air avait cette transparence, cette fraîcheur piquante caractéristique d'un bel automne. A mesure qu'elle s'approchait du Connecticut, le paysage changeait, s'animait de larges aplats colorés, vert doux des collines, vert foncé des forêts de pins, marron jaune des champs moissonnés ; de vrais paysages de cartes postales.

Elle était partie tôt, espérant arriver à destination un peu avant l'heure du dîner. Le baptême avait lieu le dimanche matin, et sa séance de signatures le samedi — ô surprise ! à la librairie de la ville, Novel Idea —, ce qui lui laissait la soirée du vendredi et celle du lendemain pour profiter de ses amis, la seconde étape de sa tournée étant prévue pour le lundi, à Hartford, à peine à une heure de route.

Il y avait eu un petit désaccord quant à l'endroit où Clare logerait, mais Laura avait finalement accepté qu'elle prenne une chambre d'hôtel puisque la maison d'édition payait la note.

— C'est probablement mieux ainsi, avait dit Laura en poussant un énorme soupir. Autant que tu réussisses à dormir !

— Comment se porte Emma ?

— Oh, à merveille ! C'est Dave et moi qui avons l'air de deux zombies.

Clare avait compati comme il se devait, puis elle s'était rappelé qu'elle ne savait pas encore qui était le parrain.

Lorsqu'elle avait posé la question, Laura n'avait pas répondu immédiatement, puis elle avait grommelé quelque chose au sujet de Dave.

— Dave ?

— Nous avons pensé qu'il était juste, si je choisissais la marraine, que Dave choisisse le parrain. Mais tu connais Dave…

— Il a toujours du mal à prendre une décision ?

— Ne m'en parle pas.

Elles avaient ri et, pendant un moment, Clare s'était senti transportée à l'époque où Laura et elle échangeaient rires et confidences. Lorsqu'elle avait raccroché, elle avait réalisé qu'il y avait longtemps, sans doute aussi à cause de l'isolement nécessaire à l'écriture, qu'elle n'avait pas partagé un bon fou rire avec quelqu'un.

Clare mit un CD de Tori Amos dans l'autoradio et se laissa porter par la musique. Elle avait passé les quinze jours précédents à s'angoisser en envisageant sa visite à Twin Falls, essayant tant bien que mal de se rassurer. Gil Harper avait quitté Twin Falls depuis aussi longtemps qu'elle, s'était-elle répété, et il était extrêmement peu probable qu'elle tombe nez à nez avec lui au magasin du coin.

La musique l'aida à ne penser à rien jusqu'à ce que se dessinent, au loin, les images familières du château d'eau ventru en surplomb des grands arbres, de la flèche de l'église catholique, et du clocher du temple méthodiste de l'autre côté de la rivière qui divisait la ville. Clare relâcha l'accélérateur. Elle pouvait soit rester sur la route à quatre voies, soit emprunter la route à lacets qui offrait un magnifique panorama sur la ville et conduisait directement au centre du bourg. Impulsivement, elle choisit cette deuxième solution et bifurqua sur la route secondaire.

Elle ralentit au sommet de la colline et rangea la voiture sur le bas-côté. Twin Falls s'étendait dans la vallée au-dessous d'elle, de chaque côté de la rivière. De ce point de vue, la petite ville paraissait en tout point semblable à celle qu'elle avait quittée dix-sept ans plus tôt.

Tentée de faire demi-tour et de reprendre incontinent le chemin de New York, Clare s'obligea à se concentrer sur les raisons de son retour : elle venait voir sa meilleure amie et découvrir la première-née de celle-ci. Elle ne *retournait* pas à Twin Falls, elle allait de l'avant en allant accueillir la nouvelle génération. Enclenchant la première, elle redémarra et entama la longue descente qui ne s'achevait qu'au stop au bas de la colline.

A sa grande surprise, l'intersection avait été réaménagée. Il y avait bien un stop, mais aussi une nouvelle voie qui semblait conduire… mais oui… à un groupe de maisons. Incroyable. Un nouveau lotissement à Twin Falls. Hésitant entre l'amusement et la consternation, Clare continua sa route, tournant instinctivement la tête vers les chutes qui avaient donné leur nom à la ville.

Les cours d'eau jumeaux n'étaient pas assez importants ni leurs chutes assez remarquables pour que leur réputation dépasse les limites du comté, mais les huit mètres de dénivelé étaient suffisamment impressionnants pour attirer les casse-cou de la région, et on avait déploré par le passé de tragiques accidents. Clare remarqua que le garde-corps de bois d'autrefois avait été remplacé par une rambarde métallique.

Des feux de circulation avaient été installés à la sortie du pont. Tandis qu'elle attendait que le feu passe au vert, elle s'étonna de la longueur de la file de voitures qui patientaient de l'autre côté. De toute évidence, la population avait augmenté.

Clare s'était attendue à trouver quelques changements, mais l'essor de la ville n'avait pas été du nombre. Et elle n'était pas au bout de ses surprises. Deux grandes enseignes avaient ouvert des magasins dans la rue principale et plusieurs boutiques aux vitrines éclatantes avaient dû réjouir le cœur de bien des adolescents lors de leur implantation. Clare et ses amies devaient autrefois supplier leurs parents de les emmener à Hartford.

Parvenue à l'extrémité de Main Street, elle tourna vers le quartier plus ancien, et résidentiel, où vivaient désormais Laura et Dave. Adolescente, Clare avait souvent parcouru ces rues, se demandant quels secrets abritaient leurs hautes bâtisses victoriennes. Posées en retrait sur des pelouses impeccables, les élégantes vérandas et les larges portes aux vitres biseautées étaient le symbole d'une époque et d'une classe sociale fort éloignées de Clare et de son cercle d'amis.

Le quartier, connu sous le nom de Riverside Park, avait été construit par les fondateurs de la ville qui avaient utilisé leurs talents de pionniers pour monter des affaires commerciales, activité qui, petit à petit, était devenue l'essentiel de l'économie du comté. Après la seconde guerre, la population du quartier s'était accrue, avec le retour des fils et des filles, et les jeunes familles avaient adopté un style de vie plus simple.

Les parents de Clare et ceux de Laura faisaient partie de ceux qui avaient acheté ces petits pavillons construits après la guerre sur les extérieurs de la ville, à proximité des grandes routes qui menaient à des villes plus importantes où l'on trouvait du travail. Ces maisons neuves avaient dû paraître, à l'époque, aussi insolites aux habitants de Riverside Park que le lotissement que Clare avait remarqué à l'entrée de la ville.

Etrange, songeait-elle, pendant qu'à quinze ans elle fantasmait sur les majestueuses maisons, Laura se jurait de quitter Twin Falls dès qu'elle le pourrait, et pourtant c'était elle qui y avait emménagé. Mais Clare ne pouvait pas se plaindre ; somme toute, c'étaient ces mêmes rêves qui lui avaient inspiré ses livres.

La taille des bâtisses diminuait légèrement à mesure que l'on s'éloignait du cœur du quartier. Clare ralentit, guettant les plaques de rues, et s'engagea enfin dans Elmwood Street. Laura et Dave vivaient au numéro 58. Il y avait une place juste devant. Clare se gara, coupa le moteur et resta un instant assise au volant, à observer la façade.

C'était une maison en pierre à un étage, pourvue d'une véranda, de dimensions certes plus modestes que celles qu'elle venait de dépasser, mais d'aspect néanmoins cossu. Ses boiseries extérieures étaient peintes en gris pâle, ainsi que le treillis de la véranda sur lequel grimpait un rosier ancien. Devant la maison s'étendait une pelouse bien nette, plantée de quelques massifs à feuillages persistants.

Clare leva les yeux vers le bow-window éclairé, puis elle inspira profondément et ouvrit sa portière. Il n'y avait plus moyen de reculer.

La porte d'entrée de la maison s'ouvrit à la volée avant même qu'elle ait eu le temps d'arriver au bas des marches du perron et Laura se précipita sur elle pour l'embrasser. Elles s'écartèrent ensuite et se dévisagèrent en souriant.

— Tu es splendide ! s'exclama Clare. On ne dirait jamais que tu viens d'avoir un bébé. Tu t'es fait faire un balayage ? ajouta-t-elle en considérant les cheveux blonds, coupés au carré, de son amie.

— Oui, tu aimes ? fit Laura en tournant la tête pour faire admirer ses reflets.

— J'adore ! Tu es vraiment superbe !

— Je sais que tu dis ça parce que tu es mon amie, mais merci quand même, dit Laura en souriant. Tu n'imagines pas les tonnes d'anti-cernes que j'ai déjà utilisées ! Mais regarde-toi ! Tu n'auras jamais besoin de rehausser ta couleur, toi ! Tu les a coupés depuis la dernière fois que je t'ai vue, j'aime bien.

— Il y a déjà un moment, mais nous ne nous sommes pas vues depuis si longtemps.

— Trop longtemps. Viens. Dave est en train de déboucher une bouteille de vin. Je vais même peut-être pouvoir avaler quelque chose avant la prochaine tétée.

— Tu n'as plus de problèmes de ce côté maintenant ?

— Non, ça va bien. C'est étrange tout de même, que quelque chose d'aussi naturel que l'allaitement soit si difficile au début.

— J'étais sûre que tu y arriverais, dit simplement Clare qui connaissait la persévérance de Laura.

Dave les accueillit dans l'entrée.

— Félicitations, Clare, dit-il en l'embrassant. Enfin nous connaissons une célébrité !

Elle se sentit rougir et ils rirent tous les trois. Adolescentes, Laura et elle s'étaient amusées à prédire qui, parmi leurs amis, serait assez « riche et célèbre » plus tard pour quitter Twin Falls.

— J'aime bien cette petite barbe, dit Clare en effleurant le menton de Dave.

— Laura déteste, mais merci, dit-il en lançant un regard mi-satisfait, mi-réprobateur à sa femme.

Clare tourna la tête vers elle. Laura, visiblement mal à l'aise, détourna les yeux. Il y eut un moment de flottement, puis Laura demanda :

— Tu as peut-être envie de te rafraîchir ? Tu as dû avoir chaud en voiture.

— Non, merci. J'ai fait une petite pause quelques kilomètres avant la sortie de l'autoroute, répondit-elle en suivant Laura dans la vaste salle de séjour. Oh, comme cette pièce est sympathique ! Tu as fait un travail remarquable, Laura.

— Assieds-toi là, c'est le fauteuil le plus confortable, dit Laura, désignant un fauteuil recouvert de chintz fleuri, elle-même s'asseyant sur l'accoudoir du canapé.

— Est-ce que tout va bien entre Dave et toi ? demanda Clare dès qu'elle fut assise.

— Oh oui, il n'y a pas de quoi s'inquiéter, la rassura Laura. Tension classique entre mari et femme après le premier enfant, dit-on.

— J'aurais plutôt pensé qu'un enfant vous soudait.

— C'est le cas. Mais il y a la fatigue et d'autres problèmes, Dave n'est pas satisfait de son travail, et puis nous sommes un peu juste financièrement depuis que j'ai décidé de rester à la maison pendant quelques mois pour Emma.

— Tes parents vous aident ?

— Mon père est en retraite maintenant, alors…

— Comment vont-ils ?

— Bien. Ils ont vendu leur maison l'an dernier et ont emménagé dans un appartement neuf à la lisière de la ville.

— C'est incroyable ce que Twin Falls a changé.

— Tu as remarqué le nouveau lotissement en arrivant ?

— Oui ! Et la circulation m'a sidérée.

— Twin Falls est en train de devenir une de ces communes satellites dont on parle tant aujourd'hui. Les gens travaillent à Hartford, mais ils préfèrent vivre dans un environnement rural. Un environnement rural ! répéta-t-elle en s'esclaffant. Tu te souviens comme nous nous moquions autrefois des enfants d'agriculteurs qui venaient à l'école en car ?

Laura jeta un coup d'œil vers la porte.

— Dave doit surveiller le repas, dit-elle avant de se pencher vers Clare. Ton livre est formidable, Clare. Je l'ai presque terminé. Mais il faut que je te dise, tout le monde en parle en ville. Tu sais…, ajouta-t-elle d'un air entendu.

— Je sais quoi ?

— Allons, Clare, ne fais pas l'innocente. Il n'est pas difficile de se rendre compte que tu parles de Twin Falls. Hormis les paysages et les noms, tout est là.

— Certains éléments du roman s'en inspirent, je n'en fais pas un secret, dit Clare en tournant la tête vers la porte, espérant voir arriver Dave.

— Comment as-tu trouvé le cran ? Quand vous êtes parties, ta mère et toi, tu avais juré de tirer un trait définitif sur tout ça.

— Nous savons toutes les deux que personne ne peut réellement oublier ce qui s'est passé, Laura.

— Moi, j'ai oublié. Autrement, je n'aurais jamais pu vivre ici.

— Je m'étais posé la question, mais il est vrai que tu n'étais pas aussi impliquée…

Clare s'interrompit, Dave venait d'apparaître dans l'embrasure de la porte, chargé d'un plateau, et, à son grand soulagement, Laura laissa tomber le sujet. Ils burent un verre de vin et bavardèrent de choses et d'autres jusqu'au dîner.

Un moment plus tard, Clare, assise à table, observait ses amis aller et venir entre le séjour et la cuisine, réalisant qu'elle n'avait jamais vu Laura évoluer dans un tel contexte. Après le lycée, elles étaient allées dans des universités différentes et ne s'étaient plus guère vues, bien qu'elles se soient téléphoné ou écrit assez régulièrement. Il y avait eu une époque où imaginer sa meilleure amie en train de surveiller la cuisson d'un rosbif l'aurait fait mourir de rire. Et aujourd'hui, à cette étonnante image domestique, s'ajoutait toute la dimension de sa maternité.

Clare eut soudain le sentiment d'avoir été laissée en arrière. Certes, elle avait d'autres amies qui s'étaient mariées et avaient eu des enfants, mais aucune parmi elles n'avait partagé son enfance et son adolescence.

Clare était heureuse pour Laura, seulement la scène familiale qui se jouait sous yeux faisait paraître sa propre vie terriblement morne. Aucun homme en particulier dans son quotidien, encore moins un futur mari. Quant à avoir un bébé… Plus tard, peut-être. Sans doute sa vie aurait-elle été différente si Gil et elle ne s'étaient pas séparés… Cette pensée jaillie de nulle part la fit se sentir encore plus mal.

— Dave, tu peux apporter les légumes ? lança Laura à son mari depuis la porte du séjour.

Clare accrocha un joyeux sourire sur ses lèvres et demanda :

— Tu es sûre que je ne peux rien faire ?

— Merci, ma belle, mais tout est prêt. Rien d'extravagant ce soir. Demain, en revanche, nous avons réservé une table dans le nouveau lieu branché de la ville !

— Tu veux dire qu'il y a un autre endroit chic pour dîner que Les Chutes, à Twin Falls ?

— Dieu merci, répondit Laura en souriant, Twin Falls peut maintenant se flatter d'avoir un restaurant trois étoiles. Il s'appelle Heureux Hasard, c'est amusant, non ? et la nourriture y est délicieuse.

— J'espère que vous me laisserez vous inviter.

— Nous en reparlerons plus tard, dit Laura en s'asseyant en face d'elle.

Dave arriva de la cuisine avec le plat de légumes et commença à couper la viande.

Clare se sentit transportée au temps de son adolescence. Enfant unique, elle avait été très affectée par la séparation, puis le divorce de ses parents, mais son amitié avec Laura et la gentillesse des Dundas, qui l'invitaient souvent à dîner en famille avec eux le dimanche soir, l'avaient préservée d'une douloureuse solitude.

Pendant le repas, Laura et Dave lui firent part des changements qui s'étaient produits à Twin Falls durant les deux années précédentes et Clare leur conta l'aventure de son dernier livre et de son prodigieux succès. Dave était en train de préparer le café dans la cuisine quand elle demanda :

— Est-ce que Dave s'est finalement décidé pour le choix du parrain ?

Laura tarda à répondre. Puis elle fonça les sourcils, la tête légèrement de côté.

— Je crois que j'entends Emma.

— J'ai entendu Emma à l'Interphone, lança Dave au même moment.

Laura bondit sur ses pieds instantanément.

21

— Je reviens dès que je l'ai changée et nourrie, promit-elle. Et je t'interdis de faire la vaisselle ! Ce soir, en tout cas, ajouta-t-elle avant de s'éclipser.

Clare attendit quelques secondes, puis se leva et entreprit de débarrasser la table.

Dave et elle avaient déjà rejoint le salon, emportant avec eux le plateau à café, lorsque Laura revint avec le bébé, qu'elle tint triomphalement devant Clare en annonçant :

— Clare, je te présente Emma, ta filleule !

— Oh, elle est si mignonne ! s'exclama Clare. Et je parie qu'elle sera blonde comme sa maman.

— On le dirait, oui. Dave était plus clair qu'aujourd'hui quand il était petit, et même si je triche un peu, j'ai tout de même une base naturelle blond cendré. Tu veux la tenir ?

— Euh…

— Allons, n'aie pas peur. Arrondis tes bras, je vais te montrer.

Clare s'appuya contre le dossier. Elle ne tenait pas plus que ça à tenir le bébé dans ses bras, mais se doutait qu'un tel sentiment aurait été malvenu de la part d'une marraine. Paradoxalement, la petite chose enveloppée dans une couverture vaporeuse lui parut moins fragile lorsque son poids reposa sur son bras, et ses yeux bleu foncé la fixaient avec une intensité qu'elle n'aurait pas soupçonnée chez un nouveau-né.

— C'est agréable, hein ? fit Laura.

— Elle est toute chaude. Et elle sent le bébé. Mmm… c'est agréable, conclut-elle en relevant la tête.

Elle souriait, mais elle était déjà toute prête à rendre l'enfant à sa mère ; ce qu'elle fit quand Emma sourit à Laura qui se penchait sur elle. Puis Clare se souvint de la question qu'elle avait posée un peu plus tôt et qui n'avait toujours pas reçu de réponse.

— Alors Dave, qui as-tu choisi comme parrain ?

Dave et Laura échangèrent un bref regard.

— C'est toute une histoire, commença Dave. En fait, j'ai dû renoncer à choisir mon meilleur copain parce qu'il est en Afghanistan en ce moment et il ne rentrera pas de sitôt, et je m'apprêtais à demander à Cal Rubens, tu te souviens de lui ?

— Oui.

— Il était dans la classe juste au-dessus de la mienne au lycée. Il gère un magasin de produits diététiques maintenant, ici, à Twin Falls. J'étais sorti tôt du travail exprès aujourd'hui pour lui faire ma proposition quand je suis tombé sur quelqu'un que je n'avais pas vu depuis longtemps.

Il se pencha vers elle avant de poursuivre.

— Je veux que tu saches que ça a été une décision totalement impulsive, Clare. Rien de prémédité dans ce choix. Tu sais que je ne suis pas aussi organisé et prévoyant que Laura, n'est-ce pas ?

— Tu me fais languir. Qui est-ce ? Est-ce qu'il dîne avec nous demain soir ?

— Je l'ai invité, mais il ne savait pas s'il serait libre. Il a dit que… qu'il ferait peut-être un saut ici ce soir.

— Et c'est… ? répéta Clare, tout en se disant que Dave n'était décidément pas un garçon qui allait droit au but.

La sonnette retentit à cet instant, faisant hurler Emma et bondir son père qui se dirigea vers la porte d'entrée tandis que Laura se mettait à arpenter la pièce en tapotant le dos d'Emma pour la calmer. Clare perçut un échange de voix masculines dans l'entrée.

Presque aussitôt, Dave revint dans la pièce, une expression angoissée sur le visage. Derrière lui se tenait la dernière personne au monde que Clare aurait désiré voir à Twin Falls.

2.

Le même, et cependant différent. Voilà ce que fut la première impression de Clare lorsqu'elle vit Gil Harper.

Dix-sept ans auparavant, il avait atteint sa taille adulte et flirtait déjà avec le mètre quatre-vingt-dix, mais il avait dix-huit ans alors, et il paraissait dégingandé dans ses jeans élimés et ses sweat-shirts amples. Le Gil d'aujourd'hui, avec ses larges épaules, son jean repassé et sa veste de cuir, aurait pu faire la couverture de *Gentlemen* en qualité d'homme de l'année.

Ses yeux gris restèrent posés un moment sur Clare avant de se tourner vers Laura qui se tenait debout, sur sa gauche. Il murmura un bonjour et pencha la tête vers le bébé.

— Voilà la précieuse petite Emma, je présume.

Il sourit à l'enfant, mais son attention se reporta aussitôt sur Clare qui se leva de son fauteuil.

— Bonjour, Gil.

— Clare, répondit-il en faisant un léger signe de tête. Tu as changé. Comme nous, du reste. Tes cheveux sont plus courts.

— Il y a longtemps, fit-elle en se demandant si sa voix résonnait aussi étrangement aux oreilles des autres qu'aux siennes.

— Je te sers un brandy, Gil ? Clare ? proposa Dave.

— Euh... je ne peux pas rester très longtemps, dit Gil.

— J'en veux bien un, accepta Clare. Un grand.

— Un verre de lait pour moi, dit Laura. Tu as sûrement le temps de boire un verre avec nous, Gil. Il faut que nous réglions les détails à propos de dimanche.

— O.K.

— Assieds-toi, dit Dave en désignant le canapé près du fauteuil dans lequel Clare était assise un instant plus tôt. J'imagine que Clare et toi avez quantité de choses à vous raconter. Laura, tu veux bien m'aider dans la cuisine ?

Laura comprit et sortit de la pièce à la suite de son mari, emportant Emma. Clare resta debout un moment, jusqu'à ce qu'elle réalise pleinement qu'elle ne s'était pas endormie après le dîner pour se réveiller au milieu d'un mauvais rêve, que la vision de Gil n'allait pas se dissiper soudainement même si elle le désirait très fort, puis elle se rassit, mais sur le bout des fesses, prête à se relever pour fuir, au besoin.

Elle le regarda du coin de l'œil hésiter, puis s'asseoir avec raideur, et en déduisit qu'il était aussi mal à l'aise qu'elle-même.

— Je devine que tu es aussi surpris que moi, remarqua-t-elle.

— En effet. Il se trouve que j'ai rencontré Dave dans Main Street à 14 heures cet après-midi et qu'il m'a demandé d'être le parrain de sa fille.

— Dave n'a pas changé.

— Apparemment.

Il se tourna vers elle et ajouta :

— Félicitations pour ton nouveau livre.

— Merci.

— Je viens de le terminer. Très… prenant.

— Tu l'as acheté ?

— Bien sûr. J'avais déjà ton premier, *Frankie et Moi*. Je l'ai beaucoup aimé. Tu as toujours eu un talent particulier pour écrire.

— Mlle Stuart n'y est pas étrangère. C'est sûrement elle qui m'en a donné le goût.

Il sourit pour la première fois.

— Oui. Je me demande si elle enseigne toujours.

— Je ne sais pas.

Clare aurait aimé que Laura et Dave reviennent afin qu'ils parlent du baptême, après quoi elle pourrait s'éclipser.

— J'espère que tu comprends que je ne me doutais absolument pas de ta présence à Twin Falls, continua-t-il. Moi-même, je ne suis venu que pour quelques jours, le temps de débarrasser la maison de mon père.

— Il s'est installé dans une maison de retraite ?

— Non, euh… Il est décédé il y a trois semaines. Une rupture d'anévrisme.

— Oh, je suis vraiment désolée, Gil. Et ta mère ?

— Une crise cardiaque, voilà cinq ans. Et toi, comment vont tes parents ?

— Maman vit dans le New Jersey avec son second mari et papa est toujours en Californie avec sa deuxième, ou peut-être troisième épouse, je ne sais plus.

— Ainsi ta mère s'est remariée ? C'est bien.

Clare se rappelait le jour où, quatre ans auparavant, sa mère lui avait annoncé son prochain mariage avec un homme qu'elle avait rencontré un an plus tôt. La nouvelle l'avait surprise et, dans un premier temps, elle avait essayé de convaincre sa mère de se contenter de vivre avec cet homme. « Je suis de la vieille école, Clare, avait dit sa mère. Plus que jamais j'ai besoin d'un compagnon dans ma vie, et puis, vois-tu, j'aime Hank. »

L'amour. C'était une chose d'en parler, ou d'en faire des romans, mais le vivre était autre chose. Clare glissa un coup d'œil vers celui qu'elle avait cru aimer un jour. Ses mains, autrefois si familières, reposaient sur ses genoux. Il ne portait pas d'alliance.

Comme s'il avait lu dans ses pensées, il demanda tout à coup :

— Et toi, Clare ? Tu es mariée ? Ou fiancée ?

— Non, répondit-elle en rougissant.

Il hocha silencieusement la tête et leur semblant de conversation tarit. Clare était sur le point de s'excuser pour disparaître dans la cuisine à la recherche de Laura quand Dave revint portant un plateau chargé de verres.

— Désolé d'avoir été aussi long. Laura a voulu recoucher Emma. Elle nous rejoint dans une minute.

Il passa leur verre d'alcool à Gil et à Clare, en prit un pour lui-même et s'assit dans la bergère qui se trouvait en face d'eux.

— Trinquons ! Aux vieux amis !

Clare et Gil levèrent leur verre, mais ni l'un ni l'autre ne répétèrent le toast de Dave, lequel s'éclaircit la gorge avant de s'enquérir :

— A quelle heure a lieu ta séance de signatures demain, Clare ?

— 10 heures.

— Tu dédicaces tes livres ? Où ça ? demanda Gil.

— Il y a une nouvelle librairie en ville, du moins nouvelle pour moi.

— Novel Idea a ouvert il y a deux ans environ, dans Spruce Street.

— Il faudra que je fasse un saut, dit Gil.

Il ne manquait plus que ça, pensa Clare.

— Je ne sais pas si nous pourrons y aller, dit Dave. Il reste encore pas mal de petites choses à régler pour le déjeuner de dimanche. Ah, en parlant du baptême, ce sera au temple, à 11 heures. Il y aura probablement du monde car il y a deux baptêmes, mais vous avez des places réservées dans les premiers bancs. Rassurez-vous, tout ce que vous aurez à faire, c'est de suivre les instructions du pasteur. L'un de vous deux tiendra Emma pendant la bénédiction. Ensuite, un buffet est prévu à la maison pour rassembler la famille et les amis. Nous ne serons pas trop nombreux.

— Eh bien, c'est parfait, déclara Gil en se levant.

Il posa son verre vide sur la table basse, s'apprêtant à prendre congé.

— Tu pars déjà ? s'étonna Dave.

— Il le faut. J'ai encore des cartons à faire avant le passage de la société de nettoyage demain.

— Nous espérions que tu te joindrais à nous demain soir. J'ai réservé une table pour quatre au nouveau restaurant de Twin Falls. Nous passerons un bon moment, comme autrefois.

Clare se raidit, espérant que Gil allait décliner l'invitation.

— Je ne sais pas, Dave. Je ne crois pas que je devrais.

— Tu ne devrais pas quoi ? demanda Laura en entrant dans la pièce.

Elle s'approcha de la table basse et prit son verre de lait sur le plateau.

— Tu ne nous quittes pas déjà, Gil ?

— J'ai encore beaucoup à faire, Laura. Les gens de la société d'entretien viennent demain après-midi, et je n'ai pas fini de trier les affaires de mon père.

— Mais tu seras des nôtres demain soir, n'est-ce pas ? Tout est arrangé.

Après un long silence, Gil capitula.

— Bien sûr, je viendrai.

Clare laissa échapper un soupir. Rien n'arrêtait Laura lorsqu'elle avait décidé quelque chose. Elle but la dernière gorgée de son brandy et se leva à son tour.

— Clare, tu ne vas pas partir, toi aussi ! protesta Laura.

— Je suis sûre que Dave et toi avez bien mérité une bonne nuit de sommeil. Je suis fatiguée aussi, et je dois me lever tôt.

— Où as-tu dit que tu descendais ? Tu ne veux pas venir prendre le petit déjeuner avec nous ?

La propension que Laura avait à tout organiser pour les autres fit sourire Clare.

— Je suis au Falls View Hotel. Merci pour ton offre, Laura, mais je crois que tu as déjà suffisamment à faire, répondit-elle en se dirigeant vers l'entrée où elle ramassa son sac et sa veste.

— Tu es en voiture ? s'enquit Gil en l'aidant à enfiler sa veste.

— Oui. J'ai loué une voiture à New York.

— Ça t'ennuierait de me déposer ? J'avais une course à faire en ville en fin d'après-midi et je suis venu jusqu'ici à pied, histoire de me dégourdir les jambes. Je pourrais appeler un taxi, mais…

Clare hésitait. Ils la regardaient tous les trois et elle ne parvenait pas à trouver une bonne raison pour refuser.

— Bien sûr, murmura-t-elle.

Elle embrassa Dave et Laura et leur souhaita bonne nuit.

— Tu es sûre que tout va bien ? lui souffla Laura à l'oreille. Dave peut reconduire Gil si tu veux.

— Non, ça va. J'aurais seulement préféré savoir que Gil était le parrain, répondit-elle à voix basse tandis que Dave raccompagnait Gil au bas des marches devant la maison.

— Je suis désolée, Clare. Je ne l'ai appris moi-même que cet après-midi. Tu crois que ça ira ? Ou veux-tu que j'essaie de voir avec Dave s'il peut nous sortir de cet embarras ? Après tout, c'est lui le fautif.

Clare devinait que Gil serait soulagé de se voir relevé de son engagement, mais cela n'en serait pas moins gênant pour tout le monde, et en particulier pour Dave.

— Non, ne t'inquiète pas. Nous sommes deux adultes maintenant, dit-elle en franchissant le seuil.

Les deux hommes se retournèrent lorsqu'elle descendit les marches. Elle se dirigea droit sur sa voiture et entendit Gil lui emboîter le pas dans l'allée. Il ne parla pas avant qu'ils aient tous les deux bouclé leur ceinture et qu'elle ait mis le moteur en route.

— J'espère que cela ne te dérange pas, dit-il alors.

— Non, marmonna-t-elle tout en songeant : « C'est maintenant qu'il se pose la question. »

Elle démarra, jetant un coup d'œil à Laura et Dave qui leur faisaient au revoir de la main depuis le porche. Le profil de Gil qui regardait droit devant lui s'inscrivit en surimpression. Tout en angles saillants, de son nez légèrement aquilin jusqu'à sa mâchoire volontaire, plus carrée encore que dans son souvenir.

Il avait toujours eu cet air fermé, ténébreux, et les années n'avaient fait que l'accentuer. Ses longs doigts pianotaient nerveusement sur ses genoux, et l'espace d'un instant, Clare se souvint de ses mêmes doigts caressant lentement la face interne de son bras, parce qu'il la savait chatouilleuse à cet endroit et qu'il aimait l'entendre le supplier d'arrêter.

Elle eut froid tout à coup et tourna le bouton du chauffage, tentée d'allumer aussi la radio pour rompre le silence qui s'installait. Puis Gil grommela quelque chose à propos du temps, et elle fut à la fois soulagée de ne pas avoir à faire l'effort de chercher ce qu'elle pourrait bien dire, et attristée de constater qu'ils en étaient réduits à ce genre de banalités.

Lorsqu'elle freina au premier stop, Gil demanda :

— Tu te souviens du chemin ?

— Oh, oui.

Le silence retomba.

— Est-ce que tu comptes rester longtemps ?

— Jusqu'à lundi. J'ai une après-midi de dédicaces à Hartford.

— Tu as eu des réactions de gens d'ici au sujet de ton livre ?

— Seulement celles de Laura et Dave. Je n'ai gardé le contact avec personne d'autre.

— Moi non plus.

Ils avaient atteint le quartier où Laura, Gil et elle avaient grandi. La maison de Gil était située à sa lisière, juste avant le panneau « Merci de votre visite. A bientôt », à l'endroit où la route s'incurvait pour rejoindre la bretelle d'autoroute. Mais lorsque Clare tourna à l'angle de Glendale Road, s'attendant à voir la rangée familière de petites maisons, elle poussa un cri de surprise. A peine six d'entre elles restaient debout, dont celle des parents de Gil, tout au bout de la rue étroite.

— Surprise ?

— Abasourdie.

Elle se tourna vers lui.

— Je crois que je m'attendais à ce que rien n'ait changé.

— Malheureusement, Twin Falls n'a pas échappé à l'évolution générale. C'est devenu une sorte de banlieue de Hartford, dit Gil en regardant la maison de son enfance. Je ne pense pas avoir la moindre difficulté à la vendre.

— Tu le regrettes ? demanda-t-elle, frappée par l'amertume de sa voix.

— Pas vraiment. Mais cette maison est le dernier lien qui me rattache encore à Twin Falls. Une fois que je ne l'aurai plus…

Il n'acheva pas sa phrase. C'était inutile, Clare comprenait ce qu'il voulait dire. Elle remarqua doucement :

— C'est sûrement mieux pour toi, non ?

— Tu crois ?

Son expression était impénétrable. Clare soutint son regard quelques secondes avant de reporter son attention sur sa conduite. Elle n'en était pas tout à fait certaine, mais elle le suspectait de tenter d'orienter la conversation vers un terrain instable et décida de ne pas répondre. Le silence dans l'habitacle devint si palpable qu'elle éprouva le besoin de descendre sa vitre. Elle rangea la voiture le long du trottoir.

— Où habites-tu à New York ? s'enquit-il soudain.

— A Chelsea.

— Oh ? Beau quartier.

— Oui.

Gil ne semblait pas pressé de descendre de l'auto.

— Et toi ? Tu vis où maintenant ?

— New York.

— A New York même ?

Leurs yeux se rencontrèrent.

— Oui.

Clare détourna la tête. Elle ne parvenait pas à croire que l'homme qu'elle avait essayé d'oublier toutes ces années vivait tout près d'elle. Comme quelques millions d'autres personnes, certes, mais tout de même. Quels pervers caprices du destin les avaient conduits à s'installer dans la même ville ?

— J'ai un appartement dans l'East Side, poursuivit-il.

— Il y a longtemps que tu y habites ? demanda-t-elle quand elle eut recouvré sa voix.

— Environ cinq ans. J'ai trouvé un travail dans un cabinet juridique de Manhattan deux ans après avoir été admis au barreau.

Elle tourna vivement la tête vers lui.

— Tu es avocat ?

— Oui. Ironique, non ? fit-il avec un demi-sourire avant d'ouvrir sa portière et de projeter ses longues jambes au-dehors. Merci de m'avoir ramené, Clare. A demain.

Il sortit et referma la porte sans un regard en arrière. Clare resta immobile jusqu'à ce qu'il ait disparu à l'intérieur de la petite maison. Comme c'était étrange, songeait-elle, Gil Harper, qu'on avait un jour suspecté d'avoir assassiné son ex-petite amie, était devenu avocat…

— Café ?

Clare leva la tête du livre qu'elle était en train de signer. Un des employés de la librairie se tenait debout à gauche de la table, attendant sa réponse.

— Oui, volontiers. Un grand, s'il vous plaît.

L'employé disparut parmi les gens qui s'agglutinaient autour de la table. Clare sourit à la dame entre deux âges qui attendait en face d'elle et lui tendit son livre.

— Merci infiniment, dit la dame. Je l'ai acheté pour l'offrir à ma fille. Je veux lui montrer que cette ville recèle des trésors cachés ;

nous venons d'emménager — nous habitions Hartford — et elle prétend que Twin Falls est une autre planète.

Clare se dit que la jeune fille était sans doute plus près de la vérité que sa mère ne l'imaginait. D'ailleurs, à ce moment précis, Clare se sentait elle-même étrangère à tout, y compris à elle-même. Il était 11 h 35 et elle n'avait signé qu'une vingtaine de livres, ce qui n'était pas si mal pour une petite ville comme Twin Falls, mais ses doigts étaient raides, elle avait la tête lourde et son estomac gargouillait peu discrètement. Cependant, comment aurait-elle pu se plaindre ? Chaque livre dédicacé contribuait à arrondir le chèque de ses droits d'auteur qui représentaient sa seule ressource maintenant qu'elle avait abandonné l'enseignement pour se consacrer entièrement à l'écriture.

L'employé revint avec un café dans un gobelet en plastique et le posa.

— Vous avez besoin d'autre chose ? demanda-t-il.

— Une autre main droite peut-être.

Le jeune homme sourit et repartit. Clare signa trois autres livres, puis profita que les clients s'étaient raréfiés pour boire quelques gorgées de café et fermer les yeux un instant.

— Tu as l'air fatigué.

Clare ouvrit les yeux en reconnaissant la voix familière. Gil Harper se tenait en face d'elle. Avec son velours noir, son polo gris clair et sa veste de cuir, noire elle aussi, qui soulignaient avantageusement ses cheveux et ses yeux sombres, il attirait le regard de plusieurs femmes alentour. Gil tenait à la main un exemplaire de son livre qu'il lui tendit lorsqu'elle eut reposé sa tasse.

Une signature seule était hors de question bien sûr. Mais que diable pouvait-on écrire dans une telle situation ? Son stylo resta comme suspendu au-dessus de la dédicace imprimée « A mes vieux et à mes nouveaux amis, » puis elle eut une inspiration et écrivit simplement « Gil » au-dessus de la ligne et « Clare » au-dessous.

Lorsqu'elle lui rendit le livre, il considéra la page quelques secondes, releva la tête et dit d'un ton pince-sans-rire :

— Au moins, ce n'est pas « A mes vieux amis et ennemis. »

Clare tenta de sourire, mais les muscles de son visage étaient trop tendus.

— Est-ce que Laura a dit à quelle heure nous sommes censés les retrouver ce soir ? interrogea Dave.

— Ce soir ?

— Pour dîner. Dans ce nouveau restaurant. Je ne me rappelle pas son nom.

— Ah, oui. Au Heureux Hasard. Je crois qu'ils ont réservé pour 18 heures.

Il hocha la tête sans cesser de la dévisager.

— Tu es certaine que cela ne t'ennuie pas ?

— Quoi ? fit-elle feignant de ne pas comprendre.

— Le fait que je me joigne à vous. Tu aurais peut-être préféré être seule avec eux ?

Elle ignora délibérément la perche qu'il lui tendait. Il n'était pas question pour elle de se laisser entraîner à discuter de ce sujet dans un lieu public.

— Je pense que Laura compte sur notre présence à tous les deux.

— Et je suppose qu'on ne peut pas décevoir Laura ?

Un sourire malicieux flottait sur le visage de Gil.

— Exactement, répondit-elle sans pouvoir s'empêcher de répondre à son sourire.

— Eh bien, à ce soir, conclut-il avant de s'éloigner.

Elle le suivit du regard jusqu'à ce que les clients qui affluaient de nouveau le dissimulent à sa vue. Elle se tourna ensuite vers le jeune homme qui attendait patiemment, bloc-notes et stylo en main, de l'autre côté de la table.

— Mademoiselle Morgan ? Je suis Jeff Withers, journaliste au *Spectator*, le journal local. Je me demandais si vous accepteriez de m'accorder une interview ?

— Hum… certainement. Je suis libre dans un quart d'heure.

— Il y a un petit restaurant juste en face. Le Mitzi's. Laissez-moi vous inviter à déjeuner. Je suis sûr que vous en avez assez de boire des cafés.

Clare sourit, sans effort cette fois.

— Avec plaisir. Je vous retrouverai sur place.

En réalité, Clare aurait préféré retrouver le calme et la solitude de sa chambre d'hôtel, mais elle savait que les interviews constituaient une part importante de la promotion. Lorsqu'elle eut signé les livres des derniers clients, elle enfila sa veste, assura le libraire du plaisir qu'elle avait pris à passer un moment dans son magasin et sortit.

Le journaliste était assis dans un box face à la porte d'entrée. Il se leva à son arrivée, un geste de courtoisie qu'elle apprécia, mais qui la fit se sentir de vingt ans plus âgée.

— Le plat du jour est inscrit sur l'ardoise, dit Jeff en désignant le mur sur sa gauche.

— La cuisine doit être bonne, remarqua Clare. L'endroit est bondé.

— Toujours le week-end. Ils servent un excellent brunch.

La serveuse arriva pendant que Clare parcourait la carte, aussi se décida-t-elle rapidement.

— Je prendrai les brochettes d'agneau, s'il vous plaît, avec de la salade à la place des frites.

Jeff Withers prit la même chose et, dès que la serveuse se fut éloignée, posa son carnet et son stylo sur la table.

— Cela ne vous ennuie pas de parler en déjeunant ? Je dois rendre mon article avant 16 heures.

— Pas du tout. Quand paraîtra l'interview ?

— Demain, dans l'édition du dimanche. Pages « Culture et Loisirs ». Si nous commencions ? enchaîna-t-il en ouvrant son bloc-notes. *Grandir au paradis* est donc votre second roman ?

— C'est exact. Le premier, *Frankie et Moi*, est sorti il y a presque trois ans.

— Un tel délai entre deux publications est-il normal ?

Clare sourit patiemment. On lui avait posé cette question à moult reprises.

— Je ne sais pas si l'on peut qualifier quoi que ce soit de normal dans le monde de l'édition, mais je ne pense pas que ce délai soit exceptionnel.

— Et votre nouveau livre fait partie de la liste des best-sellers du *New York Times*, c'est tout ce qui importe, j'imagine ?

Clare hésita un instant. La remarque du journaliste n'était-elle pas à double sens ?

— C'est évidemment une satisfaction de voir son travail reconnu, si c'est ce que vous voulez dire, dit-elle.

— Bien sûr. Je crois savoir que vous êtes née et que vous avez grandi à Twin Falls ?

— En réalité, je suis née à Greenwich, mais j'ai passé mon enfance ici, en effet.

Il fit une pause tandis que le serveur apportait leurs boissons, puis posa un petit magnétophone sur la table.

— Je peux ? demanda-t-il, la main sur le bouton d'enregistrement. Je suis un piètre preneur de notes.

— Pourquoi pas ? Je ne vois pas ce que je pourrais vous dire qui puisse me nuire en retour.

— Pas ici, en tout cas.

Il rit, puis reprit.

— La quatrième de couverture présente votre livre comme un roman d'apprentissage dont l'héroïne est une toute jeune fille qui vit dans une petite ville. S'agit-il de votre propre histoire ?

— Ma propre expérience a nourri mon point de vue, bien entendu, et il existe certaines similarités entre Kenzie, mon personnage principal, et moi, mais l'histoire en elle-même est une fiction.

Jeff hocha la tête pensivement.

— Pourriez-vous définir, en quelques mots, le thème central du livre ?

Clare attendit que le serveur ait posé leurs assiettes devant eux pour répondre :

— Je crois que la clé du livre se trouve dans le titre. Je me suis intéressée à la vision naïve que nous avons souvent des petites villes, pour montrer que leurs apparences de paradis paisible pouvaient dissimuler la même laideur que celle que l'on attribue de coutume aux grandes cités.

— Un peu comme le serpent dans le jardin d'Eden ?

— Oui. Sauf que mon message n'est pas d'ordre spirituel. Je veux simplement dire que le mal et le bien se trouvent partout, même dans un endroit aussi idyllique que Twin Falls.

— Donc, le livre est bien basé sur des faits qui se sont réellement produits à Twin Falls ?

Clare reposa sa fourchette.

— Je ne me rappelle pas avoir dit ça, si ?

Le sourire de Jeff ne paraissait plus à Clare aussi charmant qu'un moment plus tôt. Il penchait la tête de côté, semblant réfléchir à la tactique qu'il allait adopter avec elle.

— Vous aimez jouer au chat et à la souris, mademoiselle Morgan. Voici ce que vous notez à la suite de vos remerciements, commença-t-il en ouvrant l'exemplaire de son livre, qu'il avait tiré de son sac à dos, à la deuxième page : « Toute ressemblance avec des personnages ou des événements réels serait purement fortuite… » J'adore cette phrase… Elle sonne comme une décision de justice.

Soudain, Clare n'avait plus faim du tout. Elle voulait partir, mais elle voulait également dissiper toute ambiguïté.

— Je…

— Pensiez-vous, l'interrompit-il, que certaines personnes, ici, à Twin Falls, auraient pu faire des rapprochements gênants ?

— Où voulez-vous en venir ?

Jeff se pencha en avant. Il avait posé son stylo, mais la bande du magnétophone continuait de se dérouler silencieusement.

— A ceci : le roman tourne autour de la mort d'une amie de l'héroïne, le décès est déclaré accidentel, mais l'enquête ébranle fortement le personnage principal. Quel est son nom déjà ? Kenzie ?

Clare hocha la tête. Elle savait, à présent, ce qu'il avait à l'esprit.

— Finalement, poursuivit-il, le décès conduit l'héroïne à quitter définitivement la ville où elle a grandi. Je ne me trompe pas ?

Clare regarda sa montre, se demandant quand se présenterait l'occasion de fausser compagnie à ce Jeff Withers qui ne lui plaisait plus du tout.

— Cela fait partie de l'histoire, oui.

— Et n'est-ce pas précisément ce qui *vous* est arrivé, dans cette ville, voilà dix-sept ans ? Lorsque votre amie a été assassinée et votre petit ami accusé de son crime ?

— Comme je vous l'ai déjà dit, les événements relatés dans mon roman sont pure fiction. Par ailleurs, Rina Thomas était une camarade de classe, et non une de mes amies. Je suis désolée, mais je dois partir maintenant.

Elle se leva. Surpris, le journaliste se rejeta en arrière.

— Mais... votre déjeuner ?

— Je vais payer ma part.

— Non, non, c'est mon patron qui paie. Ecoutez, pourriez-vous rester encore quelques minutes ? J'aimerais que nous explorions cette idée d'un parallèle entre votre roman et l'affaire Rina Thomas.

— Si vous voulez parler de mon livre, parfait. Cependant, si votre véritable intention est de m'amener à parler de quelque chose qui s'est passé ici il y a des années, alors je ne peux rien pour vous. Il faudra que vous vous adressiez à la police.

— Mais les deux histoires ne sont pas si différentes, insista-t-il.

— Je me suis certainement inspirée de ma propre expérience d'enfant qui a grandi dans une petite ville pour écrire ce livre, mais c'est un roman, monsieur Withers. Toute ressemblance avec des événements…

— Serait purement fortuite, j'ai compris. Mais tout à fait entre nous, mademoiselle Morgan, quels sont les passages du livre que l'on pourrait qualifier d'autobiographiques ?

— Aucun. Je vous le répète, monsieur Withers, ce livre est une fiction. Au revoir, conclut-elle avant de se diriger vers la porte d'un pas ferme et décidé.

Elle sortit du restaurant aussi vite que possible, jouant des épaules à l'entrée où une dizaine de clients faisaient la queue, puis se rendit directement à son hôtel.

Ce n'est qu'une fois enfermée dans sa chambre qu'elle s'effondra dans un fauteuil, succombant au tremblement qui l'avait saisie au sortir de chez Mitzi.

3.

Elle avait parfaitement calculé l'heure de son arrivée. Laura et Dave étaient en train de s'asseoir à leur table et, à en juger par le verre de vin à moitié bu posé devant Gil, celui-ci devait être là depuis un petit moment. S'étant débarrassée de son manteau, Clare rejoignit ses amis, soulagée d'avoir réussi à éviter un tête-à-tête avec Gil.

— Clare ! Tu es ravissante ! s'exclama Dave en se levant pour l'accueillir. N'est-ce pas, Laura ?

— Maintenant qu'elle est célèbre, elle doit soigner son image, hein, Clare ? fit Laura en lui adressant un clin d'œil.

Bien qu'elle eût préféré une entrée plus discrète, Clare joua le jeu, espérant que son embarras ne transparaissait pas trop. Elle parcourut vivement la salle du regard, faisant voler ses cheveux flamboyants et feignit de s'étonner :

— Comment ? Pas de paparazzi ?

Elle serra rapidement Dave dans ses bras, puis se pencha vers Laura pour l'embrasser. Gil, qui s'était également levé à son arrivée, reculait la chaise qui se trouvait à côté de lui, l'invitant à s'asseoir. Elle hésita, marmonna « Gil » en inclinant la tête et s'assit. Comme Gil repoussait sa chaise, elle frissonna, en sentant sa main effleurer son épaule et n'entendit pas ce que Laura était en train de dire.

— Je disais, répéta Laura, que j'aimais beaucoup ta robe. C'est de la soie ?

— Oui. Une folie que je me suis offerte pour la sortie de mon livre.

— Elle est superbe, continua Laura. Ces tons de terre se marient si bien avec ton teint et tes cheveux. Lorsque tu bouges, ils passent du châtaigne au doré chatoyant…

— Au cuivre plutôt, observa Gil.

— Depuis quand es-tu devenu aussi compétent en matière de mode ? railla Dave.

— Je connais les couleurs, comme tout le monde, se défendit Gil avant de se tourner vers Clare. Laura a raison, cette robe te va à ravir.

Son sourire est sincère, pensa Clare. Mais elle ne parvenait pas à déchiffrer l'intensité de son regard. Se sentant soudain mal à l'aise, elle ébaucha un sourire de remerciement et tourna la tête vers Laura.

— Qui garde Emma ce soir ? s'enquit-elle.

— Ma mère. Elle et papa partent en Floride lundi matin et ils voulaient passer un peu de temps avec leur petite-fille.

— Ils restent là-bas tout l'hiver ?

— En général, oui. Bien que cette année ils envisagent de braver le climat du Connecticut pour passer Noël avec nous. A moins que nous nous décidions à aller passer quelques jours près d'eux, ajouta-t-elle en jetant un coup d'œil de côté à Dave.

Une ombre passa sur le visage de celui-ci. A l'évidence, Dave ne tenait pas à aborder ce sujet ce soir. Clare se hâta de remarquer :

— Quoi que vous décidiez, les fêtes de Noël auront un goût particulier cette année, grâce à votre petite Emma.

— Tu as tout à fait raison, Clare. C'est Emma qui importe à présent, dit-elle en adressant un regard appuyé à son mari.

Un serveur apporta une bouteille de vin pétillant et quatre verres, et les servit.

— J'espère que vous ne m'en voudrez pas, dit Gil. Je l'ai commandée avant que vous arriviez. J'ai pensé qu'un toast s'imposait.

Il leva son verre.

— A Laura, Dave et bébé Emma.

— Et n'oublions pas nos vieux amis, ajouta Dave.

Le serveur revint au bout de quelques minutes pour leur faire part des spécialités du jour, et pendant un moment chacun se concentra sur son choix. Lorsqu'ils eurent passé commande, Dave demanda à Clare comment s'était passé sa matinée de signatures à la librairie.

— Oh, très bien. Bien que je me demande si je m'habituerai vraiment un jour à ce genre de choses.

— Tu ferais bien, repartit Laura. M'est avis que cela ne fait que commencer.

— J'ai trouvé qu'il y avait beaucoup de monde ce matin, remarqua Gil.

— Tu y es allé ? demanda Laura.

— Bien sûr. Il faut soutenir les talents locaux, non ?

Le regard de Laura se posa aussitôt sur Clare, mais si son amie cherchait à savoir comment s'était déroulée la rencontre, elle fut sans doute déçue. Clare n'était pas décidée à coopérer. Elle lui offrit un visage impassible et changea brusquement de sujet en prononçant le nom de Jeff Withers.

— Withers ! s'écria Dave.

— Oui. Eh bien ?

— C'est un de ces journalistes qui cherchent toujours à faire « du sensationnel », du genre à aller camper devant la porte d'une famille qui vient d'être frappée par un drame affreux. Il est très fort pour faire vibrer les cordes sensibles de ses lecteurs.

Clare comprenait mieux l'insistance avec laquelle Withers avait essayé de la faire parler de Rina Thomas, au lieu de l'interroger sur son roman. Pour la seconde fois de la journée, elle regretta d'avoir accepté l'interview.

— Comment ça c'est passé ? demanda Gil.

— Bien, répondit-elle, laconique.

Il était la dernière personne avec qui elle souhaitait en discuter. L'arrivée du serveur qui apportait leurs plats lui évita d'avoir à donner des détails, et lorsque celui-ci s'éloigna, la conversation s'orienta sur d'autres sujets : la nourriture, les restaurants et les changements survenus à Twin Falls. Progressivement, Clare se détendit et se mit à apprécier sa soirée.

Deux heures plus tard, cependant, le soulagement qu'elle avait éprouvé à constater qu'aucune référence gênante au passé ne venait troubler leur dîner, s'évapora. Debout sur le trottoir devant le Heureux Hasard — et s'avisant de l'ironie de l'appellation, vu les circonstances —, Clare était pleinement et douloureusement consciente du fossé qui séparait l'adolescent qu'elle avait adoré autrefois de l'homme qui se tenait à côté d'elle. Gil Harper était quelqu'un qu'elle ne connaissait pas du tout.

Laura et Dave s'attardèrent quelques minutes devant le restaurant, leur rappelant l'heure à laquelle ils devaient se trouver au temple le lendemain.

— Tu es sûre que tu ne veux pas que nous te ramenions, Clare ? proposa Laura, qui, sans doute, avait deviné son état d'esprit.

— Mon hôtel n'est qu'à quelques centaines de mètres…, commença-t-elle, mais Gil ne la laissa pas terminer.

— Je la raccompagne, dit-il à Laura.

Et avant même que Clare ait pu réagir, il passa son bras sous son coude et la fit pivoter doucement dans la direction du Falls View Hotel.

— J'insiste, ajouta-t-il.

Le premier mouvement de Clare fut de vouloir dégager son bras, mais elle songea aussitôt que son geste pourrait paraître déplacé. Après tout, il se montrait simplement courtois, un trait de caractère qui lui rappela l'adolescent poli qu'avait été Gil Harper, quoique l'homme d'aujourd'hui ne ressemblât en rien au jeune garçon d'hier.

— Tu sembles plongée dans tes pensées, dit Gil, rompant le silence.

Plongée dans le passé, corrigea-t-elle intérieurement, mais elle se contenta de faire une remarque innocente à propos de la soirée.

— Oui, approuva-t-il, et le dîner était délicieux. Bien différent de ceux qu'il nous arrivait de prendre ensemble chez Harvey après le lycée. Tu t'en souviens ?

Comme si elle avait pu oublier. C'était au Harvey que son histoire avec Gil avait commencé. A deux pas du lycée, le petit snack-bar avait été, avec la cafétéria de la piscine municipale, l'un des rares lieux qui toléraient les ados.

Mais elle refusait de se laisser entraîner par les souvenirs.

— Bien sûr. Les meilleurs hamburgers-frites de Twin Falls, commenta-t-elle comme si c'était la seule chose qu'elle se rappelait.

Il n'ajouta rien et la conversation retomba. Clare n'entendait plus que l'écho de leurs pas sur le trottoir et la petite voix dans sa tête qui la pressait de trouver quelque chose à dire — n'importe quoi — pour alléger l'atmosphère. Il y avait eu une époque, pourtant, où ils partageaient des silences complices, sereins. Et c'était une autre triste illustration du fait que leurs vies s'étaient séparées.

Ils approchaient du vieux cinéma comme le public en sortait, se dispersant sur le trottoir à la fin de la séance. Gil ralentit le pas, laissant Clare passer devant lui. Alors qu'elle se frayait un chemin au milieu des gens, elle bouscula légèrement une femme d'un âge incertain qui la dévisagea avec stupéfaction. Clare était sur le point de s'excuser quand elle rencontra son regard haineux qui la figea sur place. Puis un couple se faufila entre elles deux et la femme fut happée par la foule.

— Que se passe-t-il ? demanda Gil en arrivant à sa hauteur. Pourquoi t'es-tu arrêtée ?

— Je ne sais pas vraiment, dit-elle, regardant toujours dans la direction dans laquelle la femme avait disparu. J'ai heurté quelqu'un et quand je me suis retournée pour m'excuser, cette femme m'a regardée comme si j'avais fait quelque chose d'incroyablement grossier.

— A quoi ressemblait-elle ?

— La quarantaine peut-être, très maigre. Avec des cheveux bruns. On aurait dit qu'elle me connaissait.

Gil tendit le cou pour scruter la petite foule de gens qui se dispersaient, puis se retourna vers elle.

— C'était peut-être quelqu'un que tu connaissais d'avant ?

D'avant. Curieuse expression, pensa Clare. Qui pouvait s'appliquer pareillement à Gil. Du moins avait-elle cru le connaître.

— Plus probablement quelqu'un qui n'a pas aimé mon livre, dit-elle, affectant de rire de l'incident.

Elle se remit en route, désireuse de fuir le regard de Gil, et essaya de maintenir l'écart qui les séparait, mais les grandes enjambées de Gil eurent tôt fait de la rattraper.

Ils tournèrent ensemble dans la rue où se trouvait le Falls View Hotel. A une certaine distance de Main Street, et bien moins commerçante, la rue était plus sombre. Elle longeait la rivière dont elle n'était séparée que par un garde-corps qui surplombait un chemin sur berge. Sur la rive opposée, s'élevait la paroi rocheuse abrupte qui, légèrement en amont, coupait le lit naturel de la rivière et formait les chutes que deux puissants projecteurs, habilement placés en contre-plongée, illuminaient.

— Je ne me rappelais pas que la cascade était éclairée, remarqua Gil.

— Elle ne l'était pas.

— Tu te souviens comme nous plaisantions à propos de Twin Falls ? Nous disions que, sans les chutes, la ville se serait bêtement appelée Rivertown.

— Oui, dit-elle, riant à ce souvenir oublié. Et nous devions du même coup rebaptiser toute la ville, ou en tout cas notre lycée, cet hôtel, au moins un restaurant, et plusieurs rues.

Le temps d'un souvenir, ils avaient oublié d'être sur leurs gardes. Leurs regards se croisèrent. Elle avait dix-sept ans de nouveau et elle était amoureuse. Clare fut la première à détourner les yeux. Elle frissonna, et, serrant son trench-coat autour d'elle, marmonna :

— Il commence à faire frais. Et nous nous levons tôt demain.

— Pas si tôt que ça, répliqua-t-il d'une voix voilée.

Voulait-il suggérer quelque chose, ou ne faisait-il que la corriger ? se demanda-t-elle. Quoi qu'il en soit, elle décida de ne pas relever.

— Ecoute, reprit-il, je suppose que tu te sens aussi mal à l'aise que moi au sujet de ce baptême, mais ni l'un ni l'autre ne voudrions gâcher la journée de Laura et Dave. Ne pourrions-nous pas conclure une sorte de trêve pour demain ?

— Je ne savais pas que nous étions engagés dans ce genre de conflit, dit-elle, affichant un visage impassible. Est-il besoin de passer un accord de neutralité quand ce que nous ressentons n'est en fait que de l'indifférence ?

Il parut ne pas comprendre immédiatement, puis, soudain, recula d'un pas, comme frappé par ce qu'elle venait de dire.

— Nous sommes adultes, et nous avons tous les deux réussi à tourner la page, reprit-elle, s'efforçant d'atténuer la brusquerie de sa remarque. Est-il nécessaire d'en dire plus ?

— Apparemment pas, répondit-il d'une voix à peine audible. Eh bien, bonne nuit, Clare.

Il tourna les talons et se dirigea d'un pas vif vers Main Street.

Clare dut attendre qu'il ait disparu à l'angle de la rue avant de pouvoir rassembler assez d'énergie pour bouger. Bien qu'elle fût certaine que ce qu'elle avait dit était la stricte vérité, elle en éprouvait du remords. « Pourquoi Gil Harper provoque-t-il en toi de telles réactions ? »

Elle poussa la porte de l'hôtel et traversa le hall, désert à cette heure. Ce n'est qu'au moment où elle alluma la lampe de sa table de nuit qu'elle se rendit compte qu'elle avait un message.

« Bienvenue à Twin Falls, Clare. C'est Lisa Stuart, ton ancien professeur d'anglais. Je n'ai pas pu venir à la séance de signatures aujourd'hui, mais j'ai entendu dire que tu serais peut-être encore en ville pendant un ou deux jours. Je me demandais si cela t'intéresserait de revoir le lycée et de rencontrer ma classe de littérature. Je sais que tu dois être très occupée, mais plusieurs de mes élèves ont déjà lu ton livre et nous serions tous très heureux de te recevoir. Si tu n'as pas trop de temps, nous pourrions peut-être simplement boire un café toutes les deux ? Je suis si contente de ton succès, j'aimerais beaucoup te féliciter. Tu peux me joindre au 613-8527. A très bientôt, j'espère. »

Clare nota le numéro, quoiqu'elle doutât d'accepter l'invitation. Twin Falls High ne faisait certainement pas partie de ses priorités. Elle éteignit sa lampe et posa sa tête sur l'oreiller, trop fatiguée pour lire. Encore une journée, et elle serait partie.

Indifférence. Gil n'osa pas se retourner bien qu'il en eût très envie. Il aurait voulu la mettre au défi de prouver ce qu'elle avançait. Lui dire qu'elle n'avait pas changé du tout, qu'une fois encore elle se fermait comme une huître, refusait d'écouter, exactement comme elle l'avait fait dix-sept ans auparavant lorsqu'il avait essayé de lui expliquer pourquoi il se trouvait en compagnie de Rina Thomas ce jour-là.

Il ralentit le pas en atteignant la rue principale, s'appliquant à respirer l'air frais pour se calmer. Une femme qui marchait dans sa direction s'arrêta un instant à quelques mètres de lui pour le dévisager, comme si quelque chose dans sa physionomie l'avait alertée, puis continua son chemin. Cet étrange comportement ne fit qu'augmenter la colère et la frustration de Gil.

« Le passé t'attend au tournant », songea-t-il tout à coup, déconcerté par ses propres pensées.

Néanmoins, il avait recouvré le contrôle de lui-même lorsqu'il arriva devant le restaurant. Heureux Hasard, quelle ironie vraiment ! Se retrouver lié de cette manière à Clare Morgan après toutes ces années tenait plus du coup du sort que du heureux hasard. Et en dépit des efforts qu'il faisait pour prendre les choses calmement, et du fait qu'il avait essayé de lui faire savoir qu'il était aussi embarrassé qu'elle par le choix de leurs amis, elle avait réussi à retourner adroitement la situation à son avantage.

Cependant, pour être tout à fait honnête, il se sentait moins agacé par ce pied de nez, qu'ébranlé par les mots qu'elle avait choisis. Ce n'était pas de la douleur, non, décida-t-il, mais quelque chose comme de la colère, suivie par une vague de tristesse. Il avait ressenti la même chose en lisant son livre. Les changements de noms ne l'avaient pas trompé ; il s'était reconnu aussitôt, tout comme il avait reconnu Clare et Rina. Bien sûr, Clare avait évité de faire porter la culpabilité du meurtre par son double dans le roman ; et c'était là précisément que la réalité et la fiction divergeaient. Car elle n'avait pas hésité, dix-sept ans plus tôt, à jeter le blâme sur lui.

Gil rejoignit sa voiture, garée un peu au-delà du restaurant. Il avait impulsivement proposé à Clare de la raccompagner à pied, croyant tenir une occasion de détendre l'atmosphère entre eux avant le lendemain, mais il en avait été pour ses frais.

Il mit le moteur de sa Mercedes en route, mais ne démarra pas immédiatement. Il revoyait l'expression du visage de Clare lorsqu'elle avait fait ce maudit commentaire. Il s'était aussitôt rendu compte qu'elle s'efforçait de feindre l'indifférence, mais ses yeux l'avaient trahie. « Tu es un menteur et un tricheur, et tu ne signifies plus rien pour moi », disaient-ils. Les mots mêmes qu'elle lui avait jetés à la figure, juste après qu'on l'avait libéré de prison. Des mots qu'il n'oublierait jamais.

Il appuya sur la pédale d'embrayage et passa la première. Au moins, maintenant, il savait à quoi s'en tenir. Et le surlendemain,

Clare Morgan sortirait de nouveau de sa vie — ce qu'il ne regretterait pas, cette fois.

Clare referma la portière de sa voiture et posa ses mains et son front sur le volant. La cérémonie avait été relativement brève, grâce à Dieu, mais les tempes lui battaient encore. Tenir un nouveau-né agité dans ses bras pendant plus de dix minutes n'avait pas été facile, surtout sous le regard perplexe de Gil qui s'était bien sûr abstenu de lui offrir son aide.

Après le service, les gens s'étaient rassemblés en petits groupes devant le temple, et Clare, malgré toutes les réticences qu'elle avait éprouvées à revenir à Twin Falls, avait été contente de revoir les parents de Laura et d'autres membres de la famille Dundas à qui elle devait tant d'heureux souvenirs. Puis Gil était apparu auprès d'elle pour lui proposer de l'emmener chez les Kingsway où Laura avait organisé une petite réception, et elle s'était félicitée encore une fois d'être venue en voiture. Sa seule présence semblait l'irriter.

La maison de Laura et Dave grouillait déjà de monde quand Clare y arriva. Elle posa son cadeau — une adorable robe à smocks, et son gilet coordonné — au milieu d'autres, sur la table du hall, et s'apprêtait à se diriger vers la salle à manger quand Gil pénétra à son tour dans la maison.

Son costume anthracite, très élégant, semblait un peu déplacé dans une petite ville comme Twin Falls, mais Clare devait reconnaître qu'il était terriblement séduisant ainsi vêtu. Les doigts serrés sur l'anse d'un grand sac en papier glacé duquel dépassaien les oreilles duveteuses d'un animal en peluche, il lui fit un bref signe de tête, et leurs regards se croisèrent un court instant avant qu'elle ne se détourne pour rejoindre la salle à manger.

Dave était en train de remplir d'eau un vase de mimosa, assisté d'un homme un peu plus âgé qui lui ressemblait étonnamment.

— Clare ! Viens prendre une de ces coupes. Tu te souviens de mon frère, Rick ?

— Je crois, dit-elle en souriant. Vous étiez une ou deux classes au-dessus de moi au lycée, n'est-ce pas ?

— Exact. J'ai souvent entendu votre nom à cause de Dave et Laura, mais je dois avouer que je ne me souviens pas de beaucoup d'élèves de votre année. Enfin, ajouta-t-il en haussant les épaules, hormis Rina Thomas, dont tout le monde se souvient, je suppose.

Clare vit Dave pousser discrètement son frère du coude tandis qu'il adressait un sourire pincé à quelqu'un derrière elle. Elle se retourna et vit Gil dans l'encadrement de la porte. La légère crispation de sa mâchoire — un signe d'émotion dont elle ne se souvenait que trop bien — l'avertit aussitôt qu'il avait entendu.

Dave fit les présentations et Gil répondit poliment, mais avec une certaine raideur, et refusa l'alcool que Dave lui offrait.

— Je préfère un café, dit-il.

Et sans rien ajouter, il se dirigea vers la cuisine. Devinant que Dave était sur le point d'expliquer à Rick l'impair qu'il venait de commettre et préférant s'éclipser, Clare prit un air distrait et s'éloigna. Laura la héla depuis le salon.

— Clare ! Par ici.

Elle était avec sa sœur aînée, Anne-Marie, que Clare n'avait pas vue depuis le mariage de Laura. Elles s'embrassèrent et bavardèrent un moment avant qu'Anne-Marie demande :

— Comment marche ton livre ? Je ne l'ai pas encore lu, mais j'ai apporté l'exemplaire que j'ai acheté. Tu n'oublieras pas de me le dédicacer.

— Bien sûr, acquiesça Clare. Tu as l'air en grande forme. La vie à Greenwich doit être agréable.

— Un peu calme, mais pas autant que Twin Falls. Je me demande encore pourquoi Laura et Dave sont revenus s'installer ici. Ça te plaît de vivre à New York, Clare ?

— C'est super. Il y a toujours quelque chose à faire ou à voir.

— Tu savais que Gil Harper était ici ?

Sans attendre la réponse, elle inclina la tête vers Clare et ajouta plus bas et rêveusement :

— Il est encore plus beau qu'avant. On mourrait dans ses bras avec plaisir…

Elle s'interrompit brusquement, réalisant ce qu'elle venait de dire.

— Oh, pardon, Clare. Je n'ai pas voulu faire allusion à… Excuse-moi, je ne…

Clare se força à sourire. A l'évidence, le passé ne la laisserait jamais tranquille.

— En fait, reprit Anne-Marie, c'est à cause de cet article qui a ressorti toute l'affaire dans le journal d'aujourd'hui.

— Quel article ? demanda Laura.

Le visage avide et empourpré de Jeff Withers revint aussitôt à la mémoire de Clare.

— Mon interview avec Jeff Withers, dit-elle.

Laura se tourna vers sa sœur.

— Qu'a-t-il écrit ? Tu as le journal ici ?

— Non. Nous l'avons laissé au motel. Tu ne le reçois pas ?

— Non, plus depuis un moment. Mais que dit-il ?

— Il était supposé t'interviewer à propos de ton livre, n'est-ce pas ? dit Anne-Marie, s'adressant à Clare.

— Oui.

— Eh bien, en gros, il revient sur le meurtre de Rina Thomas et dit que toute l'histoire est racontée dans ton livre. C'est vrai ?

— Bien sûr que non ! Naturellement, j'ai puisé certaines choses dans ma propre expérience. Tous les écrivains font ça. Il y a bien un décès dans mon roman, mais c'est un accident. Les circonstances sont très différentes.

Anne-Marie haussa les épaules.

— L'article prétend que le parallèle n'est pas difficile à établir entre l'intrigue du roman et ce qui s'est réellement passé ici. Il joue sur le fait que la mort de ton personnage pourrait n'être pas accidentelle.

— C'est tellement frustrant. Quel genre de journaliste est ce Jeff Withers ?

— Clare, il faut que tu lises cet article. Il évoque même ton implication dans ce qu'il nomme « l'affaire Thomas » et sous-entend que tu aurais des informations non divulguées dont tu te serais servie pour écrire ton livre.

— C'est ridicule ! déclara Clare qui s'efforçait de maîtriser son indignation.

— Je crois qu'il est temps de couper le gâteau, intervint Laura d'un ton enjoué.

— J'ai besoin de me rafraîchir, marmonna Clare avant de se ruer hors de la pièce.

A l'étage, la salle de bains était occupée. Clare s'appuya contre le mur et s'appliqua à respirer calmement. La porte s'ouvrit et Gil Harper apparut soudain à ses côtés.

— Clare ? fit-il en posant la main sur son bras. Tu vas bien ? Tu sembles bouleversée.

Quelle déveine ! pensa-t-elle, fermant les yeux une seconde.

— S'il te plaît, ne me dis pas que tout va pour le mieux. J'ai des tas de déficiences, mais je ne suis pas stupide.

Elle esquissa un sourire.

— Non, tu ne l'as jamais été.

Elle hésita une seconde puis avoua :

— C'est seulement quelque chose que la sœur de Laura a dit. A propos de cette fichue interview.

— Celle dont tu parlais hier soir, je suppose. L'article est déjà paru ? Qu'est-ce qu'il dit ? Ce type a descendu ton livre ?

— Si ce n'était que ça. Non, il… euh, il a essayé d'établir un lien entre mon histoire et le meurtre de Rina Thomas.

Elle tourna brièvement les yeux vers un tableau accroché au mur en face d'elle. Gil resta si longtemps silencieux qu'elle crut un instant qu'il n'allait faire aucun commentaire. Mais il n'éluda pas le problème, une fois celui-ci posé.

— Mais… est-ce que ton livre ne raconte pas une histoire similaire, au moins dans ses grandes lignes ?

C'était une question justifiée, elle le savait, surtout de la part de Gil qui avait été, un temps, mêlé à l'affaire. Et il méritait son honnêteté.

— Quand j'ai commencé ce roman, expliqua-t-elle, mon intention était d'explorer ce que signifie de vivre dans une petite ville. J'ai vécu quelques années dans le Sud après mon diplôme, et j'avais fini par connaître les gens et m'y attacher. C'est pour cette raison que j'ai situé mon histoire dans le Sud.

— Qu'est-ce que tu faisais là-bas ?

— J'enseignais dans une école de campagne qui ne comptait que trois classes.

Elle sourit en songeant à son inexpérience et à sa naïveté d'alors.

— Tu y es restée longtemps ?

— Quatre ans. Ensuite, je suis retournée dans le New Jersey où j'ai continué à faire des remplacements tout en passant mon master.

— En littérature anglaise, j'imagine.

— Mmm. C'est à cette époque que je me suis mise à écrire. Les textes que j'étudiais m'inspiraient sans doute, dit-elle, peu désireuse de lui confier que son désir d'écrire devait au moins autant à ses démons personnels qu'à son goût pour la littérature.

Un des invités apparut en haut de l'escalier, à la recherche de la salle de bains. Gil saisit le coude de Clare et l'écarta de la porte.

— Crois-tu que nous pourrions nous excuser et quitter la réception de bonne heure ? J'aimerais que nous bavardions encore un peu de ce que nous faisons maintenant.

Elle hésita un court instant. Bien sûr, elle courait le risque qu'ils reparlent du passé, mais en même temps elle avait beaucoup de plaisir à bavarder avec lui.

— D'accord. Laura a dit qu'il n'y aurait pas de discours. Mais, en qualité de parrain et marraine, nous ne pouvons pas échapper au toast porté en l'honneur d'Emma. Et Laura serait fâchée si nous ne restions pas un moment pendant que tout le monde se restaure.

— C'est vrai. Alors rejoignons-nous dans le jardin après ça.

— Entendu, je te retrouverai dehors.

Il sourit et tourna les talons. Clare le regarda disparaître dans l'escalier. Dans quoi s'était-elle encore fourrée ?

La porte de la salle de bains s'ouvrit de nouveau et Clare sourit à la femme qui en sortait. Elle se rafraîchit à son tour, puis redescendit au rez-de-chaussée. Tout le monde s'était rassemblé dans la salle à manger, autour de la longue table, à présent chargée d'assiettes et de plats colorés.

Lorsque Dave eut repéré Clare, il prit la parole en levant son verre.

— Laura et moi tenons à vous remercier d'être tous venus partager avec nous cette magnifique journée. Ensemble, souhaitons à Emma une belle, longue et heureuse vie.

— A Emma ! reprit l'assemblée en chœur.

Dave leva son verre une seconde fois.

— Et à nos chers amis, Clare Morgan et Gil Harper, les parrain et marraine d'Emma ! Merci à tous les deux et que Dieu vous bénisse.

Tous les regards se tournèrent vers eux et Clare sentit ses joues s'empourprer.

Dès que les invités se furent remis à discuter entre eux, elle posa son verre de vin, prit une assiette en carton qu'elle garnit de quelques amuse-gueules, puis s'approcha de Laura qui était en train d'arranger la robe d'Emma dans les bras de sa mère.

— Laura ? Cela ne t'ennuie pas si je me sauve bientôt ? Je sens monter une migraine et Gil m'a proposé de marcher un peu.

— C'est à cause de ce qu'Anne-Marie a dit ? Je suis désolée, mais tu sais, elle n'a pas voulu te faire de la peine.

— Non, non, je connais trop bien Anne-Marie pour avoir pris ça mal. Mais j'ai mes dédicaces à Hartford demain et je suis encore fatiguée de celles d'hier.

Laura était trop fine pour donner foi à une aussi piètre excuse, néanmoins elle ne dit rien. Clare avala une olive.

— Est-ce que tu veux venir prendre le petit déjeuner demain avant de partir ? proposa Laura.

— En fait, Lisa Stuart — tu te souviens d'elle, notre prof d'anglais de dernière année ? — m'a invitée à rencontrer une de ses classes demain matin.

Clare croqua dans un petit morceau de poivron en parcourant la pièce du regard. Gil était-il déjà sorti ?

— Oh, mais c'est une idée géniale ! s'exclama Laura avec enthousiasme. Les élèves vont adorer. Voir un authentique écrivain, tu penses !

Clare étouffa un sentiment de culpabilité. N'avait-elle pas décidé *à l'instant* d'accepter l'invitation de son ancien professeur ?

— C'est un honneur pour moi, dit-elle, vaguement confuse. Veux-tu que je t'appelle ce soir ?

Elle avait posé son assiette sur une table et Laura la raccompagnait à la porte d'entrée.

— Viens dîner, proposait à présent Laura. J'allais justement commander quelques plats thaïlandais. Et nous aurions au moins un moment pour bavarder.

La culpabilité l'emporta.

— Peut-être. Ecoute, je te rappelle plus tard, d'accord ?

— D'accord. Et… bonne promenade avec Gil.

Le regard de Laura ne dissimulait rien de sa curiosité et Clare aurait essayé de lui expliquer la situation si un rapide coup d'œil au travers de la porte vitrée ne l'avait avertie que Gil l'attendait au bas des marches.

4.

— Ta voiture ou la mienne ?

Clare hésita.

— Nous devrions peut-être oublier cette idée.

— C'est vraiment ce que tu veux ? lança-t-il avec un air de défi.

Et sans lui laisser le temps de répondre, il reprit :

—Si nous nous retrouvions à l'entrée du parc, face à l'hôtel de ville ? Histoire de prendre l'air sans nous sentir coupable d'être partis un peu plus tôt que les autres.

— Nous étions présents pour le plus important.

— Absolument. Devant la statue de John Calvin dans dix minutes ?

Il s'était empressé de rejoindre sa voiture, pour que Clare n'ait pas le temps de changer d'avis. Clare marmonnait toute seule au volant de la Jetta, se reprochant déjà d'avoir accepté sa suggestion. Quelques minutes plus tard, elle se garait néanmoins le long de Riverside Park. Gil allait et venait au pied de la statue du fondateur de la ville.

— Nous ne sommes pas les seuls à avoir été tentés par ce beau temps, on dirait, commenta Gil comme elle le rejoignait.

— Non. L'aire de jeu doit être surpeuplée. Quel dommage que nous n'ayons pas eu quelque chose comme ça quand nous étions enfants.

— Nous traînions dans la cour de l'école, tu te rappelles ?

Bien sûr qu'elle s'en souvenait. Ils étaient dans la même école primaire, et toute leur classe avait intégré Twin Falls High par la suite. Il n'y avait pas d'autre choix de toute façon. Seuls quelques rares camarades, appartenant aux familles les plus aisées, avaient poursuivi leur scolarité dans des lycées privés à Hartford ou aux environs.

— On prend le chemin qui mène à la rivière ? proposa-t-il.

— Comme tu veux.

— Je préférais ce sentier lorsqu'il n'était pas goudronné, commenta Gil au bout d'un moment. Je me fais l'impression de visiter un parc d'attractions.

Clare sourit. Gil n'avait certainement jamais mis les pieds dans un tel lieu.

— Il faudrait davantage qu'un peu d'asphalte sur un chemin pour transformer celui-ci en parc de loisirs.

— C'est l'âge sans doute — j'ai horreur de tous ces changements.

— Mais beaucoup semblent positifs. Ils sont la preuve que la ville se développe, que l'économie de la région s'est stabilisée.

— C'est vrai. Je me souviens de l'inquiétude de mes parents lorsque les scieries ont commencé à fermer.

Elle avait oublié. A cette époque, les siens étaient déjà divorcés et sa mère travaillait à la banque.

— Je ne me souviens pas où ton père a travaillé après.

— Il a pris des cours du soir d'informatique pendant un moment, puis il a obtenu un poste à la mairie, dans un service administratif. Il y est resté jusqu'à sa retraite.

— Quand était-ce ?

— Il y a cinq ans. Il avait soixante-dix ans quand il a eu son accident vasculaire.

— J'ai toujours bien aimé ton père.

Ils marchèrent durant quelques mètres, puis Gil dit d'un ton bourru :

— Oui, il t'aimait bien aussi. On s'assied une minute ?

Elle hésita, craignant qu'une pause ne les conduise à se remémorer davantage de souvenirs, mais n'osa refuser car ils venaient de parler de son père, disparu depuis si peu de temps. Et puis, aussi loin qu'elle s'en souvienne, Gil et elle avaient toujours été amis.

— Bien sûr, acquiesça-t-elle.

Une rangée d'arbres se dressait de l'autre côté du chemin, mais elle pouvait voir, au travers des feuillages, la passerelle de bois qui enjambait la rivière et la berge pentue qui la surplombait.

— Il y a une barrière là aussi, maintenant, observa-t-elle.

Puis elle tourna les yeux vers la gauche et reconnut, au loin, les toits des bâtiments du lycée. Elle se mordit la lèvre en réalisant qu'ils étaient assis presque exactement en face de l'endroit où le corps de Rina avait été découvert.

Gil avait certainement surpris son regard, car il dit au bout d'un moment :

— Je suppose qu'ils l'ont installée après la mort de Rina. Ça dissuade peut-être les jeunes d'utiliser le raccourci.

Elle tourna la tête vers lui, mais il continuait de fixer la rive opposée. Quand il reprit finalement la parole, ce fut d'une voix si basse qu'elle dut se concentrer pour l'entendre.

— J'ai mis très longtemps avant de pouvoir seulement prononcer son nom, dit-il. Mais j'ai tourné la page à présent. Et je te conseille d'en faire autant, Clare, ajouta-t-il en se tournant vers elle. Sinon, les commentaires comme ceux que tu as entendus aujourd'hui te bouleverseront toujours.

— Je ne sais pas de quoi tu parles, répliqua-t-elle en se sentant rougir. J'étais contrariée… parce que certaines personnes se sont focalisées sur certains aspects de mon livre.

— Ta réaction semble montrer que tes motivations pour écrire ce livre n'étaient pas aussi claires à tes propres yeux que tu le crois.

58

Ne te méprends pas, je n'ai pas dit que tu avais voulu publier un de ces livres vérité comme on en trouve sur les rayons de toutes les librairies. Mais la Clare Morgan que j'ai connue n'était pas aussi sensible aux attaques que celle que j'ai vue aujourd'hui.

— Je n'en reviens pas ! s'exclama-t-elle en se levant d'un bond. Vraiment, je n'en reviens pas ! Nous ne nous sommes ni vus ni parlé depuis dix-sept ans et tu prétends me connaître. C'est grotesque.

Croisant les bras, elle s'écarta du banc, les yeux fixés sur l'autre côté de la rivière. Elle l'entendit se lever, et, pendant un bref instant, elle crut qu'il allait s'approcher et poser sa main sur son épaule. Mais non. Elle lui fit face.

— En réalité, tu ne me connais pas mieux maintenant qu'alors, déclara-t-elle face à son impassibilité, le regard plein de défi.

Mais, sans se départir de son calme et de sa froideur, il posa à peine les yeux sur elle — avant de se détourner pour contempler vaguement le lointain.

— Tu as raison, Clare. Je pensais te connaître, autrefois, mais je me trompais.

Il s'éloigna de quelques pas.

— Bonne chance pour ta séance de signatures demain, Clare… et pour ton livre, ajouta-t-il avant de lui tourner le dos et de s'en aller vers le centre du parc.

Lorsqu'il eut parcouru une cinquantaine de mètres, Clare comprit qu'il ne ferait pas demi-tour. Progressivement, son cœur s'apaisa et son pouls recouvra un rythme normal.

Elle ramassa son sac et rebroussa chemin. En passant à côté de la statue de John Calvin, elle remarqua le banc étroit sur sa droite, et un flot de souvenirs la submergea. C'était à cet endroit exactement que Gil et elle s'étaient séparés deux jours après le meurtre de Rina.

*
* *

— J'étais si contente quand tu as appelé pour me dire que tu venais dîner, dit Laura, la porte à peine ouverte. Et tu n'as pas à craindre de remarques indiscrètes ce soir, parce qu'il n'y a que mes parents et ils sont complètement captivés par Emma.

Dans l'entrée, elle ajouta cependant à voix basse :

— Tu t'es procuré un exemplaire du journal ?

— Oui, dès que je suis rentrée à l'hôtel. Anne-Marie avait raison, l'article est délibérément équivoque. Je crois que je porterais plainte si je ne devais pas partir demain. Mais…

Elle haussa les épaules et afficha un sourire amusé.

—Qui lit le *Spectator* en dehors de Twin Falls de toute façon ?

— Tu marques un point, dit Laura en riant.

Elle passa son bras sous celui de Clare.

— Viens boire quelque chose. Il n'y a rien à faire dans la cuisine et je suis prête à t'écouter me raconter tout ce qui t'est arrivé ces deux dernières années.

Le livreur thaï arriva et repartit, et tout le monde s'assit autour de la table. On ouvrit les grands cartons et chacun se servit, savourant des plats plus ou moins épicés tout en bavardant. Après le départ de ses parents, Laura gagna le salon avec Clare.

— Dave m'a promis de s'occuper du coucher d'Emma afin que nous ayons un peu de temps pour parler tranquillement. Tu veux un peu plus de café ?

— Oh non ! Merci. Je ne dormirais plus de la nuit.

Clare s'assit dans un fauteuil tandis que Laura se recroquevillait dans le canapé.

— Alors, dit Laura, un large sourire aux lèvres et les yeux brillants de curiosité, cette promenade avec Gil ?

Clare eut un petit rire nerveux.

— Tu aimes aller droit au but, hein ?

— Tu me connais, je ne suis pas du genre à tourner autour du pot. Mais j'ai été surprise que tu partes avec lui. Je veux dire, après la manière dont tu t'étais comportée avec lui vendredi soir, et puis hier soir…

— Comment ça, *la manière dont tu t'es comportée… ?* Etant donné le choc que j'ai ressenti en le voyant entrer chez toi, je considère que je me suis très bien comportée. Nous nous sommes montrés polis et courtois l'un envers l'autre.

— Vous agissiez tous les deux comme si vous vous rencontriez pour la première fois. Tu aurais dû voir ta tête quand il est entré dans la pièce vendredi ! Dave n'a rien remarqué, mais l'électricité de l'air était palpable.

— Tu as toujours eu tendance à exagérer, Laura. Je doute qu'aucun contact avec Gil puisse faire naître la moindre étincelle.

— Bien sûr ! railla Laura. Je suppose donc que votre promenade a été parfaitement courtoise et polie ?

— Pour l'essentiel, oui. Nous nous sommes dit au revoir et… voilà, répondit Clare en portant son attention sur la table basse sous le bow-window où quelques-uns des cadeaux du baptême étaient posés. Je vois qu'Emma a été gâtée.

Laura suivit la direction de son regard.

— Oui, vraiment. D'ailleurs je veux te remercier encore pour la jolie robe que tu lui as offerte. J'ai remarqué l'étiquette. Cela a dû te coûter une fortune.

— N'oublie pas que je suis la marraine.

— Gil lui a fait cadeau d'un adorable ours en peluche et aussi d'un médaillon en argent ciselé dans lequel on peut glisser une petite photographie.

« Gil encore. » Clare jeta un coup d'œil à sa montre.

— Il faut que j'y aille à présent, Laura. Je me lève tôt demain.

— Ah oui, ta visite au lycée. Ça va te paraître étrange de retourner là-bas. A quelle heure dois-tu y être ?

— 9 h 30. Il faut que j'en sois repartie à 10 h 30 si je veux arriver à Hartford avant midi.

— Est-ce que tu m'as dit dans quelle librairie se déroulait la séance de dédicaces ? Je ne m'en souviens pas.

— Un endroit appelé Majuscule.

— J'en ai entendu parler. Un lieu étonnant, paraît-il. Dave a pris un jour de congé demain, autrement je lui aurais demandé de passer te voir dans l'après-midi.

Clare sourit. Elle ne voyait guère Dave s'absenter de son travail en plein après-midi pour lui faire un petit coucou dans une librairie alors qu'il l'avait vue la veille.

— Je dois vraiment y aller, Laura, dit-elle en se levant.

— Je sais. Tu as des tas de choses excitantes à faire demain pendant que je serai occupée à nourrir mon bébé et à faire la lessive.

Sa voix trahissait une amertume qui surprit Clare.

— Et à te pâmer devant ta ravissante petite fille. N'oublie jamais ça !

— Oh, non. Crois-moi, je ne m'imagine plus désormais dans aucun autre rôle. C'est juste que je n'avais jamais pensé… eh bien, tu sais, m'installer… sans avoir fait toutes les choses dont j'avais rêvé. N'est-ce pas curieux la façon dont il semble que nous ayons échangé nos places ?

— Qu'est-ce que tu veux dire ?

— Tu te rappelles notre dernière année de lycée, lorsque nous imaginions l'université et la nouvelle vie qui nous attendait ?

Clare sourit.

— Oui.

— Je me souviens très bien d'une nuit blanche passée à énumérer tous nos souhaits pour l'avenir. Je voulais être riche, célèbre, et voyager à travers le monde, tandis que toi — ça me choquait au plus haut point — tu disais que tu voulais épouser Gil Harper et vivre à Twin Falls pour le reste de tes jours.

Le sourire de Clare s'évanouit.

— Je n'en ai aucun souvenir.

— Pourtant, tu l'as dit.

Clare se pencha pour récupérer son sac à main accroché sur l'accoudoir d'un fauteuil. Laura avait le chic pour lui rappeler les souvenirs les plus embarrassants de sa vie. Car, bien sûr, elle se souvenait parfaitement de ce vœu ridicule qu'elle avait formé six mois à peine après avoir rencontré Gil — quand elle était encore folle amoureuse de lui.

— Il faut croire que tu as meilleure mémoire que moi, dit-elle en passant son sac en bandoulière.

Laura avait dû sentir la soudaine tension de sa voix car elle balbutia :

— Je voulais seulement dire que… Enfin, c'est drôle que je me sois mariée et installée ici alors que toi, tu es devenue riche et célèbre.

Clare lut l'inquiétude dans les yeux de son amie. Ni l'une ni l'autre ne désiraient que le week-end s'achève sur une fausse note. Elle tendit la main et tapota affectueusement le nez de Laura.

— Ni riche ni célèbre encore, mais… avec un peu de chance… sur la bonne voie, dit-elle en riant.

Le visage de Laura se détendit. Elles se sourirent.

— Je suis heureuse que tu sois venue, Clare. Merci. Je sais que cela a dû être difficile pour toi et je veux que tu saches combien tu m'as fait plaisir. Promets-moi que nous ne laisserons pas passer deux ans sans nous revoir.

— Promis, dit Clare en embrassant Laura. Et dès que tu n'allaiteras plus Emma et que tu auras envie de t'offrir une petite escapade, préviens-moi. J'aimerais beaucoup avoir un peu de compagnie.

— Oh, je te prendrai au mot, sois-en sûre !

Laura raccompagna Clare à la porte.

— Donne le bonjour à Mme Stuart de ma part, lança-t-elle comme Clare descendait déjà les escaliers du perron.

Clare fit au revoir de la main et regagna sa voiture. Tout en démarrant, elle tourna la tête pour voir Laura sur le pas de sa porte agitant la main dans sa direction. Le rêve de son adolescence refit surface. Si la vie s'était comportée autrement, cela aurait pu être elle, devant sa maison, avec son bébé dans ses bras. Elle en rêvait, du temps où elle s'ennuyait en cours de chimie et qu'elle noircissait les marges de ses cahiers de « Mme Gil Harper » et de « Clare Harper »…

Au lieu de quoi elle avait mené une vie solitaire, accédant à une forme d'épanouissement au travers de l'enseignement, puis de l'écriture. Sa réussite dans ce domaine avait eu un prix. Les heures de travail auxquelles elle s'était astreinte lui avaient interdit, sinon toute sortie ou vie personnelle, du moins de s'engager dans une relation amoureuse à long terme. Au point qu'à présent, l'idée même de se marier et d'avoir des enfants lui semblait affreusement intimidante.

— Je suis si contente que tu aies pu venir, répéta Lisa Stuart à Clare tandis que les derniers élèves sortaient de la classe.

Clare sourit à la femme qui avait été son professeur préféré. Elle était encore étonnée du peu de changement qu'elle avait trouvé en elle. Il est vrai que dix-sept ans auparavant, Lisa Stuart était une toute jeune prof, sans doute à peine plus âgée que ses élèves.

— J'espère qu'ils ne se seront pas trop ennuyés.

— Tu plaisantes ! N'as-tu pas remarqué le silence dans la salle pendant que tu parlais ? Ils étaient suspendus à tes lèvres.

— Et très intéressés par la question des droits d'auteur, dit Clare, amusée.

— Oui, tout à fait caractéristique de la jeune génération. L'argent les intéresse non seulement en lui-même, mais aussi en ce qu'il est la preuve de la valeur des choses. Tu es sûre que tu n'as pas le temps de boire un café ?

— Non, vraiment, je dois partir. Il faut que je sois à Hartford à midi.

— Bon. En tout cas, merci encore, Clare. Les enseignants n'éprouvent pas souvent d'aussi grandes satisfactions, et c'était très gentil, bien trop généreux en fait, de m'attribuer une petite part de ta réussite.

— Pas du tout, madame Stuart. Vous n'étiez pas seulement *mon* professeur favori, tout le monde vous aimait. A propos, Laura Dundas m'a chargée de vous saluer. Vous vous souvenez d'elle ? Elle a épousé Dave Kingsway.

— Je t'en prie, Clare, appelle-moi Lisa. Mais oui, je me souviens très bien de Laura. Et j'ai lu leur faire-part de naissance dans le journal, ils doivent être très heureux.

— Ils le sont, fit Clare en commençant à rassembler ses affaires.

Elle parcourut la salle du regard.

— Il te manque quelque chose ?

— Mon nouveau livre. J'en ai fait passer un exemplaire dans la classe et je ne le vois plus.

— Il doit être quelque part, dit Lisa en avançant entre les rangées de tables. Tiens, le voilà ! Ah, ces ados, ils n'écoutent jamais rien.

Elle le rapporta à Clare, qui le glissa dans son sac.

— Tu as eu l'occasion de reprendre contact avec d'anciens camarades de lycée pendant ta visite ?

— Pas vraiment. La plupart ont déménagé, en fait.

— J'ai lu l'article du *Spectator* hier, dit Lisa.

— Ah oui ? fit Clare, bataillant avec la fermeture de son sac. Qu'en avez-vous pensé ?

— C'est tout à fait dans la manière de Withers.

— Je crains que beaucoup de gens n'en viennent à penser comme lui en lisant l'article.

— Il est évident que tu as utilisé ta propre expérience mais, pour ma part, à aucun moment je n'ai pensé que tu avais basé ton histoire sur ce crime affreux.

65

Clare déglutit difficilement, résistant à la tentation d'avouer que, en réalité, un ou deux incidents n'étaient pas tout à fait imaginaires.

— De toute façon, reprit Lisa, c'est arrivé il y a si longtemps que je ne pense pas qu'un grand nombre de lecteurs s'en souviennent.

— Malheureusement, ils vont s'en souvenir à présent, soupira Clare.

— Ne laisse pas ce genre d'article d'atteindre, Clare.

Elle enfila son manteau, ramassa son sac et se dirigea vers la porte suivie de Lisa. Et là, impulsivement, elle l'embrassa.

— Merci encore, Lisa. Merci pour tout.

Pressant le pas dans le couloir qui menait à la sortie la plus proche, ses talons claquant sur le carrelage, Clare se revit soudain, cet autre jour, se hâtant de la même manière, impatiente de retrouver Gil à la fin de son entraînement de base-ball.

Un instant plus tard, elle se retrouvait à l'extérieur du bâtiment. Le terrain de sport s'étendait devant elle, semblable à ce qu'il avait toujours été, à ceci près que trois de ses côtés étaient à présent équipés de gradins pour les spectateurs.

Immobile, elle fixa la scène. L'image de Gil embrassant Rina s'inscrivit aussitôt en surimpression. C'était de cet endroit même que, remplie d'incrédulité, elle les avait suivis des yeux tandis qu'ils s'éloignaient, le bras de Gil passé autour des épaules de Rina, vers le raccourci qui menait à la passerelle. C'était aussi la dernière fois qu'elle avait vu Rina Thomas.

Clare prit une longue inspiration. « Calme-toi, Clare, s'ordonna-t-elle. Tout ça est terminé. Et dans quelques minutes, tu laisseras Twin Falls derrière toi. » Puis, comme elle l'avait fait ce jour-là, elle contourna le bâtiment pour rejoindre le parking. Mais aujourd'hui, elle ne pleurait pas.

Lorsqu'elle atteignit les premières zones commerciales de la banlieue de Hartford, elle ne pensait plus qu'à sa séance de signatures. Ayant réussi à trouver une place dans une petite rue derrière la librairie, elle prit son grand sac de toile, qui contenait les traditionnels marque-pages et affichettes de l'éditeur, espérant que le lot de livres envoyé en express pour la circonstance était arrivé.

Un employé, qui visiblement avait guetté son arrivée à l'arrière du bâtiment, l'accueillit avec enthousiasme. Il y avait déjà une vingtaine de personnes dans le magasin, ce qui devait être exceptionnel un lundi matin. Le gérant prit son manteau, apporta du café et une bouteille d'eau et l'installa dans un confortable fauteuil derrière une longue table. Et tandis qu'elle dédicaçait son premier livre, Clare avait complètement oublié sa visite de la matinée à Twin Falls High.

C'était un des aspects de sa nouvelle vie qu'elle aimait — bavarder avec des gens de tous les jours qui, non seulement aimaient lire, mais aimaient lire *ses* livres. Il lui était encore difficile de croire que de complets étrangers désiraient lire ce qu'elle avait écrit dans le secret de son bureau.

Elle était en train de siroter les dernières gouttes de son café quand une voix d'homme lui fit lever la tête.

— Monsieur Wolochuk ? dit-elle, plissant des yeux étonnés.

— Bonjour, Clare. Je suis heureux de constater que vous vous souvenez de moi.

— Bien sûr. Je… J'ai tellement peiné sur mes exercices de chimie.

Il ébaucha un sourire. Les années n'avaient pas été tendres avec M. Wolochuk. Le dos voûté, les cheveux gris, il semblait proche de l'âge de la retraite bien qu'il n'eût sans doute qu'une cinquantaine d'années.

— Si mes souvenirs sont bons, vous avez malgré tout obtenu la moyenne à l'examen. Et il semble que, depuis, vous soyez passé à autre chose qui vous a splendidement réussi, dit-il en désignant la pile de livres sur la table.

— J'ai eu beaucoup de chance.

— Quand j'ai vu l'annonce de votre venue, dans le journal, je me suis dit que j'allais passer. Et acheter votre livre, bien sûr, dit-il en lui tendant un exemplaire.

— Vous enseignez toujours, monsieur Wolochuk ? demanda-t-elle en commençant à écrire une dédicace qui rappelait avec humour ses déboires en chimie.

— Non. Je suis en incapacité depuis quelques années. Suite à des accidents cardiaques.

— Oh, je suis désolée.

Elle lui rendit son livre, à court de conversation. Une seule femme attendait derrière lui, qui parcourait un livre et ne semblait pas particulièrement impatiente.

— J'avais une séance de signatures à Twin Falls samedi, et, ce matin, j'étais au lycée. Lisa Stuart m'avait demandé de venir rencontrer ses élèves de dernière année.

— Ah, fit-il, l'air intéressé. Et comment cela s'est-il passé ?

— Très bien. En tout cas, c'est ce que Lisa m'a assuré. Les élèves ont posé beaucoup de questions, ce qui est plutôt bon signe. Quoique la plupart d'entre elles aient concerné l'aspect financier et la notoriété…

— Et… euh…

Il s'éclaircit bruyamment la gorge.

— Vous avez pu revoir certains de vos anciens camarades ?

— Un ou deux, répondit-elle évasivement.

La femme qui attendait les regardait à présent. Mais M. Wolochuk ne semblait pas pressé.

— Vous êtes restée longtemps à Twin Falls ?

— Le week-end. Vous y vivez toujours ?

Une émotion traversa le visage du professeur, que Clare ne parvint pas à déchiffrer.

— Non, dit-il après un silence. J'en suis parti il y a déjà un moment. J'habite ici maintenant.

— Oh. Eh bien, cela m'a fait plaisir de vous revoir, monsieur Wolochuk, dit Clare, voyant la cliente regarder sa montre. Et je vous remercie d'avoir acheté mon livre.

Il fit un petit signe du menton, mais resta cloué sur place. La femme qui se tenait derrière lui toussa et Wolochuk parut soudain se rendre compte que quelqu'un attendait son bon vouloir. Il ramassa son livre et s'écarta.

Clare sourit à la dame qui s'approchait et, juste avant de lui demander le nom de la personne à qui dédicacer le livre, adressa un « Merci encore » enjoué à M. Wolochuk.

— Oui. Alors… au revoir, et bonne chance.

Lorsque Clare leva de nouveau les yeux, elle vit M. Wolochuk passer la porte, puis hésiter sur le trottoir devant le magasin comme s'il considérait la possibilité de faire demi-tour. Mais il se décida finalement à s'éloigner. Clare poussa un soupir de soulagement. Elle avait toujours trouvé que son professeur de chimie était un peu étrange, mais désormais, il paraissait abattu, usé, comme si toute vie s'était retirée de lui.

Une employée du magasin vint lui dire qu'on la demandait au téléphone.

— Vous pouvez prendre la communication dans le bureau du gérant, lui dit-elle en lui montrant le chemin.

Avec une certaine inquiétude, Clare passa en revue les personnes qui auraient pu l'appeler à cet endroit. Sa mère ? Son agent ?

5.

— Clare ! Je suis désolée de te déranger pendant que tu travailles, mais il est arrivé quelque chose.

— Laura ! Tu sembles catastrophée ! Que se passe-t-il ? C'est Emma ?

— Non, non, pas Emma, grâce à Dieu. C'est Dave. Il est monté sur le toit ce matin pour nettoyer les chéneaux et il est tombé de l'échelle.

— Oh non ! Comment va-t-il ?

— Il est encore au bloc opératoire. Double fracture de la jambe.

— Mon Dieu, ça paraît sérieux.

— Cela aurait pu être pire. Le médecin a dit qu'il avait eu de la chance. Mais le problème… c'est que…

La voix de Laura se brisa soudain. Clare entendit son amie prendre plusieurs longues inspirations, essayant manifestement de se reprendre.

— Ça va aller, Laura, prends ton temps.

— Il doit rester à l'hôpital deux ou trois jours, reprit Laura, et il ne pourra pas reprendre le travail avant un bon moment. Et… je ne me sens pas capable de me débrouiller toute seule, je sais que je devrais, mais Emma se réveille encore toutes les nuits et je n'ai pas dormi une nuit complète depuis qu'elle est née.

Clare ignora la sonnette d'alarme qui avait faiblement retenti dans sa tête. Laura avait besoin d'un conseil. Voilà tout.

— Est-ce que tu ne peux pas faire appel à tes parents pour t'aider ? Ou à ceux de Dave ?

— Les miens sont déjà partis. En Floride, tu te souviens ? Je ne voudrais pas les faire revenir. La mère de Dave est en clinique et sa sœur a ses propres problèmes. Et tous les amis que j'ai ici travaillent, Anne-Marie aussi bien sûr. Il n'y a personne, conclut-elle d'un ton désespéré.

Clare crispa ses doigts sur le combiné. Elle devinait ce qui allait suivre.

— Est-ce que tu pourrais… Oh, je sais que c'est beaucoup demander… Si tu pouvais revenir et rester un peu avec moi… Juste un ou deux jours, le temps de me retourner.

— Laura, je… je ne crois pas que je te serais d'une grande aide. Je veux dire, je ne sais vraiment rien des bébés.

— J'ai seulement besoin de quelqu'un qui puisse la garder pendant que je vais à l'hôpital. Tu sais — enfin, non, je suppose que tu ne le sais pas — mais c'est toute une histoire de se déplacer avec un nouveau-né, et puis ses horaires seraient chamboulés. D'ailleurs, je ne sais même pas si l'hôpital me laisserait entrer avec elle.

Elle s'interrompit pour reprendre son souffle.

— Et il y a autre chose, j'ai besoin d'avoir quelqu'un auprès de moi. Je ne sais pas si ce sont les hormones ou quoi, mais je ne supporte pas d'être seule.

A en juger par son flot de paroles, Laura n'était pas en état de prendre la situation en main.

— D'accord, Laura. J'ai terminé ici, et je suppose que je peux me permettre de rester un ou deux jours avec toi.

— Oh, Clare, merci ! Je ne sais pas ce que je ferais sans toi.

Clare avait le sentiment qu'en d'autres circonstances, son amie, généralement pleine de ressources et d'énergie, se serait très bien débrouillée. Mais peut-être la tension qu'elle avait perçue entre

Dave et Laura durant le week-end témoignait-elle d'un flottement dans leur relation. Quoi qu'il en soit, Clare ne pouvait pas refuser son aide.

Elle raccrocha en songeant à l'engagement qu'elle venait de prendre. Pas de problème au sujet de sa tournée de promotion, la prochaine séance de dédicace n'était pas prévue avant la fin du mois. Cependant, elle ne pourrait pas avancer son nouveau projet — déjà presque accepté par sa maison d'édition —, comme elle se l'était promis. Mais Laura avait besoin d'elle. La famille Dundas avait été là pour elle des années auparavant, et l'occasion lui était donnée à présent de leur manifester sa reconnaissance. Avec un peu de chance, elle ne resterait que deux ou trois jours et repartirait sans même avoir eu à croiser Gil.

Une heure et demie plus tard, quand la porte de la maison des Kingsway s'ouvrit, elle sut que la chance l'avait désertée.

Il n'était pas rasé, ses cheveux étaient en bataille et sa chemise, dont les pans sortaient de son pantalon, n'était pas complètement boutonnée, révélant l'encolure d'un T-shirt blanc. En d'autres circonstances, Clare aurait pensé qu'il sortait tout juste des bras d'une femme. Mais un cri suraigu qui venait de l'intérieur de la maison l'informa que le seul être féminin sur les lieux était Emma, un bébé affreusement malheureux.

— Gil ? Laura n'est pas là ? demanda Clare en entrant dans le hall.

— Non, elle est encore à l'hôpital. Mais elle a téléphoné tout à l'heure pour dire qu'elle serait là dans une heure environ.

— Le bébé dormait quand je suis arrivé.

Il y eut un autre cri. Déchirant. Gil leva les yeux vers le haut de l'escalier.

— Je crois qu'elle est réveillée maintenant, commenta-t-il.

— Ah ça, on dirait. Tu devrais peut-être aller la chercher.

— Moi ?

— N'es-tu pas supposé être le baby-sitter ?

— Eh bien… Euh… Je croyais que tu étais venais me relayer…

Comme elle ne répondait pas, il enchaîna en faisant un pas dans la direction de la porte :

— D'ailleurs, je vais te laisser.

— Attends ! Tu ne peux pas partir tout de suite.

— J'ai rendez-vous à la maison dans une demi-heure avec un agent immobilier. En fait, j'étais sur le point de lui passer un coup de fil pour me décommander, mais puisque tu es là…

— Mais je ne sais rien, protesta Clare. Je veux dire, Laura ne m'a rien dit, aucune instruction, rien.

— A moi non plus. Seulement que les couches se trouvent sous la table à langer dans sa chambre et qu'il y a des biberons de… euh, lait maternel dans le réfrigérateur, acheva-t-il en tournant de nouveau la tête vers l'étage.

S'attendait-il à voir descendre le bébé tout seul, comme un grand ? Soudain, les cris redoublèrent d'intensité, et cette fois, tous deux se dirigèrent instinctivement vers le bas de l'escalier.

— Inutile d'y aller tous les deux, dit Gil sur un ton que Clare trouva un peu sec.

— Très bien. Dans ce cas, monte pendant que je fais chauffer un biberon.

Il parut aimer l'idée jusqu'à ce qu'elle lui rappelle où se trouvaient les couches…

Clare gagna la cuisine, posa son sac et sa veste sur une chaise et ouvrit le réfrigérateur. Il y avait deux petits biberons de lait dans un compartiment de la porte. Peut-être étaient-ils là depuis la venue de la baby-sitter le samedi précédent ? Combien de temps le lait maternel pouvait être conservé ? Aussi longtemps que le lait pasteurisé ? Elle n'en avait pas la moindre idée, ce qui attestait encore une fois son incompétence dans ce domaine.

Pourtant, elle ne pouvait pas s'empêcher de sourire en pensant à Gil qui lui avait semblé encore plus désemparé qu'elle-même. D'ailleurs, lorsqu'il apparut à la porte de la cuisine quelques minutes plus tard, s'efforçant de contenir une Emma en larmes qui se tortillait dans tous les sens, elle manqua pouffer : il était blanc comme un linge.

— Je crois qu'elle a quelque chose, dit-il.

Il secoua la tête, l'air consterné.

— Sinon, je ne vois pas comment un aussi petit bébé pourrait produire… euh, eh bien, ce qu'elle a produit là-haut.

Clare lui adressa un sourire compatissant, se félicitant, à part elle, de s'être assigné l'opération biberon.

— Je suis certaine que c'est parfaitement normal. Elle n'a pas l'air malade. Tu veux sans doute aller te laver les mains ? Je vais la prendre.

— Merci, dit-il en lui tendant l'enfant avant même qu'elle ait eu le temps de s'asseoir.

Après quoi, il s'empressa de sortir de la cuisine. Clare prit le biberon dans le four à micro-ondes, s'assit, cala avec précaution le bébé dans le creux de son bras gauche et fit couler une goutte de lait sur son poignet pour en tester la température. Un des rares souvenirs de son expérience — limitée — du baby-sitting. Dès qu'Emma eut repéré le biberon, elle se mit à gigoter des pieds et des mains, poussant de nouveau des cris aigus.

— Chut…, murmura Clare. Je fais aussi vite que je peux.

Ayant jugé que le lait n'était pas trop chaud, elle présenta la tétine à la bouche d'Emma qui la happa avec voracité. Quand Gil revint, le silence régnait dans la cuisine, à peine troublé par le léger bruit de succion que produit un bébé satisfait.

— On dirait que tu as fait ça toute ta vie, observa Gil.

— En réalité, cela ne m'est arrivé qu'une fois ou deux. J'ai l'impression que c'est la partie la plus facile.

Il hocha la tête, mais ne dit rien.

— Tu ne devais pas retourner chez toi ?

— Hein ? Oh, si. L'agent immobilier m'a dit qu'il avait eu une offre pour la maison. J'avais tablé sur une semaine pour la vider et la vendre, mais si l'offre était trop basse, je pourrais rester quelques jours de plus.

Emma cessa de téter, puis tourna la tête. La tétine tomba de sa bouche. Visiblement, elle avait assez bu.

— Est-ce que tu ne dois pas lui faire faire un rot ou quelque chose ? demanda Gil.

— Si.

Elle se demanda d'où il tenait ce savoir. Comme elle, Gil avait été un enfant unique et elle doutait qu'il ait jamais gardé un enfant, encore moins un nourrisson. Clare souleva Emma et la plaça doucement contre son épaule. Le bébé eut un renvoi sonore et tous deux éclatèrent de rire.

— J'ai presque cru entendre Dave après sa troisième bière, commenta Gil.

— Oui. Mais je suis sûre qu'avec Laura comme maman, les manières de cette petite demoiselle vont s'améliorer en grandissant.

— Sans aucun doute.

Mis à part les petits grognements d'aise d'Emma, on n'entendait pas un bruit dans la pièce. Mais à présent Clare éprouvait une sorte de gêne, assise là avec le bébé tandis que Gil, accoudé au comptoir, l'observait. Manifestement, il n'était pas pressé de partir. En réalité, il semblait même parfaitement satisfait de rester ainsi à la contempler.

— Dans quel domaine as-tu dit que tu exerçais à New York ? s'enquit-elle pour rompre le silence.

— Droit des entreprises. Je viens juste d'être accepté comme associé du cabinet. En réalité, ajouta-t-il après une courte pause, je me destinais au droit criminel, mais lorsque j'ai obtenu mon diplôme, j'avais un gros emprunt à rembourser, et réussir dans cette branche peut prendre pas mal de temps. Et puis, j'ai eu cette offre…

Emma recommença à s'agiter. Clare la remit sur son bras et glissa de nouveau la tétine dans sa bouche.

— On dirait que ça marche plutôt bien pour toi, fit-elle, ne sachant pas trop quoi dire.

— Compte tenu du mauvais départ que j'ai eu, oui, je crois qu'on peut dire ça.

Mauvais départ. Gil faisait allusion au fait qu'il avait dû commencer ses études supérieures alors que de graves soupçons continuaient de peser sur lui. Clare soupira. Immanquablement, ils en revenaient là. La mort de Rina Thomas s'interposerait toujours entre eux. Cette pensée la déprimait. Pourtant, n'aurait-elle pas dû s'en moquer après toutes ces années ? Mais ce n'était pas le cas. Pour quelque raison obscure, elle désirait qu'il ait une bonne opinion d'elle.

Sans doute avait-il perçu son trouble car, après un bref silence, il se redressa et dit :

— Je crois que je ferais mieux d'y aller. Bonne chance avec Emma. J'espère que Laura sera bientôt de retour.

— Oui, moi aussi.

Gil hésita un instant, passa une main dans ses cheveux, puis lui dit au revoir et quitta la cuisine. Deux secondes plus tard, Clare entendit la porte de la maison se refermer. Elle expira longuement, ne sachant pas au juste si ce qu'elle éprouvait était du soulagement ou de la déception.

Elle regarda Emma et se demanda ce qu'elle devait faire à présent. Elle en ressentit un nouveau respect pour Laura qui, elle, aurait su répondre à cette question.

Lorsque celle-ci rentra, près d'une heure plus tard, Clare était plus que prête à passer le relais et à retourner à l'hôtel. Mais Laura ne l'entendait pas de cette oreille.

— J'ai besoin de quelqu'un ici, à la maison, expliqua-t-elle patiemment, comme si Clare était une jeune fille à peine sortie de l'enfance venue faire du baby-sitting. Et si on m'appelait de l'hôpital en pleine nuit ?

— Crois-tu vraiment que cela risque d'arriver ? Dave n'a qu'une fracture.

— Une multiple fracture, Clare, et très mauvaise. Il devra rester dans le plâtre pendant des semaines, corrigea Laura en s'effondrant dans le canapé. Je me demande comment il va pouvoir faire avec les escaliers.

— Tu lui installeras un lit en bas. Et vous avez une salle de bains au rez-de-chaussée.

Laura soupira.

— C'est vrai. Je n'ai même plus les idées claires. Tu vois, c'est une raison de plus pour que tu restes. Seulement jusqu'à ce que j'aie trouvé quelqu'un.

Face à l'anxiété qui se peignait sur le visage de son amie, Clare ne pouvait que rendre les armes. D'ailleurs quel argument aurait-elle pu encore lui opposer ? Ce soir-là, après avoir partagé une pizza avec Laura et observé son amie mettre sa fille au lit, Clare se glissa avec plaisir sous ses couvertures. Il n'était pas encore 22 heures, mais il lui semblait que minuit avait sonné depuis longtemps. Dès la première heure le lendemain matin, se promit-elle, elle se mettrait en quête d'une aide pour Laura.

Le matin arriva plus vite que prévu. Emma réclama son biberon à cor et à cri avant 5 heures. Clare entendit Laura se lever et, peu après, les pleurs cessèrent. Mais Clare ne parvint pas à retrouver le sommeil. Finalement, elle rejoignit Laura dans la cuisine.

— Il y a du café, là, dit Laura, désignant le comptoir du menton.

— Je croyais que tu avais fini de la nourrir, dit Clare en se versant une tasse. Il y a presque une heure que je t'ai entendue te lever.

— Elle a pris d'un côté, puis elle s'est endormie. Maintenant, elle prend de l'autre.

Clare s'assit en face de Laura.

— Je me demande pourquoi je me sens si fatiguée alors que c'est toi qui as dû te lever, dit-elle.

— Elle a dormi d'une traite de 23 heures à 5 heures, c'est bien, tu sais. En réalité, c'est la plus longue nuit que j'ai faite depuis qu'elle est née.

— Six heures ! Huit me suffisent à peine pour me sentir fonctionnelle.

— J'étais pareille, dit Laura avec un sourire nostalgique, mais quand un bébé arrive, les choses changent. Nécessairement, ajouta-t-elle, une pointe de regret dans la voix.

— On dit que les relations entre mari et femme changent beaucoup aussi.

— C'est certain. Je crois même que c'est le plus gros changement, mis à part le fait de ne pas partir travailler le matin.

— Ton travail te manque ?

— Un peu, mais pas assez pour avoir envie de confier Emma à une inconnue. C'est une pomme de discorde entre Dave et moi. Il pense que je devrais reprendre le travail dès la fin de mon congé de maternité parce que nous avons besoin d'argent pour rembourser l'emprunt de la maison.

— Et tu préférerais attendre ?

— Oui. Un an peut-être. J'ai déjà demandé un congé de six mois, ce qui signifierait donc six mois supplémentaires sans traitement.

Clare but une gorgée de café.

— Il faudra sûrement que vous en rediscutiez, dit-elle, consciente de la platitude de sa remarque.

Laura embrassa Emma sur le front pendant que celle-ci tétait, puis elle releva les yeux, adressant à Clare un pauvre sourire.

— Je suppose que nous allons avoir le temps d'en reparler puisqu'il sera bloqué à la maison, murmura-t-elle. Je vais devoir m'occuper de deux personnes maintenant, ajouta-t-elle tandis que ses yeux se remplissaient de larmes.

Clare devina ce que son amie pensait. *Qui va s'occuper de moi ?* Elle étendit son bras et tapota la main de Laura.

— Ecoute, je serai là un jour ou deux, et nous allons chercher quelqu'un qui puisse venir te prêter main-forte. Qu'as-tu prévu aujourd'hui ? Je suppose que tu vas rendre visite à Dave ?

— Oui. Et toi, que vas-tu faire ?

— J'ai l'intention d'appeler ce pseudo journaliste et lui dire ce que je pense de son article.

Et c'est ce qu'elle fit dès qu'elle eut fini de ranger la vaisselle du petit déjeuner.

— Pour ma part, je pense que c'était un excellent article, et une formidable publicité pour votre livre. Je ne vois pas du tout de quoi vous pourriez vous plaindre, rétorqua Jeff Withers lorsqu'elle lui eut fait part de ses remarques.

Clare serra le combiné un peu plus fort. Se faire un ennemi d'un journaliste — même s'il s'agissait d'un obscur rédacteur de journal local — n'était jamais judicieux, aussi répondit-elle calmement :

— J'ai bien sûr apprécié les commentaires flatteurs que vous avez faits au sujet de mon livre ; je crains cependant que certains lecteurs ne soient induits en erreur quant à son véritable objet. Vous vous êtes efforcé d'établir un lien entre l'intrigue de mon roman et un meurtre qui a eu lieu il y a des années. C'était tout à fait hors propos, et je pense, monsieur Withers, que vendre du papier vous intéresse bien davantage qu'informer vos lecteurs.

Withers s'éclaircit la gorge.

— Il se trouve que je pense réellement qu'il existe un lien entre l'histoire que vous racontez et le meurtre de Rina Thomas, mademoiselle Morgan. Que vous ayez fait de la mort mystérieuse de la meilleure amie de votre héroïne le pivot de votre livre ne peut pas être une coïncidence quand vous-même avez été impliquée dans le meurtre qui a été commis ici même, à Twin Falls.

Clare sentit le sang lui monter à la tête. La bouche sèche, elle dit :

— Je ne sais absolument pas de quoi vous parlez, monsieur Withers. Je n'ai joué aucun rôle dans l'affaire Thomas.

— Ce n'est pas ce que j'ai entendu dire. Selon mes sources, vous avez orienté les recherches de la police vers un jeune garçon avec qui vous sortiez. Euh... j'ai oublié son nom. Une seconde...

— Son nom était Gil Harper. La police l'a brièvement interrogé et aussitôt relâché.

— Mais elle n'a jamais retrouvé l'assassin de Rina, donc l'affaire ne peut être considérée comme officiellement close, n'est-ce pas ?

— Je regrette que vous ne soyez pas capable de faire la distinction entre mon roman et cet ancien meurtre, déclara Clare, refusant de mordre à l'hameçon. Et je regrette encore davantage de vous avoir accordé une interview. Je ne commettrai pas deux fois cette erreur. Au revoir, monsieur Withers.

— Attendez. Ne raccrochez pas tout de suite. Il faut que vous sachiez que je ne suis apparemment pas le seul à avoir fait ce rapprochement.

— Je ne comprends pas.

— Avez-vous eu des nouvelles du directeur de la librairie où vous dédicaciez samedi ?

— Non, pourquoi ?

— Un peu plus tard ce même jour, quelqu'un a vandalisé vos affiches, barrant votre nom au marqueur noir.

Il fit une pause.

— Alors, mademoiselle Morgan, pour quelle raison quelqu'un se serait-il amusé de cette façon ?

— Je ne suis pas au courant, dit-elle d'une voix altérée.

80

— Ne pensez-vous pas qu'il pourrait s'agir de quelqu'un qui aurait autant de mal que moi à croire que votre roman est un ouvrage de pure fiction ?

— Au revoir, monsieur Withers, rétorqua-t-elle sèchement.

Puis elle raccrocha et porta la main à son front. Quelle erreur, songea-t-elle avec dépit.

— Clare ? Tu vas bien ?

Clare se retourna. Laura, dans l'encadrement de la porte, l'observait. Pourquoi n'avait-elle pas attendu que son amie soit partie avant de téléphoner ?

— Tu as l'air de quelqu'un qui vient de voir un fantôme.

— C'est ce… sale type, ce Withers… Oh si seulement je ne l'avais pas rappelé. J'aurais mieux fait de laisser tomber.

— Pourquoi ? Que s'est-il passé ?

— Il a commencé par feindre de ne pas comprendre mon point de vue. Ensuite, il m'a dit qu'il avait ses propres sources de renseignements concernant l'affaire Thomas, et il s'est débrouillé pour avoir le dernier mot en me disant que les affiches que Novel Idea avait mises pour annoncer ma venue avaient été barbouillées par quelqu'un qui, certainement, doutait comme lui que mon livre soit une fiction.

— C'est ridicule, déclara Laura en s'asseyant en face d'elle. C'est probablement l'œuvre d'un gamin. Il y a des tags partout maintenant.

— Oui, mais il semble que seules mes affiches aient été abîmées.

— Il n'a peut-être tout simplement pas eu le temps de s'attaquer aux autres. Et quel genre d'informations Withers prétendait-il détenir à propos du meurtre ?

— Je ne sais pas, répondit Clare en détournant les yeux.

— Allons Clare. Tu le sais. C'est même ça qui te bouleverse.

— Il savait quelque chose que seules quelques personnes pouvaient savoir.

— Quoi ?

Elle l'apprendra un jour ou l'autre, de toute façon, pensa Clare.

— C'est à cause de moi que la police a interrogé Gil. Je leur avais dit que je l'avais vu descendre vers le ravin en compagnie de Rina cet après-midi-là.

— Oh, mon Dieu, murmura Laura. Alors c'est pour ça que vous vous êtes séparés ?

— En partie. En grande partie. Mais seuls la police et Gil savaient que j'avais déposé. Du moins, c'est ce que je croyais.

— Tu sais quoi, Clare ? Tu devrais oublier tout ça. Ce type essaie de te provoquer, c'est tout. Il cherche sans doute la matière d'un deuxième article.

— Je n'aurais jamais dû lui téléphoner. Que crois-tu que je devrais faire maintenant ?

— Franchement ? Oublier.

Elle jeta un coup d'œil à sa montre et reprit :

— Ecoute, Emma ne va pas tarder à se réveiller. Je la nourris et je file à l'hôpital. Pendant ce temps, pourquoi n'appellerais-tu pas la librairie ? Tu auras au moins l'impression d'agir. Ensuite, si tu veux, tu pourrais emmener promener Emma.

— D'accord, dit Clare que la perspective de marcher un moment au grand air réconfortait par avance.

Dès que Laura fut montée à l'étage, Clare composa le numéro de Novel Idea.

Le directeur se répandit en excuses et lui dit que la police avait été prévenue, mais qu'ils avaient avoué ne pas pouvoir faire grand-chose.

— Malheureusement, ajouta-t-il, les caméras de sécurité du magasin n'étaient pas dirigées vers l'endroit où se trouvaient les affiches.

— Pensez-vous que c'est l'œuvre de gamins ?

— C'est ce que la police a semblé suggérer, bien qu'on ait rarement eu à déplorer ce genre d'incidents à Twin Falls. Et puis, je ne vois pas pourquoi des jeunes s'en seraient pris uniquement à vos affiches.

C'était exactement la conclusion à laquelle Clare avait abouti de son côté. Elle rassura le libraire en lui disant que personne ne pouvait prévenir ce genre d'actes et raccrocha. Puis, elle monta se changer. Elle enfila son pantalon de velours noir et le pull à col roulé que Laura lui avait prêté. Bien que la journée soit claire, la température avait fraîchi. C'était l'automne.

Elle quittait la pièce quand elle heurta une chaise sur laquelle étaient posés les livres qu'elle avait emportés à Twin Falls High. Un volume tomba et une feuille de papier glissa sur le sol à ses pieds. Elle la ramassa ainsi que le livre et déplia distraitement la feuille.

Son esprit n'enregistra pas immédiatement le sens des mots écrits au feutre rouge : « Ficher le camps. »

6.

Gil ne pouvait en croire ses yeux. Ces cheveux roux flamboyant… non, il ne se trompait pas, c'était bien elle, poussant le landau d'Emma.

Clare Morgan promenant un bébé était une vision aussi extraordinaire que merveilleuse. Il avait eu cette même impression, la veille lorsqu'elle donnait son biberon à Emma. D'après ce qu'il savait, elle avait peu d'expérience dans ce domaine, et cependant elle tenait Emma dans ses bras avec un tel naturel qu'en la regardant sourire au bébé, il s'était imaginé l'espace d'un instant qu'il s'agissait de leur enfant.

Cela avait été un de ces moments fous où l'on se laisse aller à divaguer : et si… Et s'il n'avait jamais été impliqué dans la mort de Rina ? Et s'ils n'avaient pas eu cette affreuse dispute ce dernier soir ? Et si les rêves qu'ils avaient partagés, l'université, le mariage… étaient devenus réalité ?

Il secoua la tête, comme pour se débarrasser de ces pensées vaines et douloureuses, prit une inspiration et courut pour rattraper Clare.

— Bonjour toi, lança-t-il en arrivant à sa hauteur.

Elle sursauta comme il s'y était attendu. Et à l'instant où ses yeux fauves se posèrent sur lui, il sut qu'elle n'était pas du tout ravie de le voir.

— Je ne savais pas que tu faisais du jogging, remarqua-t-elle.

Il ne put réprimer un sourire.

— Pourquoi le saurais-tu ?

Elle rougit.

— Laura est partie voir Dave, expliqua-t-elle. J'espère maintenir Emma endormie jusqu'à son retour. Même si je dois pour cela faire le tour complet de Twin Falls, ajouta-t-elle avec un rire nerveux.

— Ça ne t'ennuie pas que je t'accompagne un moment ?

— Si tu veux, répondit-elle sans enthousiasme.

— Alors, dis-moi, quelles sont les dernières nouvelles de Dave ?

— Laura a appelé l'hôpital ce matin. Ça allait. Il a marché un peu avec des béquilles. Il devrait pouvoir rentrer dans un jour ou deux.

— Voilà qui doit te soulager.

Elle le foudroya du regard.

— Me crois-tu à ce point mesquine ? Cela ne m'ennuie pas du tout de rendre service à mes amis.

— Excuse-moi, Clare, je ne voulais pas dire ça. C'est seulement que toi et moi ne semblons pas très à l'aise les enfants. Et si c'était moi qui devais m'occuper d'Emma, je crois que je compterais les heures.

— Nous faisons de drôles de parrain et marraine.

— A vrai dire, je n'ai jamais osé poser la question, mais… quel rôle sommes-nous censés tenir auprès d'Emma au juste ?

Elle sourit, mordant légèrement sa lèvre inférieure. Une expression qu'il ne se rappelait que trop bien.

— Je ne sais pas trop, dit-elle. Mais je pense que cela implique des cadeaux à l'occasion des anniversaires et de Noël.

— Jusque-là, c'est dans mes cordes.

— Et peut-être une visite de temps à autre.

— Ça, c'est plus difficile, commenta Gil en fronçant les sourcils. Je suis assez occupé en général. En fait, c'est le premier congé de plus de trois jours que je prends depuis deux ans.

85

— Ah oui ? Et on ne peut même pas dire que ce sont de véritables vacances, avec le souci de la maison. A propos, comment cela s'est-il passé hier ?

— L'offre était trop basse, j'ai fait une contre-proposition. Je préfère utiliser tous les jours de congé qu'il me reste plutôt que de la céder pour rien. Mes parents y ont mis trop de travail et d'amour.

Il ne dit pas que le fait d'avoir appris que Clare Morgan passerait quelques jours supplémentaires à Twin Falls avait pesé dans la balance.

— Et toi ? poursuivit-il. Est-ce que cet imprévu ne va pas perturber ta tournée de promotion ?

— Non. D'autres séances de dédicace sont programmées, à New York, puis dans le New Jersey, mais pas avant début novembre. Je suis peut-être une célébrité ici, mais ailleurs…

Il faillit lui faire remarquer que quiconque voyait son nom entrer dans la liste très enviée du *Times* devenait un personnage célèbre, mais il réalisa tout à coup qu'elle n'avait pas encore pris conscience de l'attention que son livre avait attirée sur elle. Peut-être n'avait-elle pas trop changé après tout. L'idée le réconforta sans qu'il sache bien pourquoi.

— Que disais-tu ? demanda-t-il, se rendant compte, au ton soudain incertain de sa voix, qu'elle avait continué de parler alors qu'il ne l'écoutait plus.

— Je disais que je doutais que tout le monde m'aime ici, si j'en crois la façon dont on a abîmé mes affiches. C'était déjà assez désagréable, mais la note que j'ai découverte ensuite dans mon livre m'a vraiment retournée.

Il s'arrêta et posa une main sur son bras.

— Qu'est-ce que tu racontes ?

— Samedi dernier, les affiches pour la promotion de mon livre ont toutes été caviardées, ou taguées, comme tu voudras. Et tout à l'heure, juste avant que je sorte pour promener Emma, j'ai trouvé cette fichue note dans un livre que j'avais apporté au lycée lundi.

— Quoi ? Montre-la-moi, dit Gil. Ecoute, Emma dort, nous pourrions nous asseoir une minute sur ce banc là-bas.

Après avoir vérifié qu'Emma dormait paisiblement, Clare acquiesça d'un signe de tête. Gil s'assit à côté d'elle et examina la note.

— Je l'ai glissée dans ma poche en descendant de ma chambre, expliqua Clare. Laura était sur le point de partir, je n'ai pas voulu la retenir.

— Ce qu'il y a de certain, c'est que son auteur n'est pas très doué en orthographe, remarqua Gil. Le livre dans lequel tu as trouvé ce papier est passé entre les mains des élèves ?

— Oui, je leur en ai lu un passage, puis quelqu'un a posé une question sur la couverture, alors je l'ai fait circuler dans les rangs.

— C'est donc probablement un élève.

— Je suppose. Bien que je ne puisse comprendre pour quelle raison un élève écrirait ça. Ce serait différent si c'était un commentaire à propos du livre, mais *fichez le camp…*

— D'abord, les affiches, puis ça, récapitula Gil en lui rendant la note, les deux incidents s'étant produits juste après la publication de ton interview. Cela ne peut pas être une coïncidence. Quelqu'un a manifestement trouvé ton livre très dérangeant.

— J'en suis arrivée à la même conclusion. Mais je ne comprends toujours pas pourquoi. Et pourquoi un gamin ?

— Un ado, plutôt, rectifia-t-il. Je sais que tu insistes sur le fait que ton livre est une fiction, mais je dois avouer que, même moi, j'ai établi certains parallèles en le lisant. C'était l'objet de cet article, n'est-ce pas ?

— Tu l'as lu ? Tu n'en as rien dit hier, chez Laura.

Il pouvait difficilement lui dire que l'article l'avait mis tellement hors de lui qu'il avait eu envie de se rendre directement au journal et de casser la figure de ce Withers. Excessif sans doute, mais les intentions de ce type étaient tellement évidentes que c'en était insultant.

— C'est du journalisme de bas étage. Je pensais que tu ne voudrais pas en parler.

— Tu as vu juste. Ça n'en vaut pas la peine.

Il sentit, en dépit de l'indifférence qu'elle affectait, que l'article la perturbait encore. Mieux valait changer de sujet. Mais elle le surprit en reparlant du livre :

— Bien sûr, quelques-uns de mes souvenirs se retrouvent dans le roman. Ça arrive, tu sais, quand un écrivain raconte des événements qui s'apparentent, de près ou de loin, à ce qu'il ou elle a vécu. Mais la seule raison pour laquelle j'ai introduit un décès, était que je voulais utiliser mes propres émotions — celles que nous avons tous ressenties lors du meurtre de Rina —, pour donner davantage de crédibilité, d'épaisseur à mon héroïne.

— Il y a un autre fait, n'est-ce pas, qui diffère de la réalité ?

Elle baissa les yeux. Et lorsqu'elle les leva de nouveau vers lui, il fut frappé par la douleur dans son regard et se sentit soudain complètement désarmé en face d'elle, comme au temps de son adolescence. Il serra les dents, étonné et fâché de se laisser prendre aussi facilement à ses grands yeux sombres.

— Tu le sais, puisque tu l'as lu, murmura-t-elle en rougissant.

Gil attendit. Il voulait qu'elle le dise.

— Le petit ami de Kenzie quitte l'école avec Marianne ce jour-là, mais il n'est jamais accusé de meurtre. L'idée de sa possible culpabilité ne germe que dans l'esprit de Kenzie.

— Et elle ne va pas trouver la police.

— Non.

— *Cela,* assurément, est différent de la réalité.

Elle pâlit, détourna la tête et Gil s'en voulut aussitôt. Qu'est-ce qu'il espérait ? Qu'en l'obligeant à avouer sa trahison, les choses iraient mieux ?

— Laisse-moi t'expliquer cette fois, dit-elle en tournant son visage vers lui. S'il te plaît.

Ses yeux étaient embués de larmes. Gil aurait voulu lui dire d'oublier, de tout oublier, et la prendre dans ses bras, mais il ne put pas.

— Je t'écoute.

— Le livre est censé raconter comment Kenzie en vient à se rendre compte que sa petite ville n'est pas le lieu paradisiaque qu'elle croit. Tandis que j'écrivais, mon esprit ne cessait de me ramener au meurtre de Rina et à la manière dont sa mort avait divisé notre classe, et notre communauté. C'est ce que je voulais montrer dans mon livre. Comment un seul événement tragique peut changer la vie d'une multitude de personnes. Alors j'ai inventé un scénario légèrement différent.

Elle fit une pause en dévisageant Gil, et poursuivit.

— Différent parce que je n'ai pas les mêmes soupçons que Kenzie.

« Crois-moi », implorait-elle du regard, et une part de lui voulait la croire. Pourtant, il ne pouvait s'empêcher de penser : « Je n'*ai* pas… », traduisant : « Je n'ai plus, plus maintenant. » Car cela ne pouvait pas signifier qu'elle ne l'avait pas soupçonné dix-sept ans plus tôt, et ils le savaient tous les deux. Il ravala la remarque amère qu'il avait été sur le point de faire. A quoi bon ressasser le passé ? Il prit une profonde inspiration et regarda Emma dans son landau.

— Je pense que la première chose que tu devrais faire est d'aller voir Mme Stuart et lui montrer cette note, suggéra-t-il, évitant son regard.

— Que pourrait-elle me dire ? Je ne crois pas qu'on puisse reconnaître l'écriture.

— Ça vaut tout de même le coup d'essayer.

La tension qu'avait engendrée leur précédent échange ne se dissipait pas. Et maintenant ? pensait Gil. Avons-nous atteint l'extrémité d'une nouvelle impasse ?

Elle acquiesça vaguement du menton comme si elle pensait déjà à autre chose. Il devinait qu'elle attendait qu'il revienne sur le sujet du livre, mais il ne voyait pas quoi ajouter. Elle avait admis avoir à peine déguisé certains faits. C'était dit. Quant à lui, il savait qu'en dépit de ce qu'il avait prétendu plus tôt, il n'avait pas fait table rase du passé, en tout cas pas complètement : il n'avait jamais cessé de porter en lui le souvenir de Clare Morgan. Aussi étouffa-t-il un soupir de soulagement quand elle se leva pour partir.

— Je crois que je devrais ramener Emma à la maison, dit-elle. Merci pour ton conseil.

Il se leva à son tour.

— Appelle-moi si elle t'apprend quelque chose.

— Chez ton père ?

— Oh, oui, c'est vrai. La ligne a été coupée. Tiens, dit-il en sortant de son portefeuille une carte professionnelle. Mon numéro de portable est là-dessus.

Elle prit la carte et l'empocha sans le quitter des yeux.

— Merci, dit-elle avant de faire demi-tour pour s'en aller.

— Clare !

Elle se retourna.

— Prends soin de toi et… euh… bonne chance pour la suite. Au cas où je ne te reverrais pas avant que tu partes.

Elle fit un léger signe de tête et il s'éloigna aussitôt en courant de peur de changer d'avis et de la prendre dans ses bras.

La cloche venait probablement de sonner car des groupes d'élèves sortaient les uns après les autres par la porte latérale du lycée, de plus en plus nombreux et bruyants.

Les mêmes souvenirs qui s'étaient emparés d'elle le lundi affluèrent à l'esprit de Clare alors qu'elle se dirigeait vers la classe de Lisa Stuart au second étage. Mêmes casiers métalliques sous le préau, mêmes affiches punaisées contre le mur défraîchi du hall, mêmes objets oubliés sur les patères… Ce n'est qu'en remarquant un garçon qui la regardait avec insistance qu'elle se rappela la raison de sa visite. A son retour de l'hôpital, Laura avait été très choquée lorsque Clare lui avait parlé de la note, et avait insisté pour qu'elle aille voir Lisa Stuart sur-le-champ. Et Clare s'était exécutée, assez soulagée de ne pas avoir à s'étendre sur sa rencontre avec Gil.

— Bonjour ! lança Clare en passant le nez à la porte de la salle de Lisa.

Lisa leva les yeux des copies qu'elle était sans doute en train de corriger.

— Oh, Clare ! Quelle surprise ! Entre, viens t'asseoir.

Ayant approché une chaise du bureau, Clare s'assit et commença :

— Cela m'ennuie de vous déranger, mais j'avais besoin de vous voir aussi vite que possible.

— De quoi s'agit-il ? Tu m'as semblé soucieuse au téléphone.

— Lorsque je suis venue parler à votre classe lundi, j'ai fait circuler des livres…

— Mon Dieu, ne me dis pas qu'un élève en a abîmé un.

— Je crains que ce ne soit plus grave que ça. J'ai trouvé ce papier dans l'exemplaire de mon dernier livre, expliqua-t-elle en le lui tendant.

Lisa fronça les sourcils, lut la note et releva le visage, visiblement remuée et mécontente à la fois.

— C'est affreux. Je ne comprends pas. Tu es certaine que c'est un de mes élèves ?

— Je n'avais pas ouvert le livre depuis ce jour-là, et il est resté en ma possession avant et après.

— Je ne sais pas quoi dire. Sauf que je suis désolée. Je ne comprends pas pourquoi quelqu'un écrirait une chose pareille. Qu'est-ce que cela signifie ?

— Aucune idée, répondit Clare en haussant les épaules. J'espérais que vous pourriez reconnaître son auteur.

— Hélas, une mauvaise orthographe ne peut guère constituer un indice aujourd'hui. Dans cette classe, sept ou huit élèves sont capables de faire des fautes aussi grossières. Quant à l'écriture…

— L'élève en question pensait peut-être faire une blague, ou voulait faire le malin auprès de ses camarades, qui sait ? Je ne devrais sans doute pas y attacher trop d'importance.

— Es-tu vraiment inquiète ? Penses-tu que tu devrais en parler à la police ?

— Je le ferai peut-être. Mais je ne veux pas vous déranger davantage, Lisa.

Elle se leva pour partir et Lisa lui rendit la feuille de papier.

— Si j'apprends quelque chose, je te le ferai savoir. Tu es toujours à l'hôtel ?

— Non, je suis chez Laura, Laura Kingsway.

— Ah, oui, tu m'en as parlé l'autre jour. Eh bien, je chercherai son numéro si j'ai besoin de te joindre.

Clare acquiesça et, se tournant pour partir, remarqua un garçon qui se tenait à la porte. Le même qui l'avait dévisagée un peu plus tôt dans le hall.

— Je peux t'aider, Jason ? demanda Lisa.

— Je voulais juste vous dire que je vous apporterais mon devoir demain.

— Encore en retard, Jason. Je croyais que tu avais promis de faire un effort.

— Ben… J'ai eu un empêchement.

— Soit. Nous disons donc demain. Au plus tard. Et c'est la dernière fois ! ajouta-t-elle alors que l'élève disparaissait déjà.

— Désolée, Clare. Ce garçon traverse une mauvaise passe. Et je crois malheureusement que cela va de mal en pis.

Clare se demandait si son imagination lui jouait des tours ou si le jeune garçon lui avait réellement lancé un regard malveillant.

— En tout cas, merci encore d'être venue lundi, poursuivait Lisa. Je suis vraiment désolée de ce qui s'est passé, mais je crois que tu as raison, ce n'était sans doute pas autre chose qu'une stupide farce de potache.

— Probablement. Ah, à propos, j'ai rencontré un autre de mes anciens professeurs à Hartford.

— Ah, oui ?

— M. Wolochuk. Je ne sais pas si vous vous souvenez de lui. Il enseignait la physique-chimie.

— Bien sûr que je m'en souviens. En fait, c'est justement son fils qui était là à l'instant.

— Vraiment ! Je ne peux pas le croire ! M. Wolochuk n'est-il pas un peu âgé pour avoir un fils au lycée ?

— Stan est plus âgé que sa femme. Et d'après ce que j'ai entendu dire, il a beaucoup vieilli ces dernières années. Je crois qu'il a des problèmes cardiaques.

— Il m'a dit qu'il vivait à Hartford, à présent, dit Clare qui avait encore du mal à associer son vieux professeur à l'adolescent maussade qu'elle venait de voir.

— Oui. Stan et sa femme ont divorcé quand Jason n'était encore qu'un bambin. C'est son épouse qui a eu la garde et Stan a déménagé à Hartford. A-t-il dit s'il enseignait encore ?

— Il est en incapacité.

— C'est bien triste, vraiment. Stan était un excellent professeur, et ils avaient désiré un enfant pendant si longtemps avant d'avoir Jason. C'est la vie, je suppose.

— Je dois y aller maintenant. Ça m'a fait plaisir de vous revoir.

— Eh bien, je te souhaite beaucoup de succès, Clare. Et j'espère que nous te reverrons à Twin Falls.

Clare sourit et fit au revoir de la main.

Sa visite à Lisa n'avait rien révélé de très significatif, pensait-elle en regagnant le parking. Et, alors qu'elle s'installait au volant de la Jetta, elle avait presque accepté la version de la farce stupide. Elle mit le moteur en route et était en train de passer la première lorsqu'elle remarqua que quelqu'un, adossé à l'angle du mur du lycée, l'observait.

Jason Wolochuk. Ils se dévisagèrent jusqu'à ce que Clare relâche son pied de l'embrayage et se dirige vers la sortie du parking. Avant de s'engager sur la chaussée, elle jeta un coup d'œil à son rétroviseur ; il était au milieu du parking maintenant, mais l'observait toujours, immobile, les bras croisés.

— Mais j'aime rester à la maison avec Emma, disait Laura d'une voix un peu trop aiguë. Et je redoute le jour où je devrai retourner travailler.

— J'imagine que ce n'est pas facile de confier son bébé à un étranger, commença Clare, mais beaucoup de femmes le font.

— Peut-être, mais moi, je ne veux pas.

— As-tu pensé à travailler en free-lance ? Ce doit être possible dans ton métier.

— Oui, je pourrais. Beaucoup de conseillers fiscaux le font. Je gagnerais moins, mais j'économiserais sur les transports, les vêtements, et aussi les repas.

Laura se redressa sur sa chaise. Ses yeux brillaient d'une nouvelle excitation.

— Vous pourriez rembourser vos emprunts plus rapidement, renchérit Clare.

— Qui est censé être la comptable ici ? Je croyais que tu passais les cours d'économie à échanger des mots doux avec Gil.

Clare rit.

— Les interminables exposés de M. Oliver ont dû finir par imprégner mon inconscient.

— Clare, as-tu jamais pensé à ce qui aurait pu arriver si Gil et toi ne vous étiez pas séparés ?

Clare détourna les yeux du regard inquisiteur de Laura. Lorsque le silence devint gênant, elle avoua :

— Ça m'est arrivé, mais plus maintenant. A quoi cela servirait-il ?

— Et les enfants ? Tu n'aimerais pas en avoir un jour ?

— Un jour, oui, répondit-elle en s'efforçant de rire. Si je trouvais *la* personne…

— Gil a l'air d'aimer les enfants.

— Gil ?

Elle s'éclaircit la gorge et essaya de changer de sujet :

— Je n'ai jamais vraiment compris, à vrai dire, pourquoi tu t'étais dirigée vers la comptabilité.

— C'est tout simple, je voulais aller dans la même faculté que Dave.

Laura hésita, puis reprit :

— Pardonne-moi d'avoir remis le sujet de Gil sur le tapis, Clare. Vous sembliez mieux vous entendre, alors j'ai cru que…

Clare refusa de donner la moindre forme à la suggestion de Laura. Mieux valait laisser tomber le sujet que jouer au jeu dangereux des « Et si… ? »

— Pour en revenir à ton travail, dit-elle, tu as encore quatre mois devant toi pour réfléchir.

— Oui, approuva Laura. Tu sais, je vais creuser ton idée. Si je pouvais trouver quelqu'un qui vienne à la maison, disons, trois jours par semaine, je pourrais sûrement travailler assez pour trouver un équilibre financier.

— Et tu pourrais voir ta fille aussi souvent que tu en aurais envie.

— Ça, ce pourrait être un problème. J'aurai tout le temps envie de la voir.

— Tu ne seras peut-être plus aussi obnubilée par elle dans quelques mois, la taquina Clare.

— Mais je ne suis pas obnubilée ! se récria Laura. C'est naturel de vouloir être toujours avec son enfant. J'admets que je devrai me défendre de devenir une mère trop protectrice parce que mes parents l'étaient avec moi. Cela a dû être difficile pour toi aussi, non, après le divorce de tes parents, quand tu t'es retrouvée seule avec ta mère ?

— Au début, oui. Mais je crois que la pression la plus importante pour moi a été la nécessité de s'intégrer au lycée.

— C'est peut-être ce qui t'a rapprochée de Gil.

— Comment ça ?

— Tu avais parfois l'impression de ne pas réussir à t'intégrer et Gil ne cadrait pas tout à fait.

— Gil ! Il était capitaine de l'équipe de foot !

— Mais s'il n'avait pas obtenu une bourse, il ne serait jamais allé à Yale. Sa famille n'aurait pas pu se permettre une telle dépense.

— Gil m'a dit que son père avait travaillé pour la municipalité après la fermeture des scieries.

— Oui, l'été où tu as déménagé dans le New Jersey. C'est bizarre d'ailleurs, tu ne trouves pas ?

— Pourquoi ?

— Ça a toujours été difficile d'obtenir un poste à la mairie. En général, ceux qui les décrochaient connaissaient quelqu'un... Enfin, tu sais comment ça marche.

Clare savait. Elle savait aussi qu'elles avaient assez parlé de Gil.

— En parlant du lycée, tu te souviens que je t'avais dit que j'avais rencontré M. Wolochuk à Hartford ?

— Oui.

— Eh bien, il a un fils — qui est dans la classe de littérature de Lisa.

— Ah mais oui, je me souviens maintenant... ils l'ont eu après que nous avions quitté le lycée. Quel âge a-t-il donc ? Dix-sept ?

— Oui. Lisa m'a dit que M. Wolochuk et sa femme avaient divorcé alors que leur fils était encore tout petit.

— Oui, ma mère m'en a parlé il y a quelques années. Sa femme serait devenue un peu étrange.

— J'ai vu son fils aujourd'hui. Il est passé voir Lisa pendant que j'étais là.

— Comment est-il ?

— Il ne ressemble pas du tout à son père. Cheveux blonds décolorés, hérissés avec du gel, tu sais, comme beaucoup d'ados aujourd'hui. Maigre. Teint blafard.

— Il vit avec sa mère ?

— C'est ce qu'a dit Lisa.

— Pauvre gosse. Il semble n'avoir pas eu beaucoup de chance.

Elle écarta sa chaise et se leva avant de reprendre :

— Dave rentrera peut-être demain. Oh, j'oubliais, ajouta-t-elle, arrivée à la porte de la cuisine, il se pourrait que Gil passe dans la matinée. Il a appelé pendant que tu étais au lycée pour savoir s'il pouvait être d'une quelconque utilité, et je lui ai demandé s'il pouvait s'occuper de remiser la grande échelle qui est restée dehors depuis lundi. Ça ne te dérange pas ?

— Pourquoi cela me dérangerait-il ?

— Tu avais l'air tendu au dîner lorsque tu as évoqué ta promenade au parc avec Gil. J'ai bien senti que c'était un sujet tabou.

— Pas du tout, répliqua Clare, légèrement irritée. Il n'y avait rien de plus à en dire, voilà tout. Nous nous sommes rencontrés, je lui ai parlé des affiches abîmées et de la note que j'avais trouvée. Point.

— D'accord, d'accord, ne te fâche pas.

Clare inspira profondément. Elle ne voulait pas se disputer avec Laura à cause de Gil.

— Je ne me fâche pas. Je veux simplement te dire que tu n'as pas à t'inquiéter de ce que je peux ressentir vis-à-vis de Gil, dit-elle en lui tapotant amicalement le bras.

— Entendu. J'irai chercher un DVD pour ce soir, d'accord ? Un film de filles.

— Super. Et du pop-corn ?

— Sûr. Comme au bon vieux temps, repartit Laura, qui avait retrouvé toute sa gaieté, avant de quitter la pièce.

Une fois seule, Clare s'affaissa sur sa chaise, croisa les bras sur la table et y enfouit sa tête.

7.

— Oui ! Laura ?

Il hésita une seconde, la main levée, prêt à frapper à la porte
d'entrée. Tout indiquait que Clare était seule dans la maison avec le
bébé. Sa voiture était dans l'allée, ainsi que la SUV de Dave, mais
non celle de Laura qui devait être déjà partie pour l'hôpital.

Bien sûr, il aurait pu aller directement à l'arrière de la maison,
replier et ranger l'échelle dans le garage, dont Laura lui avait dit
qu'elle laisserait la porte ouverte, et repartir sans que Clare sache
qu'il était passé. L'idée était tentante, mais, d'une part, il se ferait
l'effet de manquer de cran, d'autre part, il avait très envie de la
voir, même si ce n'était pas la meilleure chose à faire après leur
rencontre de la veille. Il frappa.

La porte s'ouvrit à la volée.

— Oh, fit Clare qui portait une Emma gesticulante dans ses
bras. J'ai cru que c'était Laura. Entre.

Pourquoi Laura frapperait-elle à la porte de sa propre maison ?
songea-t-il fugitivement en suivant Clare dans le salon.

— Je ne sais pas quoi faire d'elle, disait Clare. Je l'ai changée, j'ai
essayé de lui donner à boire, mais elle ne veut pas se rendormir.

— Et elle est censée dormir ?

— Je n'en sais rien ! répondit-elle, d'un ton mi-plaintif mi-
agacé.

Gil réprima un sourire. A l'évidence, ce n'était pas le moment
de faire de l'humour.

— Laura m'a demandé de remiser l'échelle, dit-il, désireux de lui faire savoir qu'il n'était pas venu dans l'intention de revenir sur leur conversation de la veille.

— Je sais. Elle me l'a dit.

— Elle semble contente, remarqua-t-il en observant Clare passer adroitement le bébé d'un bras sur l'autre.

— Qui ? Laura ?

— Laura ? Non, je parlais d'Emma.

— Oh ! Oui. Je suppose que je pourrais la mettre dans son transat. Tiens, prends-la pendant que je vais le chercher dans la cuisine.

— Quoi ? Hé, je ne voulais pas…

Gil regarda Clare se hâter vers la cuisine, puis baissa les yeux vers le petit visage d'Emma. Elle lui adressa un grand sourire qu'il lui retourna automatiquement. Ses bras se détendirent et s'arrondirent autour du corps de l'enfant.

C'était dense, mais pas lourd. Chaud. Agréable. Elle avait le teint clair de Laura. Pour le reste… A qui ressemblerait-elle en grandissant ? A son père ou à sa mère ? Avec un peu de chance, elle hériterait des plus beaux traits de chacun d'eux. Tout à coup, le rôle de parrain ne lui sembla plus aussi intimidant. Peut-être lorsqu'elle serait plus grande viendrait-elle avec ses parents lui rendre visite à New York. Il pourrait l'emmener voir un match des Yankees.

Une petite bulle se forma entre les lèvres roses d'Emma.

— Ça te plairait, hein ? Aller voir un match de base-ball avec ton parrain ?

Il leva un sourcil et lui fit un clin d'œil. L'enfant répondit par un léger gazouillis, assorti de nouvelles bulles. Gil aurait bien essayé une autre mimique, mais un mouvement perçu du coin de l'œil l'arrêta. Il tourna la tête. Clare l'observait depuis la porte avec une expression étrange.

— Tu l'as trouvé ? demanda-t-il, troublé.

Gil eut l'impression qu'elle se retenait de commenter la scène dont elle venait d'être témoin — lui, bêtifiant devant Emma —, puis elle posa le siège relax par terre à côté du canapé. Il s'approcha et s'accroupit pour y poser l'enfant.

— Je crois qu'il faut attacher ces sortes de bretelles, dit Clare, pour éviter qu'elle ne glisse.

Tout en tâtonnant pour boucler les attaches de plastique, Gil se prit à souhaiter que Clare s'éloigne un peu de lui. Le parfum qui flottait autour d'elle l'empêchait de se concentrer sur sa tâche. Mais lorsqu'il se releva, elle se tenait toujours si près derrière lui qu'il perdit l'équilibre en voulant éviter de la bousculer. Par réflexe, il se rattrapa à son bras, laissant reposer sa main plus longtemps qu'il n'eût été nécessaire. On eût dit qu'une force magnétique la retenait.

Mais leurs regards se croisèrent et il retira sa main en bredouillant un mot d'excuse.

— Je dois aller m'occuper de cette échelle, ajouta-t-il presque aussitôt en reculant vers la porte.

Elle sourit. S'était-elle souvenue de ses timidités d'adolescent ? Puis elle proposa, le prenant de court :

— Quand tu auras fini, viens boire un café si tu veux.

— Oui. Avec plaisir.

Sa mission ne lui prit pas plus de cinq minutes, car il décida de coucher l'échelle par terre le long du mur du garage, plutôt que de la suspendre aux crochets prévus à cet effet. Nul doute qu'il reviendrait lorsque Dave serait sorti de l'hôpital et il pourrait la fixer à ce moment-là.

Il rentra par la porte de la cuisine que Clare avait ouverte pour lui, accueilli par une bonne odeur de café frais et de biscuits sortis du four. Emma, installée dans son transat posé au centre de la table, battait des bras pour faire tinter les anneaux de plastique suspendus à la poignée de son siège.

— Hum, ça sent drôlement bon ! Tu t'es lancée dans la pâtisserie ?

Elle rougit. A moins que ce ne soit la chaleur du four qui colora ses joues.

— J'ai fait des brownies. Laura et moi avons prévu une soirée vidéo. Lorsque j'ai vu ce paquet de préparation dans le placard, j'ai pensé que cela nous rappellerait le bon vieux temps.

— Ah oui ? Je suppose que le bon vieux temps des filles est un peu différent de celui des garçons, commenta-t-il en s'asseyant. Nous, c'était plutôt film d'action, chips, hot dogs et, quand on avait de la chance, quelques bières subtilisées dans le frigo des parents.

Clare versa le café dans deux tasses et les apporta sur la table.

— Je dois avouer qu'il nous est arrivé de boire de la bière. Je me rappelle même une bouteille de vodka. Une seule. Personne n'a jamais voulu réitérer l'expérience.

Elle rit. C'était exactement le rire dont Gil se souvenait, sourd, un peu rauque même. A dix-sept ans, il trouvait que c'était le son le plus érotique qu'il ait jamais entendu. Et aujourd'hui encore…

Ayant apporté l'assiette de biscuits sur la table, elle s'assit. Il en prit un, croqua une bouchée et savoura le goût amer du chocolat noir. Etre assis là en compagnie de Clare Morgan, dans cette cuisine saturée de senteurs enivrantes, lui tournait la tête. La félicité domestique selon Norman Rockwell. Et Gil avait toujours aimé les tableaux de ce peintre. Cependant, après avoir mordu deux fois dans son brownie, Gil dut redescendre sur terre.

— J'ai suivi ton conseil. Je suis allée voir Lisa Stuart, disait Clare. Elle n'a pas pu me dire qui avait écrit la note, mais j'ai découvert quelque chose d'assez intéressant.

— Ah oui ?

— Tu te souviens de M. Wolochuk ? Il enseignait la chimie au lycée.

— Oui, bien que je ne croie pas l'avoir jamais eu en cours. Pourquoi ?

— Il est venu à la signature de mon livre à Hartford. Il vit là-bas à présent et il ne travaille plus ; il est en incapacité, en fait. Enfin, — elle fit une pause pour boire une gorgée de café —, il a eu un fils, après que nous avions quitté le lycée.

Il ne voyait pas du tout où elle voulait en venir, mais le plaisir de l'avoir en face de lui, de suivre ses mouvements pendant qu'elle parlait lui suffisait.

— Son nom est Jason, poursuivit-elle en se penchant en avant comme quelqu'un qui s'apprête à vous surprendre. Et il est dans la classe de littérature de Lisa Stuart. Celle à laquelle j'ai rendu visite lundi matin.

— Incroyable ! J'avais toujours considéré M. Wolochuk comme un vieil homme.

Elle rit de nouveau, de son rire grave et troublant, et Gil regretta un instant de ne pas être de ceux qui ont toujours une plaisanterie à servir.

— Apparemment, reprit Clare, sa femme était beaucoup plus jeune. Je dis « était » car ils ont divorcé quand Jason était encore tout petit. Tout ça pour dire que parler de M. Wolochuk avec Lisa m'a rappelé quelque chose… à propos du jour où…

Gil ressentit une crispation désagréable au creux de l'estomac.

— Oui, quoi ?

— Je n'avais pas eu le temps de finir un T.P. de chimie, et M. Wolochuk m'avait donné la permission de le terminer après les cours. Pendant que je travaillais, j'ai vu Rina entrer dans le bureau de M. Wolochuk. C'était un bureau vitré, je ne pouvais rien entendre, mais je voyais ce qui s'y passait. Ils avaient une sorte de dispute. Rina était furieuse, elle était toute rouge et criait. Je ne sais pas ce qu'elle disait, mais je ne l'avais jamais vue se comporter comme ça avec un professeur. Puis elle est sortie en claquant la porte. M. Wolochuk a mis sa tête entre ses mains comme s'il réfléchissait. J'ai eu peur qu'il me voie en train de l'observer et je me suis remise au travail.

Elle prit sa tasse et but un peu de café en agitant les anneaux du jouet d'Emma.

— Je savais qu'elle était en colère contre lui, dit-il au bout d'un moment. Elle avait eu une note catastrophique à un devoir. Cela signifiait que sa moyenne de physique-chimie ne serait pas suffisante pour intégrer la filière universitaire qu'elle avait choisie. Elle était allée le voir pour lui demander de refaire son devoir, et il avait refusé.

— Oh, fit Clare, l'air pensif. Je suppose que cela explique leur altercation.

Elle ne parla pas durant un long moment. Elle avait les larmes au bord des yeux et Gil regretta de lui avoir apporté ces éclaircissements au sujet de la scène dont elle avait été témoin ce jour lointain. Sans doute se demandait-elle pourquoi Rina s'était confiée à lui. Et surtout pourquoi il ne le lui avait pas dit avant. Mais tout était compliqué alors. Comment aurait-il pu lui expliquer le lien particulier qui les avait un jour unis, lui et Rina, lorsqu'ils s'étaient sentis différents des autres en arrivant au lycée ?

Emma commençait à s'agiter. Son visage se plissa de contrariété et Clare, au soulagement de Gil, se concentra sur elle. Elle alla chercher un biberon dans le réfrigérateur, puis sortit Emma de son transat.

— Tu es devenue experte, observa-t-il tandis que Clare calait l'enfant dans le creux de son bras.

Elle pinça les lèvres et il devina qu'elle pensait toujours à ce qu'il lui avait révélé. La pièce retomba dans le silence.

Quand Emma se fut mise à téter tranquillement, pourtant, Clare dit :

— Lisa Stuart m'a conseillé d'aller trouver la police à propos de la note. Qu'en penses-tu ?

— Etant donné les précédents actes de vandalisme, ce n'est peut-être pas une mauvaise idée. Au pire, tu pourrais te sentir vaguement ridicule.

— C'est déjà fait. Je devrais peut-être simplement tout oublier. Après tout, dans un jour ou deux, je serai partie. Dave rentre demain.

De nouveau, Gil ressentit une bizarre crispation au plexus. On entendit une voiture s'arrêter devant la maison.

— Laura est de retour, nota-t-il en se levant. Je vais y aller.

Il attendit une seconde, espérant qu'elle le retiendrait, ou au moins qu'elle lui demanderait s'ils allaient se revoir. Mais elle n'en fit rien.

Il était à peine 22 heures passées lorsque Laura éteignit le poste de télévision. Elle avait rapporté deux DVD à la maison, mais ni Clare ni elle n'avaient envie de regarder le second. Toutes deux étaient fatiguées. Tandis que Laura montait voir si Emma dormait bien, Clare mit un peu d'ordre dans la cuisine, puis elle rejoignit sa chambre.

Elle venait d'éteindre sa lampe de chevet quand elle entendit un bruit métallique à l'extérieur. Laura lui avait dit que des ratons laveurs pourraient bien venir explorer les poubelles qu'elle avait sorties au bout de l'allée en prévision du ramassage le lendemain matin. Clare n'avait pas réellement prêté attention à sa remarque, mais à présent elle en comprenait la raison. Tirant la couverture à elle, elle se rallongea.

Laura et elle avaient passé un agréable moment à se rappeler leurs souvenirs de lycée, évitant, par un accord tacite, les heures sombres de leur dernière année. Laura ne l'avait même pas tarabustée au sujet de la visite de Gil le matin même ; elle s'était contentée de hausser un sourcil lorsqu'elle avait compris que Gil était parti par la porte de la cuisine à son arrivée.

Mais la visite de Gil était précisément la chose à laquelle Clare avait besoin de réfléchir maintenant qu'elle était seule dans sa chambre. Lorsqu'il avait fait son apparition, Clare était déterminée à se montrer aimable mais détachée. Elle voulait qu'il sache qu'en dépit de la manière dont ils s'étaient quittés la veille, ils pouvaient être amis. *Le passé est derrière nous, employons-nous à vivre au présent.* N'était-ce pas ce que lui-même avait revendiqué ? Et il avait raison, bien sûr, même si Gil et elle semblaient incapables de s'en tenir à ce précepte.

Lorsqu'elle l'avait surpris en train de faire des mines à Emma, elle avait découvert une facette de Gil dont elle n'avait jamais soupçonné l'existence. Jamais à dix-sept ans, elle n'aurait pu imaginer son ravissement devant le sourire d'un bébé. Et elle se demandait soudain quels autres aspects de cet homme lui étaient restés cachés, et se prit à souhaiter avoir l'occasion de les découvrir. Si elle avait pu réécrire le passé, Gil aujourd'hui bêtifierait avec leur propre enfant.

Clare roula sur le côté, fixant l'obscurité. Peu importait le désir qu'on en avait, personne ne pouvait corriger le passé. Le fait que le souvenir de Rina se dressait toujours entre eux en était la preuve. Résolue à être plus attentive, dorénavant, à ce que leurs conversations s'en tiennent au présent, elle se pelotonnait de nouveau sous les couvertures quand un fracas rompit le silence de la nuit, la précipitant à la fenêtre.

Sa chambre surplombait l'allée du garage et elle constata que les deux poubelles avaient été renversées. Elle était sur le point de retourner se coucher quand un mouvement dans la haie, sur le côté de la maison, attira son attention. Pressant son visage contre la vitre, Clare vit une silhouette se faufiler dans la haie et disparaître dans le jardin des voisins.

Elle n'hésita qu'une seconde avant de décider d'aller vérifier si la porte de la cuisine était bien fermée. La cuisine n'était éclairée que par la faible lumière d'un croissant de lune, mais Clare n'alluma pas, de crainte que le rôdeur soit encore dans les parages.

La porte était verrouillée. Elle resta un moment à la fenêtre, scrutant l'allée. Personne. Elle s'écarta de la fenêtre et jeta un coup d'œil à l'horloge du four à micro-ondes qui clignotait dans la pénombre. Minuit. Peu de gens se trouvaient dehors à cette heure-là dans un quartier résidentiel. Et celui ou celle qu'elle avait aperçu ne promenait pas son chien, elle en était certaine. Au bout de quelques minutes, elle remonta dans sa chambre et se glissa sous les draps, mais le sommeil fut long à venir. Lorsque enfin elle s'assoupit, sa dernière pensée fut pour Gil qui, heureusement, avait rentré l'échelle.

Gil passa son avant-bras sur son front moite de sueur. Cela faisait presque trois heures qu'il montait des cartons de la cave au rez-de-chaussée, puis examinait, épousstait, triait les objets accumulés durant toute une vie par ses parents.

L'agent immobilier devait revenir le lendemain. Gil pensait que ses clients accepteraient sa contre-proposition, même s'ils avaient probablement l'intention de faire démolir la maison pour en construire une neuve. Debout au milieu de la pièce où il avait passé tant d'heures étant enfant, il fut tout à coup pris de nostalgie en songeant à son enfance. La vie était tellement plus facile alors. Avant que Clare Morgan cesse d'être une camarade de classe parmi d'autres. Ce qu'elle avait été jusqu'à cette matinée d'hiver où il lui avait semblé la voir vraiment pour la première fois.

Sans doute était-elle en train de rêvasser lorsque le professeur l'avait interrogée car elle s'était levée avec une lenteur inhabituelle, les joues soudain très roses. Elle avait repoussé la masse flamboyante de ses cheveux roux, qu'elle portait longs à cette époque, et balbutié quelque chose, ses doigts jouant nerveusement avec les cordons de son sweat-shirt, mais elle ne connaissait pas la réponse. Curieusement, Gil la connaissait, lui, et il la lui aurait soufflée s'il avait été plus près d'elle. Au lieu de quoi, il dut observer son douloureux embarras. Douloureux car il savait, comme tous leurs camarades, qu'elle était la meilleure élève de la classe. Mais ce jour-là, des pensées étrangères à Shakespeare occupaient son esprit. Finalement, elle s'était assise, après avoir bredouillé une excuse.

A la sortie du cours, Gil l'avait rattrapée dans le couloir. Il n'avait aucune idée de ce qu'il allait lui dire. Lui demander son numéro de téléphone comme ça, de but en blanc, n'était pas une bonne stratégie, aussi avait-il lancé un peu au hasard :

— La traversée était agréable ?

Elle avait tourné vers lui un visage déconcerté.

— Je suppose que tu avais mis le cap au sud pour échapper au froid qu'il fait ici en ce moment.

Elle avait froncé les sourcils. Là, il s'était rendu compte qu'il s'enlisait à vouloir se montrer spirituel. Mais que dire maintenant ?

— En cours d'anglais ? fit-elle tout à coup, avant d'éclater de rire, au grand soulagement de Gil.

Ensuite il l'avait accompagnée jusqu'à la porte de son prochain cours et, avant que la cloche ait retenti, elle lui avait donné son numéro de téléphone.

Gil fit un pas vers la porte de la salle de séjour, puis parcourut la pièce du regard. Il avait bien mérité une pause. Il alla se préparer une tasse de café dans la cuisine puis revint dans la pièce du devant. Il lui faudrait encore décider de ce que deviendraient toutes ces affaires qui jonchaient le sol, mais ce qu'il cherchait réellement à cet instant, c'était une raison de retourner chez les Kingsway pour voir Clare. Dave devait rentrer chez lui ce même jour, après le déjeuner, le motif était donc tout trouvé, mais était-ce vraiment une bonne idée ? Clare ne penserait-elle pas qu'il essayait de recommencer quelque chose ? Et, plus pertinent encore, essayait-il ?

Il but une gorgée de café et reposa sa tasse sur la vieille table basse devant le bow-window. Vider une maison n'était pas une mince affaire. En particulier lorsque vous saviez qu'au bout du compte vous vous défaisiez de toute une partie de votre vie. Sans parler de celle de vos parents. Gil n'avait eu ni frère ni sœur, malgré le désir de ses parents d'avoir d'autres enfants, et cela avait peut-être été pour le mieux étant donné la façon dont tous les deux avaient dû se battre pour faire vivre leur famille après la fermeture de la scierie.

L'état du mobilier était un témoignage de ce combat. Et après la mort de sa mère, son père avait encore davantage laissé aller les choses. Ses parents étaient plus âgés que la plupart de ceux de ses camarades, et d'un milieu social moins favorisé, au point que, en dépit de ses prouesses sportives, Gil ne s'était jamais tout à fait senti des leurs.

C'est cette différence qui l'avait rapproché de Rina Thomas. Elle vivait dans une ferme à une vingtaine de kilomètres de Twin Falls et venait à l'école en car. Ils étaient peu nombreux dans ce cas et on les appelait, avec une certaine hauteur, « les enfants d'agriculteurs ». Gil se doutait qu'il n'échappait à cette étiquette qu'à la faveur d'une adresse en ville. Aussi, quand Rina avait paru sensible à son charme à leur entrée au lycée, il avait été flatté et reconnaissant. Flatté parce que c'était la plus jolie fille de toute l'école, et reconnaissant parce que, ayant une petite amie attitrée, il n'avait plus à se soucier de se faire accepter par un groupe. Ils étaient sortis ensemble durant quelques mois, puis s'étaient séparés tout en restant bons amis.

Gil termina son café et se remit au travail à contrecœur. Il jeta son dévolu sur une pile de papiers qu'il entreprit de trier. Factures, garanties d'appareils ménagers depuis longtemps disparus, tickets de caisse… Gil y jetait à peine un coup d'œil avant de les jeter dans un grand sac plastique, mais un pli « Par Avion » retint tout à coup son attention. L'adresse de l'expéditeur, soigneusement calligraphiée au dos, était celle de ses grands-parents, et la date du cachet indiquait qu'elle avait été envoyée un mois après sa propre naissance. Il l'ouvrit et en sortit un simple feuillet écrit de la même écriture appliquée et ornée d'autrefois.

Chers Marion et Desmond,

Maman et moi sommes si heureux depuis votre coup de téléphone qui nous annonçait la naissance de Gilbert. Je ne saurais vous dire la joie et la fierté que j'ai éprouvées lorsque vous nous avez appris que vous aviez prénommé notre premier petit-fils comme son grand-père. Je ne suis pas sûr de mériter cet honneur, mais je l'accepte avec gratitude. Nous sommes impatients tous les deux de faire sa connaissance.

Nous vous embrassons bien tendrement,

Papa

Gil lut la lettre une seconde fois avant de la remettre dans son enveloppe. Puis il la posa sur la table et s'assit sur une chaise. Il avait très peu de souvenirs de son grand-père paternel qui était mort lorsque Gil avait seulement cinq ans. Il regrettait de n'avoir pas lu cette lettre lorsqu'il était adolescent, alors qu'il détestait son prénom, peu courant parmi les garçons de son âge. Maintenant, il y était habitué, même s'il ne l'aimait guère, mais les quelques mots qu'il venait de lire le lui rendaient plus cher.

Nostalgie encore, songea-t-il en se secouant. A ce rythme-là, il n'aurait jamais terminé. Il travailla sans plus s'arrêter jusqu'à l'heure du déjeuner, lequel — sandwich et soda — fut avalé sur le pouce. La pièce était presque en ordre lorsqu'il tomba sur une grosse enveloppe kraft dans la dernière pile. Probablement encore des relevés de banque vieux de dix ans, se dit-il sur le point de jeter le tout. Mais la crainte de se débarrasser de quelque chose d'important le retint. Il souleva le rabat et vida le contenu de l'enveloppe sur le sol.

Des coupures de journaux, des lettres, et tout un assortiment de petits bouts de papier se répandirent par terre. Le début d'un gros titre capta immédiatement son attention. Il se rassit à même le sol, jambes croisées, et tira l'article à lui. Il titrait : « Enquête criminelle : un garçon du pays mis en garde en vue. »

Les mains de Gil se mirent à trembler. La nausée l'envahit. Il avait sous les yeux toute l'histoire des pires moments de son existence.

8.

— Tu peux me croire, je n'y suis pour rien. C'est une simple
coïncidence. Elle devait tout simplement être épuisée, chuchota
Gil qui tenait Emma dans ses bras.

— Puisque tu le dis.

Clare repoussa ses cheveux en arrière. Elle, en tout cas, était
exténuée. Elle aurait voulu pouvoir faire ce qu'Emma était en train
de faire. Dormir paisiblement. Enfin.

— Est-ce que tu peux essayer de la coucher dans son parc ?
reprit-elle à voix basse. Il est dans le salon.

Elle précéda Gil dans la pièce du devant et l'observa avec anxiété
tandis qu'il posait délicatement Emma sur le matelas. Puis elle
recouvrit l'enfant d'une couverture et sortit de la pièce à pas de
loup. De retour dans la cuisine, elle s'assit devant la table et laissa
tomber sa tête entre ses mains.

— Dieu soit loué, elle dort ! Cela fait plus d'une heure qu'elle
pleure sans discontinuer. Je l'ai nourrie, changée, bercée, j'ai
chanté... Tout, j'ai tout essayé.

— Tu lui as chanté des berceuses ?

— En désespoir de cause. Mais je crois que cela n'a fait qu'ag-
graver les choses. Tu es arrivé à point nommé, Gil. J'étais à deux
doigts de l'emmener à l'hôpital pour la rendre à sa mère.

— Je pensais que Dave serait rentré, à cette heure-ci.

112

— C'est ce qui était prévu, mais il y a eu un retard quelque part… Des papiers manquants, je crois. Je voulais préparer le dîner, seulement…

Elle jeta un coup d'œil par-dessus son épaule aux victuailles alignées sur le comptoir.

— … je suis fichue, acheva-t-elle en étouffant un bâillement.

— Peut-être qu'à nous deux, nous pourrions préparer quelque chose, suggéra Gil.

L'offre était tentante, mais, naturellement, s'il aidait, il s'attendrait qu'on lui propose de rester dîner. Et Clare redoutait de passer toute une soirée en sa compagnie. D'un autre côté, Laura n'aurait pas à se soucier du repas lorsqu'elle rentrerait avec Dave. Clare prit sa décision.

— Je crois que je vais te prendre au mot. Il y a trois steaks dans le réfrigérateur et il me semble en avoir vu d'autres dans le congélateur.

— J'ai apporté une bouteille de vin pour fêter le retour de Dave au bercail. Je vais la chercher, elle est dans la voiture.

Et il disparut avant qu'elle ait le temps de dire quoi que ce soit.

Clare se leva et commença à préparer une sauce de salade. Lorsque Gil revint, sa bouteille à la main, il alla directement au congélateur.

— Voilà, j'ai trouvé. Je vais faire décongeler ce steak au four à micro-ondes et ensuite, si tu veux, j'éplucherai et je laverai les légumes.

L'efficacité de Gil impressionna Clare, sans la surprendre pour autant. Au lycée, il avait été un élève organisé et méthodique et ce trait de caractère avait sans doute fait de lui un excellent juriste. Ils s'activèrent côte à côte comme si, songeait Clare, ils avaient déjà préparé de nombreux repas ensemble ; et en silence — ce que Clare apprécia particulièrement —, comme autrefois lorsqu'ils faisaient leurs devoirs à la même table sans éprouver le besoin de parler.

113

L'atmosphère était-elle réellement aussi sereine lorsqu'ils sortaient ensemble ? Elle en doutait soudain, se remémorant le trouble qui naissait si souvent entre eux, la tension que provoquait l'éveil de leur sexualité. La première fois qu'ils avaient fait l'amour — qui fut aussi la dernière — avait été empreinte d'appréhension et d'inexpérience. Clare se rappelait très nettement la terrible crainte qu'elle avait éprouvée ensuite, d'être enceinte, ou pire, d'avoir perdu le respect de Gil. Mais le lendemain, elle avait découvert que ses sentiments à son égard n'avaient pas changé et ils avaient décidé ensemble de réfléchir à ce nouvel aspect de leur relation, et de se donner le temps de se découvrir petit à petit, en étant attentifs l'un à l'autre.

Malheureusement, cette part d'elle-même était restée en sommeil bien trop longtemps ces dernières années, ce qui, analysa-t-elle un peu plus tard, expliquait sûrement pourquoi sa main trembla lorsque Gil l'effleura en lui passant la planche à découper.

— Ça va ? demanda-t-il en se saisissant de sa main. Tu trembles.

— Trop de café sans doute, dit-elle en s'efforçant de sourire.

— Tu es sûre qu'il n'y a rien d'autre ?

Elle baissa les yeux vers la main, forte et douce à la fois, aux ongles soignés — il se les rongeait autrefois — qui enserrait ses doigts. Puis elle se libéra.

— Je manque peut-être un peu de sommeil.

Elle n'aurait pas dû dire ça.

— Tu n'as pas bien dormi ? s'enquit-il aussitôt.

— J'ai entendu Laura se lever pour Emma. Tu crois que ça suffit pour une salade ? enchaîna-t-elle en considérant l'ail qu'elle était en train de hacher.

Il ne répondit pas tout de suite. Elle sentait ses yeux posés sur sa nuque.

— Je pensais que tu te tourmentais peut-être à cause de la note et des affiches.

Clare reposa son couteau et se tourna vers lui.

— J'ai été plus effrayée par ce qui s'est passé cette nuit.

— Qu'est-ce qui s'est passé cette nuit ?

— J'ai entendu un bruit dehors. D'abord j'ai pensé que c'étaient des ratons laveurs qui exploraient les poubelles, mais lorsque ça a recommencé, je me suis levée pour aller voir. Et j'ai vu quelqu'un disparaître dans le jardin du voisin à travers la haie.

La peur qu'elle avait ressentie à ce moment-là l'étreignit de nouveau.

— Qu'est-ce que Laura en a pensé ?

— Je ne lui ai encore rien dit. Je n'ai pas voulu la déranger cette nuit, et ce matin elle était trop occupée avec le retour de Dave.

— Tu crois que quelqu'un est venu rôder autour de la maison ?

— C'est ce que j'ai pensé cette nuit, mais à présent je n'en suis plus aussi sûre.

— Pris isolément, ce ne serait peut-être rien du tout, mais si l'on songe aux précédents incidents… Personnellement, reprit-il après une courte pause, je crois que tu devrais avertir la police. Ce serait une bonne chose qu'ils aient un rapport au cas où ce « visiteur » reviendrait ennuyer Laura et Dave.

— C'est peut-être moi qu'on visait.

— Peut-être. Ce qui ne l'empêcherait pas de revenir, s'il ne sait pas que tu as quitté la ville. Tu ne peux pas simplement laisser tomber.

C'est ce qu'elle aurait aimé faire pourtant, mais Gil avait raison.

— Ecoute, poursuivit-il en posant la main sur son bras, je vois bien que tu es plus inquiète à ce sujet que tu ne veux le laisser paraître, c'est pourquoi tu dois faire quelque chose. Tu as des amis ici. Nous t'aiderons.

Elle leva brièvement les yeux sur lui. Son expression ne trahissait rien d'autre qu'un désir sincère de lui venir en aide. D'ailleurs, il avait dit : « Tu as *des* amis, *nous* t'aiderons. » C'est pourquoi elle ne protesta pas lorsque, après le dîner, Gil raconta à Dave et Laura ce qui s'était passé la nuit précédente.

— Comme tu l'as dit, ce n'est peut-être rien du tout, dit Laura, mais si c'était vraiment un rôdeur…

— Oui, on ne sait jamais, approuva Dave. Le nouveau shérif adjoint est un ancien de Twin Falls High. Je l'appellerai demain matin.

— Qui est-ce ? demanda Gil.

— Vince Carelli. Tu te souviens de lui ? Son père était le directeur de la First National Bank.

— C'était le patron de ma mère, remarqua Clare. Vince avait un an de moins que nous, je crois.

— Oui. Assez grand, avec un visage poupin et une vilaine peau ?

— C'est ça, acquiesça Dave. Sauf qu'il n'a plus d'acné. Il y a environ six mois qu'il est adjoint. J'ai entendu dire qu'il espérait prendre la place de Kyle Davis lorsque celui-ci partira à la retraite.

— Je crois que ce serait une bonne idée, en effet, de lui passer un coup de fil, dit Gil en se levant pour débarrasser les assiettes.

Laura sauta sur ses pieds.

— Je fais la vaisselle ! Vous avez déjà préparé le dîner tous les deux.

— Et nous allons continuer sur notre lancée, intervint Clare. Pourquoi n'aiderais-tu pas Dave à s'installer confortablement ? Vous avez eu une longue journée.

Laura aurait sûrement protesté si Dave n'avait pas dit à ce moment :

— Oui, je crois que je me coucherai de bonne heure avec plaisir. Merci pour tout, Clare. Je sais que tu as dû changer tes projets pour rester auprès de Laura. Et merci à toi aussi, Gil, pour l'échelle.

— Oh oui, renchérit Laura, je n'ose pas imaginer ce qui aurait pu se passer la nuit dernière si elle était restée appuyée contre le mur.

Un silence lugubre suivit le commentaire de Laura.

— Et si je t'accompagnais au bureau du shérif demain, Clare ? proposa Gil. Dave, appelle-moi après que tu auras parlé à Carelli, tu veux ? Tu me diras l'heure à laquelle nous pouvons le rencontrer.

Clare réprima un mouvement d'humeur. De quel droit ces deux-là décidaient-ils de son emploi du temps ?

Ayant escorté Dave et Laura jusqu'au bureau, Gil revint dans la cuisine où Clare était occupée à remplir le lave-vaisselle.

— J'espère que ça ne te dérange pas que je vienne avec toi, dit-il d'entrée de jeu. Mais je sais combien la loi peut sembler intimidante quand on se sent vulnérable.

Clare, qui lui tournait le dos, se figea. Faisait-il référence à sa propre expérience dix-sept ans plus tôt ? Probablement. Elle hésitait à se retourner, redoutant de voir l'expression de son visage. Comme elle ne répondait pas, il toussa et reprit :

— Alors… à demain.

— A demain.

Elle ne bougea pas avant d'avoir entendu la porte-fenêtre de la cuisine se refermer derrière lui.

Puis elle s'affaissa lentement sur une chaise et essuya ses yeux humides du dos de sa main, espérant que Laura ne ferait pas irruption dans la cuisine avant un petit moment. « Qu'est-ce qui t'arrive ? songea-t-elle. Tu n'es plus une adolescente mal assurée, pleine de doutes et d'hésitations. Et tu n'as rien fait de mal. Tu n'as fait que dire la vérité. Ce que tu as vu. Tu n'es pas responsable de ce qui est arrivé à Gil. »

Si seulement elle avait pu croire ça.

*
* *

Gil la vit alors qu'il était encore assez loin de la maison. Elle faisait les cent pas dans l'allée, ses cheveux roux chatoyant dans la lumière du matin. Elle portait le même pantalon de velours noir et le même pull à col roulé qu'elle portait le soir où ils avaient bu un café ensemble. C'était étrange la façon dont elle semblait avoir retrouvé son allure d'adolescente après seulement une semaine passée à Twin Falls.

La première fois qu'il l'avait vue, ce soir-là, chez Dave et Laura, elle avait eu l'air de la parfaite citadine en pleine ascension sociale. Son ensemble était élégant et d'une coupe irréprochable, mais il ne provenait pas d'un magasin de haute couture. Cela viendrait plus tard sans doute, lorsque son succès serait définitivement assuré. Non qu'il soit un expert dans ce domaine. Et elle non plus sans doute, à en juger par la garde-robe réduite qu'elle avait apportée. Quoique, pour être juste, elle n'avait pas prévu de rester plus d'un week-end.

Le vieil adage selon lequel il suffit de gratter légèrement la surface d'un personnage pour mettre à nu le modèle original était peut-être vrai. Et certainement, il s'appliquait aussi à lui. Dépouillé de son costume sur mesure, de ses accessoires de juriste new-yorkais, déchargé de quelques années d'expériences, que restait-il ? Un jeune garçon de dix-sept ans, effrayé, troublé, furieux, qui venait de découvrir que la belle qu'il aimait était en réalité une statue aux pieds d'argile.

Gil soupira. Il ne serait jamais écrivain, c'était un fait. Mais il avait cependant assez d'imagination pour reconnaître une trahison quand il en était la victime. Ce qui expliquait sans doute en partie la remarque qu'il lui avait faite la veille.

Il avait tout de suite senti que Clare s'était crispée. Mais ce n'est qu'une fois rentré chez lui qu'il s'était interrogé. Avait-il parlé sans réfléchir, ou avait-il voulu, plus ou moins consciemment, lui lancer une pique ? Il espérait sincèrement qu'il n'avait pas exprimé un désir latent de vengeance.

Il ralentit le long du trottoir tandis que Clare traversait la route à sa rencontre. Son teint clair était encore plus pâle que d'ordinaire, accentuant les quelques taches de rousseur qui lui restaient de son enfance sur le nez et les pommettes. Elle ouvrit la portière, et s'installa à côté de lui. Sans un mot.

Gil, enclenchant la première, libérait le frein à main quand elle marmonna finalement :

— Je suis sûre que c'est une perte de temps. Et de toute façon, je m'en vais très bientôt. Laura a trouvé une jeune fille pour l'aider le soir après l'école. Elle commence lundi. Je pense partir… euh… peut-être demain.

— Demain ? s'exclama-t-il en se tournant brusquement vers elle.

— Probablement, dit-elle en le regardant d'un air tranquille. Laura peut se débrouiller toute seule le temps d'un week-end. J'ai pas mal de choses à faire en rentrant ; j'ai mis de côté plusieurs projets qui ne peuvent être différés plus longtemps, et il y a la promotion du livre. D'ailleurs, ajouta-t-elle après avoir tourné la tête vers sa vitre, je suis restée assez longtemps comme ça à Twin Falls.

Gil ne savait pas quoi dire. Son propre séjour touchait à sa fin. Tout ce qui lui restait à faire maintenant que l'acheteur avait accepté sa contre-proposition, c'était attendre l'ultime confirmation de l'agent immobilier, signer quelques papiers, et tirer derrière lui la porte de la maison de son père. Fin de sa vie à Twin Falls. Il avait passé une partie de la nuit à contempler ce fait, avec un sentiment profondément ambivalent — surtout lorsqu'il avait réalisé que son dernier adieu à Twin Falls inclurait Clare Morgan. Et c'était la raison pour laquelle il s'était surpris, au milieu de la nuit, à jouer avec une idée folle, une idée qu'il espérait soumettre à Clare après leur visite au shérif.

Gil tourna brièvement son regard vers elle. Des cernes bleus marquaient ses yeux, elle était fatiguée. Il s'en voulut de nouveau de s'être montré si rude avec elle. Et s'avoua enfin qu'il n'avait pas tourné la page sur le passé. Si elle partait maintenant, réalisait-il, il n'aurait plus jamais l'occasion d'arranger les choses entre eux. Et aucun espoir d'aucune sorte qu'elle fasse partie de son avenir. Il caressa un instant l'idée de lui parler de son projet dès maintenant, mais renonça aussitôt. Elle était trop tendue. Mieux valait attendre l'issue de leur entretien avec Carelli.

— Je dois dire que j'ai été très surpris quand Dave m'a appelé ce matin pour m'annoncer votre visite. Bien sûr, j'étais au courant de votre succès, Clare. Cela a fait grand bruit dans notre petite ville.

Vince Carelli tourna son visage mou vers Gil avant de poursuivre.

— Mais j'étais loin de penser que vous étiez devenu un ténor du barreau new-yorkais, Harper. Vous ne vous souvenez probablement pas de moi parce que j'étais une classe en dessous de la vôtre, mais quelques-uns d'entre nous, parmi les sportifs, se souviennent sûrement très bien des héros du lycée. Ailier droit, hein ?

Clare remua sur sa chaise. Les manières affables de Vince Carelli dissimulaient mal une pointe d'aigreur, songeait-elle, mal à l'aise. Du moins en ce qui concernait Gil.

— Voici la note que j'ai trouvée, dit-elle, décidée à aller droit au but, en lui tendant la feuille de papier.

— Bien, fit-il après avoir pris son temps pour l'examiner. A présent, dites-moi quand, où et comment vous êtes entrée en possession de ce papier.

Au ton de sa voix, on aurait pu croire que Clare détenait un objet de contrebande. Elle s'efforça de ne pas sourire.

— Il a été glissé dans un exemplaire de mon dernier livre durant la visite que j'ai rendue à une classe de Twin Falls High. Puis, il y a deux nuits de ça, j'ai vu quelqu'un rôder autour de la maison des Kingsway.

— Vous l'avez bien vu ?

— Non. Il était tard et il y avait beaucoup de vent cette nuit-là. Les branches bougeaient en tous sens. Le rôdeur — je crois que c'était un homme — portait un de ces sweat-shirts à capuche ; je n'ai pas vu ses cheveux, ni son visage.

— Et par où est-il parti ?

— Il a traversé la haie des voisins.

Carelli parut réfléchir un moment, puis il reprit :

— Dave m'a aussi confié que vos affiches avaient subi des dégradations. C'est un de mes hommes qui avait enregistré l'appel du libraire.

Il ramassa la note, la fixa, puis releva la tête et les dévisagea à tour de rôle, Gil et elle.

— Franchement, je pense que cet acte de vandalisme à la librairie est l'œuvre d'un cinglé, quelqu'un qui n'a pas aimé votre livre, Clare.

Il rit, et poursuivit.

— Cette note a probablement été écrite par un élève qui voulait faire le malin. Quant à votre rôdeur, rien n'indique que sa visite ait un quelconque rapport avec les autres incidents. Vous comprenez ?

Clare acquiesça d'un mouvement de tête. Elle n'aurait jamais dû faire cette démarche.

Carelli poussa un soupir.

— Bon. Je vais faire noter tout ça sur la main courante, mais il y a peu de chance que l'on réussisse à établir un rapport entre ces trois faits, vous voyez ce que je veux dire ? Au cas où vous quitteriez la ville avant que j'aie pu reprendre contact avec vous, laissez un numéro où vous joindre à New York à la secrétaire, dit-il en indiquant de la main la porte fermée de son bureau. Si nous trouvons quelque chose, nous vous préviendrons.

— Vous pourriez interroger les élèves de Mme Stuart. L'un d'eux a peut-être vu le coupable écrire ou glisser la feuille dans le livre ?

Carelli soupesa un court moment la suggestion de Gil et secoua la tête.

— Je pourrais envoyer un officier bien sûr, mais je doute qu'un élève crache le morceau. Vous savez comment ils sont à cet âge, ils ne dénonceraient un copain pour rien au monde.

Il avait tourné vers Clare son visage impassible et elle baissa instinctivement les yeux. Etait-ce son imagination ou avait-il prononcé cette dernière phrase spécifiquement à son attention ? Elle inspira lentement. Elle n'allait tout de même pas devenir paranoïaque !

Carelli repoussa son fauteuil et se leva, rajustant la ceinture de son pantalon qui disparaissait en partie sous son abdomen.

— Comme je vous l'ai dit, nous allons enquêter et nous vous tiendrons informés. En tout cas, cela a été un plaisir de vous revoir. Ça faisait longtemps, hein ?

Clare et Gil se levèrent à leur tour. Quelle perte de temps, pensait-elle. Exactement ce que j'avais prévu.

— N'oubliez pas de laisser vos coordonnées en sortant, leur rappela Carelli. Et bonne chance pour votre livre, Clare.

— Merci.

— Je ne l'ai pas encore acheté, mais des collègues m'en ont dit beaucoup de bien. C'est vrai ce que le journal raconte ?

Clare fit volte-face.

— Quoi ?

— L'article du *Spectator*. Votre livre serait l'histoire du meurtre de Rina Thomas ? C'est vrai ?

— Tu avais raison, souffla Gil à peine furent-ils dans le couloir. Nous avons perdu notre temps.

A quoi bon lui faire remarquer maintenant qu'elle le lui avait bien dit ? Ils se dirigèrent en silence vers le hall d'entrée.

— Peut-être devrions-nous aussi parler au shérif, dit Gil en passant devant la porte fermée de son bureau.

— Tu ne crois pas que cela pourrait être mal interprété ? Comme si nous ne faisions pas confiance à Vince pour faire son travail.

— Pour être sincère, je ne lui fais pas confiance. J'ai l'impression qu'il aurait dit n'importe quoi pour se débarrasser de nous le plus vite possible.

— Cependant, il a peut-être raison. Les chances de découvrir un indice quelconque sont bien minces.

— Peut-être. Tiens, voilà la secrétaire.

Dans un renfoncement du hall, une femme était assise derrière un large comptoir équipé de deux ordinateurs. Ils s'approchèrent. La jeune femme releva la tête et un large sourire éclaira aussitôt son visage.

— Gil Harper ! J'avais cru te reconnaître quand vous êtes entrés, mais j'étais au téléphone et je n'ai pas eu le loisir de bien te regarder. Tu ne te souviens pas de moi ? Je n'ai pourtant pas tant changé, même si j'ai pris quelques kilos.

— Hé ! Beth Moffat ! s'exclama enfin Gil tandis que Clare se disait que le visage de la jeune femme lui était familier.

— Ah, non je ne suis plus une Moffat. J'ai épousé Joey Silverstein. Bonjour, Clare, ajouta Beth en se tournant vers elle. J'ai terminé le lycée un an avant vous deux, mais ça nous ramène loin en arrière, n'est-ce pas ?

Clare sourit.

— Le père de Beth et le mien travaillaient ensemble à la mine, expliqua Gil. Nos parents ont joué aux cartes ensemble le dimanche pendant des années.

Gil s'accouda sur le comptoir et poursuivit à l'adresse de Beth.

— Comment vont tes parents ? Et ton frère ?

— Ma mère est dans une maison de retraite à Hartford depuis que mon père nous a quittés, il y a un peu plus d'un an. Eddie va bien, il vit à Greenwich à présent avec sa famille.

Elle fit une pause.

— Je suis désolée pour ton père, Gil. C'était un homme formidable.

— Merci, dit Gil sobrement. Ecoute, Vince Carelli a demandé à Clare de laisser son numéro de téléphone. Il enquête à propos d'un incident qui la concerne.

— O.K.

Beth tendit un bloc-notes et un crayon à Clare, qui y inscrivit son nom et son numéro à New York avant de se diriger tranquillement vers la porte tandis que Beth et Gil continuaient de bavarder. Il la rejoignit finalement et, posant sa main dans le creux de son dos, la guida jusqu'à l'extérieur.

— Le monde est petit, commenta Gil en descendant les marches.

— La ville est petite, répliqua Clare.

— C'est juste.

Il s'arrêta au milieu du trottoir.

— Que dirais-tu d'aller boire un café quelque part ?

L'invitation, après l'échange des plus froids qu'ils avaient eu la veille, prit Clare au dépourvu.

— Je crois que j'ai bu assez de café pour aujourd'hui, merci Gil. Mais on peut marcher un peu. Il fait si beau. Si nous allions jusqu'à la librairie demander au gérant s'il a appris quelque chose ?

Gil sourit et Clare se sentit parcourue d'un frisson complètement inattendu.

— Je te suis, répondit Gil, en la prenant doucement par le coude.

La sensation de sa main sur son bras était à la fois familière et curieusement rassurante. Ils marchèrent en silence jusqu'au magasin, mais cette fois c'était un silence partagé, serein. Clare, tout à coup détendue, offrait son visage à la tiède caresse du soleil d'arrière-saison. Ce serait une belle journée finalement, songeait-elle en poussant la porte de Novel Idea.

Mais sa quiétude ne devait pas durer. A peine était-elle entrée dans le magasin qu'elle vit Jeff Withers lever la tête d'un livre qu'il feuilletait, et lui sourire.

9.

La vue de Withers avait glacé Clare sur place. Elle parvint cependant à recouvrer assez de sang-froid pour lui adresser un bref hochement de tête et continuer vers l'arrière du magasin.

— Qui était-ce ? demanda Gil à voix basse.

— Jeff Withers. Le journaliste qui m'a interviewée samedi dernier.

— Ah, ceci explique cela.

— Explique quoi ?

— Pourquoi son sourire a paru littéralement se décrocher de ses lèvres lorsque tu es passée à côté de lui. J'aurais voulu voir ton visage.

— Il a eu droit au regard que je réservais aux élèves rebelles.

— Brrr… J'en ai froid dans le dos rien que de l'imaginer.

Elle rit. Leurs regards se croisèrent et, durant un bref moment, Clare se sentit projetée des années en arrière. Mais une vendeuse s'était approchée d'eux et l'illusion s'évanouit aussitôt.

— Puis-je vous aider ?

— Oui, j'aimerais voir le libraire, s'il vous plaît. Est-il là aujourd'hui ?

— Il est sorti, mais devrait être de retour dans une dizaine de minutes. Souhaitez-vous l'attendre ? Ou lui laisser un message ?

La jeune fille parut hésiter, puis reprit :

— Ne seriez-vous pas Clare Morgan ? L'auteur qui est venu signer ses livres samedi dernier ?

— Si.

— Je suis vraiment désolée pour vos affiches, dit la vendeuse manifestement embarrassée. Rien de semblable ne s'était jamais produit auparavant. Nous avons tous été très choqués.

— Oui. Je me demandais si vous les aviez gardés, je veux dire, les posters. Je pensais les apporter à la police.

— Oh, la police les a vus. Ils ont dit que nous pouvions les jeter. J'espère que nous n'avons pas mal fait, ajouta-t-elle, tournant un regard anxieux vers Clare, puis Gil, puis Clare de nouveau. Vous comprenez, nous croyions tous que vous aviez quitté la ville jusqu'à ce que vous appeliez l'autre jour. Mais c'était déjà trop tard.

— Est-ce l'adjoint du shérif qui est venu établir le constat ? s'enquit Gil.

— Je ne peux pas vous dire. Je ne travaillais pas ce jour-là.

Clare se tourna vers Gil.

— Il n'y a plus rien que nous puissions faire ici, dit-elle en haussant les épaules. On y va ?

Gil ayant acquiescé, ils se dirigèrent vers la sortie, mais Jeff Withers arrêta Clare au passage.

— Mademoiselle Morgan ? Désolé de vous importuner, mais je me demandais si vous accepteriez de répondre à quelques questions.

Vraiment, ce Withers ne manquait pas de culot.

— Je regrette, monsieur Withers. Mais vous connaissez le proverbe : « Chat échaudé craint l'eau froide. »

Sur quoi, elle se détourna. Mais Withers n'était pas du genre à se satisfaire d'une telle réponse. Il lui emboîta aussitôt le pas et continua :

— Je suis désolé à propos de cet article. C'est mon rédacteur en chef qui l'a retravaillé pour le rendre plus… percutant, pourrait-on dire. Je n'étais pas d'accord avec certaines de ses modifications, mais, bon… je n'ai pas eu le choix. Je voulais simplement vous dire que j'étais décidé à écrire mon propre livre sur l'affaire Thomas.

Clare s'arrêta, se tournant à demi vers lui.

— Votre… euh, roman a piqué ma curiosité. Un meurtre a été commis à Twin Falls qui n'a jamais été élucidé. Cela pourrait signifier que l'assassin vit toujours parmi nous, n'est-ce pas ? C'est pourquoi les souvenirs que vous auriez pu garder de cette triste affaire m'intéressent. Je veux parler de vos véritables souvenirs, pas de détails romancés.

— Désolée, mais je pars demain, dit-elle en s'éloignant.

Elle poussa la porte du magasin et rejoignit Gil qui l'attendait sur le trottoir.

La porte s'ouvrit de nouveau. Withers l'avait suivie.

— Vous pourriez peut-être me laisser votre numéro à New York, à moins que vous ne soyez dans l'annuaire ?

— Je vous ai déjà dit que je n'étais pas intéressée, monsieur Withers. Et je n'ai aucune intention de vous donner mes coordonnées.

— De quoi s'agit-il au juste ? demanda Gil d'une voix ferme.

— Vous êtes… ? fit Withers avec hauteur.

— Un ami de Mlle Morgan, et pour ma part, je trouve qu'elle s'est déjà montrée beaucoup trop patiente avec vous. Je vous suggère de nous laisser, monsieur Withers.

Sur ces mots, il prit le bras de Clare et l'entraîna.

— De toute façon, j'ai une autre source pour mon livre, lança Withers. Quelqu'un qui se trouvait sur la scène du crime, pour ainsi dire. Oh, encore une chose, mademoiselle Morgan. Avez-vous jamais demandé à votre mère la véritable raison pour laquelle vous avez toutes deux quitté la ville cet été-là, après le meurtre ?

Clare ralentit le pas. Elle leva les yeux vers Gil et murmura :

— De quoi parle-t-il à présent ? Dois-je faire demi-tour et lui demander de s'expliquer ?

Gil secoua la tête. Puis il se tourna vers Withers et dit d'une voix basse et cependant suffisamment puissante pour que Withers l'entende :

— Nous sommes restés polis assez longtemps. Allez vous faire voir.

Withers recula d'un pas.

— Posez la question à votre mère la prochaine fois que vous la verrez, mademoiselle Morgan. Et si vous changez d'avis, vous savez où me trouver, lança-t-il encore avant de s'éloigner.

Clare avait l'impression que ses pieds étaient rivés au trottoir. Elle respira profondément, s'efforçant de recouvrer son calme.

— Je ne sais pas pourquoi je laisse ce type m'atteindre de cette façon. Il est vraiment odieux.

— Viens par là, nous nous assiérons un moment, dit Gil en indiquant un petit square de l'autre côté de la rue.

Et sans attendre sa réponse, il la guida vers un banc et la fit s'asseoir.

— Ça va mieux ? s'enquit-il en posant doucement sa main sur les siennes.

— Oui.

— Pas très convaincant, commenta-t-il. Tu es bouleversée, c'est évident. Que voulait-il dire à propos de ta mère ?

— Je ne sais pas, Gil. Vraiment, je n'en ai aucune idée. Nous avons emménagé dans le New Jersey afin que maman ne soit pas trop loin de moi pendant que je faisais mes études. Mais ce qui m'inquiète le plus, c'est cette idée de livre. Et cette prétendue source qu'il dit avoir. Qui cela pourrait-il être ?

— Il a peut-être inventé ça de toutes pièces pour te faire parler.

— Possible.

Elle baissa les yeux sur la main de Gil qui reposait légèrement sur les siennes, chaude, rassurante.

— C'est une bonne chose que je m'en aille demain, reprit-elle. Si je rencontrais Withers encore une fois, je crois que je serais capable de l'insulter, ou même de le frapper.

— Si je ne l'ai pas déjà fait.

Il retira sa main, et Clare dut réprimer le désir qu'elle ressentit soudain de la retenir et de la serrer entre les siennes. Comment aurait-il interprété un tel geste ?

— Ecoute, reprit Gil, il y a quelque chose que je voulais te proposer, et, à la lumière de ce qui vient de se passer, je pense que cela pourrait t'intéresser.

Clare l'observa passer lentement son index sur sa lèvre supérieure avant de laisser tomber son bras le long de son corps. Elle se rappela soudain l'avoir vu faire quelque chose comme ça des années plus tôt, la première fois qu'ils rentraient de l'école en se tenant par la main. Puis, il avait porté les doigts de Clare à ses lèvres et les avait embrassés rapidement. A l'époque, elle s'était sentie transportée de joie. A présent, elle était perplexe. Gil semblait émettre toutes sortes de signaux contradictoires.

— J'étais en train de trier des papiers chez mes parents, continua-t-il, quand je suis tombé sur quelque chose qui m'a perturbé.

— Quoi ?

Il s'éclaircit la voix.

— Apparemment, mes parents ont conservé tous les articles de journaux concernant le meurtre. Si tu te souviens bien, mon nom n'apparaissait jamais, mais tout le monde savait qui était « le jeune garçon mis en garde à vue à des fins d'interrogatoire ». Il y avait aussi des lettres anonymes qu'ils avaient dû recevoir au moment de l'enquête, poursuivit-il avec une grimace de dégoût. Des paroles méchantes, grossières, qui sommaient mes parents de quitter la ville… Enfin, tu peux imaginer la mentalité des gens qui les avaient envoyées.

Clare l'imaginait très bien, hélas, mais ce qui la frappait le plus, c'était la vulnérabilité qu'elle décelait dans les yeux de Gil.

— Cela a dû être affreux pour tes parents, murmura-t-elle.

— Oui. Je ne comprends pas pourquoi ils les ont gardées. Je crois que j'aurais tout brûlé.

— Peut-être espéraient-ils découvrir un jour qui les avait écrites. A moins qu'ils ne les aient mises à l'abri pour éviter que tu ne tombes dessus par hasard, puis ils les ont oubliées.

Gil haussa les épaules.

— Peut-être. Je suppose que ça ne sert à rien d'essayer de trouver une explication maintenant. Mais il y a une chose que je peux faire.

— Laquelle ?

— Je sais que je t'ai dit l'autre jour que j'avais tourné la page sur le passé, et c'est vrai. Mais lorsque j'ai trouvé ces lettres, j'ai réalisé pour la première fois ce qu'ils avaient réellement subi. J'étais tellement affecté moi-même… Il fallait aller au lycée et tout ça… Je ne pensais pas à eux.

Il était manifeste qu'il souffrait encore en évoquant cette partie de sa vie, et Clare devinait que leur rupture faisait partie du « et tout ça… », mais elle ne baissa pas les yeux. Elle ne voulait pas être lâche.

Après un long silence, il dit :

— J'ai décidé de mener ma propre enquête.

Clare douta d'avoir bien entendu. Etait-il devenu fou ? Elle remua les lèvres, mais aucun son n'en sortit.

— Je sais. Ça paraît insensé, s'empressa-t-il de poursuivre, mais j'y ai beaucoup réfléchi la nuit dernière. Je ne me débarrasserai jamais vraiment de mes démons si je ne découvre pas la vérité. Et je veux le faire pour mes parents. Je veux que tous ceux qui se souviennent de ce meurtre, et ceux qui ont écrit ces lettres abjectes, sachent qui a réellement tué Rina Thomas.

— Je… je ne sais pas ce que tu t'attends à trouver, Gil. Après tant d'années. Et tu n'es ni officier de police ni détective. Comment t'y prendrais-tu ?

131

— Je commencerai par faire quelques recherches, puis je poserai des questions. Tu as raison, je ne connais rien au travail de la police, mais je suis sûr de savoir poser des questions. J'ai appelé mon bureau ce matin pour prolonger mon congé. Quant à la maison, la remise des clés n'aura lieu qu'au début du mois prochain, donc j'ai un endroit où rester.

De nouveau, il tendit la main et la posa sur la sienne.

— Voici ce que je voulais savoir : serais-tu prête à m'aider ?

— *Moi ?*

— Tu as certainement encore des sentiments mélangés à propos de tout ça.

— Je… Quel genre de sentiments ?

— Je ne sais pas, de la curiosité, de la colère peut-être.

— De la colère ? Pourquoi ?

Il hésita, comme s'il n'était pas certain de devoir dire ce qu'il avait à l'esprit.

— Peut-être parce que lae mort de Rina a marqué la fin de beaucoup d'autres choses…

— Je ne te suis pas, Gil, dit-elle, alors qu'elle venait au contraire de penser : « Nous y voilà. »

— Tu crois que nous nous serions séparés si Rina n'avait pas été tuée ?

« Oui, je le crois, faillit-elle répondre. Parce que je vous ai vus tous les deux dans une attitude plutôt intime sur le terrain de football. » Clare serait partie sur-le-champ si elle n'avait pas appris à dominer ses émotions. Elle s'appliqua à régler sa respiration et répondit d'une voix qui ne tremblait qu'à peine :

— Ça ne sert à rien de chercher à savoir ce qui serait arrivé si les circonstances avaient été différentes, Gil. Il est trop tard.

Il se leva brusquement et, après un bref silence, déclara :

— Trop tard pour nous peut-être. Mais il n'est jamais trop tard pour découvrir la vérité. Et c'est ce que je compte faire. Je dois y aller. Si tu veux que je te ramène chez Laura…

— Non, merci. Je vais rentrer à pied. Je te remercie de m'avoir accompagnée ce matin.

Il resta silencieux comme s'il réfléchissait, puis il dit :

— Si tu changes d'avis et que tu décides de te joindre à moi dans mes recherches, fais-moi signe.

Clare le regarda disparaître au coin de la rue et attendit de se sentir plus solide sur ses jambes pour partir.

Elle prit deux décisions en regagnant la maison de ses amis. Primo, elle ne reporterait pas son départ ; secundo, elle allait téléphoner à sa mère. Car même si elle l'admettait avec déplaisir, elle ne pourrait pas attendre d'être rentrée à New York pour dissiper le trouble qu'avaient instillé en elle les insinuations de Jeff Withers.

— Bonjour, maman.

— Clare ? Quelle surprise ! Tout va bien, chérie ? D'où m'appelles-tu ?

— Je suis toujours chez Laura et Dave, à Twin Falls.

— Comment s'est passé le baptême ? Et le bébé ? Je suis sûre qu'elle est adorable.

— Elle l'est. Et tout s'est très bien passé.

— Est-ce que tu ne devais pas rester seulement le temps du week-end ?

— Si, mais lundi, Dave s'est cassé la jambe en tombant d'une échelle. Il va bien maintenant, mais Laura avait besoin de quelqu'un qui puisse s'occuper d'Emma lorsqu'elle allait à l'hôpital.

— Et ce quelqu'un, c'était *toi* ?

— Je sais, ça paraît incroyable.

— Comment t'es-tu débrouillée ? Cela t'a donné envie d'avoir des enfants à ton tour ?

— Pas du tout. En fait, j'ai eu moi-même besoin d'aide.

— Les parents de Laura n'étaient pas là ?

— Non, ils passent l'hiver en Floride. Mais tout est rentré dans l'ordre à présent. Je pars demain. Mais il y a autre chose, maman. La semaine dernière, un journalise du *Spectator* m'a interviewée…

— Formidable !

— Pas vraiment, non. Ce Withers s'est employé à établir une corrélation entre mon livre et le meurtre de Rina Thomas.

Après un court silence, sa mère demanda :

— Est-ce que tu ne t'y attendais pas un peu, chérie ? Je veux dire, pensais-tu vraiment que les gens qui connaissaient l'affaire ne feraient pas le rapprochement ?

Clare ferma les yeux. Elle était lasse de répondre à cette question.

— Je sais, maman, je sais. Mais j'ai de nouveau rencontré ce journaliste aujourd'hui et il a dit quelque chose d'extrêmement bizarre.

— Oh ? Qu'est-ce que c'était ?

— Il… euh, il m'a dit de te demander la vraie raison pour laquelle nous avons quitté Twin Falls cet été-là. Après la mort de Rina.

Un long silence s'étira à l'autre bout du fil.

— Maman ? Tu es toujours là ?

— Oui, chérie. Mais… je ne suis pas sûre de bien comprendre. Dans quel contexte a-t-il dit ça ?

Clare réfléchit un moment. Elle avait espéré ne pas être obligée de révéler à sa mère l'incident des affiches et celui du message. Sa mère était d'un tempérament anxieux et elle ne tenait pas à la bouleverser.

— Il semble qu'il ait l'intention d'écrire un livre sur le meurtre de Rina Thomas, et il voulait me poser quelques questions.

— Quel genre de questions ? Tu n'en sais certainement pas plus que n'importe qui d'autre.

— Exactement, et je le lui ai dit. C'est à ce moment-là, juste avant de partir, qu'il a fait ce commentaire à ton propos.

— Je vois.

— Est-ce que tu sais ce qu'il voulait dire, maman ? J'ai toujours pensé que nous avions déménagé parce que tu voulais être près de moi pendant mes études.

— C'était pour ça, chérie, mais… il y avait aussi une autre raison, acheva-t-elle d'une voix plus basse. J'avais espéré ne pas avoir à te le dire, mais si tu crois que c'est important…

— Ça ne fait rien, tu sais, si tu préfères ne pas en parler. Après tout, je ne reverrai sans doute jamais ce type.

— Attends une seconde, je ferme la porte de ma chambre.

Clare regrettait à présent d'avoir soulevé une question qui semblait embarrasser sa mère, mais sa curiosité n'en était pas moins éveillée.

— Voilà, dit sa mère en reprenant le combiné. C'est un peu compliqué en vérité. A l'époque du meurtre, une assez grosse somme d'argent a disparu à la banque, et, parce que j'étais en charge de certains comptes spéciaux, comme les fonds en fidéicommis, l'enquête s'est concentrée sur moi. Naturellement, j'ai été très choquée par cette histoire, et surtout par le fait que mon patron puisse me croire capable d'une telle chose.

— Mais ils ont fini par trouver le coupable ?

— Non. Et les choses sont devenues de plus en plus déplaisantes. Les gens ont commencé à parler dans mon dos. J'ai été affectée à un autre service. Et finalement, on m'a offert ce choix : partir avec six mois d'indemnités ou être l'objet d'un audit interne pointilleux qui pouvait déboucher sur une mise en examen.

Clare était atterrée. Elle imaginait les tourments que sa mère avait dû supporter.

— C'est affreux, maman. Je suis désolée que tu aies eu à traverser tout ça. Pourquoi ne m'en avais-tu pas parlé ?

— Chérie, tu avais tes propres problèmes, souviens-toi. Le meurtre, ta séparation d'avec Gil… C'était une période difficile pour tout le monde. Quand je pense aux parents de cette malheureuse jeune fille… Sais-tu ce qu'ils sont devenus ?

— Je crois me souvenir que Laura m'a dit un jour que l'un d'eux était mort peu après le meurtre, et que leur ferme avait été vendue.

— Pauvres gens, dit sa mère avec compassion.

Clare attendit quelques secondes, puis reprit :

— Maman, je trouve cette histoire à la banque très bizarre. Si le directeur soupçonnait une fraude quelconque, pourquoi n'en a-t-il pas aussitôt informé la police ? Cela n'a pas de sens.

— Il m'a dit qu'il voulait m'épargner, qu'il serait amplement satisfait si je quittais la ville.

— Mais c'est révoltant ! Tu n'avais rien fait !

— Je sais chérie, mais je ne pouvais pas le prouver. J'avais travaillé tard, toute seule, plusieurs soirs de suite, j'avais accès aux fonds, et M. Carelli, le directeur, savait que j'étais endettée. J'étais terrorisée et incapable de réagir.

— J'ai l'impression qu'il a tout fait pour t'intimider.

— Non, non, pas du tout. Il était très ennuyé. Il m'a dit que, compte tenu de mes états de service, il tenait à m'accorder le bénéfice du doute. Qu'il savait que je devais m'occuper de ma fille, et qu'il avait l'intention de couvrir la perte grâce à une assurance spéciale qu'il avait souscrite. Mais en même temps, continua-t-elle après un bref silence, il devait prendre en considération le sentiment des autres employés, quelles que soient ses propres convictions.

Clare secouait la tête, abasourdie. Elle ne parvenait pas à comprendre comment sa mère avait pu se laisser contraindre à un tel arrangement.

— Sais-tu s'ils ont fini par démasquer l'auteur de la fraude ?

— Je ne pense pas. Une des caissières — avec qui j'étais restée en contact pendant quelque temps — m'a dit que le mystère n'avait jamais été éclairci. Cependant, les vols s'étaient arrêtés après mon départ. Ce qui, hélas, n'avait fait que renforcer les suspicions à mon égard. Vraiment, je ne comprends pas moi-même ce qui a pu se passer.

— A l'évidence, tu as été victime d'un coup monté.

— Un coup monté ? Mon Dieu, chérie, est-ce que ce n'est pas un peu mélodramatique ?

— Réfléchis, maman. C'est la seule explication possible. Pour je ne sais quelle raison, quelqu'un voulait te nuire.

— Je ne vois pas qui m'en aurait voulu au point de me faire passer pour une voleuse. Je n'avais aucune vie sociale à l'époque, et je n'avais certainement pas d'ennemis sur mon lieu de travail. Jusqu'à cet événement, j'avais toujours cru que tout le monde m'aimait bien. Vraiment, je ne comprends pas.

— Pourquoi n'as-tu pas cherché un autre emploi en ville après avoir quitté la banque ?

— Franchement, l'idée de rester en ville me faisait horreur. Penser qu'on médirait de moi derrière mon dos… tu sais comment sont les gens.

Clare savait. A présent, elle comprenait la hâte avec laquelle sa mère avait mis leur maison en vente et organisé leur départ pour le New Jersey.

— Je ne sais pas quoi dire, maman. J'aurais voulu que tu n'aies pas à vivre une telle expérience.

— Je sais, chérie. Mais c'est du passé maintenant, et je préfère ne plus y penser.

— Tu n'aimerais pas essayer de découvrir la vérité ?

— Non, plus maintenant. J'ai une nouvelle vie ici et je suis tout à fait heureuse.

Elle ajouta après un instant de réflexion :

— Bien que j'aie encore du mal à admettre l'idée que certaines personnes à Twin Falls me considèrent comme une voleuse. Quoi qu'il en soit, il n'y a rien que je puisse faire après tant d'années.

— Toi peut-être pas, répliqua impulsivement Clare. Mais je pourrais peut-être faire quelques recherches pendant que je suis ici.

— Je croyais que tu partais demain ?

— Je pourrais changer mes plans.

— Ma chérie, tu ne peux rien faire. M. Carelli est mort depuis longtemps, je crois. Et à quoi bon remuer cette vieille histoire ?

— J'ai l'impression que c'est ce qui va se produire de toute façon. Surtout si ce journaliste persiste à vouloir écrire sa version de l'affaire Thomas.

— Beaucoup de gens font des projets sans les mener à bien, tu sais. Je laisserais tomber si j'étais toi.

— Peut-être. En tout cas, je te remercie de m'avoir tout raconté, maman.

— J'aurais dû le faire il y a des années. Mais une fois dans le New Jersey, j'ai eu le sentiment que nous voulions toutes les deux commencer une nouvelle vie.

Ce en quoi elle avait eu raison, songea Clare. Elle remercia sa mère, promit de rappeler dès qu'elle serait à New York et coupa la ligne. Une idée avait commencé de germer dans son esprit. Elle se souvenait de ce que Gil avait dit au sujet de ses parents et de la vérité qu'il se devait de découvrir pour eux, comme une sorte de réparation pour tout le chagrin que leur avait causé l'implication de leur fils dans le meurtre de Rina.

Elle se leva de son lit et aller chercher dans son sac la carte de visite que Gil lui avait donnée. Puis elle revint s'asseoir et réfléchit à ce qu'elle allait lui dire.

Un instant, Gil crut qu'il était encore en train de rêver. Quelques secondes plus tôt, il essayait de persuader Clare, qu'il tenait étroitement serrée dans ses bras, de l'accompagner au bal de fin d'études, et voilà qu'elle murmurait à son oreille d'une voix basse et pressante. Il s'assit, lâchant l'oreiller qu'il était en train d'écraser quand la sonnerie de son portable avait retenti.

— Ne me dis pas que je t'ai réveillé. Il n'est pas encore 23 heures.

— Hmm ? N... non. Mais j'étais sur le point de sombrer. J'ai terminé mes cartons après dîner seulement. Tout est prêt pour le camion de demain.

— Le camion ?

— Je donne la plupart des affaires à une association de Hartford. Ils distribuent ce qu'ils peuvent, et ils revendent le reste à des entreprises de recyclage. Mais... il s'est passé quelque chose ? Dave ?

— Non, tout va bien. J'ai appelé ma mère tout à l'heure. Tu te souviens de la question que m'a posée Withers ?

Il s'en souvenait, mais ce qui était vraiment resté gravé dans sa mémoire, c'était l'expression de Clare lorsque, à la fin de leur conversation dans le parc, il avait dit qu'il était peut-être trop tard pour eux. Il avait tout de suite senti qu'elle avait pris sa remarque comme un nouveau rappel de son rejet de lui des années auparavant. Elle pensait sans doute que jamais il ne lui laisserait oublier.

— Ça m'a travaillée toute la journée, si bien que, ce soir, j'ai appelé ma mère et elle m'a raconté quelque chose d'étrange.

Gil s'appuya contre le dosseret de son lit d'adolescent.

— Qu'est-ce qu'elle t'a dit ?

Elle raconta... L'argent volatilisé à la banque... Les soupçons... sa mère et les comptes spéciaux... Le directeur si « compréhensif »...

— Aucun directeur de banque un tant soit peu sensé ne laisserait filer une suspecte, qui plus est en lui demandant le secret. Et elle, s'est-elle rendu compte qu'en acceptant de partir, elle admettait implicitement sa culpabilité ?

— Oui, répondit-elle d'une voix tremblante d'émotion. Je pense qu'elle savait qu'elle n'avait pas le choix. Elle n'avait pas les moyens de prendre un avocat qui aurait pu plaider le licenciement abusif, les circonstances l'accusaient, et elle ne s'expliquait pas elle-même comment la chose avait pu se produire.

Gil crut l'entendre réprimer un sanglot. Il aurait voulu être près d'elle pour pouvoir la prendre dans ses bras et la réconforter, quoiqu'elle l'eût sans doute repoussé.

— Ç'a dû être terrible pour ta mère, dit-il, ne comprenant toujours pas très bien dans quel but Clare l'avait appelé.

— Oui. Elle n'a pas cessé de me dire que tout cela appartenait au passé, mais j'ai bien senti à sa voix qu'elle continuait d'en souffrir. J'imagine la douleur et la frustration que l'on doit ressentir quand on se sait innocent et que personne ne vous croit.

Gil fut tenté de rétorquer qu'il était bien placé pour connaître ce sentiment, mais il se retint. Cela aurait été la meilleure façon de faire disparaître Clare de sa vie à tout jamais.

— Tu te souviens quand tu as dit que tu voulais découvrir la vérité au sujet du meurtre de Rina pour rétablir tes parents dans l'estime de la communauté ? Du moins c'est ainsi que j'ai interprété tes paroles.

— C'est tout à fait ça. Pourquoi cette question ? interrogea-t-il tandis que son cœur s'accélérait car il commençait à entrevoir ce qu'elle avait en tête.

— Après ce coup de téléphone à ma mère, je veux faire la même chose pour elle. Elle ne s'est jamais débarrassée de ce fardeau ; c'est probablement pour cette raison d'ailleurs qu'elle n'est pas revenue à Twin Falls, même pour une courte visite. Donc, j'ai décidé d'accepter ta proposition.

Un instant Gil se demanda de quoi elle pouvait bien parler. Peut-être était-il encore en train de rêver ?

— Gil, tu m'as entendue ?

— Euh… oui. C'est juste que je suis surpris et… peut-être un peu perplexe. Tu es sûre que c'est ce que tu veux ?

— J'appellerai mon éditeur demain à la première heure. De toute façon, il n'y avait rien de prévu avant la fin du mois. Je voulais simplement être sûre que ta proposition tenait toujours. D'enquêter ensemble sur la mort de Rina.

Présentée comme ça, l'idée lui donnait le frisson. Avaient-ils tous deux perdu la raison ? Cependant, il était trop tard pour reculer à présent. Et par ailleurs, il ne pouvait pas refuser une telle occasion de passer quelques jours de plus aux côtés de Clare.

— Très bien. Ecoute, pourquoi ne pas nous retrouver quelque part demain matin ? Dans un endroit discret si possible, pas un lieu public où l'on pourrait nous entendre. Je suppose que tu ne tiens pas à mettre Dave et Laura au courant pour l'instant. Que dirais-tu de chez moi ?

Il y eut un silence prolongé. La dernière fois que Clare était passée chez lui remontait à dix-sept ans en arrière.

— D'accord, acquiesça-t-elle finalement. J'apporterai le café. A quelle heure veux-tu que… ?

— 9 heures. Je suis sûre que tu te lèves tôt à cause d'Emma de toute façon.

— Exact. A demain donc. Et… merci Gil de m'avoir laissée changer d'avis.

Ayant raccroché, Gil resta assis cinq bonnes minutes avant de se recoucher, le temps pour lui de se convaincre qu'il n'avait pas rêvé.

10.

— Je croyais que tu partais aujourd'hui, remarqua Laura, visiblement perplexe.

Clare n'était pas parvenue à trouver une explication plausible, et, en dépit de la suggestion de Gil qui indiquait qu'il aurait préféré garder leur projet secret, elle savait qu'elle ne pouvait pas mentir à ses amis.

— Assieds-toi, Laura. J'ai rendez-vous avec Gil à 9 heures, mais ce que j'ai à te dire peut prendre quelques minutes.

Et, ignorant les yeux écarquillés de Laura, Clare brossa un résumé des derniers événements : sa rencontre avec Jeff Withers à la librairie, le coup de téléphone à sa mère, le vol à la banque, les motifs pour lesquels Gil avait résolu de se lancer dans une enquête, et sa propre décision de s'associer à sa démarche.

Laura avait secoué la tête à plusieurs reprises en murmurant chaque fois : « C'est incroyable. »

— Tu comprends que je veuille faire ça pour ma mère, n'est-ce pas ? demanda Clare.

— Bien sûr, mais Gil et toi n'êtes pas détectives. Et puis… comment allez-vous pouvoir travailler ensemble, je veux dire, avec ce passé entre vous ?

— Je m'attendais à cette remarque, mais nous sommes adultes maintenant et je pense que nous sommes capables de faire la part des choses. En tout cas, nous allons essayer. Ce ne sera pas facile, mais je sais comment mener des recherches et Gil a des contacts dans la police.

— Ici ? A Twin Falls ?

— Non, à New York.

— Tu es sûre de savoir ce que tu fais ? Franchement, il m'a semblé que l'atmosphère était plutôt tendue entre vous ces deux derniers jours.

— J'espère que Gil et moi saurons mettre de côté nos différends.

— Différends ? C'est un euphémisme, j'imagine.

Clare se sentit rougir, mais elle refusait de s'avouer battue.

— Je sais que nous avons en commun une histoire douloureuse, Laura, et je ne suis pas assez naïve pour croire que tout va s'arranger entre nous comme par magie, mais j'espère — puisque nous sommes les parrain et marraine de la petite Emma — que nous serons capables de nous conduire en bons amis.

— Tout ça, c'est du bavardage, Clare. Ne te voile pas la face. La vérité, c'est que Gil et toi ne pourrez pas être amis avant de vous être mutuellement pardonnés. Et sincèrement, Clare, je n'ai pas envie de te voir souffrir.

Le franc-parler de Laura était un trait de caractère que Clare avait toujours à la fois admiré et craint, et elle savait qu'il était inutile de discuter. En outre, une petite voix lui soufflait que Laura avait raison.

— Promets-moi que Dave et toi ne parlerez de tout ça à personne, dit Clare pour mettre un terme au sujet épineux de sa relation avec Gil.

— Bien sûr.

— Même pas à Anne-Marie.

— A personne, Clare ! s'exclama Laura.

— Merci. Je dois y aller maintenant.

Elle se leva, ramassant son sac et sa veste, et jeta un coup d'œil par la fenêtre.

— Quel temps !

— Ne m'en parle pas, gémit Laura. Moi qui avais l'intention de faire une grande promenade avec Emma…

Clare enfila sa veste. Elle était déjà sur le seuil quand Laura demanda :

— Tu dînes avec nous ce soir ?

— Je ne sais pas encore, je t'appellerai dans la journée si tu veux. On pourrait peut-être se faire livrer quelque chose ? C'est moi qui offre, lança-t-elle avant de sortir.

Sa voiture était garée dans l'allée derrière celle de Laura. Elle serra le col de sa veste autour de son cou et baissa la tête pour se protéger de la pluie. Comme elle fouillait dans son sac à la recherche de ses clés, elle perçut un mouvement sur sa droite, sur le côté de la maison. Tournant vivement sur elle-même, elle vit un garçon courir vers la rue. Il portait un coupe-vent en Nylon dont le capuchon dissimulait ses cheveux.

— Hé ! cria-t-elle.

Lâchant son sac sur le capot, elle courut à sa suite. Il était sur le point de traverser la rue, à une quarantaine de mètres d'elle, quand une voiture déboula d'une rue transversale, l'obligeant à s'arrêter. Il tourna brièvement la tête vers elle et elle le reconnut immédiatement. Jason Wolochuk. Mais à peine la voiture était-elle passée qu'il se remettait à courir et disparaissait à l'angle de la rue. Trop tard.

Clare retourna à sa voiture, toujours en courant, récupéra son sac et s'assit au volant, essoufflée. Il était clair que l'adolescent était venu rôder autour de la maison. Peut-être les avait-il épiées, Laura et elle, pendant qu'elles discutaient dans la cuisine. Clare frissonna. Du moins n'était-ce pas au milieu de la nuit.

Et tout à coup, cela fit tilt dans son esprit. Jason Wolochuk était l'auteur du message trouvé dans son livre. Il faisait partie de la classe de littérature de Lisa Stuart. Elle se demanda comment il avait appris à quel endroit elle séjournait, puis elle se souvint que, lors de sa seconde visite à Lisa, le garçon s'était trouvé à la porte de la salle. Peut-être l'avait-il entendue dire qu'elle logeait chez les Kingsway ? Il lui avait ensuite suffi de chercher leur adresse dans l'annuaire. Ce qu'elle ne parvenait pas comprendre, en revanche, c'était pour quelle raison il se comportait de cette façon.

Clare démarra. Gil aurait peut-être une idée.

Il se révéla qu'il n'en avait pas davantage qu'elle, mais il lui fit aussitôt une suggestion.

— Pourquoi ne pas aller le trouver et lui poser la question ?

Ils se tenaient au milieu de la petite entrée de la maison des parents de Gil, encombrée de cartons, comme d'ailleurs la salle de séjour dont la porte était ouverte sur la gauche de Clare.

— Oui, acquiesça-t-elle en regardant autour d'elle. Mais n'aurions-nous pas intérêt à établir une sorte de plan ? Je veux dire, nous devons savoir ce que nous voulons lui demander.

— Je sais exactement ce que je veux lui dire, marmonna Gil d'un air sombre.

Il semble prendre les choses encore plus au sérieux que moi, songea Clare en pénétrant dans le séjour.

— Je vois que tout est empaqueté, remarqua-t-elle.

— Presque. Le Rotary Club récupère les meubles et l'electro-ménager pour des familles dans le besoin, et tout le reste va à une association de Hartford.

— Oui, tu me l'as dit.

La pièce paraissait bien différente du souvenir qu'elle en avait gardé. Lorsqu'ils sortaient ensemble, la maison de Gil avait été une seconde maison pour Clare. Elle y venait après l'école. La mère de Gil ne travaillait pas et il y avait toujours une assiette de cookies sur la table de la cuisine, autour de laquelle ils bavardaient tous les trois, puis Clare et Gil allaient dans le séjour où ils faisaient leurs devoirs ou écoutaient de la musique dans la chambre de Gil. C'était une maison sans chichis, mais terriblement chaleureuse. Clare pensa soudain à sa mère qui, bien qu'elle fût seule, s'était toujours efforcée de maintenir un certain style de vie. Sans doute était-ce la raison pour laquelle son patron l'avait aussitôt suspectée de détournement. Elle avait beau faire des heures supplémentaires, elle avait toujours des dettes à payer, car son goût pour les vêtements et pour les belles choses en général engloutissait une bonne part de ses revenus.

— Ce n'est plus comme avant, n'est-ce pas ? dit Gil.

— Non, confessa-t-elle avec nostalgie.

Il était si proche d'elle qu'elle pouvait sentir l'odeur de son après-rasage, et fut soudain prise d'une sorte d'étourdissement.

— Où nous installons-nous pour travailler ? demanda-t-elle en s'écartant de lui.

— A la cuisine ? Il y a encore une table et des chaises. Et la cafetière électrique.

Il la dévisagea quelques secondes, puis tourna les talons.

Clare le suivit des yeux, légèrement déconcertée. Un moment, il paraissait vouloir aller vers elle, l'instant d'après, il prenait ses distances, froid et indifférent. Mais n'agissait-elle pas de la même façon, finalement ? Elle appréciait de le sentir près d'elle, et tout à coup sa proximité la mettait mal à l'aise. Elle suspendit sa veste au dossier d'un fauteuil et le rejoignit dans la cuisine où il était occupé à préparer du café.

— Oh, mince ! J'avais dit que j'apporterais les cafés et j'ai complètement oublié.

— Aucune importance. J'ai gardé un petit stock d'épicerie pour les jours à venir. Assieds-toi.

Deux stylos et deux blocs de papier étaient posés sur la table.

— Tu as tout préparé, je vois, commenta-t-elle, tout en se demandant soudain ce qu'ils étaient en train de faire.

Gil se retourna, une bouteille de lait à la main, et dit en la regardant :

— On dirait que tu as des doutes.

Il avait toujours eu un talent particulier pour deviner ses pensées — sauf, hélas, le soir où ils avaient eu cette terrible dispute au parc. Elle secoua la tête, plus pour chasser ses propres pensées que pour répondre à la question de Gil.

— Non, c'est seulement cette histoire avec Jason... Je ne comprends pas pourquoi il aurait fait une chose pareille.

— Nous ne savons pas encore si c'est lui.

— Ce *doit* être lui. La coïncidence est trop grande.

— Alors, il faut que nous allions le voir. Après le café, ajouta-t-il comme la cafetière cessait de gargouiller.

Il servit deux grandes tasses et les apporta sur la table.

— Sucre ?

— Oui, s'il te plaît.

— Je pensais que nous aurions pu commencer par récapituler ce que nous savons du jour où Rina a été tuée.

Clare leva les yeux vers Gil. Le moment semblait venu d'affronter le passé.

— D'accord. Nous jetons nos souvenirs sur le papier chacun de notre côté et nous les comparerons ensuite ?

— Ça me paraît bien, dit Gil en glissant vers elle un bloc et un stylo.

Gil baissa la tête et se mit à écrire tandis que Clare fixait longuement sa feuille de papier. Par où commencer ? Comment traduire les faits en quelques phrases quand les émotions se bousculaient dans son cœur ? Elle regarda la main de Gil courir sur la page. A l'évidence, lui n'éprouvait aucune difficulté à transcrire ses souvenirs.

— Tu es sûre que tout va bien ? s'enquit-il soudain, comme il tournait les yeux vers elle.

« Comment pourrions-nous raconter ce qui s'est passé il y a dix-sept ans, la confusion, la douleur de la trahison ? » aurait-elle voulu lui demander. Mais même ces mots-là ne franchissaient pas ses lèvres. Elle gardait les yeux fixés sur lui et il dut lire quelque chose dans son regard car il reposa son crayon et dit doucement :

— Ça ne va pas marcher, hein ?

— C'est trop chargé…, essaya-t-elle d'expliquer. Des années de… Je ne sais pas… de reproches, de doutes. Comment pourrions-nous écrire cette histoire comme si c'était celle d'autres gens et non la nôtre ?

Elle vit sa mâchoire se crisper comme s'il faisait un énorme effort pour contenir une émotion qu'il ne voulait pas laisser paraître, puis, après un long silence, il dit :

— On ne peut pas, Clare. La seule chose que nous puissions faire, c'est recenser les événements de cette journée et essayer de les articuler. Nous devrions au moins réussir à retracer la chronologie des faits. Quant au reste — ce qui a retenti sur nous —, je crois que nous devrions y penser comme à un travail en cours, tu ne crois pas ? Une sorte de problème qui, je l'espère, trouvera sa résolution avec le temps… et de la persévérance.

Clare hocha la tête. Il semblait sous-entendre que leurs relations se poursuivraient au-delà de la démarche qui les associait temporairement. Et la lueur d'espoir qu'elle sentait naître au plus profond d'elle-même lui fit réaliser que c'était ce qu'elle souhaitait, elle aussi. L'idée de pouvoir réparer le mal causé dix-sept ans plus tôt et, peut-être, reconstruire quelque chose — ne serait-ce qu'une amitié —, était à la fois effrayante et excitante.

— Bon, fit-il en détachant son regard du sien. Finissons notre café et allons voir Jason Wolochuk. Je vais chercher l'annuaire. Je sais qu'il y en a un quelque part.

Les essuie-glaces oscillaient mollement de gauche à droite. Gil se dit qu'il aurait pu les arrêter car il ne pleuvait presque plus, mais il y avait quelque chose d'étonnamment apaisant dans ce mouvement monotone. Et puis, c'était plus facile de se laisser bercer par le rythme ronronnant que de faire la conversation à Clare, enfoncée dans le siège passager à son côté. Il glissa un coup d'œil discret dans sa direction.

Elle se rongeait un ongle en regardant par la vitre latérale la modeste maison de bois devant laquelle ils étaient garés. Tout à l'heure, dans la cuisine, il aurait pu jurer qu'elle était sur le point d'éclater en sanglots, et cela l'avait effrayé car il savait qu'il l'aurait immédiatement prise dans ses bras, et ensuite... Qui pouvait dire ce qui serait arrivé ? Mais il ne voulait pas y penser.

Non qu'il n'en ait pas considéré l'éventualité durant ces derniers jours, mais dès qu'il avait surpris ses pensées orientées dans cette direction, il avait repris les rênes de son esprit et s'était rappelé que, tant que les nuages du passé flottaient au-dessus de leurs têtes, il ne pouvait espérer aucun avenir avec elle. Et pourtant, il réalisait à présent à quel point il désirait pouvoir envisager un futur avec Clare.

— Tu es prête ? demanda-t-il en tournant la tête de son côté.

— Oui, répondit-elle d'une voix voilée.

— Bien. Tu te rappelles ce que nous avons dit ? Nous voulons obtenir des informations, donc ne craignons pas de nous montrer incisifs.

Il abaissa la poignée de sa portière.

— On y va ?

Il ouvrit la marche jusqu'à la porte de la maison, attendit qu'elle l'ait rejoint, puis sonna. Ils attendirent. Gil sonna de nouveau. Cette fois, il y eut un mouvement dans les rideaux de la fenêtre principale. Puis, la porte s'entrouvrit et le visage d'une femme apparut à demi dans l'entrebâillement.

— Qu'est-ce que vous voulez ?

— Madame Wolochuk ? risqua Gil.

— Je n'ai besoin de rien, dit la femme, faisant mine de refermer la porte.

— Nous aimerions vous parler de votre fils, Jason, madame Wolochuk. Au sujet de certains problèmes au lycée.

La porte se rouvrit sur une femme osseuse, entre quarante et cinquante ans, aux cheveux gris tirés en arrière et noués sur la nuque. Elle les examina quelques secondes d'un œil suspicieux, puis se décida à les faire entrer, laissant la porte d'entrée à demi ouverte derrière eux.

— Par là, dit-elle sans aménité.

Gil jeta un coup d'œil à Clare et lui adressa un clin d'œil. Jusque-là, tout allait bien. Il se sentait un peu mal à l'aise d'avoir dû présenter les choses de façon à laisser croire à la mère de Jason qu'ils étaient des membres du lycée, mais sans cette petite ruse, elle aurait refusé de les écouter.

La maison empestait le tabac froid et Gil s'efforça de ne pas grimacer en pénétrant dans la salle de séjour. Mme Wolochuk s'était déjà renfoncée dans son canapé, une tasse de café et un cendrier débordant à portée de la main. La pièce était jonchée de magazines et de journaux dépliés, et des vêtements traînaient sur les dossiers des fauteuils.

Il se tourna vers le téléviseur allumé.

— Cela vous ennuierait-il d'éteindre la télévision ? demanda-t-il.

A en juger par son expression, cela lui déplaisait en effet. Cependant, elle coupa le son en pressant un bouton de la télécommande.

— Alors, qu'est-ce qu'il a encore fait ? s'enquit-elle en allumant une cigarette.

Clare, qui s'était jusque-là trouvé derrière Gil, fit un pas de côté. Mme Wolochuk, semblant la découvrir, aboya aussitôt.

— Je vous connais ! Vous êtes cet écrivain, Clare Morgan. C'est vous qui avez écrit ce livre sur Twin Falls.

Gil vit Clare pâlir. Elle s'éclaircit la gorge pour répondre « Oui » sans prendre la peine de corriger la femme. Il comprenait à présent

150

combien il devait être frustrant pour Clare d'avoir à expliquer continuellement que son livre était une fiction.

— Qu'est-ce que ça signifie ? Elle n'est pas professeur. Et vous qui êtes-vous ? continua Mme Wolochuk en le fixant de ses yeux accusateurs.

— En effet, nous ne sommes professeurs ni l'un ni l'autre.

— Alors qu'est-ce que vous faites ici ?

Elle ne les invita pas à s'asseoir. D'ailleurs, Gil n'était pas sûr d'en avoir envie. Il vit Clare s'asseoir du bout des fesses sur une chaise ; restait un fauteuil passablement élimé et taché. Il décida de rester debout.

— Nous sommes ici à cause de quelque chose qui s'est produit au lycée, commença-t-il.

Et de lui raconter la visite de Clare à la classe de Mme Stuart, le message anonyme trouvé dans le livre, et la présence de Jason dans le jardin des Kingsway le matin même…

— Jason ne ferait jamais une chose pareille, déclara la femme, dont la colère semblait cependant être un peu retombée. Il n'est peut-être pas facile à diriger, il a des difficultés pour apprendre, et il ne rend pas toujours ses devoirs à temps, mais il n'irait jamais faire ce genre de bêtises. Jamais.

— J'ai été professeur, madame Wolochuk, dit Clare, et j'ai appris une chose : on ne peut jamais dire « jamais » avec les adolescents. Ils cachent beaucoup plus de choses que nous ne l'imaginons.

— Ce qui n'est pas votre cas, n'est-ce pas ? remarqua la femme d'un air méprisant.

— Pardon ? Je ne vois pas de quoi vous parlez.

— N'est-ce pas évident ? Vous avez écrit ce livre pour réveiller le passé. Vous vouliez que les bavardages recommencent.

Gil sentit un frisson parcourir sa colonne vertébrale.

— Quels bavardages ? demanda Clare.

Une expression de pure incrédulité traversa le visage de Mme Wolochuk.

— A propos du meurtre de cette fille. Celle qui était dans votre classe.

— Vous savez quelque chose à ce sujet, madame Wolochuk ? intervint Gil.

— Pourquoi ? Je devrais ?

— Je me demandais seulement pourquoi la conversation avait dévié. Nous parlions de la note que Jason a écrite.

— Que *vous* dites qu'il a écrite.

— Je pense que c'est assez clair, en effet. Il est ici ? Pourrions-nous lui parler ?

— Il est sorti. Je ne sais pas où. Il ne me dit jamais où il va.

— Savez-vous quand il rentrera ?

— Aucune idée. Comme je viens de vous le dire, il n'informe pas sa mère de ses projets, quels qu'ils soient.

L'amertume de sa voix en disait long sur leur relation.

— Et votre mari, madame Wolochuk, il est ici ?

Il se tourna vers Clare, ébahie.

— M. Wolochuk n'était-il pas un de tes professeurs quand tu étais au lycée, Clare ?

Elle opina, puis elle sembla comprendre où Gil voulait en venir. Se tournant vers le canapé, elle dit :

— C'était mon professeur de chimie. Le meilleur que j'ai jamais eu.

— Vraiment ? persifla Mme Wolochuk. Vous êtes bien la première à le dire. Si je me souviens bien, Stan aurait dû consacrer davantage de son temps à ses cours.

— Que voulez-vous dire, madame Wolochuk ? demanda Gil, intéressé.

— Rien, marmonna-t-elle en se renfonçant dans le canapé, le visage fermé. Bon, j'interrogerai Jason quand il rentrera. Et s'il a fait quelque chose, je lui dirai de vous faire des excuses, par écrit.

Elle rit. Gil se mordit la lèvre, agacé. Jamais il n'obtiendrait la moindre information objective de cette femme pleine de rancœurs.

Il tourna un œil interrogateur vers Clare qui, comprenant le message, se leva.

— Eh bien, nous allons vous laisser, madame Wolochuk. Mais… vous ne nous avez pas dit où se trouvait votre mari, j'aurais eu plaisir à le saluer.

La remarque de Clare suscita un nouveau rire chez Mme Wolochuk.

— Ne vous gênez pas, ma chère ! Nous sommes divorcés, au cas où vous ne le sauriez pas. Stanley vit à Hartford désormais. Il est dans l'annuaire. Vous n'avez qu'à l'appeler.

Clare pivota pour s'en aller et Gil lui emboîta le pas. Ils étaient dans le couloir quand Mme Wolochuk cria dans leur dos :

— Et dites à ce bon à rien qu'il me doit toujours la pension du mois dernier !

Ayant refermé la porte derrière lui, Gil poussa un énorme ouf de soulagement. Clare était déjà à quelques mètres sur le trottoir, visiblement aussi pressée que lui de fuir cette maison. Il la rattrapait tout juste quand il vit quelqu'un traverser la route en diagonale. Un jeune garçon en coupe-vent marine. Jason.

Quand Clare parvint à leur hauteur, tous deux étaient hors d'haleine. Dès qu'il l'avait aperçue, au moment où elle ouvrait sa portière, Jason s'était enfui et Gil s'était lancé à sa poursuite.

— Tu devrais peut-être le lâcher, Gil, conseilla-t-elle.

Gil lâcha le bras du garçon et fit un pas en arrière. Clare ne se rappelait pas avoir jamais vu une telle colère sur le visage de Gil.

Pourtant, cela ne suffisait pas à intimider l'adolescent.

— Qu'est-ce que vous voulez ? demanda-t-il d'un ton arrogant.

— Jason, je suis sûre que tu te souviens de moi. Je suis venue dans la classe de Mme Stuart, et M. Harper est un de mes amis.

Nous voudrions savoir pourquoi tu as glissé cette note dans mon livre.

— Quelle note ? Vous êtes cinglés tous les deux ! se défendit-il avec une hargne qui témoignait autant de sa colère que de sa peur.

— Je sais aussi que tu es venu rôder autour de la maison des Kingsway la nuit.

Elle fit une pause, lui laissant le temps d'enregistrer ses paroles, avant de continuer :

— La police pourrait sûrement procéder à des tests pour identifier l'auteur de ce message, analyser l'encre, ou étudier les empreintes, par exemple.

Il baissa les yeux, mais Clare avait eu le temps de voir sa peur s'intensifier.

— Je ne sais rien de ce papier. Et je ne rôde pas dans les rues la nuit. Laissez-moi tranquille.

— Inutile d'insister, Clare. Emmenons plutôt ce petit crack à la police.

A présent, le jeune garçon semblait sur le point de se mettre à pleurer. Clare se sentait un peu coupable de le tourmenter de cette façon. Un peu seulement. Après tout, n'avait-il pas voulu l'effrayer lui aussi quelques jours plus tôt ?

— Est-ce toi aussi qui a tagué mes affiches à la librairie ? demanda-t-elle.

La question retint l'attention de l'adolescent. Il parut surpris, mais intéressé aussi, comme si n'y étant pour rien lui-même, il avait une idée de la personne qui aurait pu se livrer à ce genre d'acte de vandalisme.

— Ou peut-être sais-tu qui c'est ?

Il secoua la tête mais resta silencieux. Clare allait suggérer à Gil de partir quand le garçon se décida à parler :

— D'accord, d'accord, c'est moi qui ai écrit cette note. C'est pas si grave, si ? Qu'est-ce les flics vont faire ? m'enfermer ? railla-t-il.

— Peut-être pas, admit Gil. Mais ça pourrait leur donner des idées : il y a tant de délits non élucidés. Une fois qu'ils auront tes empreintes, hé, qui sait où ils n'iront pas fouiller ?

Après un moment de réflexion, Jason dit :

— Je voulais seulement qu'elle s'en aille.

Puis il se tourna vers Clare.

— Vous ne savez pas tous les problèmes que vous avez causés depuis qu'on a appris que vous veniez à Twin Falls. Dès que ma mère a été au courant, elle s'est précipitée sur le téléphone et elle s'est mise à hurler après mon père. Il est venu à la maison — ce qui n'était pas arrivé depuis un an —, et ils se sont bagarrés. Tout ça à cause de vous.

Clare regarda Gil et haussa les épaules, muette d'incompréhension.

— Tu devrais essayer de t'expliquer un peu mieux, mon gars, ou bien il faudra que nous poursuivions cette conversation dans le bureau du shérif.

— Si j'en savais plus, je vous le dirais. Mais je ne sais rien d'autre. Seulement que cela a quelque chose à voir avec votre livre. Ils disaient que vous aviez écrit un tas de mensonges et que les gens allaient les croire.

Plus déconcertée que jamais, Clare tourna les yeux vers Gil qui semblait aussi interdit qu'elle-même.

— Alors ? dit-il.

Elle haussa les épaules. Le garçon semblait dire la vérité, bien qu'ils n'aient guère de moyens de le vérifier.

— Donc tu ne sais pas pourquoi tes parents ont été tellement secoués par mon livre ? demanda-t-elle encore.

— Je vous ai dit ce que je savais.

— Bon. Je suppose qu'il ne reste plus qu'à rendre visite à ton père.

Jason leva à peine les épaules comme pour dire : « Faites ce que vous voulez, je m'en fiche. »

— Tu peux t'estimer heureux que nous ne portions pas plainte, dit Gil en s'écartant de lui.

Aussitôt, Jason reprit une expression dédaigneuse.

— Allez vous faire voir ! lança-t-il avant de traverser la rue en courant et de disparaître à l'angle du pâté de maisons.

— Charmant personnage, commenta Gil.

— Mmm. Gil, tu te souviens du soir où nous sommes allés dîner au restaurant avec Dave et Laura ? Tu m'avais raccompagnée à l'hôtel et sur le chemin, j'avais heurté une femme qui m'avait lancé un regard mauvais.

— Oui, pourquoi ?

— Je suis presque sûre que c'était Helen Wolochuk.

— Je suppose que ça se tient, si elle savait que tu étais en ville, comme le dit son fils.

Exact, songea Clare, mais cela n'expliquait rien de la mystérieuse hostilité de Mme Wolochuk à son égard.

Lorsqu'ils furent de retour à la voiture, Jason n'était bien sûr plus en vue. Les rideaux de la maison des Wolochuk étaient tirés. Mais au moment où Gil démarra, Clare jeta un dernier regard en arrière et elle vit les rideaux de la grande pièce s'entrouvrir légèrement. Juste assez pour qu'une paire d'yeux observent leur départ.

11.

Clare ôta avec précaution le couvercle de son gobelet de café et souffla doucement sur le liquide fumant.

— Merci pour le petit déjeuner, dit-elle en louchant sur le sachet de muffins posé sur le siège entre Gil et elle. Je n'ai pas eu le temps d'avaler quoi que ce soit.

— Mauvaise nuit ? demanda Gil en démarrant devant la maison des Kingsway. Emma a réveillé tout le monde ?

— N…non.

Ce n'étaient pas tant les pleurs d'Emma que ses doutes concernant la mission qu'ils s'étaient fixée ce jour-là. Mais Clare avait l'impression que si elle les exprimait, Gil ferait immédiatement demi-tour et la ramènerait chez les Kingsway.

— Peut-être un peu d'anxiété, admit-elle évasivement.

— A quel propos ?

Clare se remémorait la conversation qu'elle avait eue la veille avec Dave et Laura au sujet de Jason Wolochuk. Tous deux avaient été choqués, mais pas par le fait qu'il avait avoué avoir écrit la note.

« C'est vous qui avez eu de la chance qu'il n'appelle pas la police », avait remarqué Laura. Et Dave avait renchéri : « Elle a raison, Clare. Le garçon est mineur. Vous avez risqué de sérieux ennuis en l'intimidant comme vous l'avez fait. » Et ils avaient continué d'argumenter sur le même thème durant tout le repas, si bien que, lorsque l'heure était venue de coucher Emma, Clare avait été trop heureuse d'en profiter pour s'éclipser.

En quelques mots, Clare fit part à Gil des avertissements des Kingsway.

— Ils ont raison, je sais, dit Gil quand elle eut terminé. Je m'en suis voulu de m'être emporté de cette façon. Cela ne me ressemble pas du tout, je ne sais pas ce qui m'a pris. C'est peut-être cette arrogance dont il faisait preuve, cette absence de remords…

— Je sais, j'ai ressenti la même chose. Mais mon expérience m'a appris que les ados adoptent souvent une attitude agressive quand ils se sentent vulnérables. Et étant donné ce que nous avons vu de la mère de Jason hier, je crois que je peux comprendre pourquoi il semble en vouloir à la terre entière. Mais je pense que nous devrions nous intéresser à ses parents maintenant.

— Oui, acquiesça-t-il, l'air préoccupé. Qu'est-ce que tu veux demander exactement à Stanley Wolochuk ?

Clare avala une gorgée de café. Elle y avait longuement réfléchi aux petites heures du matin.

— Jason dit que mon livre a bouleversé ses parents et je n'en vois absolument pas la raison.

— Moi non plus. Tu ne parles d'aucun professeur dans ton roman.

Il y eut un silence, puis Gil demanda :

— Tu as des doutes quant à cette visite ?

— Pourquoi me demandes-tu ça ? rétorqua-t-elle, surprise encore une fois par sa pénétration.

— Ton expression. C'est une expression dont je me souviens.

Clare détourna son regard. Mieux valait éviter ce genre de sujet.

— C'est normal d'avoir un peu d'appréhension dans ce genre de circonstances, non ? Mais je me demande si cette démarche se justifie. Tu m'as bien dit que Rina et lui s'étaient disputés ce jour-là à cause d'une note à un devoir, n'est-ce pas ?

— Oui. Mais j'ai le sentiment qu'il y a autre chose. Rina était vraiment très ébranlée, plus qu'elle ne l'aurait dû pour une simple note. Et j'aimerais savoir pourquoi.

Une heure plus tard, ils atteignaient la banlieue tentaculaire de Hartford. Parvenus à leur destination, ils observèrent silencieusement la masure où vivait Stanley Wolochuk.

— La maison de sa femme a l'air d'un palace en comparaison, dit Gil.

— Mmm.

Clare espérait presque que son ancien professeur n'était pas chez lui.

— Tu es prête ?

— Oui. Allons-y.

Une allée de ciment toute fissurée menait à la porte d'entrée. Clare appuya sur la sonnette, puis, comme aucun son ne lui était parvenu en retour, frappa contre la porte. Au bout d'un long moment, celle-ci s'ouvrit enfin.

— Je vous ai dit que je n'étais pas intéressé... oh, désolé, je vous avais pris pour un représentant. Ah ! mais... c'est Clare Morgan, s'exclama Stan Wolochuk en la reconnaissant.

Il tourna la tête vers Gil et fronça les sourcils.

— Votre visage m'est familier. Un de mes anciens élèves, je présume ?

— Non, j'ai évité les sciences. Mais j'étais élève à Twin Falls High. Gil Harper, ajouta-t-il en tendant la main.

Wolochuk l'ignora. Son regard alla de l'un à l'autre. Ce fut un moment inconfortable durant lequel Clare se demanda si le professeur n'allait pas leur fermer la porte au nez. Mais il finit par demander :

— Qu'est-ce que je peux faire pour vous ?

— Nous aimerions vous parler de votre fils, Jason, dit Clare.

Wolochuk réfléchit un instant avant de les laisser entrer, ainsi que l'avait fait son ex-femme. Ils avaient donc au moins ceci en commun : ils s'inquiétaient pour leur fils. Mais, contrairement à elle, il s'effaça pour les laisser passer, referma la porte de la rue, et les conduisit ensuite dans le séjour.

La pièce était beaucoup moins meublée que la salle de séjour d'Helen, et aussi plus propre, mais elle empestait pareillement le tabac froid. Clare chercha des yeux un cendrier, qu'elle ne trouva pas. Le journal du jour était ouvert sur le canapé, en face duquel une télévision était posée sur une bibliothèque basse. Wolochuk fit un geste vers l'unique fauteuil qui complétait ce mobilier sommaire.

— Asseyez-vous, dit-il à Clare.

Ce qu'elle fit, soulagée de n'avoir pas à s'asseoir à côté de lui sur le sofa. Il y avait quelque chose d'étrange à se trouver dans le cadre domestique de son ancien professeur. Elle le regarda réunir les feuilles de journal et indiquer le canapé à Gil, et, quand ils furent assis, parla sans détour :

— Vous rappelez-vous, quand nous nous sommes vus à la librairie de Hartford, m'avoir entendu dire que j'avais rendu visite à l'une des classes de Lisa Stuart le matin même ?

— Oui. Pourquoi ? dit-il, visiblement perplexe.

— Vous ne m'avez pas dit que votre fils, Jason, était dans sa classe.

— Cela ne m'est sans doute pas venu à l'esprit.

— Un ou deux jours plus tard, j'ai trouvé une note dans un des exemplaires que j'avais fait passer dans les rangs.

Elle ouvrit son sac et en sortit la petite feuille pliée qu'elle lui tendit. Il la lut rapidement et tourna un regard interrogateur vers elle. « Qu'est-ce que ceci a à voir avec Jason ? » semblait-il dire. Puis, il comprit.

— Vous n'êtes pas en train de suggérer que c'est Jason qui a écrit cela ?

160

— Nous savons que c'est lui, monsieur Wolochuk, dit Gil. Il nous l'a dit lui-même. Il a aussi avoué avoir rôdé la nuit autour de la maison où était hébergée Clare.

Le papier tremblait dans la main de M. Wolochuk.

— Je ne comprends rien. Pourquoi venez-vous me voir avec ça ?

— Jason dit qu'il a écrit cette note parce qu'il vous avait vus, vous et sa mère, vous disputer à propos de mon livre.

La feuille s'échappa des mains du vieux professeur et tomba sur le sol. Il ne dit pas un mot, mais la rougeur qui avait commencé à envahir son front s'accentua. On n'entendait plus que sa respiration rauque.

Clare, se rappelant soudain qu'il lui avait parlé d'une maladie de cœur, s'alarma.

— Ça va, monsieur Wolochuk ?

Il balaya sa remarque d'un geste irrité.

— Bien sûr que ça va. Je ne vais pas avoir une crise cardiaque à cause d'une idiotie de Jason. Il m'en faut davantage pour m'ébranler, croyez-moi.

— Clare et moi faisons quelques recherches au sujet de la mort de Rina, monsieur Wolochuk, et nous pensions que peut-être vous pourriez nous aider, intervint Gil.

Des gouttes de sueur perlèrent sur le front de Wolochuk. Il s'essuya d'un revers de la main et soupira en gardant les yeux fixés au sol.

— Je ne comprends pas pourquoi Jason aurait fait une telle chose, répéta-t-il.

— Monsieur Wolochuk, nous ne voudrions pas trop vous inquiéter, mais apparemment votre fils a été très secoué par cette dispute que vous avez eue avec… euh, votre ex-femme. C'est, semble-t-il, la seule explication à sa conduite. Il y a eu aussi un incident à la librairie de Twin Falls : les affiches qui annonçaient ma séance de dédicace ont toutes été barbouillées de feutre noir.

Stan Wolochuk était muet. Il secouait la tête d'un air de totale incompréhension.

— Vous rappelez-vous cette querelle, monsieur Wolochuk ? reprit Clare, s'efforçant de dissimuler son impatience.

— Mon ex-femme et moi nous disputons tout le temps, répondit-il en soupirant. En général, à propos d'argent.

— Etes-vous en train de nous dire que vous ne vous querelliez pas au sujet du livre de Clare ? demanda Gil.

— Je n'ai même pas terminé de le lire, dit-il en haussant les épaules. Quant à ma femme, je doute fort qu'elle l'ait acheté. Je m'en suis procuré un exemplaire uniquement parce que je me souvenais de Clare.

— Monsieur Wolochuk, nous vous serions reconnaissants si vous pouviez parler à votre fils. Clare a l'intention de prolonger un peu son séjour et je pense qu'elle se sentirait plus à l'aise si elle savait que de tels incidents ne se reproduiront plus.

— Bien entendu, je lui parlerai. Ce qu'il a fait est inexcusable.

Wolochuk se baissa pour ramasser la feuille de papier, puis il ajouta en se levant :

— Je vais d'ailleurs l'appeler tout de suite.

Clare regarda Gil. A l'évidence, l'entretien touchait à sa fin.

— Autre chose, monsieur Wolochuk, avant que nous vous laissions.

Gil attendit que celui-ci ait rendu le morceau de papier à Clare, et le regarde de nouveau.

— Clare et moi avons essayé de rassembler nos souvenirs du jour où Rina a été tuée et…

Aucune émotion ne traversa le visage de Wolochuk.

— … je me demandais à quel propos vous et Rina vous disputiez cet après-midi-là dans votre bureau.

Le professeur fronça les sourcils.

— Je ne me souviens pas avoir vu Rina ce jour-là.

162

— Oh, mais si, monsieur Wolochuk, dit Clare. Je terminais un T.P. de chimie et, tandis que je travaillais, Rina est venue vous voir dans votre bureau.

— Ah ? Si vous le dites.

— Vous ne vous en souvenez pas ? Elle était très en colère, le ton a monté très vite, puis elle est sortie en claquant la porte.

— A quel propos, cette discussion ? demanda-t-il, imperturbable.

— Je ne sais pas. Je ne pouvais pas vous entendre, mais vous aviez vraiment l'air furieux.

— Le peu que je me rappelle au sujet de Rina est qu'elle était non seulement d'un tempérament vif, mais aussi négligente dans son travail. Si nous avons eu une discussion orageuse, c'était probablement à propos d'un devoir qu'elle n'avait pas rendu dans les délais.

Il se dirigea vers la porte.

— Je vous raccompagne.

Clare regrettait d'être venue. Leur visite avait inutilement ébranlé un homme vieillissant qui avait un jour été son professeur. Comme elle le suivait dans l'entrée, elle remarqua une bicyclette posée contre le mur.

— Vous faites toujours du vélo ? demanda-t-elle impulsivement.

— Oui, pourquoi ? repartit-il, surpris.

— Je me souviens que vous aviez l'habitude de venir au lycée à bicyclette, n'est-ce pas ?

Son visage s'adoucit.

— Oui, en effet. Mais alors, c'était pour faire de l'exercice. A présent, c'est par souci d'économie.

Elle hésita, puis renonça à dire quelque chose de gentil, craignant de paraître condescendante.

— Merci, monsieur Wolochuk. Je regrette d'avoir dû vous importuner avec ces incidents.

— Je vous demande pardon pour mon fils, Clare. Et soyez certaine que cela ne se reproduira plus, dit-il en ouvrant la porte d'entrée. Au revoir.

— Au revoir, répondirent ensemble Clare et Gil.

— Cette fois, je crois que nous en avons fini avec les Wolochuk, marmonna Gil quand la porte se fut refermée.

— Oui, répondit Clare, songeuse.

Ils étaient de nouveau en voiture, regagnant la voie rapide de Twin Falls quand Gil dit tout à coup :

— Je n'étais pas revenu à Hartford depuis la mort de mon père. J'étais venu en avion.

— Oh.

Clare pensa au désarroi que Gil avait dû éprouver à son arrivée, alors qu'il rentrait au bercail, seul, pour s'occuper des funérailles.

— Est-ce que tu avais vu Dave et Laura ?

— Non, mais les parents de Laura étaient à l'enterrement. Son père et le mien avaient tous deux travaillé à la mairie.

— Oui, Laura me l'a dit.

Gil lui jeta un coup d'œil.

— Ets-ce qu'elle t'a dit comment mon père avait obtenu son poste ?

— Il n'avait pas simplement posé sa candidature ?

— Non. Cela s'est passé juste après mon départ cet été-là.

Clare retint sa respiration. Gil faisait référence aux quelques semaines qui avaient suivi le meurtre de Rina. Après que la police l'avait relâché, les rumeurs avaient continué à circuler en ville et, bien qu'il ne fût attendu à Yale qu'à la fin du mois d'août, ses parents s'étaient arrangés pour qu'il parte plus tôt.

— Mon père avait été licencié l'année précédente et, mis à part quelques petits boulots ici et là, il était toujours au chômage. Une ou deux semaines après mon départ, il avait reçu un coup de téléphone du service du personnel de la mairie — du père de

164

Laura, en fait —, qui lui proposait un emploi dans le service des travaux publics.

— Le père de Laura ? Mais… Laura ne m'a jamais parlé de ça. C'est étrange, non ?

— Peut-être qu'elle n'est pas au courant. En tout cas, mon père avait trouvé ça bizarre parce que les postes à la mairie étaient difficiles à obtenir, c'était presque miraculeux, mais il a saisi sa chance. Ce travail a fait une énorme différence dans la vie de mes parents, surtout par la suite, quand la santé de maman s'est dégradée.

— Le père de Laura ne t'a pas reparlé de cet épisode le jour de l'enterrement ?

— Non. Mais je ne crois pas que M. Dundas soit le genre d'homme à rappeler une faveur qu'il aurait faite à quelqu'un.

— Je me demande tout de même ce qui l'avait motivé… Je veux dire, il connaissait à peine tes parents, je ne me trompe pas ?

— Non, tu as tout à fait raison. Ce qui rendait la proposition encore plus étrange. Mais comme dit mon père : « On ne critique pas un cadeau reçu. » Il a sauté sur l'occasion.

— C'est bien naturel.

Clare tourna la tête vers sa vitre. Elle songeait à la manière dont leurs vies avaient pris des directions différentes cet été-là. Pas seulement la sienne et celle de Gil, mais aussi celle de sa mère, et maintenant celle du père de Gil.

— Alors, qu'est-ce que tu as pensé de Stan Wolochuk ? demanda-t-elle, rompant le charme qu'exerçait sur elle le souvenir du passé.

— Il m'a fait une triste impression. On ne voit guère comment les choses pourraient être pires pour lui.

— Mmm. Je me suis sentie vraiment mal à l'aise quand nous sommes entrés dans cette salle de séjour sinistre. J'ai réalisé qu'il avait très peu de moyens, et le fait qu'il ait malgré tout acheté mon livre m'a émue. J'aurais voulu partir tout de suite et ne pas ajouter encore à ses soucis.

— Je l'ai senti. Tout de même, c'était curieux qu'il ait oublié cette discussion avec Rina ? Tu l'as cru ?

— Je crois que oui. C'était il y a longtemps.

— Oui, mais c'était un jour bien particulier. On aurait pu penser que cette dispute, juste avant le meurtre, l'aurait marqué davantage. Tu sais si la police l'a interrogé à ce sujet ?

— Je ne crois pas. Je suppose qu'ils ont tout ignoré de cette dispute.

— Toi et moi étions les seuls à être au courant, dit Gil.

Il le savait parce que Rina le lui avait dit tandis qu'ils traversaient le terrain de sport. Clare aurait voulu l'interroger à ce propos, mais elle craignait de gâcher la fragile entente qui s'était établie entre eux. Aussi dit-elle simplement : « Je suppose », avant de se remettre à contempler le paysage.

Au bout d'un moment, Gil rompit le silence :

— Je pensais à ce que Jason nous a dit. Je sais que Wolochuk a nié s'être disputé avec sa femme au sujet de ton livre, mais peut-être devrions-nous le parcourir ensemble et chercher ce qui aurait pu provoquer une querelle.

— Il n'y a rien. Je ne parle pas d'un seul professeur, et le meurtre de Rina n'a jamais été le thème de mon livre, dit-elle en se demandant combien de fois encore elle aurait à répéter cette phrase.

— Mais quelques-unes de tes pensées les plus intimes sont là. Quelque chose nous échappe, dit-il en accrochant son regard l'espace d'une seconde, avant de reporter son attention sur sa conduite. Il faut que nous réussissions à rassembler tous nos souvenirs de cette journée. Je sais que nous avons déjà essayé, mais je crois que nous devrions essayer de nouveau. C'est important.

Il fit une pause.

— Tu es d'accord ?

Elle acquiesça, pour lui faire plaisir, s'offrant à prendre des notes pendant qu'il commencerait. De cette façon, elle n'aurait qu'à

166

ajouter ses propres commentaires aux souvenirs de Gil, pensait-elle en sortant un bloc-notes de son sac.

— Ce jour-là, dit-il, je traînais un peu à l'extérieur du lycée, après mon entraînement de base-ball, dans l'espoir que tu sortirais bientôt, quand j'ai soudain vu Rina courir vers moi. Elle pleurait et criait en même temps contre M. Wolochuk. J'ai essayé de la calmer et elle est tombée dans mes bras. Nous sommes restés ainsi jusqu'à ce qu'elle s'apaise. Je gardais un œil sur la porte du lycée, mais j'ai dû te manquer quand tu es finalement sortie.

Claire se concentrait sur ses notes, mais elle ne pouvait s'empêcher de revivre la scène.

— Je savais que je ne pouvais pas laisser Rina comme ça, continuait Gil, et je me suis souvenu que tu m'avais dit que tu serais peut-être en retard et que je pouvais partir devant. J'ai décidé de raccompagner Rina jusque chez son amie, d'où elle pourrait appeler chez elle pour qu'on vienne la chercher. Elle avait raté son bus.

Il poussa un léger soupir.

— C'est une décision que j'ai regrettée plus tard.

Clare, qui s'était arrêtée d'écrire un instant plus tôt, appuya son stylo contre ses lèvres comme pour se retenir de parler. Combien elle l'avait regrettée, elle aussi, cette décision !

— Tandis que nous descendions vers le ravin, elle m'a tout expliqué : la note qui ruinait sa moyenne de chimie et la bourse qu'on lui refuserait à cause de ça. Ses parents ne pouvaient pas financer ses études, et elle craignait de ne jamais aller à l'université si elle devait commencer par travailler un an pour payer son inscription. Je ne pouvais pas faire grand-chose, à part écouter.

» Lorsque nous sommes arrivés au pont — tu te souviens du pont de bois ? — elle m'a dit tout à coup qu'elle voulait rester là un moment. Pour réfléchir.

» Cela m'a surpris parce qu'elle semblait beaucoup plus calme, mais Rina changeait facilement d'avis sans qu'on sache pourquoi, alors je lui ai dit au revoir et je suis parti en lui promettant de la voir le lendemain. Je me suis retourné alors que j'étais au milieu du pont, elle ne regardait pas dans ma direction. »

Le panneau « Twin Falls » surgit à ce moment dans le champ de vision de Clare qui le fixa, le regard vide. Elle avait cessé de feindre de prendre des notes et attendait que Gil continue son récit. Mais lui aussi, à présent, semblait absorbé dans la contemplation d'une tout autre scène que le panorama de la route devant eux.

168

12.

Lorsque Gil eut fini de parler, un lourd silence s'abattit sur l'habitacle. Comme ils entraient dans l'agglomération de Twin Falls, Gil jeta un coup d'œil à Clare. Elle était plongée dans la contemplation du paysage. A moins que ce ne fût, comme lui, dans ses souvenirs. C'était son tour à présent, mais il hésitait à le lui rappeler. Il commençait à penser que tout ça n'était pas une bonne idée. L'exploration du passé exigeait des âmes mieux trempées que les leurs, semblait-il.

Machinalement, il prit le chemin de la maison de Kingsway et ce n'est qu'à cent mètres de là que Clare dit enfin d'une voix vacillante :

— Je sais que c'est mon tour, Gil, mais je ne pense pas avoir le temps de terminer avant que nous arrivions chez Laura, et s'ils nous voient en train de discuter dans la voiture devant chez eux, ils voudront que nous entrions.

— Que dirais-tu d'aller chez moi, dans ce cas ? Nous pourrons prendre tout le temps que nous voudrons et nous faire livrer quelque chose, ou bien aller dîner en ville plus tard.

La voyant hésiter, il ajouta doucement :

— A moins que tu ne t'en sentes pas le courage ce soir. Si tu préfères, je te dépose chez Laura et nous remettons ça à demain.

Elle regarda au loin et soupira.

— Non, nous devons achever ce que nous avons commencé.

Une idée folle traversa Gil. Pourquoi ne lui proposerait-il pas de s'installer chez ses parents ? Il y avait encore deux lits. Ce n'était pas le grand confort, mais c'était moins cher qu'une chambre d'hôtel. A peine l'idée avait-elle germé dans son esprit qu'il la repoussa. Trop problématique.

— Alors, qu'est-ce qu'on fait ? s'enquit-il.

— Allons d'abord chez toi, ensuite nous déciderons.

Ils remontaient la courte allée devant la maison de ses parents quand Clare dit :

— Il faut que je téléphone à Laura pour lui dire que je suis rentrée. Elle voudra savoir si j'ai l'intention de dîner avec eux.

— Bien sûr. Tu peux utiliser mon portable.

Il fit tourner la clé dans la serrure et s'effaça pour laisser entrer Clare.

— Tu veux boire quelque chose ? Un café ? Un soda ? proposa-t-il comme elle déboutonnait son trench-coat.

— Je veux bien un verre d'eau.

— Donne, je vais l'accrocher.

Tandis qu'il l'aidait à se débarrasser de son vêtement, le dos de ses mains frôla le cou de Clare. Il se figea, hypnotisé par la vue de ce cou de cygne qu'il avait soudain une irrésistible envie de toucher. Il aurait voulu caresser la peau blanche et douce, enfouir son visage dans ses mèches rousses. Il se souvenait de la première fois qu'il avait, avec hésitation, écarté sa chevelure et posé les lèvres sur sa nuque. Elle avait frissonné. Encouragé par un faible gémissement, il s'était aventuré plus avant, vers le petit creux de son cou et la naissance de sa gorge.

— Quelque chose ne va pas ?

Gil reprit brusquement possession de la réalité.

— J'ai cru que tes cheveux s'étaient pris dans ton col.

Il fit glisser le trench-coat sur ses épaules et alla le suspendre dans le placard du couloir qui menait dans la cuisine. Ses pas résonnaient sur le carrelage derrière lui.

170

— Est-ce que nous n'aurions pas déjà tenté cette expérience ? demanda Clare avec humour en entrant dans la cuisine.

Derrière le comptoir, Gil se tourna vers elle, un verre à la main. Il comprit à quoi elle faisait allusion en la voyant indiquer du menton les blocs de papier sur la table.

— Nous aurons peut-être plus de chance cette fois-ci, répondit-il.

Il vit aussitôt que le double sens de sa réponse ne lui avait pas échappé. Le silence était devenu palpable. Gil gardait les yeux fixés sur elle, mais ce qu'il voyait réellement, c'était la jeune fille de dix-sept ans, debout dans la pénombre de sa chambre, intimidée. Il se rappelait avec quelle impatience ils s'étaient déshabillés pour se retrouver soudain nus face à face, troublés par l'imminence de l'étape qu'ils semblaient décidés à franchir. Il avait deviné qu'elle hésitait encore un peu et avait attendu, souhaitant lui laisser le temps de changer d'avis si elle le voulait. Mais elle avait souri et s'était lentement approchée de lui… Un frisson parcourut Gil à l'évocation de ce premier contact de leurs corps.

— Ça va ? s'enquit Clare.

Elle s'était assise à la même place qu'autrefois et le regardait, perplexe, son bloc posé devant elle.

Il hocha la tête et lui apporta son verre d'eau. Puis, évitant son regard, il se dirigea vers la porte en disant :

— Avant d'oublier, je vais chercher mon portable. Tu pourras appeler Laura.

Il revint avec le téléphone, s'éclipsa aussitôt, pensant qu'elle préférerait être seule pour parler à son amie, et attendit qu'elle ait fini pour revenir dans la cuisine.

— Laura semble avoir accepté que je m'installe à l'hôtel, je crois qu'elle réalise enfin qu'ils seront plus au calme. Je lui ai promis de passer chercher mes affaires avant le dîner, précisa-t-elle en jetant un coup d'œil à sa montre. Cela nous laisse environ deux heures. Ça te va ?

Gil hésitait. Devait-il lui proposer de l'héberger, oui ou non ? Puis il songea à la réaction qu'il avait eue en effleurant son cou tout à l'heure et rejeta définitivement l'idée. C'était beaucoup trop risqué. Il n'était pas sûr d'être capable de tenir ses distances. Son parfum, son rire, l'intensité de son regard, aucun de ces délicieux arguments ne le laisserait en paix. Sans parler de sa propre détermination à dissiper les malentendus du passé pour pouvoir commencer une nouvelle page de sa vie — dont Clare Morgan ferait partie.

— Je crois que nous devrions commencer, non ? dit-elle avec un sourire indulgent, comme si elle avait su exactement où l'avaient transporté ses pensées. Alors… Ce jour-là donc, je terminais une expérience de chimie quand Rina est entrée comme une furie dans le bureau de M. Wolochuk. Je ne comprenais pas ce qu'elle disait, mais elle était de toute évidence très en colère. Elle était toute rouge et criait. J'avais déjà vu Rina s'opposer à un professeur, mais je ne l'avais jamais vue dans cet état. Mais ce qui m'a le plus surprise, c'est sa réaction à lui ; il avait l'air furieux et il parlait très fort, mais il ne l'a pas mise à la porte. Au bout de quelques minutes cependant, elle s'est précipitée sur la porte et elle est sortie en la claquant violemment derrière elle.

Clare s'interrompit pour boire une gorgée d'eau. Gil l'engagea à poursuivre.

— Ensuite, j'ai fini mon travail, mais comme je m'apprêtais à partir, je me suis rendu compte que M. Wolochuk n'était plus dans son bureau. Je ne l'avais pas vu quitter la pièce et je ne savais pas où il était. Je… Enfin, j'espérais te retrouver, aussi, au lieu de l'attendre, je suis allée poser mon devoir sur son bureau. Sa serviette était posée sur le sol à côté de son fauteuil, j'en ai déduit qu'il était encore dans l'établissement.

Son regard erra un moment sur la table, puis elle releva les yeux, un faible sourire aux lèvres, et reprit :

— En posant mon devoir, j'ai vu le nom de Rina sur une copie qui dépassait d'une pile sur le côté du bureau. J'ai honte de l'avouer, mais j'ai écarté les premières copies pour voir la note qu'elle avait obtenue. Ce n'était pas une bonne note et j'ai pensé que c'était la raison pour laquelle elle était venue se plaindre.

Gil vit les épaules de Clare se soulever tandis que celle-ci prenait une profonde inspiration. Elle en était arrivée à ces quelques minutes de l'histoire qui la rendaient nerveuse et Gil savait pourquoi. C'était le motif de l'accusation qu'elle lui avait lancée à la figure la dernière fois qu'ils s'étaient vus dix-sept ans auparavant. Il envisagea un instant de lui faciliter la tâche, puis estima préférable de la laisser raconter les choses à sa manière. Peut-être cela aiderait-il à vider l'abcès.

Fixant un point au-delà de lui, elle poursuivit.

— Quand je suis sortie du bâtiment, je vous ai vus, Rina et toi, dans les bras l'un de l'autre, à l'extrémité du terrain de sport. J'ai été choquée. J'ai attendu quelques secondes, pensant que tu allais regarder dans ma direction, mais tu n'as pas tourné la tête. Puis vous avez commencé à descendre dans la direction de la rivière, et c'est là que j'ai décidé de rentrer par le chemin le plus long, c'est-à-dire de traverser la ville.

Il ne dit rien. Elle avait déjà entendu sa version des faits et savait maintenant qu'il avait serré Rina dans ses bras pour la réconforter.

— Voilà, dit-elle en le regardant de nouveau. Je sais maintenant que j'ai mal interprété ce que j'ai vu et… je veux que tu saches que je ne me serais pas comportée comme je l'ai fait si j'avais su…

— Arrête, l'interrompit-il. De l'eau est passée sous les ponts depuis. N'est-ce pas ce que dit le proverbe ?

Après toutes ces années, il ne voulait pas de ses excuses. Quelle importance, à présent ? N'avaient-ils pas tous les deux repris le cours de leur vie ? Il ne savait même pas si elle avait un ami, *un compagnon*, à New York. Ses propres tentatives pour trouver une personne qui éveille en lui la même passion que Clare lui avait inspirée un jour s'étaient révélées vaines ; bien sûr, il ne pouvait la tenir pour responsable.

Les yeux de Clare se détachèrent des siens, se posèrent quelques secondes sur ses genoux, puis de nouveau sur lui. Mais son regard était froid à présent, ou du moins distant. Gil eut soudain l'impression qu'il venait de passer à côté de quelque chose. Il se le reprocha.

— Qu'y a-t-il dans ces événements qui puisse expliquer la dispute des Wolochuk au sujet de mon livre ? Je ne vois pas, dit Clare.

— Jason a peut-être menti. Il ne faut pas écarter cette possibilité. En tout cas, Stan Wolochuk a catégoriquement nié avoir eu une querelle avec sa femme à ce sujet. Nous pourrions retourner voir Mme Wolochuk.

Clare fit la grimace. Exactement mon sentiment, songea Gil.

— Nous avons besoin d'informations officielles, déclara-t-elle. Jusque-là, nous n'avons que nos souvenirs, et ils ne nous mènent nulle part.

Elle avait raison. Il leur fallait des informations fiables et précises. Que seule la police détenait.

— Beth Moffat, lâcha-t-il.

— Pardon ?

— Tu te souviens de cette amie que j'ai rencontrée quand nous sommes allés voir Carelli ? La secrétaire, Beth ?

— Oui, eh bien ?

— Elle a accès aux rapports de police, n'est-ce pas ?

Clare ouvrit de grands yeux.

— Sans doute, mais… est-ce que ce ne serait pas illégal ?

— Nous nous contenterions des photocopies. En application de la loi sur la liberté de l'information. Evidemment, nous ferions une petite entorse à la procédure officielle, mais si nous voulons rester discrets…

Elle réfléchit un long moment.

— D'accord, dit-elle finalement. Et ça me donne une autre idée. Je pourrais demander à ma mère si elle a gardé des dossiers personnels relatifs à son travail à la banque. Qui sait si je n'y découvrirais pas une ébauche de piste ?

— Pourquoi ne l'appellerais-tu pas tout de suite ? suggéra-t-il en poussant le téléphone vers elle. J'ai encore quelques cartons à étiqueter pour demain.

Il se leva et se dirigea vers la porte. Comme il l'atteignait, Clare dit rapidement :

— Merci d'avoir accepté que je me joigne à toi, Gil. Malgré les réserves que j'ai d'abord eues, je pense sincèrement que nous parviendrons à résoudre certaines… choses.

Elle baissa les yeux et saisit le combiné. Gil quitta pensivement la pièce.

Clare jeta un coup d'œil à la maison des Kingsway devant laquelle ils étaient garés. Ils venaient prendre ses affaires, puis Gil la raccompagnerait au Falls View Hotel. A un moment, dans la maison de Gil, elle avait eu peur qu'il lui offre de s'installer chez lui. Et elle avait eu peur justement parce que l'idée n'avait rien d'inconcevable. Le plaisir qu'elle avait éprouvé durant les deux derniers jours à se trouver en sa compagnie prouvait certainement qu'ils réussissaient, au moins une partie du temps, à mettre le passé de côté. Mais elle s'était rappelé que son but était d'établir une sorte d'amitié entre eux, et non de tenter de faire renaître une relation qui avait existé autrefois.

— Dois-je descendre ? demanda Gil.

— Laura trouverait bizarre que tu n'entres pas dire bonjour.

Il pinça les lèvres.

— C'est vrai. Et puis, tu auras peut-être besoin d'un soutien moral. Je suis certain qu'ils vont te demander un compte rendu de ta journée.

Elle n'y avait pas pensé, mais il avait raison. Laura ne la laisserait pas partir avant d'avoir tout appris de leur visite à Stan Wolochuk.

— Oui, probablement.

Tandis qu'ils remontaient l'allée de la maison, Gil lui glissa à l'oreille :

— Je crois qu'il serait préférable de ne pas parler de Beth.

— Oui.

Leurs regards se rencontrèrent. Elle sourit, puis, troublée, détourna les yeux et appuya sur la sonnette.

— Hé, mais ce sont nos amis ! s'exclama Dave en ouvrant la porte. Entrez.

Se déplaçant lentement avec ses béquilles, il les précéda dans le salon où Laura était en train de parler à une jeune fille. L'accueil chaleureux de son amie éveilla un sentiment de culpabilité chez Clare. Elles s'étaient toujours montrées si franches l'une envers l'autre. Pourquoi devrait-elle aujourd'hui lui dissimuler telle ou telle chose ?

— Bonjour, tous les deux ! Entrez, entrez, que je vous présente Tia, dit Laura en faisant un geste vers la jeune fille assise dans le canapé. Voici Tia Ramsay qui va s'occuper de notre petite Emma. Tia, deux très chers amis : Clare Morgan et Gil Harper, qui sont aussi les parrain et marraine d'Emma.

— Votre visage m'est familier, dit Clare en souriant à la grande et mince jeune fille qui s'était levée pour les saluer.

— Vous êtes venue parler dans notre classe de littérature, dit la jeune fille timidement. Vous avez été formidable. Nous avons tous beaucoup apprécié.

Non, pas tous, songea Clare.

— Alors, comment s'est passée votre journée ? s'enquit Laura.

La curiosité se lisait sur son visage. Clare jeta un bref coup d'œil dans la direction de Tia.

— Tia, reprit aussitôt Laura, pourrais-tu emmener Emma là-haut ? Elle a déjà mangé. Je monterai pour la changer avant le dîner. Tu peux la mettre dans son transat et jouer un petit moment avec elle ?

— Bien sûr.

Tia prit Emma qui gigotait sur le matelas de son parc et disparut dans le hall.

— Elle paraît compétente, remarqua Clare.

— Oh, je crois qu'elle l'est ! Elle a un frère et deux sœurs plus jeunes qu'elle à la maison. Est-ce que quelqu'un voudrait boire quelque chose ?

— Pas moi, merci, dit Gil en s'asseyant dans un fauteuil face au canapé.

— Moi non plus, dit Clare qui ne tenait pas à ce que la visite se prolonge plus longtemps que nécessaire.

Elle était impatiente de rentrer à son hôtel et de téléphoner à la femme dont sa mère lui avait donné le nom. Mais déjà Laura revenait à la charge.

— Maintenant, dites-nous ce qu'a donné cette visite. M. Wolochuk est-il aussi bizarre que sa femme ?

— Pas vraiment. Il semble surtout très triste.

En quelques mots, Clare traça un portrait de leur ancien professeur et de son cadre de vie.

— Comment a-t-il réagi quand vous lui avez parlé de Jason ? demanda Dave.

— Il a d'abord refusé de croire que son fils ait pu se montrer aussi sournois. Puis il a nié s'être disputé avec sa femme au sujet de mon livre. Il dit qu'ils se querellent régulièrement, mais presque toujours à propos d'argent.

— Vous pensez donc que Jason a tout inventé ?

— Tu es parvenue à la même conclusion que nous, Laura, mais, dans ce cas, pour quelle raison Jason aurait-il écrit cette note ?

— S'il ne ment pas, ce sont ses parents qui mentent, observa Dave.

— Il faudra que nous retournions voir Mme Wolochuk, dit Gil.

Clare profita de cette remarque en forme de conclusion pour se lever en disant qu'elle allait chercher sa valise. Mais Laura fut aussitôt debout et à mi-chemin de la porte avant que Clare ait pu protester.

— Laisse, j'y vais, dit-elle.

A peine Laura avait-elle quitté la pièce que Dave enchaînait.

— Voulez-vous venir dîner avec nous tous les deux demain ? Je sais que Laura aimerait beaucoup bavarder plus longuement de tout ça.

Clare tourna la tête vers Gil, mais son expression était indéchiffrable.

— C'est d'accord pour moi, dit-elle.

— Gil ?

— Avec plaisir.

Laura revint avec la valise de Clare et tous se levèrent. Clare attendit que Gil soit sorti avec Dave pour s'adresser à Laura.

— Laura, Gil m'a dit que c'était ton père qui avait offert au sien le poste qu'il avait à la mairie.

— Quoi ? Mon père ?

— Est-ce qu'il n'était pas responsable du personnel ?

— Eh bien… Si, mais je ne pense pas qu'il connaissait M. Harper auparavant.

— Gil dit que ton père lui a téléphoné un jour, de manière tout à fait inopinée, pour lui proposer ce poste. M. Harper n'avait même pas adressé de candidature.

— C'est vraiment étrange, dit Laura, les sourcils froncés. J'ai bien envie d'appeler papa en Floride pour lui demander comment les choses se sont passées.

Clare posa sa main sur le bras de son amie.

— Ne te mets pas martel en tête, Laura. Il existe sûrement une explication raisonnable, et de toute façon, cela n'a rien à voir avec nos recherches sur Rina. Gil s'est simplement rappelé ce détail tandis que nous évoquions nos souvenirs en rentrant de Hartford.

— Vos souvenirs ? Tiens, tiens…

— Nos souvenirs des faits, Laura, des faits. Je te rappelle que nous menons des recherches sur le meurtre de Rina et sur le vol dont on a accusé ma mère.

— Quelle ardeur à te défendre, ma belle ! Ne serait-ce pas un peu suspect ?

Laura éclata de rire, puis l'enlaça.

— Dave vous a-t-il invités pour dîner demain soir ? reprit-elle aussitôt. Oui ? Parfait. Alors, vers 19 heures ?

— Entendu.

Clare franchit le seuil et rejoignit Gil au bas des marches.

— Je suppose que tu prends ta voiture ? dit Gil.

— Mmm.

Est-ce qu'elle ne le lui avait pas déjà dit ?

Il hésita quelques secondes, puis demanda :

— On dîne ensemble ?

Clare aurait voulu refuser, prétextant une fatigue bien naturelle, mais la douceur du regard de Gil balaya ses doutes quant à l'opportunité de passer encore plus de temps avec lui ce jour-là.

— Si tu veux. Où se retrouve-t-on ?

— Je peux passer te chercher à l'hôtel. Nous pourrions retourner au restaurant où nous sommes allés avec Dave et Laura.

— Super, dit-elle en se hâtant vers sa voiture avant d'avoir eu le temps de changer d'avis.

Gil eut le souffle coupé lorsque Clare sortit de l'ascenseur. Elle portait la même robe moulante que le soir où Dave et Laura les avaient invités au restaurant. Ses cheveux fraîchement lavés brillaient, et ses yeux semblaient miroiter dans la lumière tamisée du hall de l'hôtel. Gil déglutit, réalisant soudain que ce dîner n'allait pas être un simple repas pris avec une vieille amie.

— Tu es… splendide.

Elle rosit et il fut soulagé de constater que le compliment ne lui avait pas déplu.

— J'ai pu réserver une table au Heureux Hasard, dit-il en l'aidant à enfiler son imperméable.

— Ah, tant mieux ! C'était tellement bon.

— Il fait doux ce soir, j'ai pensé que nous pourrions y aller à pied. Ça ne te dérange pas ?

— Pas du tout. Cela me mettra en appétit.

Aussi intimidé qu'un adolescent le soir de son premier rendez-vous, Gil glissa son bras sous celui de Clare et, heureux de constater qu'elle ne le lui retirait pas, l'entraîna dehors.

— A propos, dit-il en prenant la direction du restaurant, j'ai appelé Beth pour lui demander de photocopier les rapports de police.

— Comment a-t-elle réagi ?

— Elle était réticente au début, mais j'ai réussi à la convaincre que personne ne l'apprendrait jamais. Elle me transmet le tout demain à l'heure du déjeuner.

— Stupéfiant, compte tenu des ennuis qu'elle pourrait avoir.

— Elle pense qu'elle peut prendre le risque dans la mesure où il s'agit d'une affaire classée. Et à condition que je détruise les documents quand je n'en aurai plus besoin.

— Que lui as-tu donné comme explication ?

— Je lui ai dit la vérité — que j'espérais prouver ma propre innocence, pour laver le nom de mes parents. Elle a parfaitement compris.

— De mon côté, j'ai essayé de joindre la collègue de ma mère, Fran Dutton, mais elle n'était pas là. J'ai laissé un message. Maman doutait qu'elle puisse être d'une grande aide, mais c'est l'une des seules qui lui avait exprimé sa sympathie à l'époque des faits.

— Est-ce que cette Fran travaille toujours à la banque ?

— Oui. D'après maman, il est même possible qu'elle occupe un poste à responsabilité aujourd'hui… Je croise les doigts.

— Moi aussi.

En son for intérieur, Dave restait sceptique, mais il se rendait compte qu'il était aussi important pour Clare d'essayer de disculper sa mère que pour lui de blanchir sa famille. Et si ni l'un ni l'autre d'entre eux ne réussissaient, au moins auraient-ils une chance de dissiper l'amertume qui viciait leur relation.

— Et si nous nous dispensions de parler recherches ce soir ? suggéra-t-il sur une impulsion. Une petite récréation nous ferait du bien à tous les deux. Nous ne parlerions pas du tout…

— Du passé ?

Elle souriait. C'était bon signe.

— Exactement.

Le sourire de Clare s'élargit et Dave sentit son pas s'alléger comme ils pénétraient dans le restaurant. Il dînait avec une superbe jeune femme et pour rien au monde il n'aurait changé sa place contre celle de n'importe lequel des clients qui tournèrent la tête sur leur passage.

Cette pensée inattendue ne le quitta pas de toute la soirée. Il épia le moindre de ses mouvements et but toutes ses paroles. Il voulait tout savoir d'elle. Encouragée par une telle attention, Clare s'anima progressivement.

— A toi, maintenant, dit-elle quand elle eut fini de lui raconter ses débuts d'écrivain.

Il ne savait pas quoi dire ni par où commencer. Evitant, à dessein, d'évoquer ses premiers mois à Yale, qui immanquablement obscurciraient le visage de Clare, il se concentra sur sa vie professionnelle.

— Après avoir été reçu au barreau, j'ai travaillé quelques mois comme avocat à l'assistance judiciaire. C'était très intéressant. Mais j'avais un gros emprunt à rembourser, et quand le cabinet juridique, dont je suis maintenant l'un des associés, m'a offert un poste, je n'ai pas beaucoup hésité.

— Mais ce n'est pas vraiment ce que tu aurais aimé faire ?

— Les défis sont différents bien sûr. Mais ça me plaît beaucoup maintenant.

— Maintenant ? répéta-t-elle d'une voix douce.

— Je suis plus vieux, et je dois avouer que je me suis habitué aux bénéfices matériels de ma situation.

— Mais le droit commercial n'était pas ton premier amour, insista-t-elle.

« Non, c'était toi, mon premier amour. » Gil se sentait tout à coup complètement déstabilisé. La femme qui se trouvait en face de lui n'était pas la jeune fille qu'il avait aimée. Quand était-elle devenue si terriblement séduisante ? se demandait-il en l'observant. Quoiqu'il l'ait toujours trouvée belle. En tout cas depuis ce jour où, en cours d'anglais, il lui avait semblé la voir pour la première fois ; par la suite, il avait découvert sa ténacité, son entrain, son sens de l'humour, qualités qui l'avaient différenciée à jamais des autres filles de Twin Falls.

Le serveur apporta leurs plats et Gil put feindre de s'intéresser à son assiette. De temps à autre, leurs regards se croisaient, mais il s'efforçait de se concentrer sur ce qu'il mangeait. Cependant, quand Clare se leva en s'excusant à la fin du repas, il ne put s'empêcher de suivre le doux balancement de ses hanches tandis qu'elle se dirigeait vers les toilettes au fond du restaurant.

Avait-elle toujours eu cette démarche souple, ultra féminine ? De nouveau, il se demanda à quel moment l'adolescente qu'il connaissait s'était métamorphosée en cette femme merveilleusement sensuelle, et fut saisi du regret de n'avoir pas été témoin de la transformation, du regret de ne l'avoir même pas imaginée. Et d'un sentiment plus vif, plus désagréable encore : peut-être ne s'était-il pas assez battu pour la garder.

Mais tout ça, c'était du passé. Gil termina son verre de vin et demanda la note. La soirée s'orientait dans une direction dangereuse et c'était sa dernière chance de recouvrer ses esprits. Lorsque Clare revint, il avait fini son café et réglé l'addition.

Elle parut surprise, mais ne dit rien. Ils marchèrent en silence jusqu'à l'hôtel. Gil cherchait désespérément la manière la plus appropriée de prendre congé. Il ne pouvait tout de même pas lui avouer qu'il avait été tout à coup submergé par la peur de passer une minute de plus en sa compagnie, même si c'était la vérité.

— Nous nous voyons demain ? s'enquit-elle alors qu'ils n'étaient plus qu'à cinquante mètres de l'hôtel.

— Bien sûr. Quelle heure te conviendrait ?

— Comme tu voudras.

Elle s'était arrêtée pour le regarder.

— Je t'appelle vers 9 heures et nous déciderons à ce moment-là ?

Elle hocha la tête sans mot dire. La lumière blanche des lampadaires à halogène faisaient ressortir ses taches de rousseur. Elle avait de nouveau l'air de l'adolescente au nez mutin qu'il avait aimée, et il se crut soudain transporté dans le passé, en un jour inscrit dans sa mémoire…

Ils étaient allés voir un match de basket et Gil l'avait raccompagnée chez elle. C'était leur troisième rendez-vous et elle était étrangement peu bavarde. Ils s'étaient arrêtés sur le trottoir devant sa maison, sous le lampadaire. On était au mois de janvier et Clare était emmitouflée jusqu'au menton. De petits nuages de vapeur s'échappaient de sa bouche et son nez était tout rouge à cause du froid. Gil, craignant avoir dit quelque chose qui lui ait déplu, lui avait prudemment demandé si quelque chose la tracassait. Alors elle avait souri et murmuré : « Je me demandais quand tu allais m'embrasser. »

— Gil ?

Il sursauta. Clare — la Clare d'aujourd'hui —, lui parlait.

— Euh…

— Tu semblais à des lieues d'ici. A quoi pensais-tu ?

— A notre premier baiser, lâcha-t-il étourdiment.

Le sourire de Clare s'évanouit. Elle ouvrit la bouche, comme sur le point de parler, mais aucun son n'en sortit. Elle se tenait si près de lui qu'il aurait juré entendre son souffle, et il se serait écarté s'il n'avait pas lu dans ses yeux qu'elle aussi se souvenait…

Il posa les mains sur ses épaules et l'attira à lui. Comme elle ne résistait pas, il glissa une main sur sa nuque et, de l'autre, tout doucement, releva son menton tandis qu'il inclinait la tête vers elle.

Il goûta la douceur de ses lèvres et ferma les yeux, n'osant croire au miracle ; elle ne le repoussait pas. Puis il sentit les mains de Clare derrière sa tête. Elle pressa son visage contre le sien et ses lèvres s'entrouvrirent. Leur baiser se fit plus profond, et Gil eut l'impression qu'il sombrait. Un torrent d'émotions l'emportait. Le vacarme des chutes au-dessus de leurs têtes n'était rien en comparaison du bruit que produisait le battement affolé de son cœur dans sa poitrine.

Alors, dans l'air vif de la nuit soudain mystérieusement embaumé de fragrances exotiques, le corps doux et chaud de Clare s'abandonna contre le sien et Gil se laissa aller tout entier au rythme des caresses de leurs mains et de leurs lèvres. Autour d'eux, le monde s'était tu.

13.

Clare vérifia de nouveau l'heure à son poignet. Ils s'étaient donné rendez-vous au Mitzi à midi et demi, après la rencontre de Gil avec Beth dans un café du voisinage. Il n'avait pas plus d'un petit quart d'heure de retard, mais sa nervosité s'accroissait de minute en minute. En réalité, elle se sentait aussi anxieuse que le jour où elle l'avait revu après la première fois — et la dernière — qu'ils avaient fait l'amour, quinze jours exactement avant la mort de Rina.

Clare soupira. Depuis son retour à Twin Falls, le temps et les événements paraissaient nécessairement se répartir en deux périodes distinctes : avant ou après le meurtre de Rina.

— Un peu plus de café ?

Clare releva la tête vers la serveuse.

— Non, merci. Mais si la personne que j'attends n'est pas arrivée d'ici cinq minutes, je commanderai mon déjeuner.

— Oh, inutile de vous presser. Il n'y a pas foule aujourd'hui, dit la serveuse en remportant la cafetière.

Clare s'était installée dans un box qui faisait face à la double porte vitrée. Son cœur fit un bond lorsqu'elle vit entrer une silhouette familière. Ce n'était pas Gil, mais Helen Wolochuk. Clare baissa la tête, mais pas assez vite toutefois. L'instant d'après, Helen Wolochuk, le visage rouge et furieux, s'asseyait en face d'elle, pointant un index accusateur dans sa direction.

— Pourquoi vous et votre petit ami vous poursuivez-nous ainsi ? Qu'est-ce qu'on vous a fait ?

Curieusement, Clare réagit d'abord au mot « petit ami ». Elle allait corriger son interlocutrice lorsque l'expression de celle-ci la retint. A l'évidence, Mme Wolochuk se moquait bien de ce détail.

— Je suis désolée que vous voyiez les choses de cette façon, madame Wolochuk, commença-t-elle, mais…

— Je m'appelle Helen, et vous n'êtes pas désolée le moins du monde. Vous êtes allés voir Stanley hier pour vous plaindre de Jason !

— Vous saviez que nous irions le voir.

— Il a téléphoné pour passer un savon à Jason. Le pauvre gosse était en pleurs.

De cela, Clare doutait fort.

— C'est peut-être une bonne chose que Jason comprenne…

— Qu'est-ce que vous en savez ? Qu'est-ce que vous pourriez comprendre, vous ?

Ses yeux lançaient des éclairs.

— Qu'est-ce que vous connaissez à la vie ?

— Madame Wolochuk, euh… Helen, je regrette que la vie n'ait pas été tendre avec vous, mais je n'y suis vraiment pour rien.

— Personne ne dit que vous y êtes pour quelque chose. Je sais à qui est la faute, croyez-moi.

La serveuse réapparut à ce moment-là, prenant visiblement Helen Wolochuk pour la personne que Clare avait attendue.

— Ces dames veulent-elles commander maintenant ?

— Eh bien, en fait… euh…, bredouilla Clare.

— Je m'en vais, déclara Helen avec animosité.

Elle se leva en jetant un regard noir à la serveuse, puis elle s'adressa de nouveau à Clare.

— Vous voulez savoir qui est responsable du naufrage de ma vie ? De tous les malheurs qui nous sont arrivés ?

Elle contourna la table et se pencha au-dessus de Clare.

186

— Rina Thomas. Voilà qui.

Sur quoi, elle tourna les talons et sortit du restaurant.

Sidérée, Clare la regarda partir. Puis, réalisant que la serveuse était toujours là, elle dit en s'efforçant de sourire :

— Je crois qu'elle a eu une mauvaise matinée.

La serveuse hocha la tête avec une moue dubitative et s'éloigna. Clare prit son verre d'une main tremblante et but une gorgée d'eau. Elle en était à se demander si elle n'allait pas partir aussi quand Gil fit enfin son entrée.

Dès qu'il fut assis en face d'elle, un large sourire aux lèvres, Clare écarta Helen Wolochuk de son esprit. Elle avait passé la majeure partie de la nuit à essayer de se représenter Gil inclinant son visage vers sa bouche, mais tout ce qu'elle avait réussi à retrouver était la sensation de ses lèvres sur sa peau, de ses doigts dans ses cheveux ; et, au bout d'un moment, le souvenir de Gil à dix-sept ans avait pris toute la place, au point qu'elle s'était crue lovée dans ses bras sur le siège arrière de la voiture de son père.

Mais le Gil de la veille au soir était nouveau pour elle. Aussi ardent qu'autrefois, mais plus contrôlé, il avait su éveiller douce-ment son désir au point qu'elle avait été tout près de l'inviter dans sa chambre d'hôtel. L'aurait-elle fait si quelqu'un n'était pas passé à côté d'eux à cet instant, bousculant légèrement Gil au passage ? L'homme s'était excusé et avait disparu dans la nuit, mais la magie de l'instant s'était évanouie.

— Désolé d'être en retard, dit Gil, après l'avoir dévisagée d'un air tendre assez longtemps pour qu'elle se sente rougir.

— Ça ne fait rien, dit-elle en portant son verre à sa bouche. Tu as les photocopies ?

— Oui, elles sont dans ma voiture. J'ai pensé que ce n'était pas le meilleur endroit pour les étudier. On va chez moi ou tu veux prendre un autre café ?

— Partons tout de suite. Je préférerais sortir d'ici avant qu'Helen ne revienne.

— Helen ?

Clare lui raconta en quelques mots ce qui venait de se passer.

— Elle était dans tous ses états. Je crois que nous ferions mieux de nous tenir éloignés d'elle, conclut-elle.

— Oui, fit-il songeur. Elle semble véritablement retournée par cette affaire. Mais ses réactions sont disproportionnées, non ? Je comprends que le comportement de son fils l'inquiète, mais après tout, elle pourrait nous remercier de n'avoir pas informé la police. Nous aurions très bien pu porter plainte.

— Absolument. L'autre chose que je ne comprends pas, c'est cette remarque sur Rina. Pourquoi serait-elle responsable de tous leurs maux ?

Gil réfléchit un long moment.

— Les Wolochuk n'ont strictement rien à voir avec le meurtre de Rina Thomas d'après ce que nous savons.

— Ils doivent savoir quelque chose, et c'est ce qui les perturbe. Il n'y a pas d'autre explication à toutes ces histoires qu'ils ont faites autour de moi et de mon livre, dit Clare, réprimant un frisson. Ils sont impliqués, d'une manière ou d'une autre, et redoutent l'intérêt que le public pourrait porter à la mort de Rina.

Gil sourit.

— Je commence à comprendre pourquoi tu es écrivain et pas moi. Je n'ai pas ton imagination. Néanmoins, je pense qu'avant toutes choses, nous devrions prendre connaissance du rapport de police.

Clare, qui avait senti la chaleur envahir de nouveau ses joues, savait que son émotion n'était pas due au compliment que Gil venait de lui faire, mais à l'expression de son regard qui ne la quittait pas une seconde. En dépit des phrases qu'il prononçait, ses pensées étaient toutes tournées vers la soirée précédente.

— On y va ? demanda-t-elle rapidement.

Clare dut résister à l'envie de feuilleter le dossier qu'elle avait ramassé sur le siège passager avant de s'asseoir. Elle aurait besoin de toute sa concentration, ce qui serait difficile avec Gil assis à quelques centimètres d'elle. Durant le court trajet, elle ne cessa de regarder à la dérobée ses mains posées sur le volant, les imaginant caressant ses cheveux et son visage comme elles l'avaient fait la nuit précédente ; et lorsque Gil effleura son bras en l'aidant à sortir de la voiture, elle faillit faire un bond à son contact.

— Ça va ?

— Comment ? Oh, oui. Je suis peut-être encore un peu nerveuse… Tu sais, à cause d'Helen Wolochuk.

Ils parcoururent côte à côte la quinzaine de mètres qui les séparaient de la maison des parents de Gil, et quand ils atteignirent la porte d'entrée, Clare était certaine qu'elle tremblait.

Mais Gil ne parut pas le remarquer.

— Fais comme chez toi, dit-il dès qu'ils furent entrés. Je veux juste vérifier si j'ai reçu des messages sur ma boîte vocale.

Il entra dans le séjour et Clare se dirigea vers la cuisine, jetant un coup d'œil au passage dans l'ancienne chambre de Gil où ils avaient passé tant d'après-midi à écouter de la musique, à bavarder ou… à s'embrasser.

« Contrôle-toi un peu », s'ordonna-t-elle.

Elle pénétra dans la cuisine et s'assit à la table.

— L'endroit paraît déserté avec tous les cartons partis, commenta-t-elle lorsqu'il la rejoignit.

— Oui. Le camion est venu ce matin de bonne heure.

Il apporta deux tasses sur la table, le pot de café instantané, et mit la bouilloire en route.

— Tu as ton livre ?

— Oui, dans mon sac.

Elle le sortit et le posa sur la table à côté du rapport de police. Gil s'assit et ouvrit le dossier.

— Comment procède-t-on ? Nous en lisons une moitié chacun et échangeons ensuite nos informations ?

— Je crois qu'il vaut mieux que nous lisions tout tous les deux. Nous risquerons moins de laisser échapper quelque chose.

— Entendu.

Il divisa adroitement le paquet de photocopies en deux parties égales et lui en tendit une.

— Il n'y a pas grand-chose, tu ne trouves pas ? remarqua-t-elle en feuilletant son paquet.

— Si. J'aurais cru qu'un rapport d'enquête sur un meurtre était beaucoup plus épais que ça.

— Il existe peut-être un autre dossier auquel ton amie n'a pas accès ?

— Possible, dit-il en se mettant à lire.

Clare prit la première feuille. C'était la fiche qu'avait complétée l'officier de police qui avait répondu au premier appel téléphonique concernant le meurtre.

— Tu savais que la mort de Rina avait été signalée par un coup de téléphone anonyme ?

Gil leva la tête.

— Non. Est-ce que l'heure de l'appel est mentionnée ?

— Oui. 17 h 10 : appel téléphonique anonyme non localisé, lut-elle. Quand l'officier est arrivé sur les lieux, un homme qui promenait son chien avait également repéré Rina et appelé la police. Son nom est là, si tu penses que c'est important.

— Non. Mais qui a répondu à l'appel téléphonique ?

Clare baissa les yeux vers le bas de la feuille.

— Kyle Davis. Est-ce que ce n'est pas le shérif actuel ?

— Si. On pourrait lui rendre une petite visite.

— Sauf que nous ne sommes pas censés être en possession de ces renseignements.

— Exact. Bon, nous y repenserons plus tard.

Il reprit sa lecture et Clare se pencha sur la deuxième feuille de son paquet. C'était la déposition des parents de Rina. Ils savaient qu'elle serait en retard ce jour-là parce qu'elle leur avait dit qu'elle devait voir un professeur à propos d'une note. Ils pensaient qu'il s'agissait de son professeur de chimie, M. Wolochuk. Rina devait les appeler pour qu'ils viennent la chercher si elle ratait son bus.

La déposition suivante était la sienne. Elle la parcourut rapidement, sachant ce qu'elle contenait. Mais ses yeux s'arrêtèrent soudain sur deux phrases qu'elle lut et relut avec étonnement.

— Gil ?

— Mmm ? fit-il, levant les yeux, une expression étrange sur le visage, comme s'il émergeait d'un mauvais rêve.

— Hier soir, en parcourant de nouveau mon livre, à la recherche de quelque élément que j'aurais oublié en me remémorant le jour où Rina — ou Marianne dans le roman — a été tuée, j'ai relevé quelque chose qui m'a troublée. Et je viens de trouver, dans la déposition que j'avais faite à la police une phrase qui corrobore ce détail qui m'était sorti de l'esprit.

— De quoi s'agit-il ?

— J'ai dit qu'après vous avoir vus, Rina et toi, vous éloigner sur le chemin du ravin, j'avais contourné le bâtiment en courant et que j'avais aperçu quelqu'un à vélo sur le terrain de sport.

— Et ? s'enquit Gil, les sourcils froncés.

— Quelqu'un qui paraissait se diriger aussi vers la rivière, continua Clare. Mais il était relativement loin derrière vous.

— Tu te rappelles quelque chose d'autre à propos de cette personne ?

— Non. J'avais même totalement occulté ce souvenir jusqu'à hier.

— C'était un homme, tu en es sûre ?

— Non.

— Mets cette feuille de côté, dit-il. Nous mettrons à part tout ce qui nous paraît important.

Clare posa la feuille au milieu de la table et prit le rapport suivant. C'était la transcription de l'interrogatoire subi par Gil cette nuit-là.

Elle lui jeta un bref coup d'œil, mais il avait les yeux dans le vague et semblait plongé dans ses pensées.

L'heure était consignée : 21 heures. Elle se souvint tout à coup qu'ils avaient eu un devoir d'anglais le lendemain. Au lieu de travailler, Gil avait dû répondre aux questions du shérif, puis il avait été enfermé dans une cellule. Des larmes lui montèrent aux yeux. Il n'avait que dix-sept ans alors. Et pour couronner le tout, c'était à cause d'elle qu'il s'était trouvé ainsi suspecté.

Elle se força à reprendre sa lecture. Sa déposition correspondait point par point à ce qu'il lui avait dit quelques jours auparavant. Hormis un détail.

— Gil ?

— Mm ? Autre chose ?

— C'est… euh, ta déposition. Tu l'as vue aussi.

— Qui ? La personne à vélo ?

— Oui. Voilà ce que tu as dit. Tu étais sur le pont quand tu t'es retourné pour faire un signe d'adieu à Rina. Il était environ 16 h 35 — vous aviez quitté le terrain de sport à 16 h 20. Rina était assise sur un tronc d'arbre, le dos tourné, et paraissait regarder le chemin qui grimpe vers le lycée. C'est alors qu'il t'a semblé voir quelqu'un s'éloigner à bicyclette sur ce même chemin, mais la personne était très loin et tu ne pouvais pas dire de qui il s'agissait.

Gil ne bougea pas durant un long moment, au point que Clare se demanda s'il l'avait entendue, puis elle comprit qu'il essayait de se remémorer la scène.

— Ainsi nous avions tous les deux oublié cette personne à vélo, dit-il finalement. Sans doute l'avions-nous prise pour un élève qui rentrait chez lui.

Il se frotta le front, l'air absorbé.

— Je crois que c'est important, Clare.

— Ce pourrait être la dernière personne à avoir vu Rina vivante.

— La toute dernière personne, souligna-t-il.

Clare posa la feuille sur celle qu'elle avait déjà mise à part et commença à lire la suivante.

— J'ai là la déclaration de Stanley Wolochuk, dit-elle. Il dit que Rina est venue le voir dans son bureau aux alentours de 16 heures, très contrariée par une mauvaise note de chimie. Ils en ont parlé, et Rina est repartie vers 16 h 15.

— C'est exact. Elle traversait le terrain de sport moins de cinq minutes plus tard.

— Oui, mais il présente les faits comme étant tout à fait ordinaires, alors que leur dispute était loin de l'être ! Et il n'y a pas d'autres témoignages, ajouta-t-elle, excepté celui de l'homme qui promenait son chien. J'aurais pensé qu'il y en avait bien plus.

Gil but quelques gorgées de café.

— La police aurait dû interroger d'autres gens, des élèves par exemple, poursuivit Clare. Rina avait peut-être projeté de voir quelqu'un après les cours. Ou bien quelqu'un aurait pu te voir la quitter près du pont. Et pourquoi n'ont-ils pas essayé de retrouver l'homme au vélo ?

— Ils ont parlé à l'amie de Rina, j'ai sa déposition ici. Elle a simplement dit que Rina venait souvent chez elle attendre que ses parents viennent la chercher quand elle avait raté son bus.

— Souvent ?

— On dirait. Au moins une fois par semaine, presque tous les jeudis, a-t-elle déclaré.

— Qu'est-ce que Rina faisait en ville le jeudi ? Elle n'appartenait à aucun club, si ?

— Je ne crois pas.

— Et elle ne restait sûrement pas au lycée pour travailler sa chimie.

— Peu probable, repartit-il sans la quitter des yeux.

Clare eut le sentiment qu'il devinait où elle voulait en venir. Finalement, il dit :

— Elle n'était pas avec moi non plus, Clare.

Rougissante, elle baissa la tête sur la feuille qu'elle avait en main.

— Ce n'est pas ce que je sous-entendais, murmura-t-elle.

— Autant que les choses soient claires.

Elle l'entendit remuer ses papiers, mais garda les yeux baissés. Il n'y avait aucun espoir d'avoir jamais une relation normale, songeait-elle tristement. Chaque phrase, chaque mot était lourd d'allusions, aussi involontaires que douloureuses, à cette terrible journée. Une journée sur laquelle ils ne pourraient jamais tirer un trait. Quelle que soit l'exaltation qu'elle ressentait encore au souvenir du baiser qu'ils avaient échangé la veille. S'essuyant furtivement les yeux, elle se remit à lire.

L'intitulé du feuillet suivant la prit totalement au dépourvu. « Compte-rendu d'autopsie du corps de Rina Thomas, 17 ans. » Il lui fallut résister à l'envie d'enfouir la photocopie au milieu des autres. La mort était survenue entre 16 h 30 et 17 heures — pas étonnant que Gil ait été suspecté, étant donné qu'il l'avait quittée à 16 h 35. « Origine du décès : blessure à la tête, provoquée par un objet contondant. (Une branche d'arbre portant des traces de sang a été retrouvée à quelques mètres du corps. Aucune empreinte.) » Suivait une description approfondie des lésions et de l'état général du corps en des termes médicaux que Clare survola jusqu'à ce qu'une courte phrase l'abasourdisse : la victime portait un fœtus de six semaines.

Gil releva la tête. Clare s'était levée d'un bond, plaquant deux feuillets agrafés devant lui sur la table.

— Tu ferais mieux de lire ceci, lança-t-elle d'un ton cassant.

Elle était toute rouge et des larmes perlaient au bord de ses paupières.

Il posa un index sur les feuilles et les glissa vers lui. C'était le compte rendu d'autopsie. Il les ramassa nerveusement et parcourut leur contenu. Rien dont il n'eût déjà connaissance. Même les dernières lignes.

Il releva la tête, mais elle avait déjà quitté la pièce. Il jura intérieurement. Pourquoi ne le lui avait-il pas dit plus tôt ?

— Clare ? appela-t-il en se précipitant dans le couloir.

Il crut l'entendre sangloter quelque part. Pas dans le séjour ni dans la salle de bains. Curieusement, elle s'était réfugiée dans son ancienne chambre. Il la trouva assise en tailleur sur le lit, le visage dans les mains.

— Ce n'était pas moi le père, dit-il aussitôt depuis la porte.

Elle l'ignora. Il alla s'asseoir au bord du lit.

— C'est la raison pour laquelle la police m'a gardé en cellule cette nuit-là, expliqua-t-il. Ils attendaient les résultats de l'autopsie. Puis, quand ils ont appris que Rina était enceinte, ils m'ont fait une prise de sang. Et il a fallu attendre de nouveau. Le test est revenu négatif, et c'est seulement à ce moment-là qu'ils ont vérifié mon emploi du temps. Si je n'avais pas rencontré un des joueurs de l'équipe de base-ball très peu de temps après avoir quitté Rina, je serais probablement resté en prison beaucoup plus longtemps.

Il aurait pu ajouter qu'ils avaient, du reste, continué à le surveiller pendant des semaines, mais l'émotion l'étranglait. Il serra les dents pour contenir la rage et la frustration qui refaisaient surface chaque fois qu'il repensait à ce qui était arrivé.

— Pourquoi ne m'as-tu rien dit ? demanda-t-elle. Pas maintenant, mais autrefois. La nuit où nous nous sommes rencontrés au parc. Tout aurait été différent alors.

« Parce que tu en aurais aussitôt tiré la même conclusion qu'à l'instant, aurait-il voulu répondre. Mais cela aurait été encore pire, car tu l'aurais réellement cru. » Il resta pourtant silencieux un long moment. Une pernicieuse voix intérieure le poussait à parler. Il fallait qu'il dise tout ce qu'il avait enduré pendant la nuit de sa garde à vue.

— Ce n'était pas comme dans les séries télévisées, tu sais. La police ne m'a pas laissé passer un coup de fil avant une heure. Je me rappelle encore la voix effrayée de ma mère quand je lui ai dit où je me trouvais. Et il n'y avait pas le bon et le méchant flics : les *deux* pensaient que j'avais tué Rina.

Gil ferma les yeux un instant, entendant de nouveau les ricanements et les voix glaciales des deux officiers. Ils avaient tout fait pour l'impressionner, lui décrivant en détail la façon dont Rina avait été tuée et à quoi ressemblait son corps dans la mort.

Il prit une profonde inspiration.

— Je n'avais que dix-sept ans.

— Est-ce que… tu me reproches ce qui t'est arrivé ? demanda-t-elle avec hésitation au bout d'un long moment.

« Nous y voilà », pensa-t-il. Enfin la question s'exprimait ouvertement. Lui en voulait-il ? Sur le coup, oui, il lui en avait énormément voulu. Mais dès le lendemain soir, alors qu'il était de retour chez lui, il n'avait plus eu qu'une envie : courir vers elle, la prendre dans ses bras et lui dire que tout allait s'arranger. Mais ça ne s'était pas passé ainsi. Il la regarda et vit la douleur dans ses yeux. Que lui dire aujourd'hui ?

Elle se leva et, pendant une fraction de seconde, il crut qu'elle allait l'embrasser, comme il aurait tant voulu qu'elle le fasse autrefois. Mais elle marcha vers la porte et disparut avant qu'il ait eu le temps de comprendre qu'elle partait.

En quatre enjambées, il l'avait rejointe dans le couloir. Elle était déjà en train d'enfiler son imperméable.

— Où vas-tu ?

— Je crois qu'il faut que je m'en aille. Nous sommes tous les deux secoués, nous avons besoin d'une pause.

— Ne t'en va pas maintenant, Clare. Juste comme…

— Nous pouvons très bien nous remettre à étudier ce rapport demain.

— Je ne parlais pas de ce maudit rapport, Clare. Mais de toi et de moi, nous étions en train de parler de ce que nous nous étions faits, de ce que nous ressentions et pourquoi.

— Il m'avait semblé que c'était plutôt toi qui parlais de ce que *je* t'avais fait.

— D'où venait cette idée ?

— Tout s'est toujours résumé à ça, non, Gil ? La façon honteuse dont je t'ai trahi en disant à la police que je t'avais vu avec Rina.

— Non, c'est faux. Au début, peut-être, quand je t'ai rencontrée ce premier week-end, à l'occasion du baptême. Je reconnais que j'ai pu avoir des pensées négatives à ton égard. J'étais en train de vider la maison de mes parents, j'avais trouvé ces horribles lettres… tout ça était douloureux. Mais j'ai toujours su que tu n'avais pas eu le choix, tu étais obligée de dire à la police ce que tu avais vu.

Elle acheva de boutonner son vêtement. Quand elle le regarda de nouveau, ses yeux étaient pleins de colère.

— Eh bien, je suis contente que tu le reconnaisses enfin, Gil. Mais contrairement à moi, tu avais le choix. Tu n'étais pas obligé d'enlacer Rina comme tu l'as fait, ni de la raccompagner chez son amie.

— Tu sais bien que c'est une accusation grotesque, Clare. Après ce que Rina m'avait confié, comment aurais-je pu lui dire : « Désolé que tu sois enceinte, Rina, mais ma petite amie m'attend » ?

— Tu aurais pu m'expliquer, quand nous nous sommes revus, pour quelle raison tu te trouvais avec elle.

— J'avais promis de n'en parler à personne.

— Elle était morte, Gil. Comment la vérité aurait-elle pu la blesser ?

— Comment ? Les gens parlaient déjà, tu ne t'en souviens pas ? C'est tout juste si elle n'avait pas cherché à se faire assassiner… C'était écœurant.

— Personne ne semblait savoir qu'elle était enceinte. Laura m'en aurait parlé. Comment est-ce possible ?

— Je ne sais pas. Apparemment, personne n'était au courant, ou si certains l'étaient, ils ont gardé le secret. Je ne sais pas, répéta-t-il. De toute façon, tu ne m'aurais pas cru. J'ai essayé de t'expliquer — du moins, une partie de ce qui s'était passé —, tu refusais de m'écouter. Tu t'étais fait ta propre opinion, et tu n'en démordais pas.

Les yeux de Clare se remplirent de larmes.

— J'étais encore sous le choc. Nous avions fait l'amour pour la première fois seulement quinze jours avant et, tout à coup, je te voyais embrasser Rina. Qu'étais-je supposée penser ?

— Ce n'est pas à ça que je pensais quand je disais que tu t'étais fait ta propre opinion. Nous aurions pu venir à bout de ce malentendu. Non, ce qui m'a foudroyé ce soir-là, c'est le regard que tu posais sur moi. Tu *croyais* que j'avais tué Rina, bien que la police m'ait relâché.

Il attendit qu'elle nie ; elle n'en fit rien. Elle gardait ses yeux fixés sur lui, impénétrables.

— C'était inscrit sur ton visage, Clare, dit-il.

Elle lui tourna le dos et sortit de la maison, et il n'essaya pas de la retenir.

14.

Clare marchait d'un bon pas. De la périphérie de la ville où se trouvait la maison de Gil au centre de Twin Falls, il y avait tout au plus une demi-heure de marche. Le mouvement lui ferait du bien de toute façon. Quelle idée malheureuse ils avaient eu de se lancer dans cette enquête ! ne cessait-elle de se répéter. Pourquoi n'avait-elle pas écouté son intuition lorsque Gil lui en avait fait la suggestion ? Elle savait qu'en remuant le passé elle s'exposait à voir resurgir des émotions enfouies au plus profond d'elle-même. Et elle aurait dû connaître cette loi fondamentale de l'existence : on ne revient jamais en arrière.

Lorsqu'elle rejoignit son hôtel, elle était moralement épuisée. Elle prit une douche chaude qui la détendit un peu, puis remarqua le témoin rouge du téléphone qui signalait l'enregistrement d'un message. Aussitôt, son cœur se mit à battre plus fort.

Etait-ce Gil, désireux de s'excuser ? Mais de quoi ? répliqua aussitôt la voix de la raison. D'avoir dit la vérité ? De t'avoir dit quelque chose que tu ne voulais pas entendre ?

Clare se laissa tomber sur le bord du lit et appuya sur le bouton « lecture ». C'était Fran Dutton. Elle serait heureuse de rencontrer Clare et était disponible le jour même vers 17 h 30. Clare jeta un coup d'œil au radio-réveil : 17 heures. Elle composa rapidement le numéro de Fran et accepta l'invitation. Puis elle appela Laura pour la prévenir qu'elle aurait un peu de retard.

— Aucun problème, répondit Laura. Gil vient juste d'appeler pour se décommander. Il s'est produit quelque chose, a-t-il dit. Tu sais à quoi il faisait allusion ?

— Euh… je n'en suis pas sûre. Il n'a rien dit quand je suis partie tout à l'heure.

Il y eut un bref silence, puis Laura reprit.

— Ecoute, je vais faire manger Emma d'abord. Viens dès que tu pourras. De toute façon, j'ai fait un ragoût, ça peut attendre un peu. Mais j'ai hâte d'entendre les dernières nouvelles.

Clare raccrocha. De son après-midi avec Gil, il y avait peu de choses qu'elle avait envie de confier à Laura.

Fran Dutton habitait « les quartiers neufs », ainsi que les gens semblaient appeler cette partie de la commune récemment développée, de l'autre côté de la rivière. En traversant le pont, Clare tourna la tête vers les chutes et l'ancienne passerelle de bois qu'on distinguait à peine en amont, se demandant si on l'utilisait toujours.

Le lotissement où vivait Fran était typique de la plupart des villes américaines. Des rues courbes et concentriques qui se rencontraient au petit bonheur et changeaient de nom sans logique aucune, dans le plus profond mépris des pauvres étrangers qui cherchaient désespérément une adresse. Clare avait presque dix minutes de retard lorsqu'elle se rangea devant ce qu'elle espérait être la maison de Fran Dutton.

La femme qui l'accueillit à la porte avait environ quinze ans de moins que la mère de Clare. Elle avait un air soucieux et portait un survêtement qui avait connu des jours meilleurs.

— Excusez le désordre, dit-elle en introduisant Clare dans le vestibule. Nous sommes en train de repeindre.

Des bâches étaient étendues sur le sol, et plusieurs pots et bacs de peintures rendaient la progression périlleuse.

— J'espère que je ne vous dérange pas trop, dit Clare en enjambant un récipient où trempaient des pinceaux.

— Pas du tout, je vous assure. J'avais lu quelque part que vous étiez en ville récemment et j'avais pensé à votre mère. Aussi, quand j'ai eu votre message, j'ai expédié mon mari et mes enfants au cinéma. Ils étaient ravis de s'échapper de ce chantier.

Tout en conduisant Clare dans une ravissante véranda qui prolongeait la salle de séjour, elle poursuivit :

— Nous avons emménagé ici il y a seulement six mois.

Clare s'assit dans un fauteuil de rotin garni de coussins fleuris. Son hôtesse avait préparé un plateau de petits canapés au fromage et ouvert une bouteille de vin blanc. Touchée par la gentillesse de son accueil, Clare regretta de ne pas lui avoir apporté un petit présent.

— Je suis confuse vraiment, dit-elle esquissant un geste vers la table basse. Vous n'auriez pas dû vous mettre en quatre pour moi.

— Ce n'est rien du tout. Je suis ravie au contraire de m'octroyer une petite pause. Et j'étais très impatiente de rencontrer un écrivain en chair et en os, et la fille d'Anne Morgan, qui plus est.

— Je sais que maman et vous n'êtes pas restées en contact, mais elle se souvient de vous avec beaucoup d'affection, croyez-moi.

Fran sourit.

— Quand j'ai débuté à la banque, votre mère m'a prise sous son aile. Elle a été un véritable modèle pour moi.

Fran remplit les deux verres, en tendit un à Clare, puis elle prit un canapé et l'invita à se servir. La conversation s'orienta vers la nouvelle maison et les travaux que Fran et son mari y avaient entrepris, puis vers leur ancien logement du centre-ville.

— Après ma promotion à la banque, nous avons décidé qu'il était temps de prendre le taureau par les cornes. Deux de nos enfants sont déjà des ados et le troisième aura treize ans l'an prochain. Et à cet âge, ils ont besoin d'espace ! expliqua-t-elle en riant.

— Vous travailliez dans le même service, à l'époque, n'est-ce pas ?

— Oui. J'avais vingt-neuf ans et je venais de me marier. Mon mari, Peter, avait été muté ici. Nous appréhendions un peu de nous retrouver dans une petite ville, mais à présent nous nous y plaisons beaucoup.

— Maman m'a dit qu'elle vous appellerait pour vous expliquer la raison de ma visite…

La transformation fut quasi instantanée. Posant son verre de vin, Fran se redressa sur sa chaise et Clare eut l'impression d'avoir une autre personne devant elle, une femme sérieuse et compétente : la directrice adjointe de la First National Bank.

— Elle l'a fait, oui. Oh, j'ai souvent pensé à ce qui lui était arrivé, dit Fran en secouant la tête. Toute l'affaire a été si étrange depuis le début. Nous ne savions même pas que des fonds s'étaient volatilisés avant que M. Carelli convoque votre mère dans son bureau. Je me rappelle encore combien elle paraissait choquée quand elle en est sortie. Apparemment l'argent avait disparu d'un compte en fidéicommis, ouvert des années avant que votre mère n'entre à la banque, et qui appartenait à un octogénaire vivant en Floride. Ce monsieur venait de décéder et l'un de ses héritiers a voulu connaître le capital restant — pendant des années, un versement mensuel avait en effet été effectué au bénéfice de la maison de retraite du vieil homme —, et c'est comme ça que tout a commencé.

— Mais pourquoi les soupçons de M. Carelli se sont-ils aussitôt portés sur ma mère ?

— Anne avait en charge les mouvements ordinaires, débits et crédits des comptes courants, mais elle avait aussi accès à certains comptes spéciaux, anciens pour la plupart. Néanmoins, cela n'aurait pas dû suffire à la désigner comme coupable. M. Carelli aurait pu soupçonner d'autres employés, moi par exemple, qui n'étais pas expérimentée, mais il n'a jamais semblé penser qu'il pouvait s'agir d'une maladresse. Pour lui, dès le début, c'était un détournement de fonds.

— D'après ce que maman m'a raconté, il n'a jamais eu de preuve.

— Non, sinon sa propre conviction. C'était un drôle de type, comme dirait mon fils, un de ces patrons de la vieille école, condescendant, surtout avec les femmes, dont il pensait que la place n'était pas à des postes de responsabilité. Il était aussi lunatique et avait tendance à monter sur ses grands chevaux pour des broutilles. Je ne m'étonne pas qu'Anne ait pu être intimidée. J'ai essayé de la convaincre d'aller trouver la police, mais elle semblait croire qu'il lui faudrait prendre un avocat — ce qu'elle ne pouvait pas se permettre —, et que sa réputation serait salie de toute façon.

Présumée coupable. L'image de Gil cette nuit-là dans le parc surgit dans l'esprit de Clare. Son inconscient établissait-il un parallèle entre les deux situations ?

Puis elle repensa au piège dans lequel sa mère s'était trouvé prise et se demanda ce qu'elle aurait fait elle-même à sa place. Plutôt qu'essayer de prouver son innocence, elle avait préféré soustraire sa fille aux commérages haineux et aux regards méprisants. Une boule se forma dans sa gorge, et pendant un instant, elle ne put parler.

Fran se pencha vers elle et posa une main sur la sienne.

— Votre mère a fait la seule chose possible dans ces circonstances. Ce n'était pas juste, mais le jour de son départ, elle m'a dit que vous aviez traversé assez de choses pénibles — avec ce meurtre au lycée et votre séparation d'avec votre petit ami —, et qu'elle ne pouvait supporter l'idée de vous bouleverser davantage.

A travers ses larmes, Clare vit Fran lui tendre un mouchoir en papier. Elle se tamponna les yeux, se moucha, puis releva la tête. Fran lui souriait avec affection.

— Elle ne m'a jamais dit un mot de tout ça, expliqua Clare. Même quand j'ai été adulte.

— Cela ne me surprend pas. Elle était comme ça. Je regrette que nous ne soyons pas restées en contact. J'ai une vie bien remplie et peu de temps à moi, mais ce n'est pas une excuse. Et je serai heureuse de pouvoir faire quelque chose pour elle puisque j'en ai l'occasion.

— Merci, j'apprécie beaucoup, dit Clare qui avait recouvré son sang-froid. Mais que pourriez-vous faire ? Cela fait si long-temps…

— C'est vrai, mais je peux toujours essayer. Il se trouve que j'occupe à présent l'ancien bureau de M. Carelli. Je parie que ses anciens dossiers sont encore quelque part ; on ne jette rien, à la banque.

— Y a-t-il encore des employés qui étaient là à l'époque ?

— Quelques-uns. Je vais fouiner çà et là et peut-être apprendrai-je quelque chose.

— C'est tellement gentil à vous.

— Vous savez, c'est aussi pour moi que je le fais, pour alléger ma conscience coupable.

Et comme Clare fronçait les sourcils, elle ajouta :

— J'aurais dû prendre position en faveur d'Anne il y a dix-sept ans, mais je ne l'ai pas fait par crainte de perdre mon emploi.

Clare sourit, et jetant un coup d'œil à sa montre, se leva pour prendre congé.

— Je dois vraiment partir, dit-elle. Des amis m'attendent pour dîner.

Fran raccompagna Clare à la porte.

— Je me mets à la tâche dès demain, assura-t-elle en tournant la poignée. Vous serez encore à l'hôtel ?

— Oui.

Impulsivement, Clare l'embrassa, puis elle ajouta :

— Merci encore, Fran. Je sais maintenant pourquoi maman ne vous a jamais oubliée !

— Moi non plus, je ne l'ai pas oubliée. Je vous appelle dès que possible.

Sur le chemin de la maison des Kingsway, Clare se dit avec un certain soulagement que sa conversation avec Fran intéresserait suffisamment Laura pour la distraire de son sujet de curiosité principal, à savoir Gil Harper. Et elle ne se trompait pas.

— C'est proprement incroyable ! s'exclama Laura quand Clare eut raconté sa visite, après le dîner. Ta pauvre maman ! Pourquoi n'a-t-elle rien dit à personne ?

Clare haussa les épaules.

— Elle craignait sans doute que les gens croient qu'elle était coupable. Tu sais ce qu'on dit : « Il n'y a pas de fumée sans feu… »

— C'est ridicule ! Elle était innocente. Elle aurait dû le clamer haut et fort, protesta Laura.

— Eh bien, espérons que cette femme trouvera quelque chose, dit Dave. Comment as-tu dit qu'elle s'appelait déjà ?

— Fran Dutton, répondit-elle en posant sa tasse de thé sur la table. Je vais t'aider à débarrasser, Laura, puis je crois que je rentrerai.

— Non, laisse, je le ferai plus tard. Tu sais, Tia n'est là que depuis hier, mais j'ai déjà eu l'occasion de m'en réjouir cent fois. Je suis allée faire du shopping toute seule cet après-midi, c'était formidable. Et j'ai même pris plaisir à préparer le dîner.

— Ça, c'est une bonne nouvelle ! s'exclama Dave.

Laura lui donna une bourrade dans les côtes.

— Je lui ai demandé de rester un week-end sur deux et elle semblait ravie. Donc, tout va pour le mieux. Mais, poursuivit-elle en baissant soudain la voix, tu ne nous as pas encore parlé de Gil…

Une vague de découragement s'abattit sur Clare, que quelque chose dans son expression trahit probablement car Dave dit rapidement :

— Laisse-la tranquille, Laura.

Il attrapa ses béquilles et se mit debout avec effort.

— Je vais me coucher, Clare. J'ai un rendez-vous chez le médecin tôt demain matin. Prends bien soin de toi, d'accord ?

— Promis, Dave. Bonne nuit.

— Alors ? interrogea Laura dès que son mari eut le dos tourné.

— Alors quoi ?

— Allons, Clare, ne fais pas l'innocente. On se connaît depuis trop longtemps. Pourquoi Gil n'est-il pas venu dîner avec nous ce soir ?

— Pour être honnête, Laura, dit Clare après un instant d'hésitation, nous avons eu... euh, une sorte de dispute. Mais je ne peux vraiment pas t'expliquer quelle en était la raison. Je suis désolée, mais je dois rentrer maintenant, Laura.

Elle détourna le regard pour ne pas lire la déception dans le regard de son amie et se dirigea vers le hall où elle avait laissé son imperméable.

— A propos, reprit-elle en l'enfilant, est-ce que tu as eu ton père au téléphone ? Au sujet du père de Gil ?

— Non, ils étaient sortis. Mais j'ai laissé un message. Je t'appellerai dès que j'aurai du nouveau. Tu sais, ajouta-t-elle pensivement, j'ai l'impression que toutes ces questions en suspens au sujet de ta mère, du père de Gil, sont plus graves encore que nous ne le pensons.

— J'en ai bien peur, approuva Clare en hochant la tête. Je crois que nous n'avons fait qu'effleurer la surface des choses. Et après ce que Fran m'a dit, je ne peux m'empêcher de penser que ma mère a servi de bouc émissaire à quelqu'un.

— Mais à qui, Clare ? Et pourquoi ?

Un quart d'heure plus tard, alors qu'elle sortait de sa voiture sur le parking réservé à l'hôtel, ces questions résonnaient toujours dans la tête de Clare. Le parking, situé dans une petite rue latérale, était vide et lugubre à cette heure. Clare releva le col de son imperméable pour se protéger du vent frais du soir et pressa le pas. Elle venait de tourner à l'angle de Riverside Drive quand elle entendit des pas derrière elle, mais avant qu'elle ait pu se retourner, quelqu'un la bouscula, si brusquement qu'elle fut projetée au sol.

Elle n'eut que le temps de tendre les bras en avant pour amortir sa chute. Sa bandoulière glissa sur son épaule et elle fut certaine, alors qu'elle relevait la tête, qu'elle allait voir quelqu'un s'enfuir en emportant son sac. Mais la silhouette qui traversait la rue en courant semblait avoir les mains libres. Puis son attaquant passa devant l'entrée de l'hôtel brillamment éclairée et Clare le reconnut immédiatement : c'était Jason Wolochuk.

Gil aurait pu manquer son appel s'il ne s'était pas soudain préoccupé de vérifier ses messages. Il avait éteint exprès son téléphone portable, au cas — très improbable — où Clare l'appellerait pour s'excuser. Après qu'elle était partie de chez lui comme une fusée, il était allé directement au supermarché s'acheter un pack de bière. Puis, sa canette à la main, il avait lu le rapport de police de A à Z, ce qui n'avait pas participé à améliorer son état d'esprit. Clare avait vu juste en suggérant que la police avait peut-être bâclé l'enquête. Nul doute que les choses se seraient passées différemment si les parents de Rina avaient appartenu à une autre classe sociale. Au début, aussi bien le père que la mère de Rina avaient téléphoné pour être tenus informés, puis M. Thomas avait envoyé un courrier au shérif, mais leurs efforts étaient restés vains et l'affaire avait été classée dans des délais étonnamment courts.

La personne qui avait persisté le plus longtemps dans ses recherches était un des officiers chargés de l'enquête, Kyle Davis. Mais c'est en découvrant un message énigmatique du shérif de l'époque — un certain George Watson —, qui mettait fin aux recherches pour cause de restrictions budgétaires, que Gil fut convaincu que quelque chose était allé de travers. Il décida qu'une des premières choses à faire le lendemain serait de rendre visite au shérif actuel, la toute première étant de téléphoner à Clare. Car il était hors de question que leur dispute de l'après-midi vienne anéantir le début de complicité qu'ils avaient réussi à ressusciter.

Il s'était attendu, en se lançant dans cette entreprise, à voir resurgir des souvenirs et des sentiments depuis longtemps enfouis, et il avait pensé que Clare en était aussi consciente que lui, mais il n'avait pas prévu sa réaction au secret de Rina. Ou au fait qu'il ne s'en soit pas ouvert à elle dix-sept ans plus tôt.

C'était ça qui l'avait offensée. Une autre preuve de sa trahison, pensait-elle. Le fait que c'était en réalité la seule fois où il lui avait menti lui avait totalement échappé.

Aussi quand il entendit sa voix sur son portable, il s'attendait à un tout autre message. Les premiers mots de Clare le glacèrent. Il courut à sa voiture avant même d'avoir entendu la fin de l'enregistrement et brûla, sinon les feux rouges, en tout cas tous les stops, lesquels semblaient s'être multipliés entre la maison de son père et le centre-ville. Encore une chance qu'il n'ait pas bu davantage de bière !

Il laissa sa voiture sur le parking et courut vers l'entrée de l'hôtel dont il franchit la porte au moment même où une voiture de police démarrait vingt mètres plus bas. Dédaignant l'ascenseur, il grimpa les escaliers quatre à quatre et frappa à la porte de la chambre de Clare au troisième étage.

— Je viens d'avoir ton message, dit-il, posant une main sur le chambranle.

Le geste ne paraissait pas aussi naturel qu'il l'aurait souhaité. En fait, il mourait d'envie de prendre la jeune femme dans ses bras. Elle semblait effrayée.

— Tu vas bien ? s'enquit-il.

— Mmm. Vraiment, Gil. J'aurais dû te dire de ne pas t'inquiéter, dit-elle en reculant pour le laisser entrer. C'est parce que je t'ai appelé aussitôt après avoir parlé à la police… J'étais encore assez secouée.

— Qu'est-ce qu'il t'a fait ?

— Jason ? Il s'est approché de moi par-derrière et il m'a fait tomber.

Un gloussement sortit de sa gorge, qui n'avait rien d'un rire.

Gil referma la porte derrière lui et entra dans la chambre. L'imperméable de Clare était jeté en travers du lit et le téléphone était posé à côté.

— Il t'a fait mal ?

— Un genou écorché, c'est tout. Plus de peur que de mal.

Gil remercia silencieusement le ciel.

— Assieds-toi, dit-il en tournant la tête vers le coin salon. Je peux aller te chercher quelque chose ? Une boisson ?

— Oh, volontiers. Je crois qu'une boisson forte me ferait du bien. Tiens, il y a un minibar là, ajouta-t-elle en indiquant un angle de la pièce. Je ne l'ai pas encore ouvert, mais fais comme chez toi.

Gil traversa la chambre et sortit deux mignonnettes de bourbon du petit réfrigérateur.

— Ça te convient ? demanda-t-il en les lui montrant.

— Parfait.

Il prit deux verres sur la console qui jouxtait le minibar et transporta le tout sur la table basse devant laquelle Clare était installée dans un fauteuil, les jambes repliées sous elle. Puis il remplit les verres et lui en tendit un. Lorsqu'elle en eut bu une gorgée, il reprit :

— Raconte-moi ce qui est arrivé.

— Il n'y a pas grand-chose à raconter. Je venais de laisser ma voiture au parking et j'étais presque à l'angle de Riverside Drive quand j'ai entendu des pas s'approcher à vive allure. L'instant d'après, j'étais par terre. J'ai relevé la tête et j'ai vu Jason partir en courant.

— Tu es certaine que c'était lui ?

Elle fronça les sourcils un moment.

— Oui. Il portait le même coupe-vent en Nylon que celui qu'il avait la fois où nous lui avons parlé.

— Avec une capuche ?

— Hum… Oui, je suis presque sûre qu'il avait une capuche sur la tête. Ce ne peut être que lui, Gil. Qui d'autre ?

— Je pensais à sa mère.

— Oh, non. Je ne la vois vraiment pas faire ça. Je suis sûre que c'est Jason. Il a déjà fait preuve d'agressivité, n'est-ce pas ?

— Oui. Ce n'était qu'une idée en l'air, dit-il, abandonnant le sujet de crainte de la bouleverser davantage. J'y pense, j'ai vu une voiture de police s'en aller au moment où j'arrivais.

— Je les ai appelés aussitôt rentrée dans ma chambre. Devine qui a répondu ? Vince Carelli.

— Ah oui ? Etonnant, non ?

— C'est ce que j'ai pensé aussi. Il a dit que lorsqu'il avait entendu mon nom — le numéro d'urgence est branché sur un haut-parleur —, il a pensé qu'il devait venir lui-même à cause de ce que nous lui avions signalé l'autre jour.

— Cela signifie-t-il qu'il va prendre tout ça un peu plus au sérieux à présent ?

— J'ai eu cette impression. Il semblait réellement préoccupé. J'ai bien failli nous trahir…

— Comment ?

— Je lui ai dit que nous étions allés voir Stan Wolochuk et il a voulu savoir pourquoi. Alors j'ai dû lui expliquer que nous avions vu Jason et qu'il avait avoué avoir écrit la note qui se trouvait dans mon livre. Vince a alors demandé pourquoi nous nous ne l'en avions pas informé, et j'ai prétendu que nous ne voulions pas bouleverser davantage les Wolochuk qui avaient traversé beaucoup de moments difficiles depuis la mort de Rina Thomas.

Gil ferma les yeux. Il voyait déjà Vince Carelli frappant à sa porte le lendemain matin. Il termina son verre d'un trait et demanda qu'une voix qu'il s'efforça de maintenir égale :

— Que lui as-tu dit d'autre ?

210

— Rien. Enfin… il m'a demandé comment je savais qu'ils avaient eu tant de soucis, et je lui ai répété ce qu'Helen Wolochuk nous avait dit. Est-ce que j'ai trop parlé ?

Il haussa les épaules.

— Nous le saurons si Vince vient nous demander le rapport de police.

— Mais je n'ai pas dit un mot là-dessus !

— As-tu parlé des recherches que nous avions entreprises sur la mort de Rina ?

— J'ai été tentée, mais finalement j'ai renoncé.

Gil réprima un soupir de soulagement. Clare, enfoncée dans son fauteuil, paraissait totalement inerte.

— Tu as l'air fatigué, observa-t-il. Je crois que tu devrais te coucher. Après un bain chaud peut-être.

— Oui, dit Clare en étouffant un bâillement. Je veux dormir et tout oublier.

Il se leva et lui offrit sa main pour l'aider à s'extirper de son fauteuil. Lorsqu'elle fut debout, à seulement quelques centimètres de lui, il repoussa doucement une mèche de cheveux qui lui retombait dans les yeux, puis inclina la tête et l'embrassa doucement sur le front.

— Bonne nuit, Clare, dit-il avec tendresse. Je t'appellerai demain matin.

Elle opina légèrement du menton et comme il se dirigeait vers la porte, il sentit son regard dans son dos.

— Merci d'être venu, Gil, dit-elle comme il était sur le point de sortir. Tu es la première personne à qui j'ai pensé après la police.

Gil marqua un temps d'arrêt, puis, se tournant à demi vers elle, dit d'une voix légèrement altérée :

— Merci de me l'avoir dit.

Et il quitta la pièce.

De retour dans sa voiture, il resta un long moment, pensif, les mains sur le volant. S'il avait cédé à son premier mouvement, il serait allé directement chez les Wolochuk, aurait empoigné Jason et l'aurait secoué jusqu'à ce qu'il demande grâce. Mais sa raison en décida autrement, lui rappelant au bon moment qu'il n'avait pas envie de passer une autre nuit en prison.

A mi-chemin cependant, une autre idée jaillit dans son esprit. Il fit demi-tour et prit la direction de la maison des Wolochuk. Il voulait voir ce qui se passait là-bas. Une voiture de patrouille était stationnée juste devant l'entrée et le rez-de-chaussée était éclairé. Gil attendit quelques minutes, puis il rentra chez lui. Au moins, cette fois, Carelli avait donné suite.

Néanmoins, quand finalement il coupa le moteur de sa voiture devant la maison de ses parents, il en était arrivé, à regret, à cette conclusion que Clare et lui devraient laisser tomber l'affaire. Tout ça était trop dangereux, à la fois physiquement et émotionnellement.

15.

Le mal de tête qui réveilla Clare le lendemain matin ne devait rien au doigt de bourbon qu'elle avait bu la veille au soir. Elle avait mal partout, au dos, aux genoux, et aux poignets sur lesquels elle était tombée lourdement ; et la douleur qui martelait son crâne était la conséquence directe d'une nuit affreusement agitée, hantée du souvenir de la violence de Jason, régulièrement entrecoupé de visions de Gil.

Ayant pris une douche rapide, elle enfila le pantalon de velours que Laura lui avait prêté, ainsi que son dernier haut propre, et décida, bien qu'il y ait un service de nettoyage à l'hôtel, d'aller faire une lessive chez Laura. Elle voulait savoir si celle-ci avait reçu un coup de fil de son père.

Avant de quitter sa chambre, elle écouta les messages de sa boîte vocale à New York, ce qu'elle n'avait pas fait depuis quelques jours. Elle avait reçu un appel de son éditeur. La bonne nouvelle était que celui-ci acceptait son nouveau projet de roman ; la moins bonne, qu'il espérait la rencontrer à la fin de la semaine.

Clare raccrocha. Elle était à Twin Falls depuis douze jours, et ses efforts pour résoudre l'énigme du départ forcé de sa mère avaient obtenu peu de résultats. Et Gil et elle n'avaient pas davantage progressé dans leur enquête sur le meurtre de Rina Thomas, à laquelle son rendez-vous à New York fixait maintenant une limite.

Gil. Son nom s'attardait dans ses pensées tandis qu'elle achevait de se préparer dans la salle de bains. Quitter Twin Falls signifierait peut-être dire un adieu définitif à Gil. Elle n'allait pas se leurrer et s'imaginer qu'ils reprendraient contact une fois rendus à leurs vies new-yorkaises. Chacune de leur rencontre, ici, à Twin Falls, avait fait la preuve de l'ambivalence de leurs sentiments.

Clare passa de la crème sur son visage, puis s'efforça de dissimuler les cernes qui creusaient ses yeux. Elle se rappela fugitivement l'époque où un trait de rouge à lèvres constituait son seul maquillage et eut soudain conscience du temps qui passait. Oh, elle avait accompli certaines choses. Quelques courtes mais plaisantes années d'enseignement, puis la réalisation d'un rêve très cher : écrire et être publiée.

Mais qu'en était-il de sa vie personnelle ? Que lui avaient apporté les quelques relations amoureuses qu'elle avait eues depuis qu'elle avait quitté Twin Falls ? Il y avait toujours eu quelque chose qui l'empêchait d'envisager une relation suffisamment profonde pour s'inscrire dans la durée. Et ce quelque chose, elle le savait à présent, c'était le souvenir de Gil Harper. Jamais elle n'avait réussi à l'oublier. Et désormais, non seulement le temps lui était compté, mais la possibilité qu'une seconde chance leur soit offerte était plus éloignée que jamais.

« N'espère rien et tu ne seras pas déçue », dit-elle mentalement à son reflet dans la glace. Tel serait son mantra jusqu'à la fin de son séjour à Twin Falls. Clare éteignit la lumière de la salle de bains, ramassa son trench-coat, son sac et le sac en plastique dans lequel elle avait fourré son linge sale et sortit.

Par chance, Laura ne faisait pas de lessive ce jour-là.

— Ne sois pas stupide ! Bien sûr que non, ça ne me dérange pas, dit Laura en empoignant le sac de Clare. Les machines sont au sous-sol, viens.

Elle regarda de nouveau Clare, plissant les yeux.

— Tu n'as pas l'air très bien. Il s'est passé quelque chose ?

— Je t'en parlerai tout à l'heure, répondit Clare. Où est Emma ?

— Dans le bureau, avec son père. Elle est en train de faire des vocalises.

— Comment va Dave ?

— Bien, le médecin a dit qu'il pouvait commencer la rééducation. Mais comme il commençait à tourner en rond, je l'ai confortablement installé devant son portable, et je lui ai suggéré de s'arranger avec son patron pour reprendre une partie de son activité. Beaucoup de choses peuvent se faire à distance aujourd'hui.

— Bonne idée.

— Que cet endroit est sombre, dit Laura en entrant dans la buanderie. J'aimerais aménager une sorte de dressing au premier, mais il nous faut d'abord économiser un peu. Encore une raison pour que je retravaille rapidement.

Elle soupira.

— Alors, raconte, que s'est-il passé ? reprit-elle en se perchant sur le sèche-linge.

Tout en triant son linge, Clare relata ce qui lui était arrivé lors de son retour à l'hôtel. Laura ne cessait de secouer la tête avec incrédulité.

— Oh non, c'est vraiment trop, finit-elle par dire, visiblement choquée. Dieu merci, tu as prévenu la police. Sais-tu ce qui s'est passé ensuite ?

— Pas encore. Vince Carelli m'a dit qu'il irait parler à Jason.

— Lui *parler* ? C'est tout ? Tu devrais porter plainte, Clare.

Clare y avait songé, mais elle espérait qu'elle n'aurait pas à le faire.

— Il n'a que dix-sept ans et il a déjà beaucoup de problèmes… Mais s'il recommence, s'empressa-t-elle d'ajouter devant l'expression réprobatrice de Laura, alors je déposerai une plainte officielle.

— Qu'attends-tu qu'il te fasse ? Qu'il te blesse pour de bon ? Voyons, Clare, tu n'es pas raisonnable.

— Il ne recommencera pas. J'en suis certaine.

— J'espère au moins que tu vas aller voir Carelli pour lui demander ce que la police compte faire ?

— Oui, j'irai en sortant de chez toi. Ah, pendant que j'y pense, est-ce que tu as eu des nouvelles de ton père ?

— Oui, il a appelé hier soir.

Laura fit une courte pause.

— C'est confidentiel, n'est-ce pas ? Je veux dire, mon père ne risque rien puisqu'il est en retraite maintenant, mais maman et lui vivent tout de même ici et je ne voudrais pas que des rumeurs courent sur… euh, son honnêteté professionnelle.

— Mais non, Laura. Ce n'est qu'une simple question que Gil se posait. Cela n'a rien à voir avec la mort de Rina. Et bien entendu, nous n'en parlerons à personne.

— D'accord, d'accord, fit Laura. Bon, alors voilà. A la fin du mois de juillet, après la mort de Rina, mon père a reçu un coup de téléphone du maire. Je crois qu'il s'appelait Mac quelque chose, attends…oui, MacRoberts. Il s'est retiré en Arizona à la fin de son mandat, c'est-à-dire la même année.

Clare mesura une dose de lessive, régla la température, mais elle ne mit pas la machine en route. Elle attendait que Laura continue.

— Mon père m'a dit que ce que lui avait demandé le maire l'avait complètement démonté ! *Démonté*, c'est le mot qu'il a employé, Clare, poursuivit Laura tandis que Clare s'efforçait de dissimuler son impatience. Le maire lui avait expliqué qu'il avait un ami — Desmond Harper — qui avait un besoin crucial de trouver un emploi, et qu'il pensait, bien qu'il sache que c'était tout à fait irrégulier, que les services de la commune pourraient lui offrir un poste stable.

— M. Harper était un ami du maire ?

— C'est ce que MacRoberts a dit.

— Comment auraient-ils pu être amis ? Ils évoluaient dans des milieux…

— … totalement différents, acheva Laura. Absolument. Même mes parents ne fréquentaient pas le maire et sa famille.

— Quelle a été la réaction de ton père ?

— Il a essayé de lui montrer que ce n'était pas une bonne idée, mais le maire n'a écouté aucun de ses arguments et a insisté en disant que si mon père n'était pas capable de satisfaire sa requête, il s'en occuperait lui-même.

— Vraiment étrange, commenta Clare. Gil dit que son père ne savait absolument pas pourquoi on lui avait tout à coup offert ce poste. Je suis sûre que si le maire avait été un de ses amis, il n'aurait pas feint l'ignorance devant sa femme et son fils.

— Tu as raison. Toujours est-il que mon père, qui tenait à son propre emploi, a fini par céder à la pression et a téléphoné à M. Harper. Et ce fut la fin de l'histoire.

Au bout d'un moment, Clare dit :

— Je suis certaine que Gil sera aussi surpris que moi.

— Hum… en parlant de Gil…

— Nous parlions de Gil ?

— Clare dans le rôle de Mademoiselle Innocente ! s'exclama Laura en levant les yeux au ciel.

Redevenant sérieuse, elle poursuivit.

— As-tu dit à Gil ce qui t'était arrivé hier soir ?

Clare baissa les yeux. Aucune échappatoire possible.

— Oui. En fait, je l'ai appelé aussitôt après avoir eu la police hier et… euh, il est venu à l'hôtel.

— Et ?

— Et quoi ?

— Ce que tu peux être exaspérante parfois, Clare ! Raconte. Etait-il fou d'angoisse ? En colère ?

— Il s'inquiétait pour moi naturellement.

— Tu aurais pu m'appeler, tu sais. Je serais venue tout de suite.

217

— Je le sais bien, Laura. Mais… c'est difficile à expliquer, je voulais voir Gil, je ne sais pas pourquoi. Son nom m'est venu à l'esprit dès que l'adjoint du shérif a eu raccroché.

Laura la dévisagea, une lueur railleuse dans l'œil.

— Et qu'en a conclu Mademoiselle l'ingénue ?

— Franchement, je ne sais pas, Laura. J'avais simplement envie qu'il soit là.

— Pour te réconforter.

— Oui, répondit Clare en détournant les yeux.

Après quelques secondes de silence, Laura dit :

— J'espère que tu vas prendre le temps réfléchir à ça avant de te dépêcher de rentrer à New York.

Clare soupira, fixant toujours la machine à laver.

— A propos de New York…

La femme qui se tenait derrière le comptoir regardait Clare avec un mélange de curiosité et d'inquiétude.

— Donc vous voulez parler à Vince ?… Ou bien au shérif ?

— A Vince, si c'est possible. J'aurais peut-être dû téléphoner.

— Je crois qu'il est disponible. Une seconde…

Elle souleva le combiné de son téléphone, appuya sur un bouton, puis releva la tête.

— Vous ne vous souvenez pas de moi ? J'ai bavardé avec Gil Harper l'autre jour. Je suis Beth Silverstein, autrefois Moffat.

Bien sûr. Clare avait été si absorbée par l'idée qu'il fallait qu'elle voie Carelli qu'elle avait oublié que Beth était la personne qui avait photocopié le rapport de police. Pendant un instant, elle se demanda si elle l'avait parcouru tandis qu'elle le manipulait.

— Vous… vous ne direz rien à Vince, n'est-ce pas, au sujet du rapport ? dit Beth en baissant la voix.

— Non, soyez tranquille. Nous vous sommes très reconnaissants de votre aide.

Beth parla dans le combiné et raccrocha.

— Vince vous attend.

Vince Carelli était occupé à lire des documents quand Clare frappa à la porte de son bureau.

— Mademoiselle Morgan, quelle surprise ! dit-il en se levant. J'avais l'intention de vous appeler un peu plus tard. Comment vous sentez-vous ?

— Pas trop mal. Un peu courbatue.

— Asseyez-vous, je vous en prie.

— Je voulais savoir ce qui s'était passé chez les Wolochuk. Je suppose que vous êtes allé les voir après m'avoir laissée.

— Oui, oui, j'y suis allé. Et comme vous auriez également pu le supposer, le jeune Jason a tout nié en bloc.

— Mais je l'ai vu !

— C'est ce que je lui ai dit, mais il refuse même d'admettre s'être trouvé dans le quartier. Et en l'absence de tout autre témoin, il n'y a pas grand-chose que je puisse faire. Toutefois, continua-t-il en appuyant ses deux coudes sur son bureau, je l'ai mis en garde contre des agissements de cet ordre et je vous garantis qu'il a eu la trouille de sa vie, comme aurait dit mon père.

Clare fit l'effort d'esquisser un sourire. Carelli semblait très satisfait de lui. Cependant, sa remarque lui offrait une ouverture.

— Votre père n'a-t-il pas été directeur de la First National Bank à un moment donné ?

— En effet. Vous le connaissiez ?

— Non, mais ma mère travaillait pour lui. A la banque.

Elle l'observa, mais ne décela aucune réaction.

— Elle s'appelle Anne Morgan. Elle y a travaillé pendant dix ans.

— Vraiment ? Le monde est petit, n'est-ce pas ? Bien, dit-il sur le ton de la conclusion, que puis-je faire d'autre pour vous ? Comme je vous l'ai dit, Jason ne vous ennuiera plus. Et si par hasard, il tentait quoi que ce soit, prévenez-moi aussitôt, d'accord ?

Elle se demanda s'il connaissait les circonstances du départ de sa mère, et décida que c'était peu probable. Il était plus jeune qu'elle d'au moins un an, et d'après le portrait qu'en avait tracé Laura, M. Carelli ne se serait pas confié à son fils de seize ans.

Elle le remercia et se leva pour partir.

— Ah, autre chose, dit-il, l'arrêtant avant qu'elle eût atteint la porte. J'ai parlé à Mme Wolochuk de cette remarque qu'elle avait faite au sujet de Rina. Vous savez, ce que vous m'aviez répété, qu'elle tenait Rina Thomas pour responsable de tous ses malheurs.

Clare sentit le sang lui monter à la tête. Elle le regarda, le visage lisse et dit d'un ton presque naturel :

— Oui ?

— Elle s'est montrée fort surprise. Il semble que vous ayez mal compris, elle avait voulu dire que depuis la mort de cette jeune fille, sa famille avait eu beaucoup d'ennuis. Un simple malentendu, donc. J'ai pensé que vous aimeriez le savoir. Le sujet semblait vous préoccuper.

Clare hocha silencieusement la tête. Elle s'interrogeait sur les raisons pour lesquelles il avait fait cette observation. Helen ou Stanley lui avaient-ils dit que Gil et elle enquêtaient sur la mort de Rina ? Elle espérait que non. Marmonnant un vague merci, elle quitta le bureau.

Beth était au téléphone lorsqu'elle passa devant son bureau. Une fois sur le trottoir, elle fit une pause, réfléchissant à ce qu'elle allait faire. Une autre personne avait peut-être des informations sur la mésaventure de sa mère, c'était Jeff Withers, mais l'idée de le revoir lui répugnait. Alors qu'elle poursuivait son débat intérieur, une voix dans son dos la fit sursauter. Gil.

— Alors, perdue dans tes pensés ou simplement perdue ?

Elle fit volte-face et sourit.

— Les deux, je crois. Je viens de voir Vince Carelli.

— Et alors ?

— Il a rendu visite aux Wolochuk hier soir. Jason a nié s'être trouvé à proximité de l'hôtel.

— Il ment.

— Je sais, et je crois que Vince le sait aussi. Il lui a donné un sérieux avertissement et m'a dit de l'appeler aussitôt si Jason s'attaquait à moi encore une fois.

— Très réconfortant, grommela Gil.

— Exactement ce que j'ai pensé.

Elle le considéra un moment. Il portait le même velours noir que la veille, un pull gris et la veste de cuir qu'elle lui avait vue le jour de la séance de dédicace. Elle soupira intérieurement : il était réellement trop séduisant.

— Où vas-tu maintenant ?

— C'est ce à quoi j'étais en train de réfléchir.

— Je vais voir Kyle Davis, le shérif. Je voudrais savoir pourquoi il avait abandonné les recherches aussi subitement. Tu veux m'accompagner ?

— Ce n'est peut-être pas une très bonne idée. Si nous croisions Vince, il pourrait s'étonner que je retourne voir le shérif.

— C'est vrai. Veux-tu qu'on se retrouve après ? Je te dirais ce que j'ai appris. Et puis… euh, je voulais te parler d'autre chose.

Troublée par ce qu'il avait dit en dernier, elle ne répondit pas immédiatement.

— Où ?

— Il y a un café un peu plus bas sur l'avenue. Je pourrais t'y rejoindre dans un quart d'heure environ. Cela ne devrait pas être plus long.

Clare accepta et le regarda entrer dans le bâtiment avant de se diriger elle-même vers le café. Passant à côté d'une cabine téléphonique, elle se décida, malgré ses réticences, à appeler Jeff Withers au *Spectator*.

M. Withers, lui répondit-on au standard, était en congé. Non, on ne savait pas jusqu'à quand. Un autre journaliste pourrait-il l'aider ?

Clare raccrocha et feuilleta l'annuaire. Il ne devait pas y avoir beaucoup de Withers à Twin Falls. Et à moins que le journaliste ne fût sur liste rouge, elle pourrait lui rendre visite plus tard dans la journée. Il n'y en avait qu'un, en fait. Elle composa rapidement le numéro, mais Withers était absent. Elle laissa un bref message sur son répondeur, lui demandant de rappeler à son hôtel. Puis, elle continua vers le café.

Gil arriva peu de temps après elle. Elle attendit qu'il ait commandé un cappuccino, refusant d'en prendre un elle-même, avant de demander :

— Alors, comment s'est passée ton entrevue ?

— Je ne sais pas trop, à vrai dire. Davis se rappelait de moi et a été assez aimable pour s'enquérir de ce que j'étais devenu. J'ai apprécié cette courtoisie, vu la façon dont certains de ses collègues m'avaient traité à l'époque. Evidemment je ne voulais pas qu'il sache que nous faisions des recherches sur le meurtre, alors je lui ai dit que j'étais en ville pour vendre la maison de mes parents et que je me demandais si des faits nouveaux n'étaient jamais venus éclairer l'affaire.

— Qu'est-ce qu'il a dit ?

— Ce à quoi je pouvais m'attendre. L'affaire était ancienne, les pistes refroidies depuis longtemps… le discours habituel. Mais je *sais* quelque chose. La nuit dernière, je suis tombé sur une note du shérif ordonnant à Kyle Davis, alors chargé de l'enquête, de classer le dossier, alléguant des restrictions budgétaires qui ne permettaient plus que l'on dépense l'argent du contribuable pour des affaires qui ne seraient jamais résolues.

— Vraiment ? Cela ne semble pas très orthodoxe.

Gil haussa les épaules.

— Je suis sûr que cela arrive très souvent, mais le fait que cela se soit produit à la suite d'investigations hâtives est suspect. Mais bien sûr je ne pouvais pas mentionner cette note du précédent shérif sans nous trahir. Ce n'est qu'en partant que j'ai pensé que j'aurais pu utiliser ce que t'avait dit ce journaliste, tu sais, lorsqu'il prétendait avoir ses propres sources de renseignements.

— Oui, c'est ce qu'il disait. A ce propos, j'ai appelé le journal tout à l'heure et j'ai appris qu'il était en congé.

— Pour écrire le livre dont il t'a parlé ?

— Peut-être. Nous devrions aller voir s'il est chez lui demain. J'ai essayé de le joindre chez lui, mais le répondeur était branché. Peut-être ne décroche-t-il pas pour être tranquille ?

— C'est une possibilité.

Il termina son cappuccino, puis se pencha vers elle, glissant ses coudes sur la table. Clare eut l'impression qu'il en arrivait à ce « quelque chose » dont il voulait lui parler. Elle passa sa langue entre ses lèvres sèches et demanda :

— Qu'y a-t-il ?

— J'ai réfléchi. Après ce qui s'est passé la nuit dernière, et étant donné le peu de résultats que nous avons obtenus jusque-là, je crois que nous devrions abandonner.

Clare ne dit rien. Elle écoutait le sang pulser à ses tempes. Elle était arrivée à la même conclusion, mais qu'il l'ait exprimée avant elle lui déplaisait, sans qu'elle sache bien pourquoi.

— Tu as peut-être raison. Cependant, hier après-midi, je suis allée voir la personne qui travaillait avec ma mère à la banque, Fran Dutton. Elle m'a beaucoup plu. Elle est vice-présidente de la First National aujourd'hui, et figure-toi qu'elle occupe l'ancien bureau de M. Carelli. Apparemment, il y a laissé pas mal de paperasses lorsqu'il est parti en retraite, et Fran a promis de voir si elle pouvait découvrir quelque chose. J'ai donc l'intention de rester encore quelques jours, jusqu'à ce qu'elle prenne de nouveau contact avec moi.

— Très bien, fit-il d'un ton neutre. Tu t'es fixé une date limite ?

Clare fronça les sourcils.

— Pour rentrer à New York, clarifia-t-il.

— J'ai un rendez-vous vendredi après-midi.

Une émotion indéchiffrable traversa le regard de Gil, mais il ne détourna pas les yeux. Il les garda au contraire fixés sur elle, comme s'il cherchait une réponse, un message caché. Finalement, il observa :

— Je suppose que c'est ta date limite donc.

Elle attendit qu'il continue, mais il se tut. Pensait-il à la même chose qu'elle ? Qu'il y avait peu de chances qu'ils se revoient plus tard, à New York ? Il s'éclaircit la gorge et demanda soudainement :

— Cela te dirait-il de venir dîner chez moi ce soir ? C'est moi qui cuisine.

L'invitation la déconcerta. Sa première réaction fut de refuser. Il valait mieux laisser les choses où elles en étaient. Mais la prière silencieuse que le regard de Gil lui adressait l'en empêcha.

— D'accord, murmura-t-elle.

Il sourit et tous les doutes de Clare s'envolèrent d'un coup. C'était peut-être sa dernière chance d'établir avec lui une relation qui leur permettrait de se rencontrer en toute sérénité en tant que parrain et marraine d'Emma.

— A quelle heure préfères-tu ? 17 heures ? 18 heures ? demanda-t-il en regardant sa montre.

Clare n'avait pas de projets pour l'après-midi. En réalité, elle s'était attendue à ce que Gil lui propose de faire quelque chose. L'heure du dîner, pensait-elle avec regret, était encore loin.

— L'heure qui t'arrange. Je peux venir plus tôt et t'aider à préparer le dîner si tu veux.

— Excellente idée.

— Je peux apporter quelque chose ?

— Ton appétit suffira. Qu'est-ce que tu fais cet après-midi ?

— Je pense que je vais faire un saut chez Laura. Je lui proposerai peut-être de garder Emma. Dave ne peut guère travailler lorsqu'il est seul avec elle et Tia ne sera pas là avant 16 heures.

— Tu te sens plus à l'aise avec Emma, maintenant ?

— Je n'apprends pas très vite en vérité. Tia se débrouille beaucoup mieux que moi. Mais je fais des progrès : Emma adore quand je fais des colonnes avec ses gobelets de plastique et qu'ensuite je les fais tomber.

Gil éclata de rire, ce qui surprit Clare car elle ne voyait pas ce qu'il y avait de drôle.

— J'ai du mal à t'imaginer couchée par terre en train de construire des tours pour Emma, dit-il.

— C'est moins incroyable que toi en train de changer ses couches.

Il fit la grimace.

— Ne m'en parle pas. Bon, on dit 17 heures, d'accord ?

Il s'était levé et il se pencha brusquement vers Clare pour l'embrasser sur la joue avant de se diriger vers la porte du café. « Bien, pensa-t-elle, un lien s'est rétabli. »

Ce n'est qu'après qu'il fut parti que Clare se rappela ce que Laura lui avait appris au sujet du recrutement de M. Harper à la mairie de Twin Falls. Gil serait-il aussi surpris que Laura et elle l'avaient été ? De toute façon, il fallait qu'elle l'en informe.

En rejoignant sa voiture, elle repensa à Jeff Withers. Bien qu'en congé, il était peut-être chez lui. Elle entra de nouveau dans la cabine téléphonique et nota son adresse. Ce n'était pas sur son chemin, mais dans une ville de la taille de Twin Falls, un détour n'était jamais qu'un petit crochet.

Cinq minutes plus tard, la Jetta de Clare ralentissait devant une bâtisse de deux étages à la lisière du quartier commerçant de la ville. C'étaient deux maisons accolées, en fait, en briques, sans style, comme la plupart des constructions de la rue, flanquées d'une étroite pelouse à l'avant et, à droite, d'une allée gravillonnée qui devait conduire à une cour sur l'arrière, transformée en places de parking.

Aucun signe de vie alentour. Les boîtes aux lettres étaient à l'extérieur. Elle griffonna son nom et le numéro de téléphone de l'hôtel sur un morceau de papier et sortit de sa voiture. L'appartement de Withers était au deuxième étage. Elle appuya sur la sonnette. Pas de réponse. Au moment où elle glissait son numéro de téléphone dans sa boîte aux lettres, un jeune homme d'une vingtaine d'années sortit de la maison.

— Puis-je vous aider ? demanda-t-il, après l'avoir dévisagé en souriant.

— Je cherche Jeff Withers. J'ai sonné, mais il n'est pas là. Vous ne l'avez pas vu aujourd'hui ?

Le jeune homme parut réfléchir.

— Non. Je crois que je ne l'ai pas croisé depuis le week-end dernier. Vous avez essayé à son lieu de travail ? Au journal ?

— Oui, mais la femme à qui j'ai parlé m'a dit qu'il était en vacances.

— Jeff ? Ça m'étonnerait. La semaine dernière encore, nous nous plaignions tous les deux d'avoir des emplois du temps si serrés qu'on ne pouvait même pas se permettre de prendre trois jours. Et dimanche, lorsque nous nous sommes croisés sur le parking, il ne m'a pas parlé de congés, au contraire, il semblait plus absorbé que jamais par son travail.

— Si vous le voyez, pouvez-vous lui dire que Clare a laissé deux messages : un sur son répondeur et un dans sa boîte aux lettres ? J'apprécierais beaucoup si vous vous en souveniez.

— Clare, répéta-t-il. Je ne crois pas qu'il me sera difficile de m'en souvenir.

Il la fixa quelques secondes encore, puis s'éloigna dans la rue. Clare recula de deux pas et leva la tête vers les fenêtres du deuxième étage. Les rideaux étaient tirés, comme si Withers était effectivement parti.

226

Sur la route qui la conduisait chez Laura, elle réfléchit à ce que le jeune locataire lui avait dit. Sans doute Withers avait-il pris un congé pour commencer la rédaction de son livre ; cela expliquait son air absorbé. Une chose l'étonnait cependant, le journaliste aurait facilement pu découvrir qu'elle séjournait toujours à Twin Falls, et pourtant il n'avait pas essayé de reprendre contact avec elle. Cette retenue ne cadrait pas avec le style pour le moins agressif de ses articles. S'il travaillait sur le livre dont il lui avait parlé, sûrement il suivrait les mêmes pistes qu'elle et Gil, et rendrait visite au shérif.

Au premier rond-point, Clare fit demi-tour et reprit la direction du centre-ville.

— Je suis sûre qu'ils pensent que j'ai l'esprit dérangé, dit Clare, que je suis une de ces personnes qui s'imaginent que tout le monde leur en veut.

Elle regardait Gil qui était en train de couper des légumes pour son ragoût. Il releva les yeux une seconde et sourit.

— Ne t'inquiète pas trop. Ce n'est pas demain la veille que tu feras concurrence à Helen Wolochuk.

— Merci pour ce vote de confiance, Gil, dit-elle en lui retournant son sourire.

— Je te sers un autre verre ?

— Non, merci, pas si tu veux que je garde un peu de lucidité pour apprécier ta cuisine.

— J'y compte bien, surtout après avoir passé tout l'après-midi derrière les fourneaux.

Il jeta un coup d'œil à sa montre.

— Du moins, une bonne partie.

Emportant son verre de vin, il attrapa une chaise et s'assit à califourchon en face de Clare qui était déjà assise à la table.

— Qu'est-ce qui t'a décidée à aller voir le shérif à propos de Withers ? reprit-il.

— Je ne saurais dire exactement. C'est juste une impression bizarre que j'ai eue après avoir parlé à ce locataire. Et aussi le fait que Withers n'ait pas cherché à me voir.

— Peut-être pensait-il que tu étais retournée à New York ?

— Oui, mais tu ne crois pas qu'il se serait renseigné ? Et s'il savait que j'étais encore là, qu'il aurait profité de ma présence pour me poser d'autres questions ?

— Probablement. Cependant, je comprends que le shérif n'ait pas paru enchanté que tu lui demandes d'aller visiter l'appartement de Withers sur une intuition qu'il a dû, j'imagine, balayer aussitôt d'un revers de manche.

— C'est tout à fait ça. Vince, pourtant, s'est montré plus intéressé. J'ai été obligée de lui expliquer pourquoi la *disparition*, entre guillemets, de Withers me préoccupait, en prétendant lui avoir offert mon aide pour écrire son livre.

— Tu as dit ça ? Mais pourquoi ?

— Parce que, comme tu me l'as fait remarquer tout à l'heure, je n'avais aucune raison de me soucier de l'absence de Withers à Twin Falls. En tout cas, pas une raison dont j'avais envie de faire part à la police. Je ne voulais pas raconter toute l'histoire au sujet de ma mère et de la remarque qu'avait faite Withers.

— Non, je comprends.

Clare se remémorait la scène embarrassante dans le bureau du shérif ; sans doute n'aurait-elle jamais dû obéir à son impulsion.

— Mais tu as raison à propos de Kyle Davis et de son type de mémoire. Il ne m'a pas reconnue tout de suite, mais il s'est souvenu de mon nom dès que je me suis présentée.

— Qui as-tu vu en premier, Carelli ou lui ?

— Lui. Nous parlions à la porte de son bureau quand Vince est passé dans le couloir. Inutile de dire que lorsque Vince l'a mis au courant des incidents concernant Jason, j'ai gagné quelque crédibilité auprès du shérif.

Effleurant pensivement le bord de son verre, elle ajouta :

— J'ai eu une impression étrange pendant que j'étais avec eux. Comme s'il y avait quelque chose de trouble entre eux. Davis regardait Kyle bizarrement pendant que celui-ci lui parlait. On aurait dit qu'il ne lui faisait pas totalement confiance.

— Ah oui ? Hum… intéressant. Mais ne perdons pas de vue que ce n'est qu'une impression, Clare, comme celle que tu as eue au sujet de Withers.

Il se tourna vers la cuisinière.

— Je crois que ce sera bientôt prêt. Tu veux bien apporter la salade dans la salle de séjour ?

— Bien sûr, dit-elle en se levant pour prendre le saladier. Mais nous pourrions manger ici.

— Non. Nous avons déjà passé trop de temps dans la cuisine ces derniers jours. Changement de décor.

Il la précéda dans le séjour où la petite table ronde était dressée avec soin : nappe, couverts en argent et bougies.

— Oh, comme c'est joli ! s'exclama Clare. Comment as-tu fait ? Je croyais que tous les cartons étaient partis.

— J'ai dû rouvrir l'un de ceux que j'ai l'intention d'emmener à New York.

— Ainsi, tu as décidé de garder certaines choses ?

— Le service de porcelaine et l'argenterie. C'étaient des cadeaux de mariage, et ma mère en a toujours été si fière que je n'ai pas eu le cœur de les donner. J'ai acheté la nappe et les bougies dans un bazar en rentrant tout à l'heure.

Clare rit en le voyant sourire comme un enfant qui vient de faire une farce dont il n'est pas trop sûr qu'elle sera appréciée. Le Gil Harper avec qui elle bavardait depuis une heure lui rappelait enfin l'adolescent malicieux qui avait été son petit ami.

— Je trouve ça bien que tu aies envie de conserver quelque chose qui appartenait à tes parents. Je ne t'aurais pas cru aussi sentimental.

Elle posa le saladier au milieu de la table et s'assit sur la chaise que Gil avait tirée pour elle.

— En réalité, je suis quelqu'un de très sentimental dans bien des domaines, dit Gil en s'attardant derrière sa chaise. Bien que je me sois sans doute efforcé de le cacher lorsque j'étais ado. Je vais chercher le ragoût et le riz. Nous nous servirons à table.

Clare but quelques gorgées de vin tandis qu'il allait et venait avec les plats.

— Mmm… ça sent divinement bon, dit-elle en se penchant vers le plat fumant. Si tu as de nouveau envie de cuisiner, pense à moi.

— J'espère sincèrement qu'il y aura une prochaine fois, dit-il en levant son verre. A cette prochaine fois !

Clare sentit ses joues s'enflammer. Elle avait fait cette remarque sans réfléchir, pour le complimenter de ses talents de cuisinier, et elle soupçonnait Gil d'en avoir été pleinement conscient et de s'amuser d'elle en la prenant au mot.

Elle baissa les yeux et commença à manger.

— C'est délicieux. Où as-tu appris à cuisiner ?

— A l'université. Il fallait bien que je me débrouille et je n'ai jamais aimé ces plats déshydratés qu'on réchauffe en deux minutes au micro-onde. Naturellement, je ne pouvais pas me permettre de corser mes plats avec du vin français à cette époque.

— Tu cuisines pour… quelqu'un en particulier à New York ? demanda-t-elle impulsivement.

— Est-ce que tu me demandes si j'ai une relation avec une femme ? Si c'est le cas, la réponse est non, pas en ce moment. Et toi ?

Elle fit non de la tête.

— Eh bien, voilà qui détend l'atmosphère, remarqua-t-il avec un sourire espiègle. Tu reprends du ragoût ou tu préfères te réserver pour le dessert ?

— Tout dépend du dessert.

— C'est de la mousse au chocolat. Mais je ne l'ai pas faite moi-même.

— Quel dilemme ! Je voudrais pouvoir manger les deux.

— Tu as toujours eu mal à mal à choisir, en particulier lorsqu'il s'agissait de glaces. Je me souviens que tu hésitais des heures chez Ernie avant de décider quel parfum tu voulais.

Sous l'œil moqueur de Gil, Clare rosit de nouveau. Tandis qu'il repartait dans la cuisine, elle s'efforça de chasser ses souvenirs et résolut de changer de sujet de conversation dès qu'il reviendrait. Ce qu'elle fit quelques minutes plus tard en lui racontant ce que Laura lui avait appris le matin même.

— C'est bizarre, dit-il en reposant lentement sa fourchette sur son assiette. Mes parents ne connaissaient pas les parents de Laura, du moins pas plus que ça. Ils se contentaient d'échanger quelques mots à la sortie de l'église ou lorsqu'ils se croisaient dans la rue. Quant au maire, mon père n'a seulement jamais voté pour lui, et le comptait encore moins parmi ses amis.

Il hocha la tête avec incrédulité.

— Si cela peut te consoler, Laura et moi avons été aussi surprises que toi. M. Dundas a dit que s'il n'avait pas satisfait aux désirs de MacRoberts, celui-ci aurait personnellement appelé ton père ; et il a également dit qu'il avait senti que son propre emploi était menacé.

— Je suis content que mon père n'ait jamais rien su de tout ça. Comment aurait-il accepté d'avoir été sollicité, non pour ses compétences, mais parce que le maire avait voulu faire une faveur à quelqu'un ?

Gil reporta son attention sur son dessert, oublié pendant un moment.

— Tu ne trouves pas singulier que ma mère et ton père aient connu ces événements troublants au même moment cet été-là ? Ne pourrait-il exister un lien entre les deux choses ?

— Comme quoi ? Le seul rapprochement que l'on puisse faire, c'est le moment où les faits se sont produits.

— C'est plus qu'une coïncidence, insista-t-elle.

— Je ne vois réellement aucun rapport, Clare. Ta mère a perdu son travail et mon père en a trouvé un, soit. Mais ils n'avaient pas le même métier et il s'agissait de deux employeurs différents.

Clare admit, à contrecœur, qu'il avait sans doute raison, mais une désagréable arrière-pensée continuait de l'aiguillonner : quelque chose leur échappait, mais quoi ?

— C'est tout de même curieux, marmonnait Gil. Je n'ai rien trouvé dans les papiers de mon père qui pourrait faire allusion à quoi que ce soit de ce genre. Je ne me souviens que de ce qu'il m'a dit lui-même à l'époque. Il ne comprenait rien de ce qui lui arrivait, mais ce n'était pas ça qui l'empêcherait d'accepter le poste.

— Je me demande si nous ne pourrions pas essayer de retrouver MacRoberts…

Gil la regarda comme si elle avait soudain perdu la tête.

— Même si nous le retrouvions, dit-il lentement, signifiant ainsi que c'était hautement improbable, je doute qu'il nous dise la vérité aussi facilement. Pourquoi le ferait-il ?

Encore une impasse, songea Clare, dépitée. Elle avala une dernière cuillère de mousse au chocolat et repoussa son assiette.

— C'était délicieux, Gil. Et très agréable de ne pas avoir à dîner encore une fois au restaurant ou de m'imposer chez Laura et Dave.

Jetant un coup d'œil vers la fenêtre, elle ajouta :

— Il fait déjà nuit, je crois que je ne devrais pas tarder à rentrer. Mais auparavant, je vais t'aider à faire la vaisselle.

Gil protesta, mais elle emporta résolument les assiettes dans la cuisine.

— Je lave et tu essuies, ça te va ? proposa-t-il comme elle les posait dans l'évier.

— O.K. Tu as un torchon ?

Il regarda autour de lui, puis sourit piteusement.

— Euh… je crois que j'ai oublié d'en garder quelques-uns. Te voilà au chômage technique. J'ai une idée. Si tu t'asseyais et me faisais la conversation pendant que je lave ?

Clare ne demandait pas mieux, désirant prolonger la soirée aussi longtemps que possible.

— Tu te rends compte, commença-t-elle tandis qu'il remplissait l'évier d'eau chaude, c'est la première fois que nous passons plusieurs heures ensemble à faire quelque chose de… hum, je ne suis pas sûre que ce soit le mot…

— D'ordinaire ?

C'est ça, pensa-t-elle en observant ses mains adroites travailler ; et, durant un bref instant, elle se remémora les mains de Gil posées sur elle, tâtonnant sous la couverture, explorant les parties secrètes de son corps, et les rires étouffés qui ponctuaient la découverte hésitante et ô combien excitante de leur sexualité tandis que ses parents regardaient la télévision dans la pièce à côté. Mais bien que Gil ait été son premier partenaire sexuel, son ardeur n'avait pas été réduite à l'aspect physique de leur relation. Elle l'avait aimé.

Gil se retourna brusquement.

— Pourquoi ce soupir ?

— Je pensais à ce que tu avais dit. Faire quelque chose d'ordinaire au lieu de revenir sans cesse sur des événements qui se sont produits il y a des années.

— Oui. Je suis content que nous ayons pu partager un moment qui appartient au présent et non au passé, si tu vois ce que je veux dire.

— Oui, je vois, et j'en suis contente aussi. Je n'aurais pas aimé rentrer à New York en pensant que… eh bien, que nous ne pouvions pas être amis.

Gil posa le dernier verre sur l'égouttoir et s'essuya les mains avec une serviette en papier.

— Tu penses donc que nous pouvons être amis ? dit-il en s'approchant d'elle.

234

— Je l'espère, répondit-elle doucement.

Le battement de son cœur devait résonner dans la cuisine silencieuse.

— Moi aussi, dit Gil d'une voix qui trahissait son émotion. Peut-être pourrions-nous même… tu sais… nous revoir — en bons amis, quand nous serons en ville.

Elle sourit. Elle ne voulait pas le décevoir, mais une partie d'elle-même continuait de s'interroger : serait-elle jamais capable de le considérer comme un simple ami ?

— Dis-moi, murmura-t-il. Que manque-t-il à ta vie ?

La question la surprit. Elle cherchait comment y répondre quand Gil se pencha au-dessus d'elle, posa ses mains sur ses bras et la fit se lever. Puis il l'attira à lui.

— Si tu pouvais ajouter quelque chose à ta vie à cette minute, qu'est-ce que ce serait ? chuchota-t-il, exhalant son haleine sucrée contre ses sourcils.

Lorsqu'elle leva la tête, le bout de son nez heurta le menton de Gil. Il n'attendit pas sa réponse — non qu'elle en eût trouvé une —, et s'empara de sa bouche, dessinant de la pointe de sa langue le contour de ses lèvres. Clare se laissa aller contre lui, glissa ses bras autour de son cou, et répondit avec fougue à son baiser, comme si une fatalité inéluctable venait de la toucher.

Les mains de Gil s'insinuèrent dans ses cheveux, descendirent sur sa nuque, puis remontèrent vers son visage, ses doigts s'amusant à dessiner de lentes courbes sur ses joues, ses paupières, ses oreilles. Oh, ce contact merveilleux en un instant réveillé d'un long, si long sommeil !

— Oh, Clare, gémit Gil contre le lobe de son oreille. Je me souviens de tout. La soie de ta peau, tes cheveux si doux, ce petit creux à la base de ton cou…

Il inclina la tête et l'embrassa à cet endroit, resserrant encore son étreinte. Elle frissonna en sentant son désir et entendit un soupir de plaisir, mais elle ne savait qui d'elle ou de lui l'avait laissé échapper.

Elle ferma les yeux et s'abandonna complètement aux sensations qu'elle éprouvait. Gil la caressait, Gil la désirait. Lorsqu'il glissa ses mains sous son pull et défit l'attache de son soutien-gorge, elle crut défaillir.

— Tu es si belle, murmura-t-il dans son cou tandis que ses doigts cherchaient la pointe de ses seins.

Clare appuya son avant-bras derrière la tête de Gil, pressant son corps contre lui ; elle voulait sentir encore ses lèvres sur les siennes, elle voulait remonter le temps et faire que tout tourne différemment.

Mais Gil s'écarta, laissant retomber son pull sur ses hanches. Le souffle court, il s'appuya contre le comptoir derrière lui, ses bras reposant mollement sur les épaules de Clare et dit d'une voix entrecoupée :

— Je… je ne suis pas sûr… que ce soit une bonne idée. Peut-être ferions-nous mieux de nous employer à exorciser les fantômes du passé et ensuite… ensuite, nous verrons.

Clare ressentit une sorte de long vertige en même temps que son excitation la quittait. Elle fit un effort prodigieux pour calmer sa respiration, concentrant son attention sur le pouls de Gil qu'elle voyait battre au creux de sa gorge à quelques centimètres de ses yeux. Quelques poils noirs dépassaient de son col et elle se rappela la première fois qu'elle avait déboutonné timidement sa chemise et caressé son torse plat d'adolescent.

Elle ferma les yeux, dissimulant derrière ses paupières le sentiment à la fois de regret et de frustration qui la submergeait. Ses plus vifs souvenirs de plaisir physique étaient les caresses d'un adolescent de dix-sept ans ; à présent, elle voulait connaître l'étreinte de l'homme que celui-ci était devenu. Mais tout au fond d'elle-même, elle se demandait s'il n'était pas trop tard.

— Tu as raison, murmura-t-elle.

Elle s'éclaircit la gorge, puis elle fit un effort pour plaisanter.

— De toute façon, il n'y a plus qu'un petit lit dans ta chambre, n'est-ce pas ?

— Ce n'était pas ça qui nous dérangeait autrefois, repartit-il en riant avec gêne.

— Non, mais nous-mêmes étions moins grands.

Il lui adressa un sourire qui lui fit mal.

— Je suis heureux de constater que tu as toujours cette faculté de te ressaisir pour mieux repartir, Clare.

S'il savait combien il lui en coûtait de montrer ce front lisse à cet instant précis… Elle se dégagea de ses bras et recula à une distance respectueuse.

— Il faut que j'y aille, dit-elle en le pensant réellement cette fois-ci.

— On se voit demain matin ? Peut-être pourrions-nous décider de la suite à donner aux événements ?

Elle fronça les sourcils, pensant qu'il faisait référence à ce qui venait de se passer entre eux. Et il dut le deviner car il précisa presque aussitôt :

— Il faudrait réfléchir à la prochaine étape de nos recherches, si celles-ci doivent se poursuivre.

— Oui, bien sûr, répondit-elle, distraite par la déception qu'elle éprouvait. Laura emmène Dave chez le médecin et Tia est au lycée. Je me suis proposée pour garder Emma à partir de 10 heures.

— Je pourrais faire un saut vers cette heure-là. J'essaie de courir tous les matins, pour remplacer ma demi-heure de vélo.

Clare acquiesça d'un signe de tête et se dirigea vers le couloir. Quelque chose qu'il avait dit la chiffonnait, mais elle ne parvenait pas à mettre le doigt dessus. C'est alors qu'elle enfilait son imper que l'idée refit surface.

— Tu te rappelles quand nous sommes allés voir Stan Wolochuk ? Sa bicyclette était posée contre le mur de l'entrée. Nous avons parlé du fait qu'il se rendait au lycée à vélo.

— Oui. Pourquoi ? fit Gil, visiblement surpris.

Clare s'immobilisa, un bras seulement passé dans une manche de son vêtement.

— Ce jour-là, le jour où Rina a été tuée, quand j'ai eu terminé mon travail et que j'ai voulu le rendre à M. Wolochuk, il n'était pas dans son bureau. Tu t'en souviens ?

— Mmm, continue.

Clare fit une pause, visualisant la scène.

— Le parking était presque vide quand je suis partie. L'abri à vélos aussi. En fait, il n'y avait *aucune* bicyclette attachée au râtelier. Pas même celle de Stan Wolochuk.

Le léger haussement d'épaule de Gil écorna un peu l'excitation que Clare ressentait tout à coup, mais elle ne lâcha pas son idée.

— Il allait au lycée à bicyclette, Gil. Tous les jours.

— J'en conclus qu'il est parti avant toi.

— Mais son sac était encore dans son bureau et celui-ci n'était pas fermé. Je ne sais pas où il est allé, mais il y a fort à parier qu'il était dans les environs immédiats du lycée.

— Où veux-tu en venir ?

— Et s'il était la personne que j'ai vue de loin sur le chemin du ravin, après que tu avais quitté Rina ?

Gil se frotta les sourcils.

— Je ne sais pas, Clare. Pourquoi Wolochuk aurait-il voulu rattraper Rina ?

— Pour lui dire quelque chose peut-être ? A propos de la dispute qu'ils venaient d'avoir.

Gil considéra un long moment l'hypothèse, se mordant la lèvre, totalement absorbé, puis il dit finalement :

— Peut-être devrions-nous rendre une nouvelle visite à Wolochuk demain, après que Laura sera rentrée. Qu'en penses-tu ?

— Il doit être impliqué, Gil, d'une façon ou d'une autre. C'est la seule chose qui pourrait expliquer le comportement de Jason. Toute la famille semble avoir peur de moi.

— Ou de ton livre.

Le livre. Bien sûr. Clare n'avait été visée personnellement qu'une seule fois, lorsque Jason l'avait bousculée devant l'hôtel. Et peut-être n'était-ce arrivé que parce qu'elle n'avait pas pris les précédents avertissements au sérieux. Elle n'avait pas quitté Twin Falls.

— Ce pourrait être une piste, dit-elle avec un regain d'énergie. Merci encore pour le dîner, Gil. C'était merveilleux.

— Oui, dit-il d'une voix de nouveau voilée.

Clare n'osa croiser son regard. Elle ouvrit la porte et sortit dans la nuit automnale.

— Veux-tu que je te raccompagne à ton hôtel ? proposa Gil soudainement.

Elle se retourna, surprise.

— Pourquoi ?

— Après la nuit dernière…

— Je suis sûre que Vince Carelli a suffisamment effrayé Jason pour lui ôter toute velléité de recommencer.

Du moins je l'espère, ajouta-t-elle en son for intérieur. Elle était tentée d'accepter l'offre de Gil, mais ce qui venait de se passer entre eux l'en empêcha. Elle n'était pas certaine d'être capable de lui dire au revoir d'un signe de la main ou d'un petit baiser sur la joue.

— Tout ira bien, Gil, continua-t-elle. Je t'assure. Et si tu veux, je te passerai un coup de fil dès que je serai dans ma chambre.

— D'accord.

Ils restèrent ainsi immobiles quelques secondes encore, comme s'ils ne parvenaient pas à détacher leur regard l'un de l'autre. Puis Clare murmura :

— Je suis heureuse que nous ayons eu cette soirée.

— Moi aussi, Clare.

Elle rejoignit sa voiture, garée une vingtaine de mètres plus bas dans la rue, et démarra sans se retourner.

Le parking était aussi désert que la veille, mais Clare, toute à ses pensées, n'y prêta pas attention. Ce n'est qu'en débouchant sur l'avenue qu'elle eut un soudain mouvement de recul. Elle s'arrêta un instant, scrutant l'obscurité, s'attendant presque à voir Jason surgir de l'ombre. Mais la grande entrée éclairée de l'hôtel la rassura. Le veilleur de nuit était à son poste, mais il lui tournait le dos et ne la vit pas traverser le hall.

Elle pénétra dans l'ascenseur et appuya sur le bouton du troisième étage. Dans quelques secondes, elle serait en train de parler à Gil au téléphone. A cette pensée, son cœur s'accéléra. Dès que le porte se fut rouverte, elle se dirigea d'un pas vif vers le bout du couloir où se trouvait sa chambre. Elle passa devant la sortie de secours, une porte à double battants en retrait du passage qui donnait accès à la cage d'escalier, et était sur le point d'insérer sa carte électronique dans la serrure de sa porte quand un bras s'abattit sur son épaule.

17.

— Il faut que je vous parle.

Clare connaissait cette voix. Sa main, crispée sur sa carte, retomba doucement le long de son corps. Elle inspira, puis dit en se retournant :

— Monsieur Wolochuk, que faites-vous ici ?

— Il faut que je vous parle, répéta-t-il. S'il vous plaît.

— Pas ici, répondit-elle. Nous pouvons descendre dans le salon pour parler.

Ses jambes tremblaient, mais elle parvint à croiser son regard sans ciller.

— Non, il pourrait y avoir des oreilles indiscrètes, Clare. Je ne vous veux aucun mal. C'est important.

Quelque chose dans la lassitude de son visage lui dit qu'il était sincère. C'était M. Wolochuk après tout, son ancien professeur de chimie. Elle poussa de nouveau sa carte dans la fente et tourna la poignée. Il la suivit à l'intérieur, appuyant sur l'interrupteur qui commandait le terne éclairage général de la pièce, à côté du chambranle.

La chambre était fraîche car Clare avait coupé le chauffage en partant, et une légère odeur de désodorisant flottait dans l'air. Clare alla rapidement allumer toutes les autres lampes.

— Je n'étais jamais entré dans une des chambres du Falls View, observa Wolochuk.

241

Clare fronça les sourcils. Avait-il bu ?

— De quoi souhaitiez-vous me parler, monsieur Wolochuk ? demanda-t-elle.

Il se laissa tomber dans un fauteuil près de la fenêtre, ses doigts fourrageant dans ses cheveux d'une propreté douteuse.

— Ma vie s'en va à vau-l'eau, dit-il d'un ton pitoyable. Si tant est que j'aie eu un jour ce qu'on pourrait appeler une vie.

Wolochuk n'attendant apparemment pas de commentaire de sa part, Clare resta silencieuse.

— D'abord, continua-t-il, j'ai eu un coup de fil de ce shérif, Davis, juste avant midi. Il m'a dit ce que Jason avait fait hier soir… Enfin, ce que vous l'accusez avoir fait.

— Je l'ai vu. Il m'a poussé si fort que je suis tombée, puis il s'est enfui en courant.

— J'ai du mal à croire qu'il ait pu faire une chose pareille, dit-il en secouant la tête. Le shérif semblait très ennuyé, mais il a paru satisfait quand je lui ai dit que je parlerais à Jason. J'ai même offert de le prendre avec moi à Hartford jusqu'à ce que vous quittiez Twin Falls.

— Vous avez fait tout ce chemin pour me dire ça ?

— Non. Plus tard cet après-midi, j'ai reçu une visite. Du shérif adjoint cette fois. Carelli, je crois. Il était élève au lycée autrefois.

L'attention de Clare s'éveilla. Ainsi, Carelli commençait à prendre ses plaintes au sérieux.

— Qu'a-t-il dit ?

— Dit ? releva Wolochuk en se redressant. Quelle blague ! Cet homme m'a menacé. Il m'a dit que si mon bon à rien de fils ne vous laissait pas tranquille, il se verrait dans l'obligation de passer quelques coups de téléphone. Il pourrait par exemple demander aux services sociaux de vérifier ma pension d'invalidité ou les allocations d'Helen.

Clare s'assit au bord du lit, choquée par ce qu'elle venait d'entendre. Pas étonnant que le pauvre homme soit bouleversé.

— Je suis vraiment désolée, dit-elle. Je ne vois pas pourquoi Vince Carelli ferait une telle chose.

— Parce que c'est un flic et les flics peuvent faire ce qu'ils veulent, répondit-il.

Son intonation était si amère que Clare tressaillit.

— Mais, reprit-elle, je ne comprends toujours pas quel rapport tout ceci peut avoir avec moi.

— C'est pourtant évident, non ? Vous n'avez pas cessé de vous plaindre de Jason, et le shérif et son homme de main ont fini par en avoir assez.

Elle se leva, et s'apprêtait à lui demander de partir quand la sonnerie du téléphone retentit. Ils sursautèrent tous les deux.

— Ne répondez pas ! cria Wolochuk comme elle se penchait vers l'appareil. Je ne veux pas être interrompu. Et je dirai ce que j'ai à dire !

Pour la première fois, elle eut réellement peur. Le téléphone continua de sonner jusqu'à ce que le répondeur se déclenche. C'est Gil, pensa-t-elle en fixant la petite lampe rouge dans le silence qui suivit. Il s'inquiète de ne pas avoir reçu le coup de fil promis.

Wolochuk s'était levé et s'était mis à arpenter la pièce.

— C'est votre livre qui a tout provoqué, dit-il d'un ton accusateur.

Clare se rassit, se rappelant l'affirmation de Gil quelques heures plus tôt.

— Tout le monde en a parlé en ville au moment de sa sortie ; il y avait eu deux ou trois articles dans le journal, mais les bavardages s'étaient vite épuisés. Jusqu'à ce que vous décidiez de venir le signer ici.

— En quoi cela pouvait-il vous importuner ? Vous habitez Hartford.

— Mais *Helen* vit ici. Dans les jours qui ont précédé votre arrivée, elle m'a appelé cinq, six fois par jour. Elle me hurlait dans les oreilles que toute l'histoire allait resurgir, que tout allait recommencer. Que tout était de ma faute et que je devais faire quelque chose. C'est ça que Jason a entendu. C'est ça qui l'a mis hors de lui.

— Quelle histoire allait resurgir ? demanda-t-elle, déconcertée.

— Le meurtre. Le meurtre de Rina Thomas. Quoi d'autre ?

Il s'était arrêté de marcher pour la regarder. Clare sentait le sang battre à ses tempes.

— Je ne vous suis pas. Quel rapport existe-t-il entre vous et le meurtre de Rina Thomas ?

— Quand vous êtes venue me voir avec Harper, vous m'avez interrogé sur cette dispute que j'avais eue avec Rina.

— Vous avez démenti l'avoir eue, remarqua-t-elle.

— Evidemment. Qu'est-ce que vous croyiez ? dit-il d'une voix soudain plus forte. Rina était venue me voir pour me parler de sa note. Elle me harcelait depuis des jours. Mais je ne pouvais rien faire de plus pour elle que ce que j'avais déjà fait. Et c'est ce que je lui ai dit, que les choses devaient en rester là, un point c'est tout.

Clare attendit qu'il poursuive. Elle lorgna le témoin du téléphone en se demandant ce qu'il ferait si elle faisait mine de vouloir décrocher. Mieux valait attendre. Il était assez nerveux comme ça.

Mais la colère de Wolochuk retomba d'un coup. Il s'assit, et reprit avec lassitude :

— Je ne voulais plus avoir aucun rapport avec elle. Elle était trop exigeante. Je voulais sortir de cette situation.

Clare retenait sa respiration. Qu'était-il en train de dire ? Son esprit se refusait encore à comprendre.

— C'est alors que l'autre Rina est apparue — Rina Thomas n'était pas une jeune fille ordinaire, vous pouvez me croire. Elle a dit que si je voulais la quitter, elle ne s'y opposerait pas. Mais que si je ne lui remontais pas sa note, elle parlerait à tout le monde de notre relation.

Clare se raidit, les yeux rivés sur Wolochuk qui baissait la tête au fur et à mesure qu'il parlait.

— Je me sens encore tellement coupable, continua-t-il. Comment ai-je pu me mettre dans une situation pareille ? Je ne le comprends toujours pas. Je ne parviens pas à me souvenir de quelle manière cela a commencé. Pourtant, un jour, Rina s'est retrouvée dans mes bras. Et je n'ai plus pu me passer d'elle. Elle était comme une drogue pour moi. Je dépendais d'elle.

Il releva les yeux et regarda Clare avec un faible sourire, quêtant sa compréhension. Mais Clare n'avait plus qu'une pensée en tête. *Stan Wolochuk était le père du bébé de Rina.*

Lorsque le répondeur se déclencha, Gil raccrocha. Son hésitation ne dura pas plus que quelques secondes. Elle avait promis d'appeler et elle ne l'avait pas fait. Et quand lui essayait de la joindre, il n'obtenait pas de réponse. Il reprit le combiné et rappela l'hôtel, mais cette fois en composant le numéro du standard. L'employé parut surpris de son impatience. Il ne savait pas du tout si Mlle Morgan était dans sa chambre ; il ne l'avait pas vue rentrer, mais lui-même s'absentait parfois de la réception ; M. Harper pouvait peut-être essayer d'appeler la jeune femme un peu plus tard.

Contrarié, Gil se retint de raccrocher au nez de l'employé. Le plus simple et le plus rapide était encore de se rendre lui-même à l'hôtel, décida-t-il. Ce qu'il fit, avec la désagréable impression de rejouer la scène de la veille. Cependant, il s'efforça de conduire plus prudemment, se répétant qu'il n'y avait pas d'urgence. Clare devait être sous la douche lorsqu'il l'avait appelée, ou quelque chose comme ça.

Le hall de l'hôtel était désert à son arrivée. Il appuya sur le bouton d'appel de l'ascenseur et sauta à l'intérieur dès l'ouverture des portes ; puis en ressortit au troisième étage, animé par une fébrilité que son immobilité forcée dans la cabine avait encore accrue. Ce n'est qu'en entendant la voix grave d'un homme, comme il approchait de la porte de Clare, qu'il ralentit.

Gil hésita un instant. Ou bien il partait tout de suite et s'épargnait peut-être une cruelle humiliation. Ou bien il se fiait à son instinct et entrait. Il opta pour la deuxième solution et frappa deux fois en tournant la poignée de la porte. A sa surprise, celle-ci s'ouvrit.

Sans doute eut-il l'air interloqué en découvrant depuis l'entrée de la chambre le curieux spectacle qu'offraient Clare assise toute raide au bord du lit, et Stan Wolochuk, affaissé dans un fauteuil du coin salon, près de la fenêtre.

— Qu'est-ce que…, commença-t-il.

Wolochuk adressa un regard furieux à Clare.

— Vous l'avez appelé ?

— C'est moi qui ai appelé, répondit Gil. Que se passe-t-il ici ?

Il vit le témoin du répondeur qui continuait de clignoter, et comprit.

— Qu'est-ce que vous avez fait à Clare ? demanda-t-il en marchant sur Wolochuk.

Derrière lui, Clare s'éclaircit la gorge et dit :

— Rien, Gil. M. Wolochuk — Stan — est venu me voir pour me parler de Rina.

Gil fit volte-face. Stan ? Rina Thomas ? Son visage tendu le calma sur l'instant. Elle n'était pas blessée, mais il était clair qu'elle avait peur. Il serra les poings, résistant à l'envie de saisir Wolochuk par le col et de le secouer.

— Il était en train de me dire que Rina et lui avaient une liaison.

— Pardon ?

246

Rencontrant le regard de Clare, il crut y discerner un avertissement. Il tourna alors la tête vers Wolochuk, toujours avachi dans le fauteuil, mais qui le regardait d'un air de défi.

— Et il était aussi le père du bébé de Rina, reprit Clare d'un ton égal.

Les lumières semblèrent vaciller autour de lui. Il ferma les yeux, puis les rouvrit. Bien sûr. Tout s'expliquait. L'identité du père était l'élément essentiel que Rina avait refusé de lui révéler.

— L'avez-vous suivie ce jour-là ? demanda-t-il soudain à Wolochuk. Après que je l'ai laissée près du pont ?

Wolochuk tourna vers lui un visage fermé.

— Clare a vu quelqu'un traverser le champ à bicyclette au moment où elle quittait le lycée, continua Gil.

L'expression de Wolochuk se modifia imperceptiblement. C'était lui, le cycliste, pensa Gil. Se rapprochant progressivement de l'endroit où Wolochuk était assis, il continua sur sa lancée :

— Clare a vu un cycliste se diriger vers Rina et moi tandis que nous rejoignions le sentier du ravin. Et quand elle est passée à côté du garage à vélos, elle a remarqué que le vôtre n'y était pas — pour la bonne raison qu'il n'en restait aucun.

Il s'arrêta à trente centimètres de Wolochuk et ajouta, en se penchant sur lui :

— Etait-ce vous, Wolochuk, le cycliste que Clare a vu ?

Wolochuk se tassa un peu plus dans son fauteuil.

— Non, non, ce n'était pas moi.

— Alors qui était-ce ? interrogea Gil en soutenant le regard du vieux professeur. Si ce n'était pas vous, M. Wolochuk, qui était-ce ?

Wolochuk se leva brusquement.

— Vous pouvez dire ce que vous voulez, vous ne réussirez pas à m'intimider. Je suis au-delà de ça.

D'une voix presque inaudible, il ajouta :

— L'enfer ne vous effraie plus lorsque vous y vivez depuis dix-sept ans.

Il fit quelques pas dans la direction de la porte, mais Gil l'arrêta d'un bras ferme.

— Où croyez-vous aller ?

— Chez moi. Vous n'avez pas le droit de me retenir ici. Je ne vous ai rien fait. Je regrette, pour Jason, dit-il en se tournant vers Clare. Et je suis désolé si je vous ai fait peur ce soir. Je... j'étais à bout. Je ne suis plus moi-même depuis longtemps.

Gil avait lâché son bras. Il alla jusqu'à la porte et dit encore :

— Je ne l'ai pas tuée, si c'est ce que vous pensez. Et ce n'était pas moi sur la bicyclette. J'avais pris ma voiture ce jour-là.

Il ouvrit la porte.

— Clare ? dit Gil. Veux-tu que je l'empêche de partir ? Veux-tu appeler la police ?

Il vit tout de suite qu'elle ne le souhaitait pas. En fait, sa peur se lisait dans ses yeux. Elle secoua la tête et murmura :

— Non, laisse-le partir, Gil.

Gil regarda Wolochuk franchir le seuil, puis il se tourna de nouveau vers Clare, qui était restée assise au bord du lit.

— Tu es sûre que tu ne veux pas appeler le shérif ?

— Non. Pas maintenant. Je ne pourrais pas supporter d'avoir à répondre à ses questions ce soir.

Gil referma la porte et alla vers elle. Il lui prit la main.

— Tu as froid. Où se trouve le thermostat ? Tu devrais peut-être prendre un bain chaud avant de te coucher, non ?

— Me coucher ? répéta-t-elle avec un faible sourire. Je ne crois pas que je pourrais jamais m'endormir après cette visite. La tête me tourne.

— Si tu me racontais tout depuis le début, suggéra Gil en s'asseyant auprès d'elle. Et d'abord, comment est-il entré ?

Il lui tint la main tandis qu'elle lui racontait comment Wolochuk avait soudain surgi derrière elle devant la porte de sa chambre et comment il l'avait convaincue de l'écouter. Gil eut des sueurs froides en imaginant la manière dont les choses auraient pu tourner. L'homme était évidemment déséquilibré. Pire encore... il était peut-être le meurtrier de Rina.

Clare, cependant, ne le croyait pas. Wolochuk n'avait-il pas démenti toute implication dans le meurtre ?

— Bien sûr qu'il nie, dit Gil. Il ne va pas tout avouer maintenant. Et surtout, à nous. Pourquoi le ferait-il ?

— Je sais. Mais, c'est ce regard qu'il a eu... il y avait quelque chose dans son expression... Non, je ne le crois pas coupable. Mais il sait quelque chose qu'il ne veut pas dire.

— Nous irons voir le shérif demain matin.

— Après que j'aurai gardé Emma.

— Bonté divine, Clare ! Tu ne peux pas continuer à faire comme si rien ne s'était passé !

— C'est vrai, il a reconnu avoir eu une aventure avec Rina, dit Clare songeusement. Je ne sais pas pourquoi je réagis ainsi. Mais il y avait tant de tristesse dans ses yeux. Comme s'il payait depuis toutes ces années pour cet égarement d'hier.

— Tu es sans doute plus sensible que je ne le suis. Quant à moi, je vois surtout qu'il avait un formidable mobile.

Clare tourna vers lui des yeux agrandis par l'effroi qu'elle venait de vivre et qui ne s'était pas encore dissipé.

— Est-ce que tu voudrais bien rester ici cette nuit ? demanda-t-elle.

— Tu n'avais pas besoin de me le demander, répondit-il. J'ai décidé de rester dès que j'ai refermé la porte derrière Wolochuk tout à l'heure.

Clare fut tirée du sommeil par un bruit de voix étouffées qui provenait du couloir. Désorientée, elle cligna plusieurs fois des yeux avant de se rappeler où elle était. Mais c'est une sensation inhabituelle — l'impression d'un poids sur le matelas — qui la fit se tourner de l'autre côté. Gil reposait auprès d'elle, profondément endormi.

Les événements de la veille au soir lui revinrent aussitôt à la mémoire. Wolochuk. Gil. La conversation qu'ils avaient eue une fois que le professeur était parti. Ils avaient parlé pendant presque une heure, après avoir fouillé le minibar à la recherche d'un comprimé pour dormir. Puis Gil lui avait fait couler un bain.

Elle l'avait laissé s'occuper d'elle comme d'une enfant, reconnaissante que quelqu'un fût là pour distraire ses pensées des inquiétantes révélations de Stanley Wolochuk. Et lorsqu'elle était finalement sortie de la salle de bains, en chemise et peignoir, elle avait trouvé Gil installé dans un des petits fauteuils du coin salon. Il avait ouvert le lit et éteint toutes les lampes à l'exception d'une lampe de chevet.

— Tu ne peux pas passer la nuit dans ce fauteuil, avait-elle dit, sachant qu'il n'existait qu'une autre possibilité.

— C'est peut-être mieux comme ça, avait-il répondu en haussant les épaules d'un air embarrassé.

— C'est un lit extra-large, Gil. Je crois que nous sommes capables de gérer cette situation.

Sa remarque avait fait naître un sourire sur le visage fatigué de Gil.

A présent, en se réveillant à côté de lui, elle réalisait que c'était une autre première fois. Dix-sept ans auparavant, il y avait eu ce moment unique où le désir les avait emmenés plus loin qu'ils ne l'avaient consciemment souhaité, cette première expérience, à tâtons, de l'amour physique, mais ils n'avaient jamais passé toute une nuit ensemble.

Les yeux de Gil papillotèrent soudain.

— Est-ce que je rêve ? demanda-t-il d'une voix ensommeillée.

— Non. Mais s'il s'est passé quelque chose hier soir, c'est uniquement dans tes rêves.

Il affecta une moue de dépit, puis roula sur le dos et se frotta le visage.

— Quelle heure est-il ?

— 9 heures, répondit Clare en se penchant du côté de la table de nuit. Je ferais bien de me dépêcher.

Mais sa tête retomba sur son oreiller. Ce n'était pas tant la chaleur du lit qu'il lui coûtait de quitter, que cette sensation nouvelle, et qui lui faisait battre le cœur, d'être étendue, tranquille, auprès de Gil, si éloignée de ce qu'elle éprouvait seulement dix jours plus tôt quand elle pouvait à peine supporter d'être dans la même pièce que lui.

Il se tourna de nouveau vers elle, s'appuyant sur un coude, et tendit la main pour repousser une mèche de cheveux qui s'était égarée sur sa joue.

— Tu ne peux pas savoir combien de fois j'ai imaginé cette scène, murmura-t-il. Me réveiller près de toi. Contempler ton visage encore plein de sommeil et tes cheveux répandus sur un oreiller immaculé.

Clare retenait son souffle, troublée par le désir qu'elle lisait dans ses yeux. Elle n'osait parler, craignant de briser la magie de l'instant, mais son sourire exprima ce que son cœur brûlait de dire.

Il l'attira à lui et la serra tendrement dans ses bras. La joue pressée contre son T-shirt de coton, Clare écouta son cœur battre dans sa poitrine. Si elle l'avait pu, elle serait restée toute la journée dans cette position, sans bouger.

Mais des voix jeunes se répondaient maintenant dans le couloir indiquant que les femmes de chambre avaient commencé leur service. Laura allait l'attendre.

— Il faut vraiment que je me lève, dit-elle à regret.

— Je sais.

Il soupira, desserra son étreinte, puis ajouta :

— Il s'est tout de même passé quelque chose hier soir. Non, non, s'empressa-t-il de préciser en voyant les yeux de Clare s'élargir, pas ça. Malheureusement. Mais je crois que nous avons… dépassé un cap, qu'à partir d'aujourd'hui, nous pouvons…

— Etre amis ?

Il secoua la tête, l'air soudain grave.

— Je crois que je désire plus que ça maintenant. Pas toi ?

Elle hocha la tête en silence. Elle n'avait pas peur de parler cette fois, mais de se mettre à pleurer.

Clare se pencha pour embrasser le front d'Emma. Elle espérait ainsi éviter le regard pénétrant de Laura qui l'interrogeait sur le dîner de la veille.

— Le dîner ? Très bien. Gil est un cuisinier hors pair, ce qui était une complète surprise pour moi, dit-elle en continuant de faire des mines à Emma qui se tortillait dans ses bras.

— Et ensuite ?

Dave émit un grognement.

— Laura, nous allons être en retard.

— D'accord, d'accord, maugréa Laura. Mais ne crois pas que tu t'en tireras comme ça, Clare.

Elle l'embrassa rapidement et ajouta en souriant :

— Je plaisante. Mais honnêtement, ça se voit comme le nez au milieu de la figure.

Clare n'eut pas le temps de protester, Dave avait déjà entraîné Laura.

— Nous voilà seules toutes les deux, Emma, chuchota-t-elle au bébé.

Laura avait suggéré à Clare d'emmener Emma faire une promenade après son biberon, et promis de rapporter de quoi déjeuner. Cela ennuyait Clare qui n'avait pas prévu de rester aussi longtemps et qui devait retrouver Gil au Mitzi's avant d'aller avec lui voir le shérif. Elle l'appela sur son portable avant de sortir, mais dut laisser un message lui proposant de la rejoindre chez les Kingsway car elle ne pourrait pas se libérer à l'heure dite.

Une demi-heure plus tard, comme elle rentrait avec une Emma endormie dans sa poussette, elle fut un peu déçue de ne pas trouver Gil qui l'attendait devant la maison. Elle déverrouilla la porte et porta Emma à l'intérieur, avec d'infinies précautions, espérant que l'enfant allait continuer sa sieste. Mais dès qu'elle l'eut déposée dans son lit, Emma se réveilla et se mit à pleurer.

Elle la reprit donc dans ses bras et descendit dans la cuisine où elle réchauffa un biberon au micro-ondes. Tandis qu'elle faisait tomber quelques gouttes de lait sur son poignet pour vérifier la température, elle se dit qu'elle avait décidément fait beaucoup de progrès en dix jours.

— On se débrouille bien toutes les deux, hein ? dit-elle en souriant au petit visage d'Emma qui s'était aussitôt mise à boire goulûment.

Clare se laissa aller à rêver à Gil, à la possibilité de passer une autre nuit avec lui ; puis elle s'imagina dans *leur* cuisine en train de nourrir *leur* bébé.

« Du calme, Clare, souffla sa voix intérieure, il vous reste beaucoup de choses à résoudre. » Mais elle se rendait compte, avec un sentiment proche de la béatitude, qu'ils avaient tout le temps désormais. Si tout allait bien, elle aurait une nouvelle chance de réaliser son rêve d'adolescente : fonder une famille avec Gil Harper. Et elle le désirait plus que jamais. Car l'idée de retourner à son ancienne vie de célibataire new-yorkaise lui semblait à présent insupportable.

Emma, repue, avait lâché la tétine. Clare la redressa contre son épaule et lui tapota doucement le dos en parcourant la pièce d'un œil distrait. C'est alors qu'elle remarqua que le témoin du répondeur clignotait. Gil avait-il appelé pendant qu'elle était sortie ?

L'enfant toujours contre elle, elle se leva et alla décrocher. La voix de Gil résonna dans la cuisine :

« Bonjour, Clare. Je viens juste d'avoir ton message. Ne t'inquiète pas pour notre rendez-vous de ce matin. J'ai eu un imprévu de mon côté. Les gens qui ont acheté la maison veulent renégocier la date de remise des clés. Je dois faire un saut à Hartford. Je t'appelle à ton hôtel à mon retour. Je… j'espère que nous pourrons dîner ensemble ce soir.

Il y eut une courte pause.

« Oh, à propos de la visite au shérif, est-ce que ça peut attendre demain ? Je tiens beaucoup à y aller avec toi. Bon, j'espère que tout va bien avec Emma. A plus tard. »

Clare raccrocha, quelque peu désappointée. Néanmoins, la soirée s'annonçait prometteuse.

Finalement, Clare ne retourna pas à son hôtel avant le milieu de l'après-midi. Laura et Dave étaient rentrés avec un plein sac de bagels et un assortiment de fromages, et Clare s'était préparée à répondre — ou plutôt à se dérober — aux immanquables questions de Laura. Mais son amie la surprit par une discrétion tout à fait inhabituelle.

— Dave m'a fait la leçon, grommela celle-ci en lui tendant les assiettes. Mais je compte bien avoir droit à un récit complet avant ton départ.

Clare avait promis en riant. Elle s'était félicitée, pourtant, de la présence de Dave, sans laquelle elle n'aurait peut-être pas réussi à résister à la tentation de raconter à Laura la visite que Stan Wolochuk lui avait rendue. Or, Gil et elle s'étaient entendus pour n'en parler à personne avant d'avoir vu le shérif.

De retour à l'hôtel, Clare remarqua immédiatement le témoin allumé du répondeur et s'empressa de décrocher le combiné, pensant que Gil était peut-être rentré plus tôt que prévu. Mais c'était un message de Fran Dutton qui disait qu'elle avait des informations qui pourraient l'intéresser et qui lui proposait soit de la rejoindre à la banque, soit de l'appeler chez elle plus tard dans la soirée.

Clare renfila sa veste et se dirigea vers la porte. La banque n'était qu'à quatre ou cinq pâtés de maisons ; elle décida d'y aller à pied. La journée était venteuse et de gros nuages s'accumulaient à l'horizon, aussi Clare pressa-t-elle le pas. Moins d'une demi-heure plus tard, elle retrouvait Fran Dutton, assise derrière le vieux bureau de M. Carelli.

— Je suis désolée que cela m'ait pris autant de temps, commença Fran après avoir désigné l'un des fauteuils placés en face d'elle. Il m'a fallu explorer le sous-sol où quantité de dossiers sont archivés chaque année.

— Ne vous excusez pas, Fran. Deux jours, ce n'est rien, et je vous suis infiniment reconnaissante de vous être donné tout ce mal. Qu'avez-vous pu trouver ?

Fran sortit un agenda noir d'un tiroir de son bureau.

— J'ai trouvé ceci, au milieu d'un fatras de dossiers, dans un carton qui, selon toute vraisemblance, aurait dû être envoyé à M. Carelli. Malheureusement, celui-ci a été victime d'une crise cardiaque peu de temps après son départ à la retraite, et je suppose que sa famille n'a jamais pensé à demander s'il avait laissé des affaires ici.

Clare écoutait poliment, mais elle ne pouvait détacher ses yeux de l'agenda.

— Je sais que vous voudrez prendre le temps de le lire, mais il faudra que vous me le rapportiez ensuite, nous sommes d'accord ? Au cas où la famille se manifesterait, bien que cela me semble très improbable aujourd'hui.

Elle prit un air vaguement coupable pour ajouter :

— J'espère que vous ne m'en voudrez pas, mais ma curiosité a été la plus forte et je l'ai largement parcouru. J'ai collé des Post-it aux endroits qui m'ont paru intéressants, poursuivit-elle en lui tendant l'agenda. Voulez-vous y jeter un coup d'œil ici ? Je pourrais vous éclairer si vous avez des questions. Comme toutes les professions, la banque a son propre jargon.

— Volontiers, répondit Clare qui savait qu'elle n'aurait pas pu attendre de rentrer à son hôtel de toute manière.

Elle ouvrit l'agenda à la première page marquée, datée du 30 juin, une semaine après le meurtre de Rina. Il lui fallut quelques secondes pour s'habituer aux pattes de mouche de l'ancien directeur de la banque, puis elle comprit qu'il s'agissait d'une liste de rendez-vous pour ce jour-là, dont un avec le shérif George Watson. *Remboursement prêt — 10 500 $.*

Elle leva les yeux vers Fran.

— Je ne comprends pas pourquoi vous avez marqué cette page.

— Vous allez comprendre. Voyez les autres.

Au 10 juillet, Fran avait surligné une note. *Voir A. Morgan au sujet du fonds en fidéicommis*. Clare humecta ses lèvres soudain sèches et tourna rapidement les pages jusqu'à la marque suivante. 14 juillet : *Fds fidéicommis — 10 500 $*. Puis, le 16 juillet : *A. Morgan — démission*.

Elle releva la tête.

— Vous faites le lien ? demanda Fran d'une voix douce.

— Je n'en suis pas sûre. Le montant de l'argent disparu s'élevait à *10 500 $*, c'est ça ?

— Oui. Et j'ai vérifié, le shérif Watson s'est acquitté d'un paiement en suspens, pour sa voiture, le 30 juin, et il se trouve que son montant est exactement le même que celui de l'argent volatilisé.

— Ce pourrait n'être qu'une coïncidence.

— Il faut que vous lisiez tout pour comprendre, Clare. Mais si vous voulez, je vais vous dire comment, selon moi, les choses se sont passées. Et vous pourrez emporter l'agenda pour le lire à tête reposée.

— D'accord, acquiesça Clare en refermant le calepin.

— Sans entrer dans le détail, il apparaît que quelqu'un d'autre a remboursé un prêt en suspens ce même mois de juillet : le maire, Sam Roberts — à la fin du mois, pour être exacte. A la même époque, un débit, du même montant, a été enregistré sur un compte discrétionnaire de la banque, dont on retrouve la trace dans le budget annuel sous la mention « rénovations ». Curieusement, ces rénovations n'ont jamais été effectuées.

— Quel est le fond de votre pensée, Fran ? demanda Clare qui n'était pas certaine de suivre le cheminement de son interlocutrice.

Fran se pencha en avant, glissant ses avant-bras sur le bureau.

— Je pense que Carelli accordait des faveurs à certaines personnes, en veillant à ce que leurs créances soient acquittées.

— En échange de… ?

— Je ne sais pas. Mais un directeur de banque ne se compromettrait pas de cette façon pour rien, Clare.

Elles se regardèrent un long moment en silence, pesant la gravité des faits, jusqu'à ce que Fran dise :

— Je regrette d'avoir à vous presser, Clare, mais j'ai un rendez-vous dans cinq minutes. Cependant, j'ai bien l'intention d'essayer d'approfondir la question. Les dossiers m'apprendront peut-être autre chose. Je vous téléphonerai ce soir ou demain pour vous tenir au courant.

Glissant l'agenda dans son sac, Clare se leva et remercia encore Fran pour l'aide qu'elle lui apportait, avant de partir.

Clare rejoignit songeusement sa chambre d'hôtel. Le témoin du téléphone était éteint : pas de nouveau message. Gil n'était donc pas encore revenu de Hartford. Il était presque 17 heures et le ciel couvert s'obscurcissait déjà. Clare décida de s'allonger un moment et d'examiner l'agenda d'un peu plus près. Elle alluma sa lampe de chevet et tendait la main vers son sac quand un coup frappé à la porte la fit sursauter.

Gil. Le cœur battant, elle s'élança vers la porte et l'ouvrit à la volée. Mais la personne qui se tenait sur le seuil était la dernière personne qu'elle s'attendait à voir.

Helen Wolochuk.

18.

Clare essaya de refermer la porte, mais Helen avait déjà avancé un pied et pesait de tout son poids sur la poignée. Clare vacilla sur ses jambes et la femme entra. Elle alla jusqu'au milieu de la pièce puis se tourna vers Clare, l'air égaré.

— Que voulez-vous ? demanda Clare, qui luttait pour garder son sang-froid.

— Je suis venue vous dire de vous tenir éloignée de nous.

— Je crains que vous ne présentiez les faits à l'envers, madame Wolochuk.

— Helen.

— C'est moi qui suis poursuivie par votre famille. D'abord Jason, puis Stanley.

Helen lui lança un regard soupçonneux.

— Stanley ? Il est venu ? Quand ?

— Hier soir, répondit Clare, s'efforçant de rester calme. Ecoutez, Helen, je pense que vous feriez mieux de partir. Peut-être pourriez-vous appeler votre mari et lui demander pour quelle raison il m'a rendu visite.

— Je l'imagine sans peine, repartit Helen d'un ton fielleux. Pas vous ?

— Je ne comprends pas ce que vous voulez dire.

— Stanley a toujours lorgné les filles. C'est ça qui nous a détruits. J'ai essayé de vous prévenir l'autre jour.

— Etes-vous en train de parler de Stanley et de Rina Thomas ? risqua Clare.

Elle sentit ses épaules se crisper. N'avait-elle pas parlé un peu trop vite ?

La femme se laissa tomber dans le même fauteuil que celui dans lequel son mari s'était effondré la veille.

— Nous avons essayé d'avoir un enfant pendant des années et finalement, après beaucoup d'examens, d'espoirs et de déceptions, je suis tombée enceinte.

Son visage s'adoucit un instant à l'évocation de ce souvenir, mais c'est d'un ton amer qu'elle reprit :

— Ma joie a été de courte durée. Stanley m'a avoué qu'il avait une liaison avec une de ses élèves. Une adolescente ! Je ne pouvais pas le croire.

Clare alla s'asseoir sur le lit où elle attendit qu'Helen continue, sachant que lui poser des questions ne ferait que prolonger sa visite.

— Bien sûr, il se trouvait toutes les excuses possibles : c'était elle qui lui avait fait des avances, elle était très mûre pour son âge... Mais en réalité, la seule raison pour laquelle il me faisait cette confession, c'était parce qu'elle essayait de le faire chanter. Elle voulait qu'il lui mette de meilleures notes. Puis, il m'a avoué — en larmoyant, si vous pouvez l'imaginer —, qu'elle était enceinte.

Elle redressa la tête brusquement.

— Avez-vous seulement idée de ce que j'ai pu ressentir ? J'étais sa femme ! J'attendais notre premier enfant — un enfant que nous désirions depuis des années. Et il osait me dire que sa maîtresse de dix-huit ans était enceinte aussi !

Le visage d'Helen Wolochuk était l'expression même de la douleur. Clare détourna les yeux. Une vague intuition commença à poindre dans son esprit.

— Que s'est-il passé ? finit-elle par demander.

— Stan m'a appelée du lycée ce jour-là, le lendemain du jour où il m'avait tout avoué. Il m'a dit que Rina était passée le voir et qu'elle l'avait menacé d'aller trouver le proviseur. Stan aurait perdu son travail, il aurait même pu être poursuivi en justice et jeté en prison. Je me suis efforcée de le calmer. Il nous fallait échafauder un plan.

Elle fit une pause pour reprendre son souffle.

— J'ai pris la voiture et je suis allée au lycée dans l'intention de la trouver et de lui parler. Il fallait que quelqu'un lui fasse entendre raison !

Helen la défia du regard, mais Clare était tout occupée de ce que Stanley avait dit au sujet de sa bicyclette qu'il prétendait n'avoir pas prise ce jour-là pour aller travailler.

— J'avais dit à Sam de me retrouver sur le parking. Lorsqu'il est sorti du bâtiment, nous avons vu Rina en train de parler avec un garçon sur le terrain de sport. Nous ne savions pas quoi faire. Au bout de quelques minutes, ils se sont dirigés vers le sentier du ravin. Je ne pouvais plus rester là à ne rien faire. J'ai attrapé la bicyclette de Stan et je les ai suivis.

Clare était assise dans une parfaite immobilité. La scène se déroulait de nouveau devant ses yeux, mais cette fois le cycliste avait un visage. La bouche sèche, elle murmura :

— Et ensuite ?

— Je n'allais pas très vite. Comme je m'approchais, j'ai vu le garçon s'éloigner et j'ai pensé que j'avais une chance de la voir seule. Elle avait presque l'air de m'attendre, assise sur cette souche, le visage tourné dans ma direction. Mais lorsque j'ai été plus près, j'ai bien vu qu'elle ne s'attendait pas à ce que cette personne soit moi. Elle avait une drôle d'expression, mi-effrayée, mi-hautaine. Vous voyez ce que je veux dire ?

Clare hocha légèrement la tête.

— Mais quand je l'ai suppliée de nous laisser tranquille, Stanley et moi, elle a changé d'attitude. D'un coup, comme ça, dit-elle en faisant claquer ses doigts, la bouche tordue par la colère. Elle se fichait que je sois enceinte, « Au moins vous êtes mariée ! » a-t-elle dit. Que restait-il alors de mon mariage, c'est ce que j'aurais voulu savoir.

» Nous étions en train de nous lancer des invectives quand, soudain, elle s'est levée et a dit qu'elle partait. Elle a ajouté que c'était moche pour nous, mais elle avait ses propres problèmes et peu importait que Stan lui mette de bonnes notes ou pas, elle révélerait peut-être quand même toute l'histoire. »

Helen se leva, comme pour s'en aller, puis elle vacilla et dut poser la main sur le lampadaire pour retrouver son équilibre.

— Je n'en peux plus, dit-elle d'une voix basse et rauque.

Elle se dirigea lentement vers la porte, restée entrouverte. Puis elle se retourna et ajouta :

— C'est à ce moment-là que je l'ai giflée. Je ne pouvais supporter son air de jubilation mauvaise. Elle m'a giflée en retour. Alors, je l'ai poussée. Fort. Elle est tombée en arrière, sur la souche, et elle n'a plus bougé.

Clare déglutit avec difficulté. Elle gardait les yeux fixés sur Helen, mais celle-ci semblait ailleurs. Enfin, elle regarda Clare une dernière fois et dit :

— Je l'ai tuée.

Puis elle sortit sans ajouter un mot.

Gil jeta un coup d'œil à l'horloge du tableau de bord. Il était passé 17 heures et ça ne faisait que dix minutes qu'il roulait. Il ne serait pas à Twin Falls avant 18 heures. Mais Clare ne lui en voudrait sûrement pas de son retard quand elle apprendrait ce qu'il avait découvert. Evidemment, s'il avait repris la route aussitôt après son rendez-vous, il aurait été à l'heure, mais alors qu'il traversait la banlieue de Hartford, il avait soudain décidé d'aller voir Stan Wolochuk.

En le reconnaissant, l'homme s'était décomposé.

— Qu'est-ce que vous voulez ? avait-il demandé d'une voix blanche.

— J'aimerais poursuivre une conversation commencée hier soir, Wolochuk, répondit Gil. Puis-je entrer ou dois-je aller directement trouver la police ?

La menace avait porté. Wolochuk avait ouvert la porte en grand pour laisser passer Gil. Puis il l'avait précédé dans le séjour dont le désordre reflétait l'état d'esprit d'un homme qui a renoncé à lutter.

— Que voulez-vous de moi ? demanda Wolochuk en s'affaissant dans le canapé élimé.

— Hier soir, quand Clare a dit qu'elle avait vu quelqu'un sur une bicyclette traverser le terrain de sport, vous avez dit que vous étiez allé au lycée en voiture ce jour-là. Mais vous mentiez, n'est-ce pas ?

Wolochuk haussa vaguement les épaules, ce qui eut pour effet d'irriter un peu plus Gil. Il eut envie de le secouer, mais parvint à se maîtriser.

— Je comprends que vous ayez été bouleversé, reprit-il. Votre vie s'effondrait, vous étiez en train de perdre tout ce pour quoi vous vous étiez battu.

Les yeux de Stan, humides et cerclés de rouge, se posèrent sur lui.

— Rina ne voulait pas entendre raison. Je lui ai proposé de l'argent pour qu'elle puisse se faire avorter si elle le désirait, ou, si elle voulait garder l'enfant, de subvenir à ses besoins aussi longtemps qu'elle garderait le secret. Il n'était plus question de ses notes de chimie à ce moment-là. Elle voulait seulement me faire payer pour ce que j'avais fait.

— Est-ce que votre femme était au courant ?

— Elle avait deviné qu'il se passait quelque chose. Je rentrais tard tous les jeudis — c'était le jour où nous nous rencontrions, Rina et moi, chez son amie. Je lui ai tout avoué le jour précédant la mort de Rina. Elle s'est effondrée, comme je m'y attendais. Helen n'a jamais été une personne très forte et la grossesse l'avait rendue plus fragile encore. J'ai essayé de lui expliquer comment Rina avait pris ce pouvoir sur moi, comment j'étais devenu dépendant d'elle, mais elle ne voulait rien entendre. Elle ne cessait de répéter : « Comment as-tu pu me faire ça ? »

— Et cet après-midi-là, au lycée ?

— Après le départ de Rina, j'ai appelé Helen, de mon bureau, pour lui dire que Rina avait l'intention de tout dire au proviseur le lendemain matin. Elle m'a dit qu'elle arrivait, qu'elle me retrouverait sur le parking à vélos. Elle était déterminée à affronter Rina.

» Lorsqu'elle est arrivée, nous avons vu Rina sur le terrain de sport. Elle parlait avec un garçon. A ce moment-là, bien sûr, je ne savais pas que c'était vous. Puis vous vous êtes dirigés vers le sentier qui descend jusqu'au vieux pont et Helen a dit qu'elle allait vous suivre. J'ai essayé de l'en empêcher, mais elle avait déjà enfourché ma bicyclette. »

— Est-ce Helen qui a tué Rina ? demanda Gil, s'efforçant de contrôler sa voix.

Wolochuk hocha la tête.

— Oui, répondit-il en laissant échapper un soupir qui sembla se répercuter dans la pièce.

Gil ne fut pas certain que Wolochuk l'entendit quitter la pièce et sortir de la maison. Il rejoignit sa voiture en toute hâte, en proie à une inquiétude grandissante. Il prit la direction de l'autoroute, indécis encore quant à la suite à donner aux événements, mais résolu à voir Clare avant toute autre chose.

Jetant un nouveau coup d'œil à sa montre, il appuya sur l'accélérateur. Il espérait que Clare l'avait attendu et n'était pas allée voir le shérif toute seule, car il devinait que Davis ne serait pas enchanté de découvrir que Clare et lui s'étaient livré à un travail de détective amateur, et il n'imaginait que trop bien l'interrogatoire qui s'ensuivrait.

Oh, Clare n'était certes pas une femme que l'on intimidait aisément, même si Gil éprouvait le besoin de la protéger. Elle ne s'était pas écroulée quand Wolochuk avait forcé sa porte, bien que son visage pâle, marqué, ait révélé son désarroi. Et la jeune fille d'autrefois avait déjà du cran sous ses airs timides ; elle illustrait parfaitement à quel point les apparences peuvent s'avérer trompeuses.

Cette réflexion en suscita une autre. A présent, il comprenait comment Clare avait pu se laisser abuser par la scène dont elle avait été témoin sur le terrain de sport. Et aussi comment lui-même avait mal interprété la réaction qu'elle avait eue ce soir-là, au parc. S'il avait lu le doute dans son regard, ce n'était pas parce qu'elle le croyait impliqué dans la mort de Rina, c'était parce qu'elle s'était imaginé, en le voyant embrasser Rina, qu'il éprouvait toujours quelque chose pour elle.

Gil soupira. Que d'années ils avaient perdues ! Que de bonheurs ! Si seulement... Ces deux mots l'avaient hanté pendant dix-sept ans. Cette nuit-là, elle avait été sur le point de le pardonner, mais, parce que la douleur le submergeait, il avait ignoré le tremblement de ses lèvres si douces, les larmes qui perlaient au bord de ses paupières. Et c'est ainsi que sa vie avait pris une direction qu'il n'aurait jamais envisagée auparavant, quand Clare Morgan était la personne qui illuminait chacune de ses journées.

Aujourd'hui, Clare et lui pouvaient avoir une nouvelle chance. Non pas de revivre leurs rêves d'adolescents — ceux-là s'étaient envolés ce soir d'été lointain —, mais sûrement de construire une nouvelle relation, plus riche de toute l'expérience qu'ils avaient acquise chacun de leur côté, et plus précieuse, car jamais il n'oublierait qu'il l'avait un jour perdue pour la seule raison qu'il la croyait toute à lui.

A l'entrée de Twin Falls, Gil ralentit et tira son téléphone portable de la poche de sa veste. Il était 18 heures passées de quelques minutes, mais il faisait déjà sombre. L'orage qui avait menacé tout l'après-midi semblait sur le point d'éclater. Au premier stop, il composa le numéro de Clare. Le répondeur se déclencha après cinq sonneries. Déçu, Gil dit qu'il arrivait bientôt et qu'il espérait qu'elle l'attendrait car il avait quelque chose d'important à lui dire, puis il raccrocha.

Deux éclairs éblouissants zébrèrent le ciel et de grosses gouttes de pluie commençaient à s'écraser sur le pare-brise quand Gil, passant outre l'interdiction, décida de se garer sur le parking réservé aux clients de l'hôtel. Il courut jusqu'à l'entrée principale et pénétra dans le hall, désert à l'exception de l'employé de nuit derrière le comptoir de la réception et d'une femme, assise dans un fauteuil, qui semblait attendre quelqu'un.

Il pensa monter directement à la chambre de Clare, puis il se dit qu'il perdrait moins de temps en se renseignant, dans l'hypothèse où elle serait sortie.

— Pourriez-vous me dire si Clare Morgan est chez elle ? demanda-t-il à l'employé.

Le jeune homme leva la tête du magazine qu'il était en train de feuilleter et fronça les sourcils.

— Vous êtes la deuxième personne qui…

— Est-elle là ou pas ? s'impatienta Gil.

Le jeune homme parut désorienté. Gil fit un effort pour ajouter plus calmement :

— Nous nous étions entendus pour nous retrouver ici il y a un peu plus d'une heure et son téléphone ne répond pas.

— Comme je l'ai déjà dit à cette dame, répondit le jeune garçon en faisant un signe de tête vers la femme qui attendait, Mlle Morgan est sortie il y a environ vingt minutes en me priant de dire, si on la demandait, qu'elle revenait tout de suite.

— C'est tout ? Pas d'autres messages ?

— Si, elle a laissé un mot pour un certain Gil Harper. Ce ne serait pas vous par hasard ?

266

— Si, c'est moi, répondit Gil avec brusquerie.

Il pianota sur le comptoir tandis que le jeune employé se grattait la tête en cherchant où il avait posé le message. Enfin, il le trouva et le tendit à Gil qui déplia aussitôt la feuille de papier.

Gil,
Je viens juste de comprendre quelque chose : il y avait deux cyclistes. Je file voir le shérif. A tout de suite, j'espère, avec de bonnes nouvelles.

Clare.

Deux cyclistes ? Comment cela pouvait-il cadrer avec ce qu'il venait d'apprendre de la bouche de Wolochuk ?

— Bien, dit-il en fourrant le papier dans sa poche. Donc, elle n'est pas encore rentrée ?

— Comme je l'ai également dit à cette dame, je n'ai pas bougé d'ici.

— Quelle dame ?

— Celle qui attend dans un fauteuil, derrière vous.

Gil pivota, s'attendant presque à voir Helen Wolochuk, mais la seule personne qu'il vit était celle qu'il avait aperçue en entrant. Il se dirigea lentement vers elle.

— Excusez-moi, madame, vous attendez Clare Morgan ?

Elle se leva en souriant.

— Oui. Vous êtes… ?

— Gil Harper. Je suis un ami de Clare.

— Enchantée, Fran Dutton, répondit-elle en tendant la main. Je sais que Clare ne m'attendait pas, mais j'ai trouvé quelque chose qui l'intéressera sûrement.

Dès qu'Helen fut partie, Clare appela le bureau de shérif en demandant à perler à Vince Carelli. Beth lui dit qu'il était malade, mais qu'elle pouvait lui passer Kyle Davis.

Clare réfléchit rapidement. Une idée, encore floue, était en train de germer dans son esprit. Il fallait absolument qu'elle puisse parler à Vince maintenant.

— Je suppose que vous ne pouvez pas me communiquer son numéro personnel ?

— Oh, non, je ne peux faire ça, Clare. Désolée.

Clare n'insista pas. Beth avait déjà pris suffisamment de risques. Par ailleurs, elle avait un annuaire sous la main et Twin Falls ne devait pas compter une multitude de Carelli.

Il s'avéra en effet qu'il n'y avait qu'un V. Carelli. Elle attrapa sa veste et son sac et descendit à la réception où elle laissa un message à l'intention de Gil. Puis elle courut à sa voiture. Le ciel était chargé de gros nuages noirs. La main sur la clé de contact, elle eut un instant d'hésitation. Que devait-elle espérer de cette visite à Vince Carelli ?

C'est lorsque Helen Wolochuk avait reconnu être le cycliste qui avait poursuivi Gil et Rina ce jour-là, que Clare avait revécu toute la scène. Elle avait revu la bicyclette qui s'éloignait, puis le garage à vélos, vide, puis… elle-même en train de courir vers la sortie du lycée, les yeux brouillés par les larmes, et enfin ce garçon à vélo qui avait bien failli la renverser à l'entrée du parking. *Vince Carelli*.

Elle ne parvenait pas à comprendre comment elle avait pu oublier ça. Sauf que, bien sûr, à la lumière des autres événements, cela ne lui avait pas paru important. Elle se rappelait vaguement à présent que Vince lui avait demandé si elle avait vu Rina et qu'elle avait pointé un doigt dans la direction du terrain de sport et du ravin, avant de continuer son chemin tandis que Vince renfourchait sa bicyclette.

Le tonnerre gronda quelque part dans le lointain. Clare leva les yeux et pour la première fois remarqua que l'orage menaçait. Elle démarra. Si Vince avait continué à chercher Rina ce jour-là, il avait peut-être vu Helen Wolochuk. Clare ne se rappelait pas avoir lu une déposition de Vince, mais peut-être n'était-il pas allé jusqu'au sentier du ravin. En tout cas, une confirmation de la présence d'Helen à proximité du lieu du crime ne pouvait pas nuire, car il était, sinon probable, du moins possible que celle-ci revienne sur sa confession lorsqu'elle aurait réalisé la portée de ses aveux.

Le pire qui pourrait arriver, raisonnait-elle, serait que Vince la renvoie chez le shérif. La pluie se mit à tomber tandis qu'elle se garait le long du trottoir devant la maison de Vince. Elle courut jusqu'à la porte d'entrée et frappa avec vigueur. C'est alors seulement qu'elle se demanda si elle n'aurait pas dû réfléchir un peu plus longuement avant de rendre visite à Carelli. Mais il était trop tard pour faire machine arrière. La porte s'ouvrait sur Vince, lequel n'avait pas le moins du monde l'apparence d'un homme malade que l'on vient de tirer du lit.

— Clare ? Que se passe-t-il ? demanda-t-il.

Les yeux de Clare glissèrent de son menton non rasé à la canette de bière qu'il avait à la main.

— Je… euh, je suis désolée de venir vous déranger chez vous, Vince, mais…

— Vous feriez mieux d'entrer, l'interrompit-il. Il commence à pleuvoir.

Elle fit un pas dans le vestibule étroit et sombre et il referma la porte derrière elle.

— Cela concerne les Wolochuk, vous m'aviez dit de vous prévenir s'il survenait quelque chose, et…

— Ne me dites pas que l'un d'eux a encore disjoncté !

— Je viens juste de recevoir là visite d'Helen Wolochuk. Elle a reconnu avoir tué Rina Thomas, lâcha Clare sans autre préambule.

Vince resta sans réaction un long moment avant d'incliner la tête en la regardant du coin de l'œil.

— Vraiment ? dit-il enfin. Et pourquoi venez-vous me voir au lieu d'aller directement trouver le shérif ?

— Parce qu'elle dit qu'elle s'est servie de la bicyclette de Stanley pour rattraper Rina, et je l'ai vue suivre Gil et Rina, bien qu'à ce moment-là je n'aie pas su que c'était elle. Mais après qu'elle est partie tout à l'heure, je me suis rappelé vous avoir rencontré en sortant du lycée, et j'ai pensé que peut-être vous aviez vu quelque chose vous aussi. A nous deux, nous pourrions essayer de reconstituer les événements.

Elle se tut, à bout de souffle, le cœur tapant fort dans sa poitrine.

— Mais vous venez de dire qu'elle a avoué le crime.

— C'est vrai. Mais des témoins seront nécessaires, non ? Elle pourrait nier me l'avoir dit et je ne pourrais rien prouver. Ne serait-il pas préférable de comparer nos souvenirs avant d'aller trouver le shérif ?

— Allons dans le séjour, dit-il en entrant dans une petite pièce sur sa gauche.

Clare hésita un court instant. Tous les rideaux étaient tirés et la pièce était plongée dans l'obscurité.

— Je me suis réveillé avec une migraine ce matin. C'est pourquoi je ne suis pas allé travailler, poursuivit Vince en allumant une petite lampe à abat-jour près d'un fauteuil. Asseyez-vous. Et ne faites pas attention au désordre.

Clare enjamba un journal déplié et une canette de bière vide abandonnés sur le sol. Drôle de traitement pour une migraine, songea-t-elle en s'asseyant du bout des fesses à l'extrémité du canapé.

Il laissa tomber son corps massif dans le fauteuil qui lui faisait face et reprit :

— Ainsi, Helen Wolochuk a tout à coup fait irruption chez vous pour vous confesser le meurtre de Rina Thomas ?

— Ça ne s'est pas tout à fait passé comme ça, dit-elle en secouant la tête. Je devrais sans doute commencer par le commencement.

Voyez-vous, Gil — Gil Harper — et moi avons mené une petite enquête à propos de ce meurtre.

— Ah ? Pour quelle raison ?

— C'est une longue histoire, et qui a un rapport avec la dégradation de mes affiches à la librairie. Il semble qu'Helen Wolochuk ait commencé à entendre toutes sortes de rumeurs à propos de la mort de Rina lorsqu'on a su que je viendrais à Twin Falls pour signer mon livre.

— J'en ai entendu quelques-unes moi-même.

— Je pense qu'elle a eu peur que certaines personnes ne croient, en lisant le livre, que je relatais des faits réels. Je maintiens qu'il s'agit d'une œuvre de fiction, mais quelques détails peuvent rappeler l'affaire Thomas. En outre, il y a un cycliste dans le livre.

— Vous voulez dire que des personnes — disons, bien informées — pourraient croire que certains passages de votre livre sont en réalité des faits rapportés, et s'en trouver effrayées.

— Oui, je crois que c'est ce que je voulais dire, dit-elle en riant. Vous devriez écrire, Vince. Vous savez manier les mots.

— Merci du compliment, mais je ne crois pas que j'aurais la discipline nécessaire. Bon, les Wolochuk ont donc craint qu'on ne les montre du doigt et se sont disputés. Jason les a entendus et, sans vraiment savoir de quoi il retournait, vous a épinglée comme étant la personne responsable des malheurs de sa famille.

— Oui. Gil et moi avons rendu visite aux Wolochuk pour essayer de comprendre le comportement de leur fils, et, au cours de la conversation, des remarques troublantes ont été faites.

— Par exemple ?

— Au sujet du cycliste.

— Comment avez-vous fait le lien entre le cycliste et Helen Wolochuk ?

Clare lui raconta la visite de Stanley, la veille.

— Il a nié avoir suivi Rina sur sa bicyclette, mais je ne l'ai pas cru jusqu'à ce qu'Helen avoue.

Carelli la considéra d'un air pensif. On n'entendait que le bruit assourdi de la pluie sur le toit de la maison.

— Est-ce qu'elle a dit comment elle l'avait tuée ? demanda-t-il finalement.

— Je crois qu'elle pense que Rina s'est brisé la nuque en tombant en arrière. C'est la seule chose qui cloche à vrai dire.

— Comment ça ?

Sachant qu'elle risquait de trahir Beth, Clare hésita. Mais il faudrait bien aller jusqu'au bout, maintenant ou plus tard.

— Selon le rapport d'autopsie, Rina aurait été frappée à la tête, probablement avec une branche qu'on a retrouvée non loin du corps, et qui portait des traces de sang.

— Et comment avez-vous su ce que disait ce rapport, Clare ?

— Eh bien… euh, je l'ai lu. Mais je ne peux pas vous dire comment j'en ai eu connaissance. Du moins, pas encore.

Il secoua la tête, visiblement mécontent.

— Je pense que nous devrions poursuivre cette conversation dans le bureau du shérif.

Clare jeta un coup d'œil à sa montre. 18 heures 10. Gil devait être arrivé à l'hôtel. Elle envisagea de demander à Carelli de reporter l'entretien à plus tard, mais un regard dans sa direction suffit à l'en dissuader.

Un coup de tonnerre claqua tout près.

— Il faut que je passe à mon hôtel, dit-elle en se levant. Gil doit m'y attendre.

— Oubliez-ça, Clare. Nous devons aller raconter tout ça au shérif immédiatement afin qu'il puisse déclencher la machine judiciaire, à commencer par l'arrestation d'Helen Wolochuk.

— J'espère que ce ne sera pas trop long.

— Je n'ai aucune idée du temps que ça prendra. Ça dépendra du shérif. J'imagine que vos initiatives ne vont pas le ravir plus que moi. Je ne vous demande même pas comment vous vous êtes procuré ce satané rapport, car j'ai ma petite idée là-dessus.

Clare ferma les yeux. Comment pouvait-elle se rattraper ? La croiraient-ils si elle leur jurait que Beth n'avait pas eu le choix, que Gil et elle l'avaient menacée ou quelque chose de ce genre ?

Lorsqu'elle rouvrit les yeux, elle vit que Vince la dévisageait, le visage enflammé.

— Donnez-moi une seconde pour… euh, me préparer, dit-il en titubant dans sa direction.

Clare fit un pas en arrière. Vince mit le pied sur la canette vide et perdit l'équilibre, battant l'air avec ses bras. Clare tendit un bras secourable tandis que son sac à main tombait à terre, déversant son contenu sur le tapis. Vince parvint à se rattraper en s'agrippant à son coude. Il empestait la bière et la transpiration, et dès qu'il se fut redressé, elle s'écarta de nouveau de lui.

— Désolé, marmonna-t-il, en secouant la tête de droite et de gauche comme pour dissiper les vapeurs de l'alcool. J'ai dû boire un peu trop de bière sans rien avaler de consistant. Attendez, je vais ramasser ça pour vous, ajouta-t-il en se baissant.

Trop tard. Le regard de Clare alla de Vince à l'agenda de cuir noir, frappé en lettres dorées au nom de R. Carelli.

— Qu'est-ce que c'est que ça ? rugit-il en brandissant l'objet sous son nez. Comment diable avez-vous mis la main sur l'agenda de mon père ?

Elle n'eut pas l'occasion de s'expliquer. Comme si les dieux eux-mêmes s'étaient joints à Vince pour l'accuser, un coup de tonnerre assourdissant déchira ses tympans et les lampes s'éteignirent, plongeant la maison dans une complète obscurité.

19.

— Prenons ma voiture, dit Gil à Fran en franchissant avec elle la porte de l'hôtel.

Il ne savait pas ce que Clare avait en tête, mais il pressentait un danger. D'autant que l'employé de la réception avait fini par préciser qu'elle avait reçu une visite peu avant de sortir. Une femme avec un drôle d'air, avait-il dit. *Helen Wolochuk ?* Gil était plus perplexe que jamais.

Tandis qu'ils roulaient vers le bureau du shérif, Fran expliqua à Gil de quelle manière elle avait voulu aider Clare dans ses recherches et lui parla de la nouvelle piste qu'avait révélée l'agenda. Il l'écoutait d'une oreille, imaginant Clare en train de subir un interrogatoire serré de la part du shérif Davis. Et même lorsque Fran avança que le président de la banque de l'époque avait déplacé des fonds d'une très curieuse façon, il ne parvint pas à établir un lien entre ce qu'elle lui disait et le mystère du meurtre de Rina.

— J'ai trouvé une lettre, continuait-elle. J'avais l'intention de fouiller le reste des dossiers demain, mais ma curiosité l'a emporté. Ma famille va se demander ce que je suis devenue, ajouta-t-elle en jetant un coup d'œil à sa montre.

— Hm ? fit Gil, préoccupé. Vous voulez que je vous dépose chez vous ?

— Mon Dieu, non ! Mes enfants sont assez grands pour se débrouiller tout seuls. Et puis, je veux découvrir ce qui s'est passé.

J'ai la désagréable impression qu'il s'agit de quelque chose de plus grave encore qu'un détournement de fonds.

Ses yeux bleu pâle s'étaient fixés sur lui, reflétant l'inquiétude qu'elle ressentait.

— J'ai bien peur que vous ayez raison, Fran. Vous me parliez d'une lettre ?

— Oui, du précédent shérif, George Watson, dans laquelle il remerciait M. Carelli de s'être occupé de son prêt et l'informait par ailleurs que l'affaire concernant le dossier Thomas était réglée.

La voiture fit une embardée.

— Quoi ? s'écria Gil. Vous avez cette lettre avec vous ?

— Dans mon sac.

— Je ne sais pas comment tout cela s'imbrique, mais le shérif voudra sûrement la voir.

Gil se contraignit au calme en exposant les raisons de leur visite à un shérif qui ne comprenait absolument pas pourquoi Clare Morgan aurait dû se trouver dans son bureau.

— Elle m'a laissé un message, expliqua-t-il, disant qu'elle s'était rappelé qu'il y avait deux cyclistes le jour où Rina a été tuée. Elle estimait que c'était important. J'ai supposé qu'elle était venue vous voir pour vous parler de l'affaire.

— L'affaire Thomas ?

Gil jeta un regard à Fran, puis dit :

— J'imagine que Mme Dutton et moi ferions mieux de tout vous raconter.

— Je le crois en effet. Asseyez-vous.

Gil prit place sur une chaise et fit un compte rendu rapide mais complet des dernières vingt-quatre heures. Ensuite, Fran produisit la lettre, que Gil et Davis étudièrent avec attention.

— Je ne suis pas sûr de savoir quoi faire de ça, commenta Davis. Pourquoi M. Carelli se serait-il préoccupé du dossier Thomas ? Je ne vois pas. J'ai travaillé sur cette affaire, elle a été classée peu de temps après que vous avez été lavé de tout soupçon, Gil.

Gil vit Fran se tourner vers lui, surprise.

— Savez-vous pourquoi les recherches ont été abandonnées aussi rapidement ? interrogea Gil.

— Le shérif Watson m'a convoqué dans son bureau une ou deux semaines après le meurtre et m'a dit de clore l'enquête si je n'avais pas de nouvelles pistes, ajoutant qu'on pourrait toujours la rouvrir si un fait nouveau apparaissait. Ce qui ne s'est jamais produit. J'étais stupéfait comme vous pouvez l'imaginer, mais c'était lui le patron.

Il posa de nouveau les yeux sur la lettre, une expression pensive sur le visage.

— Il y a bien quelque chose, dit-il à mi-voix, mais… non, ce serait incroyable.

— A quoi pensez-vous ?

Davis pinça les lèvres, comme s'il hésitait à répondre. Finalement, il dit :

— C'est juste que, dans les tout premiers jours, j'ai interrogé une demi-douzaine de jeunes qui s'étaient trouvés dans les environs immédiats du lycée, dont Clare. Elle m'a dit qu'après avoir quitté le terrain de sport d'où elle vous avait aperçus, Rina et vous, elle était sortie du lycée en passant par le parking et elle avait croisé Vince Carelli qui cherchait Rina.

— Votre adjoint ? dit Gil au comble de la surprise. Clare ne m'a jamais parlé de cette rencontre.

Davis haussa les épaules.

— Elle avait peut-être oublié, ou bien elle a pensé que ce n'était pas important, dit-il. Il y avait trois ou quatre autres jeunes gens devant l'établissement à ce moment-là, mais aucun d'eux ne vous a vus, vous ou Rina.

— Pourquoi Vince Carelli cherchait-il Rina ? Qu'est-ce qu'il a dit ?

— Du calme, Harper. Laissez-moi réfléchir. Je crois qu'il a dit quelque chose à propos d'un devoir dont il voulait lui parler. Mais il n'avait pas réussi à la trouver. C'est tout ce dont je me souviens. Mais sa déposition est dans le rapport d'enquête de toute façon.

— Je ne me rappelle pas l'avoir vue. C'est peut-être ce à quoi le shérif Watson fait allusion dans sa lettre, peut-être avait-il retiré la déposition du fils Carelli du dossier Thomas.

— Mais de quoi êtes-vous donc en train de parler ? demanda Davis en se penchant en avant d'un air particulièrement intéressé.

Gil se mordit la lèvre en pensant à Beth qu'il serait à présent difficile de ne pas nommer.

— Je... euh, j'ai une copie du rapport et je suis à peu près certain que l'interrogatoire de Carelli n'y figure pas. Et s'il vous plaît, ne me demandez pas comment je me le suis procuré parce que...

— A ce stade, le coupa Davis, je ne veux pas le savoir, Harper.

— Je pensais que Clare était venue vous voir, mais maintenant je me demande si elle n'est pas allée ailleurs pour éclaircir cette histoire de cycliste.

— Je ne vous suis pas.

— Où est Carelli ? demanda Gil sans tenir compte de l'intervention du shérif.

— Il a appelé pour dire qu'il était malade, répondit Davis, les sourcils toujours froncés. A quoi pensez-vous, Harper ?

— Ecoutez. Vince Carelli cherchait aussi Rina ce jour-là. Et s'il nous avait suivis jusqu'au vieux pont ?

— Derrière Helen Wolochuk ?

— Oui ! Il a peut-être vu Helen tuer Rina.

— Cela n'explique pas pourquoi Carelli père aurait demandé à Watson de faire disparaître la déposition de son fils. A moins que, comme vous le suggérez, Carelli n'ait menti et ait effectivement suivi Rina.

Il se tut, puis appuya sur une touche de son téléphone.

— Beth ? Pourriez-vous appeler Vince pour moi, s'il vous plaît ? Et passez-le-moi dès que vous l'aurez en ligne.

Le silence se fit pesant dans la pièce tandis qu'ils attendaient. Quelques secondes plus tard, la voix de Beth résonna :

— Il ne répond pas, monsieur, dois-je essayer de nouveau ?

Gil sentit son estomac se tordre d'appréhension. Il se leva.

— Il faut que nous retrouvions Clare, shérif. Je pense qu'elle est avec lui.

— Chez lui ? s'enquit Fran en se levant elle aussi.

Le shérif se tourna vers elle.

— Madame, je préfère que vous rentriez chez vous. Une voiture va vous reconduire. Harper, nous partons, mais je n'émettrai pas de communiqué au sujet de Carelli avant d'avoir tout vérifié point par point.

Gil se hâta vers la porte, suivi par Davis. Ils étaient dans le hall du bâtiment quand celui-ci fut plongé dans le noir.

Clare attendit quelques secondes que ses yeux s'adaptent à l'obscurité. Elle devinait la silhouette de Carelli qui s'approchait d'elle. Puis elle entendit sa voix siffler presque dans son oreille :

— Vous êtes en possession de quelque chose qui ne vous appartient pas. C'est un motif suffisant pour vous interroger.

— Ne devions-nous pas aller voir le shérif ?

Elle espérait que sa voix ne trahissait pas l'anxiété qu'elle éprouvait soudain à se trouver seule avec Vince. Quelque chose dans son attitude, sans parler de son état physique, avait déclenché une sonnette d'alarme.

— Pas tout de suite, Clare. Il faut d'abord que nous parlions. Je veux savoir pourquoi vous possédez l'agenda de mon père, et peut-être ce qu'il contient de si intéressant. Nous allons donc avoir une petite conversation. Si vous commenciez par me dire comment vous vous l'êtes procuré ?

— Je ne peux pas vous le dire.

— Ah oui ? fit-il d'un ton narquois. Peu importe, vous finirez par me le dire. Pour le moment, parlez-moi de ce que vous y avez découvert.

— Rien d'important, balbutia-t-elle.

Il semblait plus en colère que réellement curieux à propos de l'agenda et elle sentit qu'il était plus prudent de ne pas lui révéler la corruption de son père.

— Seulement quelques informations concernant ma mère. En fait, c'est pour cette raison que je l'ai, je voulais découvrir pour quelle raison ma mère avait perdu son travail à la banque.

— Hum hum… Et qu'avez-vous appris ?

Il était si proche d'elle qu'il lui soufflait son haleine aigre au visage. Elle détourna la tête.

— J'ai appris que votre père avait accusé ma mère d'avoir volé de l'argent, répondit-elle d'une voix unie.

— Tiens donc ! La malhonnêteté serait un trait de famille ?

Elle pensa à ce qu'elle savait du père de Vince, mais se retint de rétorquer.

— Votre père l'a forcée à démissionner.

— Ainsi, mon père se serait montré cruel avec votre mère. C'est bien ce que vous êtes en train de dire ? Et il est supposé exister un lien entre ceci et le meurtre de Rina Thomas ? Quelque chose m'échappe, je crois.

Incapable de retenir plus longtemps sa colère, Clare lâcha d'une traite :

— Le montant de la somme d'argent qu'elle est censée avoir volée est le même que celui d'un prêt que votre père a *effacé*. Pour le précédent shérif.

— Je ne comprends toujours pas quel est le lien avec l'affaire Thomas. Il va falloir que vous vous expliquiez un peu mieux.

— Je ne sais pas. Comme je vous l'ai dit, je voulais seulement trouver la preuve de l'innocence de ma mère.

— Alors pourquoi cet intérêt pour le meurtre ? Harper et vous avez posé des questions partout, contacté les Wolochuk, et ce journaliste, Withers. Vous avez obtenu, je ne sais comment, une copie du rapport d'enquête. Vous connaissez donc tous les détails. Où vous a mené ce travail de détective, Clare ?

Elle refusa de répondre, devinant qu'il essayait de déterminer avec précision ce qu'elle savait et ce qu'elle ne savait pas. Pourtant, elle ne parvenait pas à comprendre pour quelle raison cela semblait l'intéresser autant. Après tout, il n'était pas directement concerné. A moins que…

— Je dois m'en aller, dit-elle en s'écartant de lui.

Il fit un brusque mouvement vers elle et lui attrapa l'avant-bras. Elle grimaça, plus de dégoût que de peur.

— N'allez-vous pas vous décider à me demander si j'ai suivi Rina ce jour-là ?

— C'est ce que vous avez fait ?

— Le cycliste, reprit-il sans relever sa question, voyez-vous, c'est ça qui a tout déclenché. J'ai acheté votre livre pour vérifier, et c'était dedans. La fille du livre dit qu'elle a vu un ami à vélo, après avoir quitté l'école. C'est drôle, non ? gloussa-t-il. C'était écrit dans votre livre depuis le début, et ni Harper ni vous n'avez rien compris.

Clare essaya de chasser la boule qui encombrait sa gorge en déglutissant. Elle savait à présent ce qu'il allait dire.

— Vous aviez vu quelqu'un suivre Gil et Rina sur une bicyclette et aujourd'hui vous avez découvert qu'il s'agissait d'Helen Wolochuk. Cela aurait pu être la fin de l'histoire — pour moi, en tout cas. Et même le fait que vous vous soyez souvenu m'avoir croisé à la sortie du lycée n'était pas bien grave. Mais quand j'ai vu cet agenda, j'ai compris que vous ne tarderiez pas à ajouter deux et deux.

Une idée se faisait jour dans l'esprit de Clare.

— Votre père a accordé une faveur au shérif. En échange de quoi était-ce ? demanda-t-elle.

— Vous voyez, vous y venez. Je savais que vous finiriez par comprendre. Le shérif devait retirer ma déposition et une partie de la vôtre.

Il prit le menton de Clare entre ses doigts râpeux et l'obligea à le regarder.

— Et les détruire bien sûr, parce que si quelqu'un s'était intéressé au fait que deux cyclistes se trouvaient sur le sentier du ravin cet après-midi-là… enfin, vous comprenez où cela aurait pu me conduire…

— C'est *vous* qui avez tué Rina ?

La surprise que trahissait sa voix fit apparaître un sourire suffisant sur le visage de Vince.

— Félicitations, Clare. Rina me faisait marcher. Je l'ai aidée pendant des semaines, rédigeant ses dissertations, faisant ses devoirs à sa place. J'avais suivi le cours de Wolochuk au premier semestre, c'était un cours de l'année supérieure, mais j'ai toujours été fort en sciences. J'étais fou d'elle, elle le savait et elle en profitait. Elle m'a mené en bateau tout du long, me faisant croire qu'elle sortirait avec moi quand l'année scolaire serait finie. Je ne savais rien de cette sinistre histoire avec Wolochuk jusqu'à ce que je la retrouve ce jour-là près du pont.

» J'avais croisé un cycliste qui roulait à toute allure, juste avant la clairière, mais je n'avais pas eu le temps de voir qui c'était. Puis j'ai vu Rina, qui pleurait, assise à même le sol. Elle m'a tout raconté — son aventure avec Stanley, sa grossesse. J'ai essayé de la réconforter. Je lui ai dit que nous pouvions nous enfuir ensemble, que je prendrais soin de l'enfant. »

Il se tut et Clare n'entendit plus que le bruit de la pluie au-dehors mêlé à la respiration rauque de Vince.

Elle réalisait à quel point elle s'était trompée en négligeant de s'interroger sur la présence de Vince Carelli ce jour-là au lycée. Mais il était plus jeune qu'eux tous et il ne lui serait pas venu à l'idée qu'un sentiment particulier l'attachait à Rina.

Suppositions. Ce que nos yeux voient, notre cerveau l'interprète à sa manière. Que n'avait-elle retenu la leçon ? C'était exactement la même erreur qu'elle avait faite avec Gil dix-sept ans auparavant. « Ce n'est pas ce que tu crois », lui avait-il crié, mais elle l'avait *vu* enlacer Rina.

— Elle m'a ri à la figure, reprit Vince, d'une voix curieusement détachée. Elle a dit qu'elle s'était servie de moi, que j'étais une chiffe molle et qu'elle ne voulait rien avoir à faire avec moi. Ça m'a mis hors de moi. Je ne me souviens même pas avoir ramassé cette branche. Quand j'ai réalisé qu'elle était morte, j'ai paniqué et j'ai couru chez moi. Ma mère a appelé mon père à son travail et il est rentré aussitôt.

— D'où la faveur au shérif. Qu'en est-il de celle qu'il a accordé au maire ?

— Mon père se sentait coupable. D'abord, à cause de votre mère. Il fallait que l'on puisse blâmer quelqu'un et elle était la mieux placée, de par ses fonctions, pour détourner de l'argent. Mais elle avait quitté la ville. Plus tard, vis-à-vis de Gil et de ses parents car la rumeur continuait de courir. Alors il est allé voir le maire, qui avait des dettes de jeu, et il lui a demandé un service.

— Le poste de M. Harper, dit Clare.

— Oui. Après ça, ma déposition ayant été retirée du dossier et l'enquête close, je n'avais plus à m'inquiéter. Même votre livre ne constituait pas une menace. Mais quand j'ai appris que vous posiez des questions à tout le monde au sujet de l'affaire, j'ai compris que vous finiriez par vous souvenir et par découvrir la vérité. C'est la raison pour laquelle je ne suis pas allé travailler aujourd'hui. Je voulais réfléchir à tout ça, à ce que je pouvais faire.

L'ombre d'un regret voila un court instant son regard.

— Maintenant, je sais. Je suis vraiment désolé pour vous, Clare, mais vous en savez beaucoup trop. Vous et moi allons devoir faire une petite promenade en automobile.

Clare sentit le sang affluer à ses tempes. Elle prit une seule et brève inspiration et d'un brusque mouvement en avant lui envoya un violent coup de genou à l'entrejambe. Il poussa un grognement et se plia en deux, lâchant son bras. Elle se précipita vers la porte d'entrée.

Il l'avait fermée à clé. Les mains moites, elle tourna dans un sens puis dans l'autre, en proie à un accès de panique. Elle l'entendit tituber dans le couloir, mais une poussée d'adrénaline l'aida à faire abstraction du danger et à se concentrer sur la clé. Enfin, le pêne glissa dans la gâche et la porte s'ouvrit.

Soudain, Carelli surgit dans son dos et abattit sa main sur le battant. Il le repoussait tandis qu'elle luttait de toutes ses forces pour le maintenir ouvert. Il lui agrippa l'épaule de son autre main et essaya de l'éloigner de la porte. Clare tourna la tête et lui mordit le pouce avec force. Il cria, retira sa main et elle en profita pour se glisser dans l'entrebâillement.

La pluie tambourinait contre le pare-brise, mais Gil, les yeux fixés sur les essuie-glaces, ne voyait que le visage de Clare.

— Elle est en danger. Je le sens ! Est-ce qu'on ne peut pas aller plus vite ? demanda-t-il à Davis qui scrutait l'obscurité penché sur son volant.

Le shérif lui jeta un regard de côté.

— Du calme, Harper. Vous avez assez de problèmes comme ça. N'aggravez pas votre cas.

Cependant, il accéléra. « Il est aussi inquiet que moi », pensa Gil. Néanmoins le trajet jusqu'à la maison de Carelli, dans les rues privées d'électricité, lui parut durer une éternité.

Enfin, ils parvinrent à destination. Davis, dès qu'il eut coupé le moteur, déclara d'une voix autoritaire :

— Vous restez ici et vous me laissez faire.

Puis il ouvrit sa portière et se dirigea vers la façade.

Mais l'injonction n'était pas du goût de Gil. Il sortit à son tour de la voiture et courut vers la maison, ignorant la mise en garde furieuse de Davis. La porte s'ouvrit au moment même où il atteignait le porche et Clare tomba dans ses bras, en pleurs. La pluie ruisselait sur leurs visages tandis que Gil la serrait contre lui, faisant secrètement le vœu de ne plus jamais la laisser partir.

Il arrondit les épaules, baissa la tête, tentant de la protéger de l'orage qui se déchaînait, mais ses efforts n'étaient guère probants. Clare, de toute façon, ne paraissait pas se rendre compte du fait qu'ils étaient déjà tous deux trempés. Le shérif était entré avec précaution dans la maison aussitôt après que Clare en était sortie et Gil avait cru entendre des cris de protestation, mais sa priorité était d'éloigner Clare aussi vite que possible. Aussi se hâta-t-il de la guider vers la portière de la voiture de patrouille restée ouverte et de la pousser à l'intérieur.

Une fois assis au volant à côté d'elle, il la regarda vraiment et sourit.

— Nous avons tous les deux l'air de chats mouillés, dit-il.

Elle repoussa une longue mèche de cheveux collée en travers de son front et essaya de parler et de respirer tout à la fois.

— Renverse ta tête entre tes jambes une minute, Clare, et respire lentement, conseilla-t-il.

Il brûlait de retourner prêter main-forte à Davis à l'intérieur de la maison, mais Clare avait besoin de lui. Au bout d'un moment, elle releva la tête et il osa enfin poser la question dont il redoutait la réponse.

— Est-ce qu'il t'a brutalisée ?

Elle hocha silencieusement la tête de droite à gauche.

— Dieu merci, dit-il dans un souffle. J'ai eu si peur, Clare. Durant tout le trajet, j'ai essayé de trouver le lien entre cette histoire de cyclistes et Carelli, mais tout ce à quoi je pouvais penser, c'est que Carelli avait peut-être tué Rina et qu'il... qu'il pouvait...

— Il a tué Rina.

Si Gil n'avait pas été en train de regarder la jeune femme, il aurait eu du mal à reconnaître la voix de Clare. Il éprouvait même une certaine difficulté à admettre que la créature défaite, aux pupilles encore dilatées par la peur, qui était à côté de lui, soit la même femme que celle qu'il avait un jour si passionnément aimée. Et qu'il aimait toujours.

Il savait qu'une interminable suite de questions les attendait — au bureau du shérif, chez les Kingsway, et probablement, plus tard, chez leurs amis de New York. Il ne voulait plus ni parler ni entendre parler du meurtre de Rina et de toute cette dramatique histoire. A partir de ce jour, il voulait que toutes ses pensées, ses actes et ses paroles soient consacrés à Clare Morgan.

— Je t'aime, Clare, murmura-t-il en tendant la main pour emprisonner ses longs doigts glacés. Je t'ai toujours aimée. Depuis ce jour en cours d'anglais où le prof t'avait surprise à rêver. Je n'oublierai jamais ce moment, c'était comme si je te voyais pour la première fois. Et d'une certaine manière c'était le cas. Pour la première fois, je voyais en toi la femme magnifique, sensuelle, que tu allais devenir. Et si j'avais été plus mature, si j'avais eu davantage confiance en moi, nous aurions passé ensemble ces dix-sept années où nous avons été séparés. Non, ne parle pas encore. J'ai besoin de tout te dire et ensuite je commencerai à vivre mon rêve de toujours, te tenir dans mes bras chaque nuit, te…

Il fit une pause pour s'éclaircir la gorge, ému par la rougeur qui était montée aux joues de Clare et par les larmes qui emplissaient ses yeux.

— Je t'ai toujours aimée, Clare, dit-il de nouveau. Je me suis torturé toutes ces années en pensant à ce que j'aurais pu dire pour te retenir et que je n'ai pas dit, à ces appels auxquels je n'ai pas répondu lorsque tu étais dans le New Jersey. Que de temps perdu.

Il se tut. Son cœur battait à grands coups dans sa poitrine et le sang pulsait à son cou.

— Je t'aime, Gil, dit-elle. Je n'ai jamais cessé de rêver au jour où tu me dirais ces choses. Même si j'ai fait de mon mieux pour essayer de te faire croire le contraire, ajouta-t-elle piteusement.

Il l'attira à lui et l'embrassa sur le front où une dernière goutte de pluie était restée accrochée.

— Dès que la seconde voiture sera là, je te ramènerai à ton hôtel. Nous prendrons une douche chaude et passerons…

— Le reste de notre vie ensemble ? dit-elle en s'écartant légèrement à la recherche de son regard.

— C'est mon vœu le plus cher, répondit-il avant de poser ses lèvres sur les siennes.

— Que s'est-il passé ensuite ? interrogeait Laura, les yeux écarquillés par l'incrédulité.

Ils étaient assis dans la cuisine des Kingsway avec Dave et Laura, Emma roucoulant tranquillement dans son transat à leur côté.

— Carelli a essayé de manière tout à fait pathétique de soutenir que Clare avait développé une obsession maladive concernant l'affaire Thomas, mais à peine était-il assis dans la voiture du shérif, menottes aux poignets, qu'il modifiait son histoire, jurant que cela n'avait été qu'un tragique accident, expliqua Gil.

— Tu as dû avoir tellement peur, dit Laura en regardant Clare de l'autre côté de la table.

Clare ne put que hocher la tête, encore ébranlée par le souvenir de Vince Carelli abattant sa main sur la porte par laquelle elle tentait de fuir.

— Toute cette histoire est si bizarre, reprit Gil. Et même son dénouement… Si Carelli n'avait pas été soûl, il n'aurait jamais parlé.

— Saoûl ? s'exclama Laura. Mais enfin, Clare, que t'est-il arrivé ? Je ne peux pas croire que tu te sois ainsi jetée dans la gueule du loup. Toi qui t'es toujours montrée si prudente.

286

— J'ai pris une mauvaise décision, reconnut-elle. Mais, en compensation, toutes celles que j'ai prises depuis vingt-quatre heures sont excellentes, dit-elle en souriant à Gil.

Il se pencha pour l'embrasser tendrement sur le front et murmura :

— A propos de décisions…

Aussitôt, Clare se tourna vers Laura et Dave.

— Nous devrions partir bientôt, dit-elle. Nous avons une longue route devant nous.

— Pas déjà, protesta Laura.

Clare sourit avec affection à son amie.

— Nous sommes restés debout la plus grande partie de la nuit, Laura, plaida-t-elle, nous avons passé toute la matinée dans les locaux de la police, et je dois absolument être en ville demain matin. Et puis, honnêtement, je…

Elle soupira, submergée soudain par une vague de fatigue.

— … j'ai envie de partir d'ici le plus vite possible.

— Je sais, ma belle, dit Laura, je comprends. Je voulais juste que vous sachiez tous les deux que notre maison sera la vôtre aussi souvent que vous voudrez venir à Twin Falls.

Clare essuya vivement une larme au coin de ses yeux.

— Nous n'oublierons pas. D'ailleurs, il nous faudra revenir bientôt, pour le procès de Vince.

— Mais vous ne nous avez toujours pas expliqué pourquoi les Wolochuk avaient été aussi bouleversés par le livre de Clare, remarqua Laura.

— Ils croyaient tous les deux qu'Helen avait accidentellement tué Rina. C'était ça le secret qu'ils protégeaient depuis dix-sept ans. Ils ont craint que la sortie du livre ne fasse reparler de l'affaire.

— Stan a mal interprété ce qu'il a lu, précisa Gil. Il a supposé que le cycliste du livre désignait Helen.

— C'est ce que je ne comprends pas, dit Laura. Je n'ai pas encore terminé le livre. Tu me réexpliques, Clare ?

Clare étouffa un soupir de lassitude. Elle avait raconté cette histoire plusieurs fois depuis l'arrestation de Vince.

— D'accord. Dans le livre, l'héroïne — Kenzie —, voit son amie Marianne pour la dernière fois alors qu'elle se dirige, seule, vers la forêt. Puis Kenzie quitte l'école et croise un garçon de sa classe qui cherche Marianne. Elle lui montre la direction dans laquelle a disparu son amie et le garçon s'en va. Ainsi donc, pour les besoins de l'intrigue, j'ai fondu les deux personnages de cyclistes en une seule personne. Et cela probablement, parce que ma mémoire avait déjà fait la même chose. Voilà.

— Oui, mais ce journaliste ? Withers ? s'enquit encore Dave.

— Il se trouve qu'il s'était disputé avec sa petite amie durant le week-end et qu'il était parti à Hartford pour essayer de se réconcilier avec elle. Donc il était bel et bien en congé.

— Mais n'avais-tu pas dit qu'il prétendait avoir ses propres sources de renseignements ?

— Oh, son mystérieux informateur ! fit-elle, riant presque. Après m'avoir interviewée, il a appris que sa tante travaillait comme caissière à la banque à l'époque du vol. Elle ne savait rien évidemment. Et son histoire de livre qu'il était en train d'écrire était pure invention, son seul but était d'obtenir davantage de matière pour un nouvel article.

Personne ne parla pendant un long moment, puis Gil retira son bras des épaules de Clare et repoussa sa chaise.

— Il faut que nous y allions maintenant. Merci encore pour le déjeuner.

Il tendit sa main à Clare pour l'aider à se lever.

Elle était si fatiguée qu'elle aurait pu rester assise dans la cuisine des Kingsway jusqu'au soir. Mais quand son regard rencontra celui de Gil, elle sut que tout irait bien désormais, exactement comme il le lui avait promis la nuit précédente.

— Tu veux que je m'occupe de rapporter ta voiture chez le loueur ? proposa Laura à Clare.

— Inutile, Beth s'en occupe, dit Gil. Mais merci d'y avoir pensé.

— Bon, dit Laura en poussant un soupir mélodramatique, puisqu'il faut que vous partiez… Mais je compte sur vous pour tenir votre promesse et revenir nous voir à Twin Falls. Ensemble.

— Ensemble, c'est promis, dit Clare.

Elle insista pour porter Emma jusqu'à la porte où elle posa un baiser d'adieu sur la joue du bébé avant de le rendre à Laura.

— Maintenant, j'ai hâte de revenir, dit-elle à Laura.

Elle embrassa son amie, puis Dave et emboîta le pas à Gil.

Comme ils rejoignaient la voiture de Gil, celui-ci passa son bras autour les épaules de Clare.

— Est-ce que tu n'as pas l'impression d'être restée ici bien plus longtemps que deux semaines ? demanda-t-il.

Clare s'arrêta pour le regarder.

— Tu sais quoi ? J'ai presque l'impression de n'être jamais partie. Comme si nous avions dix-sept ans de nouveau et que nous recommencions tout.

Gil la prit dans ses bras.

— Oui, dit-il d'une voix plus basse. Mais en encore mieux.

Il inclina la tête et posa ses lèvres sur les siennes. Ce fut un long, tendre baiser qui scellait chacune des promesses qu'ils avaient échangées aux petites heures du jour dans la chambre de Clare.

— On y va ? proposa-t-il en s'écartant.

Elle acquiesça et monta dans la voiture. Tandis qu'il refermait la portière, elle jeta un dernier regard à la maison des Kingsway. Dave et Laura, debout sur le seuil, leur faisaient de grands gestes d'adieu. Clare crut même voir Laura lui adresser un clin d'œil, mais elle n'en était pas sûre.

Gil s'installa au volant, et, saisissant sa main, demanda :

— Tu es prête ?

— Mieux que ça. Je suis impatiente.

Il rit.

— Dans ce cas, allons-y.

Il démarra, mit son clignotant, et la Mercedes s'engagea lentement sur la rue.

— Je suis contente que nous ayons décidé de nous arrêter en route, déclara Clare. Bien que je me sente un peu coupable de n'en avoir rien dit à Laura.

— Je suis persuadé qu'ils s'en doutent de toute façon. Dave m'a demandé si nous prenions l'autoroute ou si nous rentrions tranquillement, et il avait un sourire jusqu'aux oreilles. Il a aussi observé que les couleurs étaient magnifiques à l'automne du côté de Litchfields Hills.

Il lui adressa un sourire suggestif qui rappela à Clare leur nuit à l'hôtel. Ils avaient parlé pendant des heures. D'abord, de l'effrayant dénouement de leur enquête, chez Carelli, Gil expliquant le cheminement de son raisonnement à la suite de sa visite à Wolochuk et de sa rencontre avec Fran Dutton dans le hall de l'hôtel. Puis, revigorée par un verre de bourbon, Clare avait osé aborder de nouveau le sujet douloureux de leur séparation, répétant, avec une tristesse et un regret infinis, les mots qu'elle avait prononcés ce soir-là dans le parc, des mots qu'elle ne pourrait jamais retirer.

Mais au milieu de son monologue, Gil l'avait attirée à lui et avait embrassé doucement ses yeux remplis de larmes. Il avait seulement voulu la réconforter, et y était parvenu, mais lorsqu'elle lui avait souri, faiblement, une émotion intense avait brillé dans les yeux de Gil. Et l'instant d'après, il s'était emparé de ses lèvres avec fougue. Puis ils étaient restés enlacés, longtemps, jusqu'à ce qu'il lui murmure à l'oreille :

— Tu ne peux pas imaginer à quel point j'ai eu peur de te perdre de nouveau.

— Je suis là maintenant, et j'y reste, avait-elle répondu. Enfin… pas à Twin Falls, j'espère, mais dans tes bras. Avec toi.

Ils avaient ri et Clare avait senti s'envoler le poids qui pesait sur ses épaules depuis dix-sept ans. Ensuite, ils n'avaient plus beaucoup parlé. Le silence de la chambre n'avait plus été entrecoupé que des mots d'amour et des murmures de plaisir qui s'échappent des lèvres de ceux qui se sont enfin trouvés.

Cela avait été merveilleux, pensait Clare en jetant un regard de côté à Gil, concentré sur sa conduite. Après être retombée sur l'oreiller, épuisée mais comblée, elle était restée immobile, les yeux au plafond, avec la sensation de flotter dans une bulle de bonheur dont elle savait qu'elle ne sortirait pas pendant des jours et des jours.

— A quoi penses-tu ? s'enquit Gil tout à coup, détournant les yeux du pare-brise.

— A la nuit dernière.

— Ne joue pas à ça, je dois conduire, bougonna-t-il, l'air faussement sévère.

— Très bien. J'attendrai. Mais j'ai remarqué une charmante petite auberge en venant. Et elle n'est pas très loin d'ici.

Il la regarda d'une manière telle qu'elle rougit violemment en se demandant si l'un et l'autre pourraient attendre jusque-là.

Peu après, Clare indiqua le panneau de fin d'agglomération qui remerciait les visiteurs de leur visite.

— Tout le plaisir était pour nous, plaisanta Gil.

— En tout cas, maintenant, précisa-t-elle en tendant le bras pour prendre sa main.

— Maintenant et pour toujours.

PATRICIA COUGHLIN

La force d'aimer

ÉMOTIONS

*éditions*Harlequin

Cet ouvrage a été publié en langue anglaise
sous le titre :
THE AWAKENING

Traduction française de
JEANNE DESCHAMP

Ce roman a déjà été publié dans la collection
AMOURS D'AUJOURD'HUI N° 556
en janvier 1997

Originally published by SILHOUETTE BOOKS,
division of Harlequin Enterprises Ltd.
Toronto, Canada

1.

— Il me faut un homme, Nancy. De toute urgence !

Après cette déclaration claire et précise, Sara attendit la réaction de sa meilleure amie.

Rien ne vint.

Etonnée de voir l'intarissable Nancy réduite au silence, Sara lui jeta un regard interrogateur dans le miroir du salon de coiffure.

— Alors ? C'est tout ce que tu trouves à me répondre ? Pas de suggestion ? Aucun nom ne te vient à l'esprit ?

— Je réfléchis, protesta mollement Nancy.

Sara soupira.

— On ne peut pas dire que tu me sois d'un grand secours. J'aurais mieux fait de rester chez moi et de consulter mes poissons rouges.

— Tu n'as jamais eu de poissons rouges.

— Peut-être, mais si j'en avais eu, ils auraient été d'aussi bon conseil que toi.

Nancy eut un sourire amusé. De la part de n'importe quelle autre femme que Sara, ce « il me faut un homme de toute urgence » l'aurait fait réagir. Mais elle connaissait son amie depuis l'enfance. Si Sara déclarait avoir besoin d'un homme, ce ne pouvait être que pour une raison pratique. Les sentiments, hélas, ne faisaient pas partie de ses préoccupations.

Car Sara Marie McAllister était indifférente aux choses de l'amour. Nancy était bien placée pour le savoir, elle qui s'escrimait depuis des années à détecter chez son amie le moindre soupçon de sensualité. N'empêche... ces apparences trop lisses devaient bien cacher une faille quelque part, songeait Nancy avec, il est vrai, une petite pointe de cynisme. Une femme ne pouvait se contenter d'être gaie et sympathique. « Elle est si gentille, la petite McAllister », disaient ses clientes. Seulement, voilà : la « petite » McAllister avait enterré ses vingt ans depuis plus d'une décade ! Il est vrai que dans la petite ville de Sutton Cove, personne ne s'inquiétait beaucoup de voir la vitesse avec laquelle le temps passait. Et Sara resterait sans doute la « fille McAllister » jusqu'à la fin de ses jours. A moins — et c'était à espérer — que la chance ne tournât enfin en sa faveur.

Cela dit, Nancy n'aurait pas voulu voir son amie changer pour un empire. Car Sara était une fille en or : drôle, généreuse, fidèle et globalement adorable. Beaucoup trop adorable pour mériter les ennuis qui l'assaillaient depuis quelques années !

— Pourquoi un homme, au juste ? demanda Nancy en se concentrant sur le problème du jour. Une femme ne ferait pas tout aussi bien l'affaire ?

— Ça me paraît difficile. Il s'agit d'occuper la chambre voisine de celle de Russell. Et de partager la salle de bains avec lui, je te le rappelle !

— Et alors ?

— Je ne pense pas qu'une femme accepterait de vivre dans une telle promiscuité avec un inconnu.

— Pourquoi pas ? Le monde change, tu sais, et c'est

valable même pour Sutton Cove ! Tu me diras : l'inconnu en question n'est autre que Russell LeFleur, et là, je dois reconnaître qu'en tant que femme j'hésiterais avant d'accepter cette... promiscuité dont tu parles.

— Là, tu exagères, Nancy. Il n'est pas si repoussant que ça, mon locataire.

— Mmm... Avec son regard sournois ? Ses petits yeux fureteurs ? Quand je le rencontre, je ne sais pas pourquoi, je m'attends toujours à le voir déployer des ailes de chauve-souris.

Sara ne put s'empêcher de rire.

— Ça me gêne un peu de le reconnaître, mais il m'arrive d'avoir la même impression.

— Et sa moustache, franchement ! Elle lui mange la moitié du visage ! Tu crois qu'il lui arrive de la tailler ?

— Comment veux-tu que je le sache ? Je ne partage pas ma salle de bains avec lui, moi !

— Comme je te comprends ! Cela dit, il serait intéressant de mener une petite enquête. Il se sert peut-être tout simplement d'un sécateur, qu'en penses-tu ?

— Honnêtement, je préfère ne pas trop me pencher sur la question. Tout ce que je sais, c'est que je m'arrange toujours pour garder les mains dans les poches chaque fois que je suis amenée à le croiser. J'ai bien trop peur qu'il me refasse le coup du baisemain. Il ne parle pas beaucoup de lui, mais je suis prête à parier que notre ami Russell a été élevé dans le Vieux Monde.

— Sans aucun doute. Et probablement en Transylvanie.

Les deux jeunes femmes éclatèrent de rire. Il n'y avait guère qu'en compagnie de Nancy que Sara se permettait de plaisanter aussi librement. Toutefois, même avec sa meilleure amie, elle se sentait toujours un peu coupable de médire de son locataire — ou de son pensionnaire, si tel était le terme exact.

Non, son *locataire*, trancha-t-elle résolument. Le mot pensionnaire évoquait des images trop désolantes : logeuses acariâtres, établissements désuets, atmosphère confinée et règlement strict. La constante augmentation du coût de la vie avait contraint Sara à reconvertir l'aile sud de sa vaste demeure en un espace indépendant comportant deux immenses chambres et une salle de bains. Bien que cette situation durât depuis plus d'un an, Sara avait encore du mal à partager sa maison avec des inconnus, même s'ils payaient un loyer en échange.

Dieu sait, pourtant, que cet argent était le bienvenu ! Et si un rappel à l'ordre avait été nécessaire, la visite qu'elle venait d'effectuer à sa banque aurait amplement rempli cet office...

— Cela dit, admit Sara avec un soupir, je serais prête à laisser Russell m'embrasser les deux mains, si seulement il pouvait réapparaître et me payer le loyer qu'il me doit.

— Parce qu'il n'est toujours pas rentré ? s'exclama Nancy en fronçant les sourcils.

Sara secoua la tête.

— J'en arrive à me demander s'il n'est pas en train de les fabriquer, ses fichues pièces de monnaie, plutôt que de les acheter et de les vendre, tout bêtement.

— J'avoue que je n'ai jamais très bien compris comment notre cher ami Russell gagnait sa vie, reconnut Nancy en jouant distraitement avec un lot de brosses à cheveux.

— Rassure-toi. Moi non plus, je n'ai pas saisi toutes les subtilités de son art. Il m'a expliqué qu'il repérait des pièces de monnaie rares pour les collectionneurs. Sa bible, c'est un petit carnet noir dans lequel il note le nom de ses clients et le type de pièces qu'ils recherchent. Apparemment, il se charge de mettre en relation les vendeurs et les acheteurs. Notre Russell national est un genre d'entremetteur numismate, en somme.

— Nu-mis-mate, répéta Nancy en détachant les syllabes, comme pour faire connaissance avec ce mot bizarre. Je suppose que ça ne doit pas être donné à tout le monde d'exercer un métier qui porte un nom aussi compliqué. Franchement, cela m'étonnerait qu'il n'ait pas les moyens de payer sa chambre et sa demi-salle de bains.

— C'est vrai, il n'a pas l'air malheureux. En fait, je suis persuadée qu'il paierait sans problème s'il n'était pas toujours par monts et par vaux. Pendant les trois premiers mois, il a été à peu près ponctuel, mais cette fois, il est parti depuis plus de deux semaines sans laisser d'adresse. Je me serais sentie un peu moins démunie face à Stuart, tout à l'heure, si j'avais pu me présenter à la banque avec un minimum d'argent sur mon compte.

Les yeux bruns de Nancy s'assombrirent.

— Tu crois vraiment que la banque va te saisir ?

— Tôt ou tard, oui. Corinne rêve de mettre la main sur ma maison, ce n'est un secret pour personne.

— Quelle peste celle-là ! Comment Stuart a-t-il pu épouser cette idiote insignifiante alors qu'il avait la chance de...

D'un regard suppliant, Sara arrêta son amie en pleine diatribe.

— Non, s'il te plaît, Nancy, nous en avons déjà parlé des centaines de fois. C'est de l'histoire ancienne.

— Ancienne, peut-être, mais pas enterrée pour autant. Tant que tu ne lui auras pas rendu la monnaie de sa pièce, tu ne...

— Je n'ai pas envie de régler mes comptes avec Stuart. Tout ce qui m'intéresse, c'est de garder ma maison.

— C'est peut-être là que tu commets une erreur, suggéra Nancy prudemment. Pourquoi ne pas admettre une fois pour toutes que la demeure ancestrale des McAllister est beaucoup trop grande pour toi ? Ces pièces immenses sont impossibles à chauffer, tu paies des fortunes en impôts, et tu passes ton temps à colmater les fuites et à réparer ce qui s'effondre. Alors que tu pourrais consacrer tes heures de loisir à des occupations autrement plus épanouissantes.

— Ah oui ? Quoi, par exemple ?

— Le shopping, répondit Nancy sans hésitation.

— Je ne peux pas me permettre de dépenser mon argent dans les magasins, tu le sais bien.

— Tu le pourrais si tu te décidais enfin à tirer un trait sur la splendeur déchue des McAllister pour prendre un duplex sympa au bord de...

Nancy, qui avait conscience de plaider une cause perdue, s'interrompit en voyant son amie secouer la tête.

— Je conçois que tu aies du mal à comprendre, Nancy. Et dans un sens, je ne me comprends pas très bien moi-même. Mais ça fait plus d'un siècle que cette maison est dans la famille. Je ne voudrais pas me montrer indigne de mes ancêtres en étant celle qui dilapide la...

— Toi ? Celle qui dilapide ? s'écria Nancy. Alors que...

La jeune femme se mordit la langue et laissa sa

300

phrase en suspens. Elle savait pertinemment que la fortune des McAllister avait déjà fondu entre les mains du père de Sara bien avant que celle-ci fût en âge d'intervenir. Et sa mère n'avait pas fait grand-chose pour arranger la situation. Mais aujourd'hui, ils reposaient tous les deux au cimetière de Sutton Cove. Et si Sara, qui respectait profondément ses parents, refusait de les tenir pour responsables de ses difficultés actuelles, ce n'était pas à elle, Nancy, de souligner l'évidence. Avec un soupir, Sara se jucha sur un tabouret pivotant et parut se concentrer sur ses préoccupations.

— C'est vraiment dommage que tu n'aies pas prévu une seconde salle de bains lorsque tu as aménagé l'aile sud, remarqua Nancy.

— C'est ça, oui... Et pourquoi pas un sauna, aussi ? Quoi de plus agréable que de se prélasser dans un bain de vapeur après avoir effectué un cent mètres papillon dans la piscine ?

D'un geste las, Sara passa la main sur son front.

— Je ne pouvais pas investir plus, Nancy, reconnut-elle avec un sourire triste.

— C'est vrai, je n'y pensais plus... J'avais même oublié le plombier, ajouta Nancy avec un soupir voluptueux. Dieu sait qu'il était beau, pourtant ! Il avait une allure, avec sa ceinture à outils qui lui tombait sur les hanches ! Des hanches minces, si mes souvenirs sont bons... Vraiment, il était viril en diable, ce type. Et il avait des yeux...

Sara rit de bon cœur.

— Stop, Nancy ! Laisse tomber les fantasmes et reviens sur terre. Tu es mariée, je te le rappelle au cas où ce détail te serait sorti de l'esprit.

— Je le sais bien, mais toi, tu es libre. Si tu avais suivi mes conseils et que tu t'étais décidée à séduire ce plombier, tu aurais sûrement une seconde salle de bains, maintenant. Et de grisants souvenirs en prime. Ce qui est toujours bon à prendre dans la vie.

— Tu es incorrigible, Nancy. Je désespère de te changer un jour.

— Et bien moi, tu vois, j'espère, au contraire, assister à ta métamorphose. Tu finiras bien par rencontrer un homme qui saura voir au-delà des apparences, et qui découvrira, derrière ton masque, une femme de chair et de sang. Avec un tempérament de feu et une sensualité féroce.

— Je n'ai pas le temps de m'occuper de ça, Nancy ! Sauf si ça devait rapporter de l'argent, à la rigueur...

— Qu'est-ce que tu dis ? Toi, Sara, tu envisagerais sérieusement d'exercer le plus vieux métier du monde ?

Sara sourit et haussa les épaules.

— Même si j'étais prête à le faire, ce qui est loin d'être le cas, je suis sûre que je n'aurais aucun succès.

— Veux-tu arrêter tes idioties ! s'emporta Nancy. Tu es une femme très attirante avec un potentiel...

— ...très prometteur, compléta obligeamment Sara. Elles entonnaient là un refrain connu

— Exactement, acquiesça Nancy en se levant.

Elle fit pivoter le siège de Sara de manière à placer son amie face au grand miroir mural. Le contraste entre les deux jeunes femmes était saisissant. Toutes deux étaient de taille moyenne, mais leur ressemblance s'arrêtait là. Avec sa coiffure courte et ses immenses yeux bruns, Nancy affichait un tempérament explosif et une impétuosité qui continuaient à surprendre Drew, son mari. Les longs cheveux châtain de Sara, en revanche, se rapprochaient plus de la couleur du miel que de celle du café noir. Et son expression posée, la douceur rêveuse de son regard reflétaient une personnalité calme et introvertie.

Nancy détailla le visage de son amie dans le miroir.

— Tu ne peux pas nier que tu as des yeux...

— ... d'un bleu lumineux comme un ciel de mai, enchaîna Sara qui connaissait à fond ses répliques.

Mais Nancy ne se laissa pas détourner du droit chemin ou, plus exactement, de la mission qu'elle s'était fixée dans l'existence : faire de Sara Marie McAllister une femme épanouie et consciente de son charme.

— Si seulement j'avais des pommettes aussi bien dessinées que les tiennes, Sara ! Et regarde, tes dents...

— Rien à dire, elles sont parfaites. Et, comme chacun le sait, la dentition est, de loin, ce qui fascine le plus un homme quand il regarde une femme.

— Ce qui intéresse les hommes est loin de te faire défaut, rétorqua Nancy très sérieusement. Le seul problème, c'est que tu n'en tiens pas compte. Le désir, ça s'entretient. Comme la mémoire ou... tiens, comme les cheveux ! A force de vivre comme une nonne, tu oublies que tu as un corps, et si ça continue, lui aussi va finir par t'oublier. Il ne t'enverra plus de messages, et tu vieilliras avant l'âge.

Sara éclata de rire. Nancy était la seule à pouvoir se permettre de lui parler de cette façon. Tout cela partait d'un bon sentiment, songea Sara. Régulièrement, Nancy s'employait à lui remonter le moral en lui inventant toutes sortes de qualités merveilleuses. Certains jours, lorsqu'elle se sentait optimiste, Sara en arrivait presque à se laisser convaincre. Et si Nancy avait raison ? Et si elle était plus jolie, plus mince, plus désirable qu'elle ne le croyait ? Mais Sara avait toujours été lucide et raisonnable. Et lorsqu'elle se laissait aller à rêver, cela ne durait jamais très longtemps. Car si elle avait été aussi extraordinaire que le prétendait Nancy, la nouvelle se serait répandue dans la ville depuis longtemps !

Nancy, cependant, parvenait à sa conclusion habituelle :

— Mais attention, Sara. Avoir des possibilités, c'est bien beau, mais encore faut-il les exploiter ! Dame Nature t'a gâtée au départ, mais c'est à toi, maintenant, de lui donner un coup de pouce...

— Je n'ai pas le temps de lui donner un coup de pouce, à ta dame Nature. A moins, bien sûr, qu'elle ne cherche une chambre à louer et qu'elle soit disposée à partager sa salle de bains avec Russell LeFleur.

— Du temps, on en trouve toujours, ma belle. Et ça tombe bien, d'ailleurs, car ma cliente de 11 heures vient d'annuler son rendez-vous. Ce qui nous laisse presque une heure avant que Gwen Maxwell arrive pour sa permanente mensuelle. Peut-être un peu plus, même, car Gwen s'arrête toujours chez le garagiste pour faire les yeux doux au frère de Darrell Gate. En pure perte, d'ailleurs, si tu veux mon avis. Mais passons...

— Oui, passons, comme tu dis, renchérit Sara en repoussant la blouse rose que Nancy venait de décrocher d'une patère.

— Sara, fais un effort, s'il te plaît ! C'est le moment ou jamais de laisser ta nature s'exprimer, insista Nancy en défaisant la simple barrette en argent qui retenait les cheveux de Sara. Personnellement, je penche pour une coiffure courte, tes cheveux retrouveraient leur ondulation naturelle.

— Quelle ondulation ? J'ai les cheveux raides comme des baguettes de tambour.

— C'est l'impression qu'ils donnent parce qu'ils

304

sont longs et lourds. Mais dès que je les aurai coupés, ils reprendront leur volume, leur mouvement.

Sara fronça les sourcils en examinant son image.

— Naturellement, je te laisserai une certaine longueur dans la nuque, se hâta de préciser Nancy. Allons, Sara... Essaye de faire travailler ton imagination.

— Je n'en ai jamais eu. Ce que je sais, par contre, c'est que j'aime les cheveux longs.

— Tu les aimes peut-être longs, mais qui te dit que tu ne vas pas les adorer courts? Depuis l'école, je ne t'ai jamais vue autrement qu'avec ta queue-de-cheval!... Bon. O.K. Le court te fait peur, je n'insiste pas. Mais nous pouvons adopter une solution intermédiaire : mi-longs, avec quelques mèches pour faire ressortir ta blondeur.

— Non.

— Et pourquoi?

— Je ne me sens pas blonde. Et encore moins d'humeur à sacrifier vingt centimètres de chevelure sans même avoir le temps de réfléchir. Ce n'est pas ma coiffure qui me pose problème en ce moment. C'est tout le reste qui aurait besoin d'être revu et corrigé.

— Tout à fait d'accord. Mais il faut bien commencer par quelque chose. Et il suffit parfois de changer de tête pour se sentir devenir quelqu'un d'autre.

— Merci, Nancy, mais je n'ai vraiment pas le cœur à ça, murmura Sara en se laissant glisser de sa chaise. J'apprécie ton offre mais je doute qu'une coupe, même agrémentée d'un shampooing décolorant, puisse me réconcilier avec la perspective de voir les huissiers débarquer chez moi.

— Je n'ai jamais prétendu une chose pareille!

Avec un profond soupir, Nancy replia la blouse rose.

— Je suis désolée, Sara. Tu sais que si Drew et moi, nous avions le moindre sou d'avance, nous...

— Oui, je sais, Nancy. Mais en m'écoutant, tu m'aides déjà beaucoup, crois-moi. Je vais bien finir par sortir de cette impasse. Et si je ne trouve aucune solution... Eh! bien, ce ne sera pas la fin du monde, après tout! conclut-elle avec un pâle sourire.

« Non, songea Sara, en reprenant à pied le chemin du retour. Ce ne sera pas la fin du monde. » Et pourtant, si elle devait perdre l'immense maison en bardeaux blancs qui occupait la place d'honneur à Sutton Cove, cela ressemblerait bel et bien à la fin de son monde à elle. La vaste demeure à deux étages avec ses hauts plafonds, ses cheminées en brique, ses parquets anciens aux motifs compliqués était le seul foyer qu'elle eût jamais connu. Et au-delà de ces souvenirs personnels, c'était aussi l'héritage des McAllister, ce qui faisait l'orgueil de la famille depuis un siècle. Et Sara se trouvait être, désormais, l'unique dépositaire de cette encombrante relique.

Lorsqu'elle était jeune fille, la maison ne lui inspirait que des rêves enchantés. Elle s'imaginait mariée, heureuse, entourée d'enfants qui ne demanderaient qu'à reprendre le flambeau. Mais la réalité avait pris un tout autre visage, songea Sara en repoussant quelques souvenirs particulièrement pénibles, tous liés à l'idée du mariage et à la personne de Stuart Bowers. Des statistiques récemment publiées avaient achevé de la démoraliser. Les chances, pour une femme célibataire de plus de trente ans, de trouver un compagnon pour la vie étaient si faibles que cela ne valait même plus la peine d'y penser.

C'était, d'ailleurs, ce qu'elle faisait spontanément : elle n'y pensait plus — ou si peu —, préférant se concentrer sur ses problèmes matériels qui commençaient à prendre des proportions inquiétantes. En effet, il ne s'agissait pas seulement de garder la maison. Encore fallait-il la garder debout ! Et cela ressemblait de plus en plus à un défi que seul, peut-être, Sisyphe aurait pu relever. Bien qu'elle eût toujours été sensible aux charmes de l'ancien, Sara se surprenait parfois à rêver de cadres de fenêtre en aluminium et de parquets vitrifiés. Son père n'était pas un manuel, loin de là. Les quelques travaux qu'il avait effectués ne pouvaient être qualifiés que de rafistolage. Et depuis quelques années, toutes ces réparations de fortune semblaient s'être donné le mot pour rendre l'âme dans une parfaite unisson.

Armée d'un *Guide pratique du bricoleur* qui ne quittait pas sa table de chevet, Sara s'employait au mieux à limiter les dégâts. Mais eût-elle été plus forte, plus adroite, mieux équipée, le problème serait resté le même : pour maintenir cette maison en état, il fallait un apport massif de capitaux dont elle ne disposait pas et ne disposerait sans doute jamais.

Cette absence de moyens l'obligeait également à assurer seule le ménage ainsi que l'entretien du jardin. Avec l'arrivée des beaux jours, Sara s'était attelée, comme chaque année, à une tâche de longue haleine. Il s'agissait de retirer les lourds châssis de protection qui isolaient les fenêtres en hiver, pour les remplacer par des moustiquaires. Cet après-midi, Sara comptait effectuer ce travail sur les fenêtres du salon et celles des deux « chambres d'hôte », comme elle avait choisi de les nommer.

La jeune femme fit une halte à la quincaillerie Mason pour y récupérer deux moustiquaires qu'elle y avait déposées en vue d'une réparation. Les Etablissements Mason se trouvaient sur son chemin, entre le salon de coiffure de Nancy et la grande maison familiale. Comme n'importe quel commerce de Sutton Cove, d'ailleurs, une petite ville typique de la Nouvelle-Angleterre qui vivait repliée sur sa rue principale où les magasins s'alignaient dans le décor immuable propre aux bourgades de cette partie des Etats-Unis. On pouvait à la fois se vêtir, se faire coiffer, acheter le dernier parfum à la mode et dîner dans le restaurant le plus huppé de la ville, sans avoir à prendre une seule fois sa voiture. Un peu plus loin, à quelques pâtés de maisons à peine, Weymouth Street débouchait sur une petite place presque entièrement tapissée de pelouses et dominée par une fière statue de Jeremiah Sutton, le fondateur de la commune. Les vastes et élégantes demeures de ce quartier remontaient au début du siècle. Et de toutes ces maisons, la sienne était, de loin, la plus grande et la plus belle, se disait Sara avec une fierté qui lui avait été inculquée dès son plus jeune âge.

La place débouchait également sur un joli petit port de plaisance où se trouvaient à quai des bateaux de dimensions modestes appartenant aux gens des environs. Construite sur les berges de la rivière Sakonnet et non sur les rives de l'Atlantique, la petite ville n'attirait pas beaucoup de touristes, contrairement aux stations balnéaires de la côte sud, ce qui n'était pas pour déplaire aux habitants de Sutton Cove. Car ici, on était aimable et souriant, certes, mais on appréciait avant tout la tranquillité et le confort inhérent aux habitudes.

D'après Sara, il fallait entre deux et trois décades pour qu'un « nouveau venu » dans le pays ne soit plus considéré comme un étranger. Une fois passé ce cap, Sutton Cove vous était ouvert, et ses habitants devenaient aussi accueillants que les grands porches de bois qui ornaient les façades dominant Weymouth Street. En revanche, pour les gens du pays comme pour les nouveaux venus, le code moral était inflexible — aussi strict et rectiligne que les petits carrés de pelouse impeccables qui agrémentaient chacune des maisons.

Déroger à la norme équivalait à se voir hissé du jour au lendemain au hit-parade de tous les commérages. Le plus infime écart de conduite vous valait le douteux privilège de figurer au menu de toutes les conversations. Mais le plus affreux, c'était d'en arriver à inspirer la pitié générale. Un cauchemar que Sara avait connu mais qu'elle s'était juré de ne jamais revivre.

L'une des moustiquaires que Sara venait chercher appartenait à une fenêtre de la chambre de Russell. Elle avait espéré, pour différentes raisons, que son locataire serait revenu avant qu'elle l'installe. Mais comme la date de son retour restait indéterminée, elle avait décidé de poursuivre ses travaux malgré tout. Avec les premières chaleurs d'avril, Russell serait content de pouvoir ouvrir sa fenêtre et faire rentrer un peu d'air frais.

Sara se débarrassa du tailleur en lin bleu qu'elle avait revêtu ce matin-là pour impressionner Stuart, et qui, bien entendu, avait laissé le banquier de marbre. Avec un soupir de pur bien-être, elle le troqua contre son habituel survêtement gris. Puis elle passa une bonne heure à aligner les moustiquaires dans le bon ordre. Elle avait découvert à ses dépens qu'aucune fenêtre de la maison n'était exactement du même format que sa voisine. Et comme les cadres et les châssis avaient joué avec le temps, il convenait d'insérer la protection de fin grillage en respectant un angle précis. Le temps d'enchaîner les dix ouvertures de la véranda avec les six du salon, et Sara était en nage, échevelée et à bout de nerfs.

Elle en avait plus qu'assez de transpirer, de se taper

sur les doigts avec un marteau, de passer ses soirées à retoucher la peinture écaillée des boiseries ou à traiter les poutres des plafonds contre d'inlassables armées d'insectes parasites. La seule chose qui lui paraissait plus désirable encore que de se jeter sur le canapé avec un roman, c'était de voir arriver Russell LeFleur avec le montant du loyer. Et de trouver un second locataire, ce qui semblait relever du rêve éveillé, étant donné que la ville n'offrait aucune attraction touristique.

Avec ses lourdes moustiquaires sous le bras, Sara sortit sur le perron. Pendant les travaux d'aménagement, elle avait fait condamner le passage interne entre l'aile principale et le côté sud de la vieille demeure. Pour accéder aux appartements de Russell, il lui fallut donc ressortir, contourner la maison et emprunter une entrée latérale. Une fois dans le petit vestibule, Sara s'arrêta devant la porte de gauche et posa son encombrant fardeau pour sortir la clé de la poche de son pantalon de jogging.

Elle n'avait pas vu la voiture de Russell garée à sa place habituelle, mais, par acquis de conscience, elle frappa et attendit quelques instants.

Pas de réponse.

Rien d'étonnant, songea-t-elle, agacée, en tournant la clé dans la serrure. Compte tenu de la chance qu'elle avait en ce moment, aucun miracle n'était à attendre. Sara actionna la poignée de la porte et demeura un instant interdite lorsque celle-ci s'ouvrit sur quelques centimètres, puis se bloqua net. Russell aurait quand même pu l'avertir qu'il avait installé une chaîne de sécurité! pensa-t-elle, vexée. Mais le plus étonnant, c'était qu'il eût réussi à fermer ce maudit machin de l'extérieur. Comment avait-il fait? Peut-être s'agissait-il d'un système spécial que l'on ne pouvait commander qu'avec une clé?

— Il ne manquait plus que ça, maugréa-t-elle en passant la main par l'entrebâillement pour explorer le mécanisme.

Mais Sara n'était pas au bout de ses surprises. Le battant céda d'un seul coup. Emportée par son poids, elle bascula en avant, et son front vint heurter de plein fouet l'arête de la porte. Elle aurait atterri sur le parquet si des bras providentiels ne l'avaient pas arrêtée au passage.

Pas un rayon de lumière ne filtrait par les stores fermés. En l'espace d'une seconde, une foule de pensées tourbillonna dans la tête meurtrie de Sara. Elle songea tout d'abord que Russell était là. Dans ce cas, il risquait fort de ne pas apprécier qu'elle vînt chez lui pendant son absence en utilisant sa clé. Mais, de son côté, Sara n'avait pas que des félicitations à lui adresser ! Pourquoi avait-il retiré si brusquement cette maudite chaîne ? Si quelqu'un ne l'avait pas retenue, elle se serait fracassée la tête sur... Mais ces bras, au fait ? Ils étaient forts — d'une force presque effrayante. Longs, musclés et durs, ils la soutenaient sans peine. Ces bras ne pouvaient pas être ceux de Russell LeFleur. Il n'y avait aucun doute là-dessus.

A cet instant précis, on appuya sur l'interrupteur, et la lumière du plafonnier vint confirmer l'intuition de Sara. Ses yeux écarquillés plongèrent dans un regard inconnu. Un regard qui avait commencé par exprimer l'étonnement mais qui, très vite, se mit à pétiller d'amusement.

— Voyons... amie ou ennemie ? Plutôt la deuxième solution, j'espère !

Ces mots, prononcés d'une voix grave, profonde, légèrement traînante glissèrent sur Sara au moment où quelqu'un éteignait de nouveau la lumière. A l'intérieur de sa tête, cette fois...

2.

Sara ouvrit les yeux et constata avec consternation que le cauchemar ne se dissipait pas : elle se trouvait bel et bien dans la chambre de Russell, et l'inconnu était toujours là. Les premiers détails qui frappèrent sa conscience furent une chevelure brune hirsute et un regard vert saisissant. Après seulement, elle ressentit la peur. Sans doute à cause des chaînes qui la retenaient prisonnière. Seigneur ! Elle était attachée, détenue par un homme étranger à Sutton Cove ! La scène se déroulait point pour point comme dans les reconstitutions policières qu'elle regardait, le soir, à la télévision.

Au moment où elle allait crier, elle comprit qu'elle n'était pas ligotée, comme elle l'avait cru en reprenant conscience. Non, ce n'était pas des liens, mais les bras de l'inconnu qui l'enserraient. Ce terme, d'ailleurs, ne convenait pas tout à fait. En réalité, l'homme la soutenait sans effort, comme il aurait porté une toute jeune fille. Or s'il y avait une femme au monde qui ne se considérait pas comme un poids plume, c'était bien Sara Marie McAllister.

Elle se tortilla pour se dégager.

— Lâchez-moi !

Etait-ce bien elle qui venait d'émettre ce maigre son

étranglé? Sara s'éclaircit la gorge et fit une seconde tentative. Mais sans succès. Sa voix n'exprimait pas la moindre nuance d'autorité.

— Posez-moi, je vous dis!

— Je ne demande pas mieux, rétorqua l'inconnu. Mais en l'état actuel des choses, il est difficile de dire lequel de nous deux se raccroche le plus fort à l'autre.

Sara était décontenancée par la manière dont il s'exprimait. Elle s'était attendue à de solides fautes de syntaxe, quelques vulgarités bien senties et un accent à couper au couteau. De même qu'elle se préparait à le voir, d'une seconde à l'autre, sortir un cran d'arrêt pour l'attacher avec les cordons des rideaux afin de...

Mais au fait... qu'entendait-il par ce : « lequel de nous deux se raccroche le plus fort à l'autre »?

Sara voulut détacher son regard du visage de l'inconnu pour prendre un peu de recul. Elle s'aperçut alors avec horreur qu'elle se cramponnait des deux mains au cou de son geôlier. Sans perdre une seconde, elle croisa les bras sur la poitrine afin d'éviter, à l'avenir, de le toucher, même accidentellement. Il suffisait parfois d'un rien pour que ce genre de type se crût autorisé à des débordements des plus regrettables...

— Voilà. Et maintenant, pouvez-vous me lâcher, s'il vous plaît?

— Etes-vous certaine d'avoir recouvré vos esprits?

— Je n'ai pas souvenir de les avoir jamais perdus! protesta Sara, très digne.

— Dans ce cas, considérez que je n'ai rien dit. Je me suis permis de poser la question parce que vous aviez l'air un peu... égarée lorsque je vous ai rattrapée, tout à l'heure.

Il conclut cette remarque par un sourire qui subjugua littéralement Sara. L'homme avait de belles dents, blanches et régulières, et une moustache du même brun cuivré que ses cheveux. Mais elle n'était pas hirsute du tout. Et, contrairement à celle de Russell LeFleur, la moustache de l'inconnu ne dissimulait pas sa bouche. Laquelle bouche était sensuelle, bien dessinée, et se prêtait aisément au sourire. L'attitude amusée de l'inconnu avait quelque chose de communicatif, et la première réaction de Sara fut de l'imiter. Mais elle se reprit très vite. Cet homme était un intrus, elle ne devait pas l'oublier, sans doute un cambrioleur, et peut-être même pire que ça !

Sara posa sur lui un regard qui n'invitait plus du tout à la plaisanterie.

— Lâchez-moi !

Au moment précis où elle prononçait ces mots, le souvenir d'une émission qu'elle avait vue à la télévision s'imposa à son esprit. Au cours d'un débat, un expert de la police avait expliqué avec force détails que certaines personnes, en établissant un contact réel, de type amical, avec leur agresseur, avaient réussi à gagner du temps et à s'en sortir vivantes.

— Je veux dire : lâchez-moi, s'il vous plaît, monsieur... euh... ?

— Flynn.

— Monsieur Flynn, donc, auriez-vous la gentillesse de... ?

— Pas monsieur Flynn. Flynn tout court.

— Oui, bon. Comme vous voudrez. S'il vous plaît, Flynn, lâchez...

Sans laisser à Sara le temps de terminer sa phrase, il retira le bras qui soutenait ses jambes. Elle retomba lourdement et chancela, déséquilibrée par la rapidité de son geste.

— Là, là... reprenez-vous, dit-il d'un ton protecteur,

en raffermissant la prise qu'il avait gardée dans son dos. Vous pouvez vous appuyer sur moi, ma jolie.

Horrifiée, Sara opéra un rétablissement instantané.

— Certainement pas ! Pour commencer, je n'aurais pas trébuché si vous ne m'aviez pas lâchée comme un vulgaire paquet de linge sale.

— « Lâchez-moi ! » Cela ressemblait à un cri du cœur. Vous auriez dû préciser à quelle vitesse et de quelle manière vous souhaitiez que l'opération fût menée.

— Je ne m'attendais pas à ce que vous vous montriez aussi brutal !

— Reconnaissez que je ne vous ai pas fait tomber. J'aurais pu ! Mais je vous ai tenue fermement et sans faiblir.

— Oui, bon... c'est entendu... marmonna Sara.

Elle savait qu'elle ne faisait pas partie de ces frêles et délicates créatures qu'un homme emporte dans ses bras comme un fétu de paille. Il aurait pu la laisser tomber, en effet. Ou, en tout cas, transpirer et haleter sous son poids. Mais il était resté impassible, comme un homme tranquillement assis dans un fauteuil...

Bon, d'accord, mais enfin, il n'y avait quand même pas lieu de s'extasier parce qu'un truand lui faisait une démonstration de body-building en la soulevant dans ses bras ! Il était fort, elle n'en doutait pas, et c'était une raison supplémentaire de se montrer vigilante, car il pouvait l'agresser à tout moment. Sara lui jeta un regard en coin et songea que son corps mince et longiligne vêtu d'un jean noir et d'un vieux blouson de cuir n'évoquait en rien l'haltérophile de base. Mais ce n'était pas une raison pour dévier de la ligne de conduite qu'elle s'était fixée : d'une façon ou d'une autre, il fallait qu'elle s'arrange pour établir un lien « de type amical » avec cet individu.

— Bon, ce n'est pas grave, n'en parlons plus, trancha-t-elle d'un air pincé. Il ne fallait pas le prendre comme une critique.

Le petit air amusé qui flottait en permanence au coin des lèvres de Flynn se transforma en franc sourire, et ses yeux se mirent à pétiller derrière ses paupières un peu lourdes qu'il ne relevait jamais entièrement.

— De mon côté, je n'avais pas l'intention de vous lâcher sans prévenir, reprit-il le plus sérieusement du monde. Voulez-vous que nous fassions un second essai, histoire de ne pas rester l'un et l'autre sur une mauvaise impression ?

Sara pâlit.

— Non, balbutia-t-elle, en reculant au fur et à mesure qu'il avançait. Non, vraiment, ça ira très bien comme ça.

Il ne pensait pas sérieusement à recommencer l'expérience, quand même ?

— Pourquoi êtes-vous si tendue ? demanda-t-il d'une voix aux inflexions soudain caressantes.

— Je ne suis pas tendue ! Cela dit, j'aurais toutes les raisons de l'être après avoir été assaillie dans ma propre maison !

— Assaillie ?

Il paraissait si surpris que, pendant une fraction de seconde, Sara se sentit presque en position de supériorité.

— Oui, monsieur Flynn : assaillie. Vous ignorez la signification de ce mot ?

— Assailli..., répéta-t-il gravement. Assaillir comme attaquer, harceler, prendre d'assaut ?

A chaque mot, il se rapprochait d'un pas. Acculée contre le mur, Sara adressait au ciel une prière secrète en se préparant au pire.

— Ce qui m'échappe, c'est la raison pour laquelle vous faites entrer l'acte de courage et de dévouement dont j'ai fait preuve en vous sauvant d'une chute certaine dans la catégorie de l'attaque, du harcèlement ou de l'assaut ?

Le feu monta aux joues de Sara.

— Aucun sauvetage ne se serait imposé si je ne vous avais pas trouvé tapi derrière cette porte à m'attendre, prêt à vous jeter sur moi pour...

— En vérité, je ne vous attendais pas. Honnêtement, ma belle, j'ai été aussi étonné que vous de voir quelle prise je ramenais dans mes filets.

— Permettez-moi d'en douter.

— Cela dit, la surprise a été agréable, je tiens à le préciser.

— Ecoutez, monsieur Flynn, j'ignore ce que vous faites ici ni pourquoi...

— Mais vous avez des soupçons, apparemment, n'est-ce pas, euh... ?

— Sara, compléta-t-elle, en réponse à son regard interrogateur. Sara McAllister.

« Continue à maintenir le lien, surtout ! A communiquer avec lui comme avec un être humain ordinaire », se répétait-elle.

— Sara, donc... A votre avis, Sara, pourquoi m'avez-vous rencontré dans cette chambre ?

— Je n'en ai pas la moindre idée. Et si vous le permettez, j'aime autant ne pas y penser. Maintenant, si vous acceptez de partir d'ici au plus vite, je veux bien tirer un trait sur toute cette histoire et oublier jusqu'à votre existence, proposa-t-elle, jouant le tout pour le tout.

Mais il était écrit qu'elle ne s'en tirerait pas à si bon compte. Flynn secoua la tête d'un air de regret.

— Si je le pouvais, je ne demanderais pas mieux. Mais quand je suis sur une affaire, je vais toujours jusqu'au bout.

Une affaire ? Seigneur, sur quel genre « d'affaire » pouvait bien être lancé un homme comme lui ? Il n'y avait pas grand-chose à voler dans la chambre de Russell. Le dénommé Flynn avait peut-être eu le temps de faire ce triste constat. Aurait-il décidé de s'offrir une petite compensation en la personne de la propriétaire ? De s'octroyer un prix de consolation, pour ainsi dire ? Sara se redressa, adopta une expression altière, et fit un pas en direction de la porte.

— Si vous tenez à vaquer à vos « affaires », monsieur Flynn, faites comme bon vous semble. Pour ma part, je...

Vif comme l'éclair, il tendit le bras en direction de la commode, et elle se retrouva bloquée par cette barrière de cuir et de muscles.

— Tiens... Qu'est-ce que c'est que ça ?

Si la question fut formulée avec une certaine nonchalance, il n'y avait, par contre, rien de désinvolte dans le pistolet qu'il tenait tout près de son visage. Sara sentit la sueur ruisseler dans son dos ; une main de fer lui comprimait la poitrine. De sa vie, elle n'avait vu un revolver de si près. Froide et mortelle, l'arme dégageait une odeur métallique qui prenait à la gorge. Avec une aisance qui lui parut relever d'une longue habitude, Flynn laissa glisser son pouce sur le cran de sécurité.

Sara ferma les yeux en crispant bien fort les paupières.

— Je vous en prie, chuchota-t-elle d'une voix éteinte. Ne tirez pas.

— D'accord, murmura-t-il.

319

Elle risqua prudemment un regard dans sa direction et découvrit qu'il souriait. En fait, il paraissait à la fois amusé et totalement perplexe, comme s'il n'avait pas encore pris de décision quant au sort qu'il lui réservait. Sara eut un sursaut d'espoir. Le cœur battant à se rompre, elle veilla à rester parfaitement immobile.

— Vous pouvez me demander n'importe quoi, lui confia-t-elle à voix basse. Mais je vous en supplie, ne tirez pas !

— Il me semble vous avoir déjà rassurée à ce sujet, rétorqua-t-il avec un soupçon d'impatience.

Sara n'en revenait pas. Il avait l'air surpris qu'elle ne l'eût pas cru sur parole. Comme si elle était censée accorder spontanément sa confiance à un type qui entrait chez elle par effraction et lui brandissait un pistolet sous le nez !

— Que comptez-vous faire, maintenant ? balbutia-t-elle.

— Discuter.

— Discuter ?

Il haussa les épaules.

— Vous avez une meilleure idée ?

— Moi ? Euh... Non, non, pas du tout...

« Le lien de type amical, Sara ! Pense au lien de type amical... » Si il ressentait le besoin de parler, elle voulait bien lui donner la réplique toute la nuit.

— Parlez-moi de vous, Sara.

— De moi ? Mais je n'ai pas grand-chose à raconter sur...

Il modifia la position de son revolver, et Sara s'humecta les lèvres.

— Parler de moi, vous dites ? Mais oui, pourquoi pas ? Que désirez-vous savoir ?

— Oh, rien de très compliqué... Votre âge, votre profession, vos liens avec Russell LeFleur.

320

— Vous connaissez Russell! s'exclama Sara, ébahie.

Elle avait supposé à tort qu'il était entré chez elle
par hasard, que de toutes les maisons à cambrioler, il
avait fallu qu'il tombât sur la sienne parce que la mal-
chance était toujours du côté de Sara McAllister.

— Vous êtes un ami de Russell? Non... Bien sûr
que non! Un ami ne se serait pas introduit ici par
effraction.

— Vous voyez quelque chose de cassé, vous?

Sara regarda autour d'elle.

— Non.

— Vous ne me feriez pas l'insulte de croire que je
suis un délinquant à la recherche de quelques billets de
banque pour payer sa dose quotidienne de drogue?

— Oh non, jamais de la vie! se récria Sara. Mais
comment avez-vous fait pour pénétrer dans cette
chambre?

— J'ai crocheté la serrure.

Elle soupira.

— Un ami de Russell ne se serait jamais permis de
faire une chose pareille, franchement! Et encore moins
de se balader partout en agitant un revolver.

— Ah, mais je ne l'agite pas! Au contraire : je crois
avoir pris toutes les précautions nécessaires pour que
personne ne soit blessé. Enfin... pas accidentellement,
du moins.

— Oui, bien sûr, reconnut Sara d'un ton conciliant.
Vous vous êtes montré d'une prudence exemplaire.

— Le revolver vous met mal à l'aise? demanda-t-il
en plongeant son regard vert chargé de perplexité dans
les yeux bleus terrifiés de Sara.

— Non... Non, pas du tout. Vous m'avez assuré que
vous ne tireriez pas, et je vous crois.

« Pense à ton lien de type amical, ma vieille ! Ne l'oublie à aucun prix. »

Il sourit.

— C'est bien. Je veux que vous me fassiez confiance.

— Oh, mais c'est le cas ! rétorqua-t-elle avec un sourire tremblant.

« A peu près comme je me fierais à un fou dangereux, à Jack l'Eventreur ou à une tribu complète de cannibales. »

— Alors parlez-moi de Russell.

— Il... il habite ici.

— Ça, je le sais déjà, Sara. C'est même pour cette raison que je me trouve dans cette chambre. Apprenez-moi quelque chose que j'ignore encore à son sujet.

— Eh bien... Il fait des transactions assez spéciales : il achète et vend des pièces de monnaie.

Flynn fronça les sourcils.

— Ah tiens. C'est ce qu'il vous a dit ?

— Oui, pourquoi ? C'est faux ?

— En partie. LeFleur « vend » des pièces de monnaie.

— Et c'est pour ça que vous êtes ici ? demanda Sara qui commençait à voir plus clair dans son jeu. Pour voler... enfin, je veux dire, parce que vous vous intéressez à ses pièces rares ?

Il lui jeta un regard étrange.

— Pourquoi ? Vous savez où je peux en trouver ?

Elle secoua la tête.

— Non. Nous ne sommes pas très intimes, Russell LeFleur et moi. J'étais juste venue ici pour mettre les moustiquaires en place.

— Vous êtes sa logeuse, alors ?

Cette découverte avait l'air de le surprendre. Il avait

dû se faire une tout autre idée de ses rapports avec Russell. Les joues marquées d'une légère rougeur, Sara acquiesça.

— Pauvre Sara ! Vous a-t-on jamais fait remarquer que vous manquiez totalement d'intuition ?

— Oh, personne ne prend plus la peine de me le dire. En général, cela saute aux yeux, et les commentaires sont superflus. Ecoutez, Flynn, j'ignore où se trouvent les pièces de Russell, mais j'ai un peu d'argent à moi et...

Sara marqua une pause et déglutit avec difficulté. Ne prenait-elle pas des risques insensés en s'engageant sur ce terrain miné ? Quand il aurait découvert le montant dérisoire de ses économies, n'allait-il pas revenir sur sa promesse et décider froidement de l'abattre ?

— Je veux bien vous donner tout ce que je possède si vous me promettez de...

— Non.

Flynn baissa ses lourdes paupières d'un air désapprobateur, comme si elle l'avait déçu en lui faisant une telle proposition. De mieux en mieux, songea Sara. Elle n'était même pas capable de satisfaire aux exigences d'un simple cambrioleur de base !

— Ce n'est pas votre argent qui m'intéresse, Sara.

— Dans ce cas, que voulez...

Pétrifiée sur place, Sara s'interrompit net. Il venait d'esquisser un nouveau mouvement d'approche, et elle sentit soudain comme une brûlure la chaleur qui émanait de son corps.

— Vous m'avez dit que je pouvais vous demander n'importe quoi, Sara...

— Non, chuchota-t-elle.

Elle le savait pourtant depuis le début ! N'en déplaise aux experts de la police et à leurs fichus liens de type amical, le sacrifice allait être consommé. Sara McAllister se préparait à passer du statut de citoyenne ordinaire à celui de victime.

Terrifiée, elle ferma les yeux, fortifiant son âme en vue de l'agression imminente.

— Je peux tout vous demander, Sara... Tout ce que je veux, répéta-t-il d'une voix caressante, tout près de son oreille.

Etait-ce le canon du pistolet qu'elle sentait glisser le long de son cou, et descendre, millimètre par millimètre, jusqu'au creux de sa poitrine ?

— Et savez-vous ce que je désire le plus au monde, en cet instant ? poursuivit-il sur le même ton.

— Ne me le dites surtout pas, protesta-t-elle d'une toute petite voix.

— Allons, Sara...

— Oui ? chuchota-t-elle.

— Un repas.

Sara ouvrit les yeux. Flynn se tenait à distance respectable et ne la touchait même pas. Ni avec son pistolet ni avec la main. Elle allait devoir se méfier des caprices de son imagination survoltée.

— Vous avez bien dit « un repas » ?

— Un repas, oui. Mais ne vous compliquez pas la vie, surtout. Un simple sandwich fera l'affaire. Ou une omelette, si ce n'est pas trop compliqué.

La tête inclinée sur le côté, Flynn examina ses traits.

— Vous avez l'air de quelqu'un qui s'y entend en omelettes.

Par réflexe, Sara rentra le ventre en se demandant comment elle devait prendre cette remarque. Puis elle se ressaisit et se sermonna vertement. C'était bien le moment de penser à son poids ! Au lieu de remercier le ciel que Flynn eût préféré une simple collation au plaisir de se jeter sur son corps tremblant! Cela dit, Sara n'était qu'à moitié étonnée. La plupart des hommes, à sa place, auraient sans doute agi comme lui. Apparemment, même les criminels et les violeurs se montraient sélectifs dans le choix de leurs victimes!

— C'est tout ce que vous désirez, alors? Une omelette?

Les yeux verts de Flynn pétillèrent de plus belle.

— Pour le moment, oui. Et seulement si ça ne vous dérange pas.

— Pas le moins du monde, affirma Sara.

En toute sincérité, d'ailleurs. Elle était même prête à lui confectionner un menu trois-étoiles si ses talents de cuisinière pouvaient lui valoir un sursis. Les criminels, c'est bien connu, ne se débarrassent jamais de ceux qui leur sont utiles.

— Il faudra venir chez moi, expliqua-t-elle en pointant l'index vers la porte.

Flynn s'écarta pour libérer le passage.

— Je vous suis.

— Et si vous laissiez votre arme ici? suggéra la jeune femme en réprimant un frisson.

Il hésita un instant, puis secoua la tête.

— Je préfère prendre mes précautions.

— Mais nous allons devoir passer devant la maison! Imaginez qu'un voisin vous surprenne en train de braquer une arme sur moi?

— Vous avez raison. Je vais la dissimuler pour le moment.

Flynn glissa le revolver sous la ceinture de son jean, puis il gratifia Sara d'un sourire engageant.

— Mais comme je risque d'être un peu nerveux, j'aimerais autant que vous ne fassiez pas de mouvements brusques, O.K.?

— Comptez sur moi, murmura Sara.

Ils contournèrent les moustiquaires qui étaient restées dans le hall, et longèrent la façade de la maison. Quelle erreur de lui avoir fait remarquer que le pistolet risquait d'attirer l'attention ! songea Sara. Pour une fois, elle aurait eu intérêt à se faire remarquer, justement ! Cela dit, même sans le revolver, le couple qu'elle formait avec Flynn pouvait surprendre suffisamment les voisins pour que l'un d'eux décide de venir voir d'un peu plus près ce qui se tramait dans la maison McAllister ! A moins qu'on ne se dise, au contraire : « Tiens... Cette pauvre Sara a enfin trouvé un second locataire, depuis le temps qu'elle met des annonces un peu partout !... C'est triste, quand même, d'en arriver là ! Si Violet McAllister voyait sa fille dans une telle situation, il se retournerait dans sa tombe, c'est certain ! »

Le moral au plus bas, Sara gravit les marches du perron, suivie de près par Flynn. Elle tendait la main vers la poignée lorsque le miracle survint. Comme en réponse à ses prières, un vrombissement de moteur se fit entendre. La jeune femme faillit tomber du haut de l'escalier tant elle mit d'enthousiasme à saluer la conductrice de la seule BMW neuve recensée dans tout Sutton Cove.

— Ohé, Corinne ! Comment vas-tu ? cria-t-elle, en adressant des signes frénétiques à l'épouse blonde et maigre de Stuart Bowers.

Compte tenu de l'état actuel de leurs relations, les deux femmes ne se disaient bonjour qu'en cas d'absolue nécessité ; elles le faisaient du bout des lèvres et en évitant de se regarder. Rien d'étonnant, dans ces conditions, à ce que la BMW rouge passât devant eux sans ralentir. Anéantie, Sara regarda son ultime espoir s'éloigner.

— Est-ce une amie à vous ? demanda Flynn aimablement.

— Oui... Enfin... Pas vraiment proche, marmonna Sara en se résignant à pousser la porte .

Du coin de l'œil, elle observait le pistolet. Qu'allait-il se passer quand ils seraient à l'intérieur ? Flynn lui avait signifié en termes clairs qu'elle avait tout intérêt à rester tranquille. Autant dire qu'il risquait de lui faire payer cher sa tentative d'appel à l'aide. Mais il ne fit aucun commentaire, et son éternel sourire flottait toujours sur ses lèvres. Il n'avait pas dû comprendre sa ruse ! Sara ressentit une nouvelle bouffée d'espoir. Il n'était peut-être pas aussi fin renard qu'elle l'avait cru, tout compte fait. Qui sait si elle ne réussirait pas à déjouer sa surveillance ?

Tandis qu'elle précédait son geôlier dans le vestibule, Sara se mit à échafauder un plan. Elle allait entrer dans le jeu de Flynn, pour commencer. Jouer les otages modèles. Satisfaire le moindre de ses désirs. Enfin... presque.

« Vous avez dit que je pouvais vous demander n'importe quoi », avait-il murmuré à son oreille. Assaillie par un nouvel accès de panique, Sara décida de laisser tomber ses projets fantaisistes. Non, elle allait se contenter d'attendre le moment propice pour prendre ses jambes à son cou.

Enfin... C'était peut-être un peu risqué dans la mesure où elle n'avait jamais été très rapide à la course. Elle se vit alors, atteinte par une balle entre les omoplates, gisant face contre terre dans le massif de tulipes, ce qui l'amena immédiatement à écarter l'idée d'une manœuvre aussi téméraire. Le plus simple, évidemment, serait de composer le numéro de la police. Même si Flynn ne lui laissait pas le temps d'expliquer la situation en détail, on pourrait toujours trouver l'origine de son appel.

— C'est joli chez vous, remarqua Flynn.

Joli, oui, mais à condition de ne pas regarder de trop près, songea Sara en le remerciant d'un sourire. La cuisine était vaste et lumineuse. Avec ses boiseries en chêne d'origine égayées par la peinture bleue qui couvrait les murs, elle charmait généralement à première vue. Mais ce n'était, hélas, qu'une première impression. La fuite sous l'évier, les tommettes fendillées, les courants d'air sous les fenêtres... toutes ces imperfections n'étaient pas visibles au premier regard, mais elles existaient bel et bien. Sara se trouvait, d'ailleurs, des points communs avec sa maison : cet aspect caché, notamment, et toutes ces « potentialités » que Nancy ne se lassait pas d'évoquer.

— Voyons..., murmura-t-elle en ouvrant le réfrigérateur. Ma foi, vous avez de la chance. J'ai tout ce qu'il faut pour faire une omelette.

De la chance ? C'était peut-être elle qui en avait le plus, en cet instant. Flynn s'était montré assez conciliant, jusqu'ici. Mais elle préférait ne pas imaginer sa réaction si le réfrigérateur avait été vide.

Flynn jeta un coup d'œil par les grandes baies du fond, puis il vint se placer à côté d'elle pour regarder par la fenêtre au-dessus de l'évier. Il repérait les lieux pour le cas où il devrait prendre la fuite, comprit Sara.

— Vous êtes certaine que cela ne vous dérange pas de me préparer à manger ?

Elle leva les yeux vers lui et repoussa, du dos de la main, les mèches qui lui tombaient sur le front.

— Honnêtement, monsieur Flynn, que cela me dérange ou non, quelle différence, tant que vous tenez ce revolver braqué sur moi ?

— Vous avez raison, admit-il en souriant. Mais soyez gentille, appelez-moi Flynn tout court.

— Comme vous voudrez... Flynn.

— Vous faites ça magnifiquement, déclara-t-il un peu plus tard, en la regardant trancher ses champignons.

— Je doute que cela exige des capacités extraordinaires.

— Je ne suis pas de votre avis. Vous travaillez avec beaucoup de rapidité. Beaucoup d'aisance. Où avez-vous appris à manier un couteau avec une telle dextérité ?

— Eh bien, j'ai pris des cours de... de cuisine, bégaya-t-elle, en prenant brusquement conscience de l'usage qu'elle pouvait faire de la lame qu'elle tenait entre les mains.

Il l'avait dit lui-même : elle savait parfaitement se servir d'un couteau... Sara finit de couper son dernier champignon, puis elle se tourna vers lui en tenant son arme levée, le manche appuyé contre la poitrine de l'homme.

— Flynn...

Adossé contre l'évier, aussi détendu que si on lui proposait une coupe de champagne dans un cocktail mondain, il jeta sur le couteau un regard indifférent.

— Mmm ?

« Déguerpissez ! Et vite ! » Sara aurait pu dire cela. Elle aurait adoré le voir en nage et tremblant de terreur pendant qu'elle aurait appelé la police en le tenant en respect avec son arme. Elle pouvait le faire. Il suffisait de garder une prise ferme sur le couteau et de lui faire comprendre d'un regard menaçant qu'elle n'hésiterait pas à frapper s'il le fallait.

Bon, d'accord, mais après ? Elle se retrouverait par

terre en deux temps trois mouvements, et il retournerait le couteau contre elle. Un violent frisson secoua
Sara lorsqu'elle songea aux souffrances qu'un homme
dépourvu de morale peut infliger à une femme à l'aide
d'une lame bien effilée. Oh non, surtout pas ça ! A tout
prendre, elle préférait encore une balle dans le dos.

Résignée à se comporter comme la dernière des
lâches, Sara reposa le couteau sur le plan de travail.

— Rien, Flynn. Rien du tout. Je voulais juste savoir
si vous aimeriez que je mette des oignons dans votre
omelette ?

— Volontiers. Si cela...

— ... Non, ça ne me dérange pas trop.

Pendant que l'huile chauffait dans la poêle, elle
passa le plus gros de sa colère sur une innocente écha-
lote. Puis elle se pencha pour prendre le batteur dans le
placard, sous l'évier. En se redressant, elle se heurta à
Flynn.

— Désolé, dit-il.

Puis il se mit à siffloter doucement. C'était une
manie, chez lui, que Sara trouvait horripilante, et qui la
rendait à moitié folle d'exaspération.

— Vous ne pourriez pas vous écarter un peu ?
demanda-t-elle, à bout de nerfs.

Il haussa les épaules.

— J'aime bien vous regarder.

— C'est ce que je constate. Mais vous auriez une
vue d'ensemble beaucoup plus intéressante si vous
alliez vous asseoir un peu plus loin

— Pourquoi ? Cela vous ennuie que je sois tout près
de vous ? demanda-t-il d'une voix douce et innocente.

— Non, répliqua Sara d'un ton suave. Pas du tout...
Flynn ! Si je vous dis ça, c'est à cause des grosses
plaques rouges de type eczémateux que j'ai détectées

sur ma peau, ce matin. Comme ces affections sont très contagieuses, je préférerais éviter de vous contaminer. D'autant plus que c'est extrêmement douloureux !

— J'apprécie votre sollicitude, mais je ne suis pas sujet aux problèmes dermatologiques. En revanche, je suis incollable lorsqu'il s'agit de poser un diagnostic. Laissez-moi donc jeter un coup d'œil sur vos rougeurs eczémateuses. Où se trouve-t-elle, cette vilaine éruption ?

— Sur... sur les bras, balbutia Sara en cachant aussitôt lesdits bras derrière son dos. Mais je ne veux pas vous faire perdre votre temps.

— Je ne suis pas spécialement pressé. Et c'est le moins que je puisse faire, avec tout le travail que je vous donne. Sans parler du louable souci que vous avez montré en veillant à ne pas me contaminer.

— Non, vraiment, Flynn. Je n'y tiens pas, je vous assure.

Mais il l'avait déjà saisie par le bras. La résistance de Sara ne servit qu'à les rapprocher encore un peu, jusqu'au moment où elle sentit la pression du revolver contre son ventre. Rappelée aux dures réalités de sa situation, Sara céda, la mort dans l'âme.

— Voyons cela, murmura Flynn en prenant ses mains dans les siennes... Au premier abord, la peau a l'air saine.

— Les démangeaisons se situent plus haut, murmura Sara, anéantie. Avec mon sweat-shirt, vous ne verrez rien... C'est sans importance, Flynn. Je prendrai rendez-vous chez un dermatologue.

— Il y aurait peut-être moyen de vous soulager, en attendant, murmura-t-il, une lueur moqueuse dans ses yeux verts. Mais la question est désormais la suivante : que portez-vous sous votre sweat-shirt ?

3.

— Ce que je porte sous mon sweat-shirt ? répéta Sara
d'une voix uniforme, en tentant vainement de se dégager.

Flynn ne l'avait plus touchée depuis leur rencontre
mouvementée, à l'entrée de la chambre de Russell. Et
son contact lui parut différent, cette fois. Des éléments
tels que la température et la texture de sa peau prirent
soudain une importance qu'elle ne leur avait pas accor-
dée lorsqu'elle se trouvait sous l'empire de la peur. Les
bras de Flynn étaient forts et durs, comme un cuir tanné
tendu sur de l'acier. Sara baissa les yeux, fascinée par le
contraste qu'offrait sa propre main, pâle et douce, contre
celle, très masculine, de Flynn.

— C'est bien ma question, en effet. Avez-vous quelque chose sous votre sweat-shirt ?

Comme pour illustrer son propos, il glissa un doigt
sous son encolure et explora d'une caresse la ligne de
son cou.

Sara tressaillit et revint à la réalité.

— Non, rien ! s'écria-t-elle, les joues en feu. Rien du
tout. Enfin... juste mon...

— Je vois, murmura Flynn après un long silence

embarrassé. Dans ce cas, il ne me reste plus qu'à relever vos manches.

— Non, vraiment. Ce ne sera pas nécessaire !

Mais il joignait déjà le geste à la parole, retroussant le tissu molletonné aussi haut que possible. Il examina ses bras nus avec une attention scrupuleuse.

— Comme c'est étrange ! Je ne discerne rien.

Sara haussa les épaules.

— C'est étonnant, en effet. L'éruption a dû disparaître aussi vite qu'elle est venue.

— Je suis stupéfait, vraiment. C'est la première fois que je vois des plaques rouges et eczémateuses faire une apparition aussi brève, observa-t-il en la laissant retirer son bras de manière à effleurer au passage chaque millimètre de sa peau.

— Vraiment ? Chez moi, ça va, ça vient. Mais en attendant que mes plaques resurgissent, je ferais mieux de me remettre à mon omelette.

Sara crut l'entendre rire, mais elle n'aurait pas pu le jurer car elle venait de mettre son batteur en marche. C'était aussi bien, d'ailleurs, car s'il se moquait d'elle, elle aimait autant ne pas le savoir. Il fallait vraiment qu'elle fût à bout de nerfs pour s'amuser à provoquer un homme susceptible de lui tirer dessus à la première contrariété ! S'il s'agissait d'un cambrioleur ordinaire, ou même d'un voleur spécialisé dans les pièces rares, passe encore. Mais rien ne prouvait qu'elle n'avait pas affaire à un malade mental échappé de l'hôpital psychiatrique ! Toute velléité de révolte oubliée, Sara se concentra sur sa poêle à frire. Elle servit à Flynn une omelette baveuse, accompagnée d'un citron pressé, comme il le lui avait demandé.

— Et vous ? Vous ne mangez pas ? demanda-t-il en constatant qu'elle ne mettait qu'un seul couvert.

« J'ai rarement de l'appétit lorsque mes convives se présentent à table avec un pistolet braqué sur moi », faillit répondre Sara. Mais elle se contenta de secouer la tête.

— Tenez-moi compagnie, dans ce cas, ordonna-t-il en la retenant par le poignet.

D'un signe du menton, elle indiqua le plan de travail encombré d'ustensiles.

— Je pensais plutôt ranger tout ce bazar.

— Pas question ! Vous avez préparé le repas. La vaisselle est pour moi.

Sidérée, Sara tira une chaise en face de lui sans même songer à protester. Il fallait s'appeler McAllister pour tomber sur un tel phénomène : le seul gangster M.L.F. de toute la côte Est ! Elle comptait profiter du moment où Flynn se restaurait pour se glisser dans la pièce voisine sous un prétexte quelconque afin de passer un rapide coup de fil à la police. Mais au lieu de cela, elle se retrouvait en grande conversation avec son geôlier ; elle était même en train de lui fournir une quantité de détails sur sa vie privée, ce qui, elle le sentait bien, n'était pas une bonne idée.

Comment Flynn s'y prit-il, elle n'aurait su le dire, mais il parvint presque à la mettre en confiance, bien qu'elle eût toutes les raisons du monde de se sentir terrifiée ! Le temps de terminer son omelette, sa citronnade, et une moitié de tarte aux fraises, Flynn savait qu'elle avait trente-deux ans, qu'elle était célibataire et vraisemblablement destinée à le rester, qu'elle enseignait la musique dans plusieurs écoles des environs et donnait également quelques cours de piano à domicile.

— Accepteriez-vous de jouer un morceau pour moi ? demanda-t-il en reposant sa serviette avec la lenteur qu'il mettait manifestement en toute chose.

— Jouer pour vous? Non. Vraiment, c'est impossible.

Comme une montée d'angoisse lui nouait la poitrine, Sara détourna la tête. Mais Flynn n'était pas homme à lâcher prise.

— Pourquoi?

Pourquoi? Comme si elle pouvait, à travers la musique, confier à un individu comme lui ses peurs, ses rêves, ses déceptions les plus intimes!

— Parce que j'ai du mal à jouer en public.

Flynn embrassa la vaste cuisine déserte d'un regard perplexe.

— Mais où se cache le public, au fait?

— Je veux dire que je ne peux pas me mettre au piano devant des gens que je ne connais pas.

Le silence s'installa. Flynn ne dit rien. Il attendait. Sara soupira:

— Il fut un temps où je projetais de devenir pianiste. C'était, en tout cas, mon ambition et le rêve de mes parents. Mais le soir du premier vrai récital de ma vie, j'ai eu comme... comme une absence.

— C'est-à-dire?

Les yeux bleus de Sara se voilèrent.

— C'est difficile à expliquer. Je n'étais plus là, assise devant mon clavier; j'étais comme séparée de mon corps, en train de me contempler moi-même. Quelqu'un d'autre se tenait sur ce tabouret, au piano. Je me suis vue plantée là, toute seule, avec ma robe noire, et j'ai été brusquement envahie par le sentiment que tout cela était grotesque. Parfaitement grotesque. Rien ne sonnait juste dans le tableau qui s'offrait à mes yeux: ni moi, ni la façon dont j'étais habillée, ni la place que j'occupais...

Les bras croisés sur la poitrine, Sara sentit ses épaules

s'affaisser. Malgré les années qui avaient passé, ce souvenir lui faisait toujours aussi mal. Le sentiment d'humiliation, surtout, demeurait intact.

— ... je n'ai même pas pu toucher le clavier. J'ai déçu tous ceux qui croyaient en moi, mes parents, mes amis, mes professeurs de musique.

— Et vous-même, ajouta Flynn.

Sara haussa les épaules.

— Si on veut... Quoi qu'il en soit, j'ai renouvelé la tentative. Une fois, deux fois... Le même phénomène se reproduisait de façon systématique. Alors, j'ai compris, et je me suis juré qu'on ne m'y reprendrait pas. Depuis lors, je ne joue plus que pour moi.

— Ça ne doit pas vous faciliter la vie lorsque vous donnez vos cours de musique.

— Oh, pendant les cours, c'est différent. Nous sommes tête à tête, mon élève et moi.

— C'est notre cas, aujourd'hui, Sara. Nous ne sommes que tous les deux. Et il ne s'agit pas d'une audition.

Il se leva, prit le pistolet qui était posé sur la table et, du canon de son arme, il désigna la pièce voisine.

— Allons faire un dernier essai. Rien que pour moi.

Evidemment, s'il le prenait sur ce ton... Lâche et résignée à l'être, Sara le précéda dans le salon de musique. Dès qu'elle fut assise au piano, son regard rencontra l'alignement de touches noires et blanches qu'elle considérait d'ordinaire comme ses amies les plus fidèles et qui, en cet instant, ne lui inspiraient plus qu'une peur panique.

Le piano était magnifique, en acajou verni. Il avait été acheté autrefois par des parents aimants pour une fille que l'on destinait à une brillante carrière. Une fille qui allait voyager et se faire un nom. Mais le temps avait passé, et ni Sara ni son piano n'avaient quitté Sutton Cove. La jeune femme gagnait sa vie en donnant des cours à des élèves modérément intéressés, s'abîmait les mains en essayant de rafistoler sa vieille maison et regardait le temps passer. Hier était semblable à demain, et demain ressemblerait comme deux gouttes d'eau à avant-hier. Rien ne variait jamais dans son existence... Jusqu'à aujourd'hui, du moins.

Sara essuya ses paumes moites sur son jean et leva les yeux pour constater que Flynn l'observait avec un intérêt manifeste.

— Ne vous inquiétez pas, dit-il en s'accoudant au piano. Je comprendrai très bien si vous faites quelques couacs.

— Je ne fais jamais de fausses notes, riposta-t-elle, vexée.

— Sauf le soir de votre concert, rappelez-vous.

— Je n'ai pas mal joué, ce soir-là. J'ai été paralysée par le trac. Ça n'a aucun rapport.

— Bien sûr que si, ça a un rapport, rétorqua-t-il avec une assurance horripilante. Je voulais juste vous faire savoir que je ne porterais pas de jugement. Dans le cas peu probable d'un échec, précisons-le bien.

Il n'en fallut pas plus pour stimuler Sara. Les premières notes d'une sonate classique s'élevèrent, sans qu'elle eût conscience de choisir ce qu'elle voulait interpréter. La pièce était particulièrement difficile, du reste, et si elle s'était donné le temps de réfléchir, elle aurait éliminé d'office cette partition. Mais voilà : son choix ne s'était pas fait de manière consciente. Il s'était imposé à elle, tout simplement.

Sara n'aurait pu dire comment les choses en étaient arrivées là. Au début, elle jetait des regards noirs à Flynn, en se disant que ce serait un plaisir de le gifler pour voir disparaître enfin son sourire suffisant. Puis, d'une seconde à l'autre, elle s'était senti soulevée, traversée par le souffle de la musique, comme chaque fois qu'elle jouait avec un total abandon. Or, jamais — absolument jamais — elle ne parvenait à oublier ses inhibitions lorsque quelqu'un l'écoutait. Et pourtant, Sara avait accepté la présence de Flynn ; elle était même allée jusqu'à lui accorder une place dans le secret dialogue qu'elle tissait avec les notes. Si bien que la sonate avait pris vie sous ses doigts, qu'elle s'était mise à exister, comme c'était le cas lorsque Sara jouait dans le recueillement d'une complète solitude.

Tandis que les derniers accords vibraient encore dans le silence, Sara demeura immobile quelques secondes, la tête baissée, les mains reposant sur le clavier.

Puis Flynn applaudit avec force, et le temps se remit à couler.

— Superbe, déclara-t-il avec un enthousiasme sincère.

Sara prit une profonde inspiration et releva la tête.

— Merci.

— Finalement, vous cachez un sacré tempérament sous vos airs coincés.

— Voilà qui fait toujours plaisir à entendre, monsieur Flynn.

— Flynn tout court.

— Je sais ! cria-t-elle, à bout de nerfs, en se demandant comment elle avait pu espérer un seul instant nouer un lien « de type amical » avec un individu de son espèce.

Il sourit.

— Y a-t-il des toilettes dans cette maison ?

— Oui. Là-bas, vers..

Le bras de Sara retomba juste au moment où elle

339

s'apprêtait à lui indiquer le cabinet de toilette qui se trouvait au rez-de-chaussée, à côté de la cuisine.

— Vous les trouverez au premier étage, tout au fond du couloir.

— Vous permettez ?

— Oh, mais je vous en prie !

Elle l'aurait même embrassé volontiers pour cette heureuse initiative ! Dès qu'il eut disparu, elle se rua dans le couloir, décrocha le téléphone fixé au mur et composa le 17.

« Vite ! Vite ! » chuchota-t-elle, en tournant la tête de tous côtés, persuadée que Flynn et son revolver allaient surgir dans son champ de vision d'une seconde à l'autre. Dès que la standardiste décrocha, elle indiqua son nom et son numéro de téléphone avant de débiter en toute hâte son histoire.

— Pouvez-vous rester en ligne un instant, mademoiselle ? demanda l'opératrice avec un calme exaspérant.

— Mais bien sûr que non, enfin ! chuchota Sara. Je vous en prie, faites vite !

Lorsqu'elle regarda derrière elle, Flynn se tenait dans l'encadrement de la porte et l'observait d'un air cynique.

— Que se passe-t-il ? Vous avez un problème ?

Sara prit une profonde inspiration. Elle allait payer cher son imprudence car Flynn avait certainement tout deviné.

— Non, murmura-t-elle d'une voix assourdie en reposant le combiné. Aucun problème.

— Vous paraissez tellement énervée ! J'ai pensé que vous veniez de recevoir une mauvaise nouvelle.

— Non.

— Tant mieux. Qui était-ce, alors ?

340

— Pardon?

— Au téléphone. Avec qui parliez-vous?

Le cœur de Sara battait à se rompre. Une question de plus et elle allait se mettre à hurler.

— C'était... c'était l'un de mes élèves. Il voulait annuler sa leçon.

— Ah! bien sûr. Je comprends votre exaspération.

Il fronça les sourcils.

— C'est bizarre, à la réflexion. Je n'ai pas entendu sonner.

— Parce que la sonnerie est réglée très bas, expliqua-t-elle.

Au même moment, le vieux poste accroché au mur lança son habituel hurlement de sirène. Sara fit un bond.

— Enfin... ça dépend des fois, bredouilla-t-elle. Ce vieux téléphone est caractériel.

Avec un sourire stoïque, Sara décrocha et s'efforça de garder un air impassible pendant que la police vérifiait ses coordonnées. Sous l'œil implacable de Flynn, elle tenta une feinte :

— Non, comme je viens de vous le dire, cela ne me dérange pas du tout de reporter votre cours à samedi matin... Mmm...? Oui, oui, c'est bien cela, je confirme. Mais il faut vraiment que je vous laisse, maintenant. J'ai... j'ai de la compagnie, vous comprenez?

Flynn eut un sourire presque compatissant lorsqu'elle se tourna de nouveau vers lui.

— Encore un autre élève, ma pauvre amie?

— Le même, répondit Sara en haussant les épaules. Les adolescents, vous savez..

Brusquement, une expression farouche et déterminée se peignit sur le visage de Flynn. Il fit un pas en avant, et Sara se recroquevilla sur elle-même. Il lui jeta un regard amusé.

341

— Je pense que je ferais mieux de me mettre à la vaisselle tout de suite, si je veux pouvoir tenir ma promesse.

Les nerfs tendus à se rompre, Sara l'aida à débarrasser la table, et rangea pendant qu'il chargeait le lave-vaisselle. Aussi insensé que cela pût paraître, ils avaient l'air de deux vieux amis, ou d'un couple travaillant côte à côte dans une routine bien installée. La seule fausse note, c'était le revolver que Flynn portait toujours coincé dans sa ceinture et dont Sara ne pouvait détacher les yeux. Car la question était désormais la suivante : quelle serait la réaction de Flynn lorsqu'il entendrait les sirènes de police hurler au loin ?

Finalement, ce fut le tintement anodin de la sonnette qui vint briser le lourd silence. Les policiers avaient préféré débarquer sans donner l'alerte, se dit Sara en levant les yeux vers Flynn.

— Ils ont fait vite, commenta ce dernier sans manifester la moindre surprise.

— Vous saviez ?

— Que vous aviez appelé la police ? Bien sûr ! Je ne vous conseille pas de renoncer à la musique pour vous recycler dans le poker, Sara. Le mensonge et le bluff n'ont pas l'air d'être votre tasse de thé.

— Je ne comprends pas, balbutia-t-elle. Si vous aviez deviné, pourquoi êtes-vous resté ici à faire la vaisselle ?

— J'ai toujours préféré l'affrontement à la fuite.

Sara pâlit.

— Vous ne voudriez tout de même pas que cette histoire se termine dans un bain de sang, Flynn ?

— Jamais de la vie ! Mais ne les laissons pas s'énerver derrière une porte close. Je pense que vous devriez aller ouvrir.

Telle une héroïne tragique avançant à la rencontre de son destin, Sara traversa le vestibule. La scène qui l'attendait dehors allait être terrifiante. Des policiers, arme au poing, embusqués derrière les buissons; les voisins aux fenêtres; l'alignement des voitures blanc et noir barrant la route dans le clignotement rouge des gyrophares...

La main posée sur la poignée de la porte, Sara sentit sa peur se muer en panique. Et s'ils faisaient feu avant de poser la moindre question? Elle risquait d'être blessée, et Flynn pouvait être abattu. Curieusement, cette perspective lui parut intolérable. Jetant un coup d'œil terrifié par-dessus son épaule, elle le vit poser son revolver sur la console du vestibule.

— Inutile de faire de la provocation, expliqua-t-il avec son petit sourire sarcastique.

Brusquement, pour une raison indéfinissable, elle se sentit solidaire de Flynn. Non pas en tant qu'otage, mais un peu comme Bonnie liée au sort de Clyde. Elle entre-bâilla la porte et cria par l'ouverture :

— Ne tirez pas! Il n'est pas armé!

— Mademoiselle McAllister? demanda le jeune officier de police qui se tenait sur le perron.

Sara connaissait l'homme de vue, bien qu'elle ignorât son nom. Elle regarda dans le jardin désert sans voir étinceler le moindre casque, et aperçut une simple voiture de patrouille sagement garée le long du trottoir. Pas même une lumière rouge clignotante.

— Inspecteur Novack. Vous avez demandé du secours, mademoiselle?

— En effet, oui. Je voudrais que vous arrêtiez cet homme, annonça-t-elle en désignant Flynn d'un index implacable.

Ce dernier s'avança jusqu'au policier en tenant à la main une carte d'allure officielle.

— John Flynn. Chasseur de primes. J'ai ici un mandat d'arrêt émis par le tribunal du Massachussets contre un individu domicilié dans cette maison. Il s'est enfui avant de comparaître.

L'inspecteur Novack pénétra dans le vestibule.

— Pas possible! Vous dites que l'homme que vous recherchez réside ici, à Sutton Cove? De qui s'agit-il?

— Il se fait appeler Russell LeFleur. Mais son vrai nom est Benny Fortrell.

— Et pour quel motif est-il recherché?

— Vol qualifié. Benny est spécialisé dans les pièces de monnaie rares. Il y a dix-huit mois, il a dérobé un lot qui devait être mis aux enchères dans l'une des galeries les plus célèbres de Boston. La pièce maîtresse de la collection était un doublon remontant à la période coloniale, dont la valeur est estimée à vingt-cinq mille dollars.

Le policier siffla entre ses dents.

— Une jolie somme d'argent de poche. Ces pièces n'ont jamais refait surface?

— Quelques-unes, si. Mais pas le doublon de Garrett. Tous les spécialistes ont reconnu la signature de Fortrell dans la manière dont le vol a été commis. Son avocat a fait traîner les choses aussi longtemps qu'il l'a pu. Et puis, une semaine avant le début du procès, Fortrell a pris le large.

L'inspecteur Novack hocha la tête.

— Vous croyez qu'il est dangereux, ce type?

— Non. Il n'a pas d'antécédents de violence à son actif. Mais tout homme peut devenir agressif quand il se sent traqué.

— C'est un fait, acquiesça Novack.

Les bras de Sara retombèrent le long de son corps. Pendant la minute qui avait précédé, elle les avait croisés et décroisés au moins une demi-douzaine de fois. Elle avait vu suffisamment de scènes d'arrestation à la télévision pour savoir que celle-ci ne se déroulait pas selon les règles. Non seulement, le dénommé Novack était venu seul au lieu d'être entouré d'une escouade d'hommes armés jusqu'aux dents, mais en plus, il bavardait avec Flynn comme s'il s'était agi d'un ancien collègue qu'il aurait retrouvé à l'arbre de Noël de la police.

Chasseur de primes ou pas chasseur de primes, Flynn s'était introduit chez elle en crochetant la serrure, et il l'avait menacée de son arme. Deux crimes qui méritaient d'être punis.

— Désolée de vous interrompre, inspecteur, mais allez-vous, oui ou non, vous décider à passer les menottes à cet homme ?

Le policier jeta un coup d'œil embarrassé à Flynn.

— Lui passer les menottes pour quel motif, mademoiselle McAllister ?

— Primo : pour violation de domicile. Même si Russell LeFleur est recherché par les tribunaux, cela n'excuse pas le fait que ce chasseur de primes se soit introduit dans sa chambre.

Mal à l'aise, le jeune policier toussota.

— Je suis désolé d'avoir à vous contredire, mais le mandat d'arrêt dont il est porteur lui donne pas mal de droits.

— Ah oui ? Et qui a décrété cela ?

— La Cour suprême, répondit Flynn en réprimant mal un sourire.

Sara tempêta quelques instants, puis elle se résigna à changer son angle d'attaque.

— Oui, mais attendez ! s'exclama-t-elle. Vous n'avez pas de mandat contre moi, monsieur Flynn.

Comment justifiez-vous votre présence dans ma maison... je veux dire dans la partie de la maison que j'occupe personnellement ?

Flynn eut un sourire suave.

— Voyons, Sara... Je n'ai pas crocheté de serrure pour pénétrer chez vous. Je suis entré parce que vous m'avez invité très gentiment à déjeuner. Nul besoin de mandat d'arrêt dans un tel cas de figure.

Du coin de l'œil, Sara nota que l'inspecteur Novack dissimulait mal son amusement.

— Parce que vous croyez peut-être que je vous aurais invité si vous n'aviez pas braqué votre revolver sur moi ? De qui vous moquez-vous, à la fin ?

Sara se tourna vers le policier, puis désigna d'un geste théâtral le revolver toujours posé sur le guéridon.

— Tenez, voici ma preuve, inspecteur Novack ! Vous pouvez constater que je n'invente rien.

— J'imagine que vous avez un permis pour cette arme, monsieur Flynn ?

— Pour tout vous dire, non.

Sara eut un sourire de triomphe.

— En revanche, j'ai une autorisation pour celle-ci, précisa Flynn en ouvrant son blouson de cuir à l'intérieur duquel se trouvait un second revolver, calé sous son bras gauche. L'arme que vient de vous montrer Sara, je l'ai trouvée ici même, dans cette maison. Je l'ai gardée sur moi, au cas où Benny Fortrell reviendrait. On ne saurait être trop prudent.

— Ainsi, cette arme a été découverte à votre domicile, mademoiselle McAllister, observa l'inspecteur Novack. Avez-vous un permis de port d'arme ?

— J'en doute, intervint Flynn sans laisser à Sara le temps de revenir de sa stupéfaction. Mais je me porte garant pour elle.

Sara leva les yeux au ciel.

— Je rêve ou quoi ? Ecoutez, monsieur Novack, je me fiche de savoir si ce revolver lui appartient ou non. Le fait est qu'il l'a tenu pointé sur moi et qu'il s'en est servi pour me contraindre. Il m'a forcée à lui faire la cuisine ! Vous trouvez ça légal, vous ?

— Allons, allons, Sara ! protesta Flynn en secouant la tête. Je comprends que vous vous sentiez un peu ridicule après cette méprise, mais si vous preniez le temps de réfléchir, vous vous rappelleriez que pas une seule fois je ne vous ai donné un ordre. Je vous ai prié de faire un certain nombre de choses pour moi en vous demandant, chaque fois, si cela ne vous dérangeait pas. Et vous me rassuriez invariablement sur ce point.

Sara répondit au sourire de Flynn par un regard réfrigérant.

— Figurez-vous qu'elle a même joué du piano pour moi, inspecteur Novack, ajouta Flynn avec un clin d'œil entendu. C'est une musicienne hors pair.

Le policier referma son carnet.

— Bien. Je crois que c'est à peu près tout ce que je peux faire pour vous.

— A peu près tout ! Mais vous n'avez absolument rien fait ! s'écria Sara, consternée.

— C'est que... Je ne vois pas trop quelles mesures je pourrais prendre, mademoiselle McAllister.

— Si vous n'avez pas la possibilité de l'arrêter, faites-le au moins sortir de chez moi !

— Ça, ça me paraît possible, acquiesça Novack en interrogeant Flynn du regard.

— Je pars, annonça ce dernier sans se faire prier. Mais je vous préviens que je n'irai pas loin, Sara. Je suis venu pour Benny Fortrell. Et je ne quitterai pas la ville sans lui.

4.

Flynn changea de position pour la énième fois, dans le siège baquet de sa Corvette, tout en pestant à voix basse. Des jurons, il en avait émis dans toutes les langues, depuis qu'il avait pris son poste de surveillance, la veille au soir. Avec le dos en miettes, le cou raide et une crampe qui menaçait de lui tétaniser la jambe gauche, il ne savait plus de quel côté se tourner. Non, décidément, les voitures de sport avaient beaucoup de charme, mais elles faisaient de piètres chambres à coucher.

La Corvette noire étincelante, avec ses sièges de cuir souple et sa puissance presque effrayante, était sans doute pour Flynn son bien le plus précieux. De tout ce qu'il possédait, c'était la seule chose dont la valeur excédait une journée de paye. Ce qui en disait long sur l'importance que Flynn lui accordait. Le fait qu'il eût acheté une voiture aussi coûteuse était presque contre-nature. En règle générale, il évitait de s'attacher aux objets, aussi bien qu'aux êtres humains.

Mais si Flynn était toujours aussi amoureux de sa Corvette, il aurait aujourd'hui échangé volontiers les 386 chevaux qu'elle avait sous le capot contre une confortable berline américaine. Même une de ces voitures inesthétiques et pataudes comme celle qui se trouvait garée devant chez Sara McAllister aurait fait l'affaire. La propriétaire des lieux ne voulait pas de lui dans sa maison, mais peut-être l'aurait-elle autorisé à passer la nuit dans son véhicule ?

Flynn doutait fort, cependant, de pouvoir encore obtenir la moindre faveur de Sara McAllister. Sauf peut-être en pointant un revolver sur elle ! Mais si la plaisanterie avait eu un certain piquant, il n'aurait pas été de bon ton de la renouveler. Malgré son torticolis qui s'aggravait et la crampe qui gagnait à présent son mollet droit, il ne put s'empêcher de sourire en repensant à la scène qui s'était déroulée la veille. Sara avait interprété sa présence de manière totalement fantaisiste, et il n'avait rien fait pour la détromper. Flynn n'éprouvait, d'ailleurs, pas l'ombre d'un remords. Si elle avait pris la peine de lui demander des explications au lieu de lui attribuer d'emblée les plus sombres intentions, il n'aurait pas cherché à lui dissimuler les véritables raisons de son intrusion. Mais Sara n'avait posé aucune question, et il ne s'était pas senti tenu de clarifier la situation. Il faut dire que Flynn se sentait rarement « tenu » de faire quoi que ce soit, dans la vie. Ce quiproquo assez divertissant lui avait permis d'observer Sara McAllister de près. Sans parler des bénéfices accessoires, d'ailleurs : il avait dégusté avec le plus grand plaisir une excellente omelette.

Ce souvenir lui donna faim, et il jeta un regard rêveur vers les fenêtres de la cuisine de Sara. Mais là encore, inutile de rêver. Même s'il la suppliait à genoux, il n'avait strictement aucune chance d'obtenir du bacon grillé, des œufs au plat dorés à point et quelques toasts bien croustillants. C'était pourtant à cause d'elle qu'il avait passé une nuit entière plié en deux dans sa voiture.

Après avoir été éconduit très poliment par l'inspecteur Novack, Flynn avait songé à prendre une chambre dans un motel des environs. Mais il avait finalement décidé de rester là, non seulement pour guetter Benny, mais aussi pour surveiller les allées et venues de Sara McAllister.

Flynn, qui prenait son travail très au sérieux, savait tout ce qu'il y avait à savoir sur Benny Fortrell. Mais Sara, elle, était une inconnue. Et Flynn avait horreur des zones d'ombre, surtout dans ce genre d'affaire. Voilà pourquoi il tenait tant à cerner cette femme. La très convenable Mlle McAllister n'était peut-être rien de plus que la logeuse de Fortrell. Mais en attendant d'en avoir la preuve, il préférait surveiller le secteur de près.

C'était surtout pour cette raison qu'il avait prolongé leur petit jeu, la veille : pour tenter de découvrir la nature exacte de ses liens avec Fortrell. Si elle était sortie de chez elle à la faveur de la nuit, soit pour rencontrer Benny, soit pour le prévenir, Flynn aurait eu la réponse à sa question. Mais rien de tel ne s'était passé. Pendant qu'il observait la maison, il avait vu les lumières s'éteindre une à une, comme une suite de dominos tombant au ralenti.

Et Flynn était prêt à parier que s'il avait monté la garde ainsi tous les soirs, l'extinction des feux dans la maison McAllister se serait déroulée dans le même ordre immuable. Ce détail à lui seul suffisait à conforter Flynn dans la conviction qu'elle ignorait tout des agissements de Fortrell. Sara McAllister était beaucoup trop guindée, trop respectable pour nouer des liens privilégiés avec un escroc de haut vol.

Pour tuer le temps, Flynn essaya d'imaginer quel genre d'homme pouvait faire rêver une femme comme elle. Pas un vagabond sans foi ni loi comme lui, en tout cas. Elle avait eu une façon assez révélatrice de plisser les lèvres et de porter la main à sa gorge lorsqu'il avait expliqué qu'il était chasseur de primes. Nul doute qu'en se présentant comme avocat ou comme chirurgien-dentiste, il aurait fait bien meilleure impression.

Enfin... C'était le dernier de ses soucis, car Sara n'était vraiment pas son genre de femme. Physiquement, c'était difficile à dire. Engoncée dans son vieux survêtement gris, elle ressemblait plus à une version raccourcie de ses copains de l'équipe de basket qu'à une créature avec qui on rêve de se promener au clair de lune. Mais même si elle cachait un corps de déesse sous le tissu molletonné de ses vêtements de sport informes, elle n'en restait pas moins infréquentable aux yeux d'un homme comme Flynn.

Il n'avait aucune préférence pour tel ou tel type de femme. Qu'elles aient été brunes, rousses ou blondes, maigres ou richement dotées par la nature, il avait trouvé du charme à toutes celles qui avaient traversé sa vie.

Quand il s'agissait de définir le genre de femmes qu'il fuyait, en revanche, Flynn avait dressé une liste de critères assez pointus. Il se méfiait particulièrement des prudentes, des méthodiques, des prévoyantes : celles qui possédaient des pianos ou des plantes vertes, par exemple. Il n'aurait pas pu concevoir d'entamer une liaison avec une femme qui plaçait des moustiquaires sur ses fenêtres à une date précise du mois d'avril et les retirait en automne en suivant un rituel tout aussi immuable. En bref, il gardait ses distances avec toutes celles qui vivaient leur vie en respectant un plan.

Il imaginait que Sara McAllister avait souscrit une

assurance-vie et versait des sommes coquettes chaque mois pour alimenter un capital retraite déjà florissant. De même qu'elle cachait sans doute une échelle de corde sous son lit et stockait du sucre et de la farine dans ses placards. Juste au cas où...

Mais bon... Ce n'était pas son problème, décida Flynn en massant sa nuque endolorie. Il savait déjà que la logeuse de Benny ne lui fournirait aucune piste susceptible de le mener jusqu'à lui. Restait à décider maintenant de ce qu'il allait faire de sa journée. Qu'il fût question de son activité professionnelle ou de sa vie privée, il ne planifiait jamais rien au-delà de vingt-quatre heures. C'était sans doute l'une des raisons pour lesquelles il excellait dans son travail. Il était passé maître dans l'art de débiter son temps en tranches suffisamment fines pour qu'elles devinssent souples et malléables. Rien de tel pour favoriser la concentration.

Libre de toute préoccupation à long terme, Flynn supportait à merveille les heures interminables qu'il passait parfois assis à attendre. Ces longues phases de quasi-inertie, suivies de séquences d'actions brèves mais souvent intenses, convenaient à son tempérament. Rien de plus désagréable pour lui, en revanche, que de rester à guetter son pigeon trois jours de suite sans pouvoir changer de vêtements.

Flynn se mit donc en quête du motel le plus proche pour prendre une douche et se changer. Il reprit son poste une heure plus tard, équipé d'un sandwich et du journal du jour. Au cours de la matinée, Sara sortit pour relever son courrier et le gratifia en passant d'un regard féroce. Pauvre Sara ! Espérait-elle sérieusement le faire fuir avec une petite mimique de contrariété ? Pour se débarrasser de lui, il faudrait que Mme le professeur de piano se résignât à employer des méthodes autrement plus énergiques. Une fois lancé sur une piste, Flynn avait la détermination d'un fox-terrier.

En fin de matinée, une voiture se gara le long du trottoir d'en face. Délaissant son journal, Flynn vit descendre un jeune homme blond, grand, mince et légèrement voûté, avec un regard distrait de scientifique derrière d'épaisses lunettes à la monture sévère. Première certitude : ce n'était pas Benny Fortrell, même déguisé. Et si, par hasard, il s'agissait du petit ami de Sara ? Intéressant, songea Flynn.

En tout cas, si le nouveau venu était l'homme de sa vie, elle aurait pu faire un effort d'élégance pour le recevoir ! Elle accueillit l'arrivant sur le perron, vêtue d'un jean trop large et d'une chemise blanche qui lui descendait presque jusqu'aux genoux. Sous le regard attentif de Flynn, ils échangèrent une poignée de main. Bon. Voilà qui éliminait d'emblée l'hypothèse du petit ami. Et si ce jeune homme d'aspect anémique était un émissaire de Benny Fortrell ? Peu probable, décida Flynn. Son intuition l'aurait averti d'un danger ; or aucun signal d'alarme ne s'était déclenché à la vue du jeune homme aux lunettes. Intrigué, Flynn vit que Sara ne l'invitait pas à entrer mais qu'elle descendait les marches du perron avec lui pour se diriger vers les appartements de Benny.

Flynn ne fit ni une ni deux. Il descendit de voiture et contourna la maison en sifflotant son petit air qui faisait partie de lui-même autant que la cicatrice que lui avait laissé son appendicite. Il pénétra dans le hall et comprit ce qui se passait en trouvant Sara et le jeune homme dans la chambre située en face de celle de Benny. De toute évidence, la pièce était à louer et Sara cherchait un second locataire.

Flynn savait ce qu'il lui restait à faire.

Assenant un grand coup de poing sur la porte qu'elle avait laissée entrouverte, il cria d'une voix de stentor :

— Attention, écartez-vous, m'sieur dame : l'exterminateur va frapper !

Ils se retournèrent d'un même mouvement et les yeux de Sara étincelèrent.

— Que faites-vous ici ?

— J'arrive en sauveteur, ma petite dame, expliqua-t-il en lui décochant un clin d'œil appuyé. Vous avez bien fait appel à nos services pour qu'on vous débarrasse des petites bêtes qui infestent votre moquette ?

Elle le foudroya du regard, et Flynn constata avec satisfaction que la colère lui allait bien. Elle était belle et ne le savait pas ; c'était là tout son charme.

— Non, riposta-t-elle entre ses dents serrées. Je n'ai appelé personne.

— Vraiment ? s'exclama Flynn en prenant un air surpris. Je me serais donc trompé d'adressse ?... Voyons cela...

Il sortit un calepin de la poche de son blouson.

— Je ne suis pas au 105, Weymouth, à Sutton Cove ?

— Vous le savez aussi bien que moi.

— Eh bien, c'est parfait, nous sommes d'accord. Et vous nous disiez donc au téléphone que les puces pullulaient dans vos revêtements de sol ?

— Non, pas les puces. En revanche, j'ai vu passer un énorme cloporte rampant pas plus tard qu'hier après-midi, observa Sara en le regardant froidement dans les yeux.

Flynn siffla entre ses dents.

— C'est très ennuyeux pour vous, ça, ma petite dame. Ces bêtes-là ont parfois tendance à s'incruster.

— Je ne vous le fais pas dire. Mais je vous garantis que je trouverai une solution.

— Oh, le cloporte finira par disparaître... quand le moment sera venu. Par contre, pour cette invasion de puces...

— Je ne suis pas envahie par les puces !

— Vous, non madame ! Je ne me permettrais jamais d'insinuer une chose pareille, quoiqu'on ait vu des cas, parfois... Mais, bref, revenons à vos moquettes.

Le locataire potentiel regarda à ses pieds, puis considéra Sara d'un air méfiant et finit par déclarer :

— Il va sans dire que je ne peux pas prendre une décision immédiate, concernant la chambre. Je vais réfléchir un peu avant de...

— Non, protesta Sara en lui prenant le bras, ce qui eut pour effet de le terrifier encore davantage. Ne vous laissez surtout pas influencer par ce que raconte cet individu.

— Madame a raison, enchaîna Flynn avec un sourire affable. Il ne faut pas vous laisser effrayer par quelques malheureuses petites bêtes. J'ai un produit dans le coffre de ma voiture qui les enverra *ad patres* en moins de temps qu'il ne faut pour le dire.

Flynn plissa les yeux pour examiner la pièce à la manière d'un connaisseur.

— Une recommandation importante, cependant : je vous conseille de n'introduire aucun produit comestible dans cette chambre pendant... disons cinq ou six semaines, pour être tout à fait tranquille. Vous avez des enfants, fiston ?

Le jeune homme secoua la tête.

— A la bonne heure ! Dans ce cas, vous pouvez réduire le temps d'attente à quinze jours. Mais avec toutes ces histoires de gènes mutants, il est préférable de ne pas plaisanter au sujet des normes de sécurité.

L'ex-locataire potentiel mentionna un rendez-vous urgent et disparut à la vitesse de l'éclair. Son départ laissa un silence assourdissant.

— Je n'arrive pas à y croire, finit par murmurer Sara.

— C'est un peu gros, en effet, acquiesça Flynn. Quel homme digne de ce nom prend la fuite devant quelques innocentes petites bestioles?

Sara serra les poings pour tenter de contenir sa colère.

— Vous savez ce qu'il m'a coûté, votre canular stupide?

— Voyons, murmura Flynn en embrassant la pièce d'un regard rapide. Cent cinquante?

— Deux cents! cria-t-elle. Deux cents dollars par mois.

— C'est de l'escroquerie caractérisée, Sara. Je vous en donne cent vingt-cinq.

— Pardon?

— Cent vingt-cinq dollars par mois. Voilà ce que je suis prêt à verser pour cette chambre.

Là, elle lui rit franchement au nez.

— Même pour cent vingt-cinq milliards de dollars, je ne vous laisserais pas dormir sous mon toit!

— Il me semble pourtant que vous n'avez pas le choix. Apparemment, je suis le seul à bien vouloir cohabiter avec la faune qui grouille dans vos revêtements de sol.

— Cette fréquentation vous serait salutaire, en effet. On a toujours avantage à frayer avec plus élevé que soi.

— Autrement dit, vous me laissez la chambre?

— Jamais.

Sara se trouvait dans un état d'exaspération peu

commun. Elle se retourna sur le seuil pour toiser Flynn une dernière fois.

— Je vais vous dire une chose : cette maison est dans la famille McAllister depuis toujours. Pour la garder, je m'abaisserais à faire à peu près n'importe quoi. Mais si j'en étais réduite à choisir entre vous ou rien, je préférerais encore brûler le patrimoine de mes ancêtres que de me résigner à vous héberger. Est-ce clair ?

Flynn la regarda d'un air réjoui.

— Vous savez quoi, Sara ? Vous avez une personnalité beaucoup plus fascinante au naturel que lorsque je tiens un pistolet braqué sur vous. Vous me surprenez agréablement

Le sourire de la jeune femme le laissa pantois.

— Merci. Merci infiniment. Vous ne pouvez imaginer comme ce compliment me touche de la part d'un tueur de puces qualifié.

Une fois remis de sa surprise, Flynn rit de bon cœur. Il songea un instant à la rappeler alors qu'elle s'éloignait au pas de charge. Mais la manière dont sa chemise blanche épousait ses hanches le réduisit au silence. Lorsque Flynn émergea de sa contemplation, elle avait déjà disparu à l'angle de la maison. Enfin... c'était peut-être mieux ainsi, au fond. Il aurait voulu demander à Sara l'autorisation de dormir dans sa voiture, mais compte tenu de son humeur, l'occasion lui parut peu propice.

Cela dit, la journée n'était pas perdue pour autant. Flynn savait désormais ce que Sara McAllister cachait sous ses vêtements trop larges. Et cette fois, c'était une certitude : il n'avait encore jamais joué avec un basketteur doté d'un corps aussi charmant.

— Mais comment vais-je me débarrasser de lui, Nancy ? s'écria Sara, au téléphone.

Elle avait déjà appelé son amie, la veille, pour lui raconter ses mésaventures. Nancy lui avait conseillé de boucler soigneusement portes et fenêtres et de prendre son mal en patience. Mais la patience en question commençait à lui faire sérieusement défaut. Flynn avait garé sa voiture de macho juste en face de chez elle et, depuis, il ne quittait plus sa maison des yeux. Il avait même poussé le vice jusqu'à lui adresser un grand signe de la main lorsqu'elle avait écarté le rideau du salon dans le vain espoir de voir enfin le champ libre.

A bout de nerfs, Sara venait de composer le numéro du salon de coiffure pour laisser libre cours à son indignation.

— J'ai réfléchi à ton problème, déclara Nancy.

Son amie semblait pensive, un signe que Sara considéra d'emblée comme alarmant.

— Et quelles sont tes conclusions ? demanda-t-elle prudemment.

— Que tu ne devrais pas prendre de mesures trop hâtives.

— Hâtives ! Mais ça fait plus de vingt heures que ce type est devant chez moi. Je n'ose même pas imaginer les cancans qui vont se répandre. Et sans le moindre fondement, en plus !

— Eh bien, fais ce qu'il faut pour justifier la rumeur et confirmer leurs sales ragots. Comme ça, au moins, ils ne médiront pas sans raison !

— Nancy !

— Bon, bon, calme-toi, je plaisantais. Mais tu m'as tout de même expliqué que ce type était canon.

— Jamais de la vie ! Je t'ai dit qu'il avait un physique passable. Nuance !

— Oui, mais après avoir écouté attentivement ta description, j'ai additionné les points positifs. Et en faisant le total, ça donne Superman. Grand, fort, sourire ravageur, dents parfaites, regard torride...

— Je n'ai jamais dit qu'il avait un regard torride.

— Allons, allons, tu en devenais lyrique, Sara ! Cette nuance de vert diapré... ses paupières un peu lourdes... Je vois le tableau d'ici !

— Pff !

— Ce qui me ramène à mon conseil initial : à mon avis tu devrais y réfléchir à deux fois avant de chasser ce Flynn à coups de fusil de chasse. Je ne vois pas quel mal il y aurait à l'inviter à boire une tasse de café, histoire de discuter un peu. Puisqu'il travaille pour la justice...

— Pour la justice ? Il travaille pour lui-même, point final. C'est quelqu'un qui gagne son pain en faisant le malheur des autres. Pense à ce pauvre Russell, par exemple.

— Ce « pauvre Russell » se trouve tout de même être un escroc notoire qui se promène sous un faux nom ! Je veux bien admettre que le dénommé Flynn t'a joué un mauvais tour, hier après-midi, mais il ne faut pas perdre de vue qui sont les bons et les méchants dans cette histoire.

— Crois-moi, je ne le perds pas de vue une seule seconde, riposta Sara, tout en observant Flynn par la fenêtre.

Il était en train d'exécuter une série de pompes sur le capot de sa voiture.

— Parfait. Je suis persuadée qu'il cherche une occasion pour te présenter ses excuses. Offre-lui donc une bière, un café... je ne sais pas, moi !

— Pas une goutte. Pas une miette. Il n'aura plus rien de moi.

— Ce serait pourtant intéressant d'essayer de le connaître d'un peu plus près

— D'un peu plus près ? Je te vois venir, Nancy. Tu ne penses donc qu'à « ça », dans la vie ?

— Oui... Ou plutôt, non. Il m'arrive, à l'occasion, de m'intéresser à la permanente de Mme Linberger dont le temps de pose est déjà dépassé depuis plus de cinq minutes. Il faut que je te laisse, Sara. Surtout, ne fais rien d'inconsidéré !

— Sois sans crainte. Ce qui pourrait te paraître inconsidéré dépasse les limites de ma maigre imagination.

— Mmm... Tiens-moi au courant.

Sara raccrocha en maugréant. Elle était bien avancée avec de tels conseils ! Nancy devait vraiment la considérer comme un cas désespéré. Après le plombier, le chasseur de primes ! A quand l'huissier ou le bourreau ?

Chasseur de primes. Quel métier ! Comment pourrait-on avoir envie de tomber dans les bras d'un homme qui passe ses journées à traquer ses semblables pour de l'argent ? Que Flynn fût attirant, Sara voulait bien, à la rigueur, le reconnaître. En le décrivant à Nancy, elle avait, d'ailleurs, minimisé son charme, par crainte de fausser le jugement de son amie. Nancy avait toujours eu un faible pour les hommes au physique avantageux. Comme Drew, le père de ses enfants, par exemple. Mais si Nancy était heureuse avec son superman de mari, Sara, elle, n'avait jamais eu d'expérience positive avec un homme séduisant. Elle ne connaissait, en fait, que les aspects négatifs de ce type de relation.

Car Stuart était bel homme, lui aussi, dans le temps. Et il n'avait rien perdu de sa séduction, il fallait bien l'avouer. Au grand regret de Sara, ses quatre années de mariage avec Corinne ne l'avaient rendu ni chauve ni bedonnant. Quoi qu'il en soit, Stuart Bowers avait toujours été trop beau pour Sara. Ce constat avait fait l'unanimité, à Sutton Cove.

— Quelle petite chanceuse tu fais, Sara, d'avoir trouvé un fiancé pareil! s'exclamait-on autour d'elle avec un mélange d'étonnement et d'envie.

Et tous de se demander ce qu'un jeune homme aussi prometteur que Stuart Bowers pouvait trouver à une fille grassouillette et ordinaire comme Sara McAllister.

Elle avait très vite compris qu'elle devait remercier sa bonne étoile d'avoir été choisie par Stuart. Consciente d'occuper une position privilégiée qu'aucun mérite personnel ne justifiait, Sara s'était escrimée à prouver sa reconnaissance. Jamais elle n'osait protester lorsque Stuart la traitait comme quantité négligeable, ou lorsqu'il se montrait froid, mufle ou indifférent. Lorsqu'on n'était qu'un vilain petit canard élu par un prince, on ne se permettait pas de faire la fine bouche — même si ce prince oubliait trop souvent de se montrer charmant.

Promu vice-président de la banque, Stuart avait été le premier informé que le père de Sara ne laissait en mourant qu'une montagne de dettes. Une semaine à peine avant la date prévue pour les noces, Stuart donna à Sara une dure leçon qui portait sur les rapports entre l'économie et les sentiments : pas d'héritage, pas de mariage. Il ne prit même pas la peine de mentir sur ses motivations. Mais pourquoi l'aurait-il épargné au moment de la rupture alors qu'il se souciait déjà si peu de ménager sa susceptibilité lorsqu'ils étaient censés former un couple ? Même quand ils faisaient l'amour, il ne s'était jamais inquiété de ce qu'elle ressentait... ou ne ressentait pas.

Ah, tiens... Que faisait Flynn? s'interrogea Sara en le voyant aller et venir sur le trottoir. Il s'étirait les muscles, tout simplement. Ça ne devait pas être facile pour un homme au physique aussi athlétique de rester enfermé toute la journée dans une voiture aussi exiguë. Avec un métier comme le sien, il était sûrement habitué à une vie de suspense et d'aventure, comme les héros des romans policiers que Sara dévorait jusque parfois tard dans la nuit.

Nancy avait raison, dans un sens, il aurait peut-être été intéressant d'amener Flynn à parler de son travail. Sara soupira. Oui, ça l'aurait distraite un moment de la monotonie de sa propre existence. Mais il était hors de question d'enterrer la hache de guerre pour autant. Elle avait sa dignité, tout de même!

Sara posait le pied sur la première marche de l'escalier lorsque le carillon de l'entrée tinta.

Flynn.

Ça ne pouvait être que lui, bien sûr! Mais s'il croyait qu'elle avait changé d'avis en ce qui concernait la chambre, il se berçait d'illusions. Elle alla ouvrir, prête à l'accueillir avec toute la froideur qu'il méritait.

— Ecoutez-moi bien, monsieur le...! Ah, ce n'est que toi, Stuart!

— Pourquoi? Tu attendais quelqu'un?

— Oui... Enfin, non, pas vraiment, en fait.

Comme Stuart l'empêchait de voir ce qui se passait dehors, Sara dut pencher la tête sur le côté pour repérer Flynn qui faisait semblant de somnoler dans sa voiture. Stuart toussota à deux reprises avant de capter enfin son attention.

— Si j'arrive au mauvais moment, n'hésite pas à me le dire.

Sara se força à sourire.

— Pardon? Oh, mais non, pas du tout. Tu veux entrer? demanda-t-elle en prenant enfin conscience qu'elle portait son plus vieux jean avec une chemise froissée, et que ses cheveux s'échappaient en masse de sa barrette.

D'habitude, elle s'arrangeait toujours pour soigner son apparence lorsqu'elle était amenée à rencontrer son ancien fiancé. Pas parce qu'elle était restée attachée à lui; ça, non. Mais plutôt dans le vague espoir qu'il regretterait, même fugitivement, d'avoir renoncé à elle avec une pareille désinvolture.

— Je t'offre quelque chose à boire, Stuart?

— Non merci, je ne peux pas m'attarder. Je reviens d'un rendez-vous à Providence, et j'ai pensé faire un saut chez toi pour te parler de quelque chose qui me tient à cœur.

Affichant une élégance sans faille dans son costume bleu marine, Stuart lui adressa l'un de ses sourires à peine ébauchés qui, naguère, lui avaient fait battre le cœur.

— Ça a l'air sérieux, ton affaire, commenta Sara en notant du coin de l'œil que Flynn était descendu de voiture.

Que manigançait-il encore, celui-là?

— C'est très sérieux, en effet. Si tout marche comme je l'ai prévu, cet arrangement changera le cours de nos deux existences.

Zut. Voilà que Flynn sortait de son champ de vision. Peut-être que si elle se déplaçait légèrement sur la gauche...

— Sara? Tu m'écoutes au moins?

— Oui? Oui, bien sûr, Stuart... Tu parlais de changer radicalement le cours de nos deux existences.

Qu'entendait-il par là, au fait? Se pouvait-il

qu'après tant d'années? Non. Stuart n'avait pas le regard d'un homme habité par la passion. Il arborait le même sourire hypocrite que lorsqu'il la convoquait à la banque pour lui parler de son découvert.

— Je connais bien ta situation financière, Sara, commença-t-il, comme en écho à cette pensée. Et je ne t'apprendrai rien en te disant qu'elle n'est pas particulièrement brillante.

— Non, plutôt mate, en effet, rétorqua distraitement Sara en cherchant toujours Flynn des yeux.

— Note bien que ce n'est pas ta faute, Sara. C'est ton père qui a dilapidé la fortune familiale, et ta mère n'a rien arrangé en refusant de vendre alors que le cours de l'immobilier était au plus haut. Mais tu as encore un moyen de t'en sortir, et je te dis ça en ma qualité d'ami autant qu'en ma qualité de banquier. Si tu.. Il y a quelqu'un, dehors?

— Pardon?

— Dehors. Dans la rue. Tu passes ton temps à regarder par les fenêtres du salon.

— Vraiment? C'est idiot. Ça doit être une espèce de tic que j'ai pris. Je suis désolée, Stuart. Continue, je t'en prie.

— Comme je te le disais, il existe une issue pour toi, à condition que tu ne t'obstines pas à perpétuer l'erreur commise par ta mère. La seule véritable solution qui te reste est de vendre, Sara. Et c'est le moment idéal pour le faire. Je sais que tu es attachée à cette vieille demeure et qu'il te sera difficile de t'en séparer. Voilà pourquoi en tant qu'ami, je te soumets une proposition particulièrement généreuse pour... comment dire... faire passer la pilule?

Il ponctua sa phrase d'un sourire qu'il considérait probablement comme ravageur, et qui aurait effectivement bouleversé Sara à l'époque où elle était amoureuse. Mais l'émotion qui habitait la jeune femme aujourd'hui n'avait rien à voir avec l'amour et tout à voir avec la colère.

— Stuart, je ne comprends pas ton attitude ! Tu sais que j'ai l'intention de me raccrocher à cette maison aussi longtemps qu'il me sera matériellement possible de le faire, dans l'espoir qu'un jour, peut-être...

Le visage du jeune banquier se durcit.

— Ne me dis pas qu'à trente-deux ans, tu crois encore au miracle, enfin ! Tu es une femme seule avec un faible revenu, sans grands atouts dans ton jeu. Regarde la réalité en face !

— De quel genre d'atouts veux-tu parler, Stuart ? Tu penses à mes finances ou à d'autres qualités, plus personnelles, qui me manqueraient, d'après toi ?

Stuart leva les yeux au ciel.

— Je t'en prie, Sara. Tu as peut-être envie de relancer de vieux débats et de rouvrir de vieilles blessures, mais moi, je refuse d'évoquer des souvenirs qui ne peuvent être pour toi qu'une source permanente d'humiliations. Je suis venu pour t'aider, pas pour te nuire. C'est aberrant de la part d'une femme seule de s'obstiner à occuper une maison conçue pour une famille nombreuse. Alors que, de mon côté, je vais avoir besoin de plus d'espace.

Il prit une profonde inspiration, bomba le torse et relança son sourire.

— Corinne attend un bébé pour l'automne.

— Mes félicitations.

— Merci, Sara. Tu comprends désormais que nous allons devoir déménager. Il nous faut un jardin pour mettre une balançoire, et Corinne songe à faire installer une piscine à la place du saule pleureur.

366

Cette fois, Sara vit rouge.

— Corinne envisage de creuser une piscine dans mon jardin? Et de couper mon saule pleureur?

— Oui, enfin... Tout cela est encore au stade du projet, bien sûr. Mais je vais être franc avec toi, Sara : au fond, ce n'est qu'une question de temps. Ta situation va continuer à se dégrader progressivement, tu le sais. Tôt ou tard, les huissiers seront à ta porte et tu te trouveras acculée à vendre. Alors pourquoi ne pas opter pour une solution à l'amiable qui contentera tout le monde? Corinne aura la maison de ses rêves et tu pourras acquérir un logement plus conforme...

— ... à mes besoins de femme seule?

— Tout à fait.

Stuart se leva et sortit un papier plié de la poche de son veston.

— Voici mon offre d'achat. Ne la regarde pas maintenant, attends d'être plus calme, plus réceptive. Et appelle-moi pour me communiquer ta décision.

Vouée, pour son malheur, à la correction et aux bonnes manières, Sara ne dérogea pas aux principes d'une éducation impeccable : elle escorta poliment son banquier jusqu'à la porte d'entrée de la maison de ses rêves. « Et mes rêves à moi? » aurait-elle voulu crier. Mais elle avait appris depuis longtemps à ne plus gaspiller sa salive avec Stuart.

En sortant sur le perron, ce dernier se heurta presque à Flynn qui se tenait en haut des marches. Allons, bon, il ne manquait plus que lui! Encore ébranlée par sa conversation avec Stuart, Sara se prépara mentalement pour le troisième round avec son chasseur de primes. Pour qui ou pour quoi allait-il chercher à se faire passer, cette fois-ci? Un vendeur de raticide? Un aiguiseur de couteaux? Un spécialiste de la chasse aux cafards?

Ignorant Stuart, Flynn s'avança vers elle avec un magnifique sourire et lui tendit la main. Sara la prit machinalement, mais Flynn ne se contenta pas de la serrer.

Tout se déroula très vite. Exerçant une traction douce mais ferme, il l'attira à lui, et Sara se retrouva dans ses bras. Perdue dans un drôle de rêve, elle leva les yeux et rencontra cet étrange regard vert qui semblait tout voir, tout comprendre, tout connaître.

Alors la bouche de Flynn, chaude, souple et infiniment tendre, trouva la sienne et ne la quitta plus.

5.

Sara s'exhorta à réagir. Elle aurait dû crier, le repousser, enfin faire quelque chose. Mais sa volonté était en panne et elle se contenta de laisser Flynn l'embrasser.

Il prit son temps. Il embrassait comme il faisait toute chose : avec lenteur et détermination, sans s'inquiéter de savoir si le reste du monde appréciait ou non. Mais pour Sara, en l'occurrence, la question ne se posait pas. Car à sa grande honte, elle n'était pas du tout hostile au cours que prenaient les événements.

Elle goûtait avec délice le baiser de Flynn ; elle se délectait du léger picotement de sa moustache sur sa lèvre, et souscrivait entièrement à la fermeté de son étreinte. Elle était à tel point ensorcelée que même lorsque Flynn cessa de l'embrasser, elle demeura immobile et rêveuse, son regard chaviré toujours perdu dans le sien.

Il fallut que Stuart toussote pour que la situation apparaisse enfin à Sara sous son jour véritable. Rouge comme une pivoine, elle se dégagea d'un mouvement brusque et voulut exiger des explications. Mais Flynn la devança.

— Tu es prête ? demanda-t-il en lui adressant un regard appuyé.

— Prête ? murmura Sara en écho, consciente qu'il s'efforçait de lui faire passer un message.

— Eh bien, pour notre sortie en parapente, bien sûr ! C'est le jour J. Tu n'as pas oublié que tu m'avais promis une leçon, au moins ?

— Sara ? s'esclaffa Stuart qui était resté bouche bée jusque-là. Vous donner une leçon de parapente ? Vous voulez rire. Elle ne fait pas la différence entre un U.L.M. et un avion de ligne. La pauvre fille n'est pas sportive pour un sou.

Pendant que Sara se demandait lequel des deux hommes elle aurait préféré étrangler en premier, Flynn accorda enfin son attention à Stuart. Mais il le fit presque à contrecœur, comme s'il lui coûtait de quitter Sara des yeux, ne fût-ce que quelques secondes.

— C'est ce qu'elle vous a raconté ? demanda-t-il d'un air amusé.

— Elle n'a pas besoin de me raconter quoi que ce soit. Je la connais. Sara en parapente ! répéta-t-il en secouant la tête. Elle est bien bonne, celle-là.

Flynn haussa les épaules avec une parfaite nonchalance.

— De toute évidence, il existe des aspects de Sara qui vous échappent encore.

— Allons donc ! Je suis Stuart Bowers, un vieil ami de Sara, précisa le banquier avec assurance, comme s'il lui suffisait de décliner son identité pour remettre immédiatement les pendules à l'heure.

Mais Flynn ne parut pas impressionné le moins du monde, ce qui enchanta la jeune femme.

— John Flynn, fit-il. Un ami tout récent de Sara.

Tout en se présentant ainsi, il laissa son regard glisser sur la jeune femme, avec un sourire torride qui sous-entendait une intimité allant bien au-delà de l'amitié et du parapente.

Pourquoi jouait-il cette comédie? Sara n'aurait su le dire. En tout cas, il semblait y prendre un grand plaisir. Brusquement, elle se sentit infiniment plus proche de Flynn que de son ex-fiancé.

— J'en ai pour quelques minutes à me préparer, annonça-t-elle d'un air de connivence. J'allais monter me changer lorsque Stuart est passé à l'improviste.

— Je t'attendrai, murmura Flynn avec, dans la voix, une intensité virile capable de faire frissonner une adjudante-chef de la tête aux pieds.

Stuart, lui, ne semblait plus du tout pressé de partir.

— Tu penseras à ma proposition, Sara?

— Oui, mais...

— Si tu veux, je te rappelle?

— Fais comme tu voudras, répliqua-t-elle en regagnant le vestibule.

— En fait, je te téléphonerai demain matin à la première heure, cria Stuart.

— O.K., dit Sara.

— A un de ces quatre, Stuart, dit Flynn.

Ils entendirent bientôt le pas lent de Stuart qui s'éloignait comme à contrecœur.

— Il est parti, murmura Sara.

— Apparemment...

— Nous lui avons donné une fausse idée de la situation, remarqua Sara en fixant la pointe de ses chaussures.

Les extrémités de la moustache de Flynn frétillèrent.

— C'était drôle, non?

Drôle? Elle aurait dû répondre que non. Lui faire comprendre que ce n'était pas du tout convenable.

Mais comment le nier? Elle avait pris un plaisir extra-ordinaire à participer à cette petite mise en scène. Et elle avait adoré l'expression sidérée de Stuart. En fait, Sara éprouvait une telle impression de légèreté, tout à coup, qu'elle se sentait prête à s'envoler, avec ou sans parapente.

— Oui, c'était drôle, acquiesça-t-elle. Vous avez vu la tête qu'il a fait? Voilà des années que je rêve de renverser les rôles, de le voir confondu, pour une fois. Et j'ai réussi. Cela dit, je n'y serais jamais parvenue sans votre aide. Mais comment l'idée vous est-elle venue, Flynn? Vous ne connaissiez même pas Stuart!

— Stuart lui-même, non. Mais il appartient à une espèce très courante. Des hommes comme lui, j'en ai rencontrés par dizaines. Stupéfiants d'égocentrisme, manipulateurs, bourrés de certitudes, et prêts à vous extorquer jusqu'à votre dernière chemise.

La description correspondait à Stuart point pour point.

— Mais comment avez-vous deviné qu'il était comme ça, Flynn?

Il haussa les épaules.

— Je l'ai regardé entrer chez vous.

— Et ça vous a suffi pour cerner sa personnalité?

— En partie. J'ai également surpris quelques bribes de votre conversation.

— Tiens donc! Vous avez écouté aux portes, en somme.

— Simple curiosité professionnelle. Qu'est-ce qui me prouvait que vous n'étiez pas en train de comploter au sujet de Fortrell?

— Stuart ne le connaît même pas..

— Je le sais, maintenant. Alors dites-moi... C'est quoi, cette vieille histoire entre Stuart Bowers et vous?

372

— Elle ne présente aucun intérêt, répliqua Sara, sur la défensive.

— Et la maison?

— C'est mon problème.

— Mmm... Je pourrais vous aider à la garder, peut-être. Tout comme je vous ai aidée pour Stuart.

— Oh! A mon avis, nous avons surtout réussi à l'irriter.

— C'est déjà pas mal, non?

— Vous dites ça parce que Stuart ne gère pas votre compte en banque.

— Peut-être... En tout cas, je suis certain que nous avons fait plus que de le contrarier, Sara. Nous l'avons intrigué; nous lui avons donné matière à réflexion en créant une illusion. Et je suis sûr qu'il y croit dur comme fer.

Ramenée à la triste réalité, Sara haussa les épaules.

— Au fond, il s'en fiche complètement. Stuart ne s'est jamais soucié de savoir ce que je faisais et qui je fréquentais.

— Je peux vous garantir qu'il s'en fiche nettement moins que lorsqu'il est entré ici il y a une heure. Les types comme Bowers sont ainsi faits, Sara. Ils veulent toujours ce qu'ils pensent ne pas pouvoir obtenir.

Là, Flynn se trompait du tout au tout. Stuart ne s'intéressait qu'à une seule chose chez elle: au toit qu'elle avait au-dessus de la tête. Mais pourquoi s'humilier en l'avouant à Flynn? Sara en avait d'autant moins envie qu'il la regardait fixement sous ses paupières mi-closes. Comme s'il se posait à son sujet des questions qui l'auraient fait rougir très fort s'il les avait formulées à voix haute.

— Vous avez l'air d'en connaître un rayon sur les hommes comme Stuart, observa-t-elle, les nerfs tendus à se rompre. Peut-être parce que vous êtes un peu comme lui, au fond ?

Flynn secoua lentement la tête.

— Là, vous faites fausse route, Sara. Entièrement.

— Autrement dit, vous ne désirez jamais ce que vous pensez ne pas pouvoir obtenir ?

L'ombre d'un sourire se dessina au coin des lèvres de Flynn, et Sara regretta immédiatement sa remarque. Seigneur... Pourquoi avait-elle dit cela ? Si elle avait voulu le provoquer, elle ne s'y serait pas prise autrement. C'était comme si Nancy venait de parler par sa bouche.

— Jamais, murmura-t-il d'une voix qui fit battre le cœur de Sara à grands coups précipités.

— Quoi qu'il en soit, j'ai trouvé l'expérience intéressante, balbutia-t-elle. Je crois qu'il ne me reste plus qu'à vous remercier pour ce que vous avez dit... et fait.

Il haussa les sourcils.

— Fait ?

— Vous savez bien... Le baiser.

— Ah, le baiser, oui, bien sûr... A ce sujet, je vous dois sans doute une explication. Tout ce qui concernait le parapente était effectivement un mensonge destiné à intriguer votre sinistre banquier. Mais le baiser, lui, ne se situe pas tout à fait sur le même plan.

— C'est-à-dire ? demanda Sara en retenant son souffle.

Flynn était si proche d'elle, à présent, qu'elle sentait son haleine sur ses lèvres.

— Je vous ai embrassée pour une raison toute simple : parce que j'en avais envie, Sara.

Le premier baiser de Flynn l'avait surprise. Le second fut une révélation. Tenant sa tête d'une main et lui caressant le dos de l'autre, Flynn prit possession de sa bouche comme il l'avait fait sur le perron, un peu plus tôt. Mais très vite, leur étreinte perdit de sa désinvolture initiale.

Lorsque Sara s'en rendit compte, le phénomène avait déjà pris une ampleur difficile à maîtriser. Sortis des eaux calmes du simple flirt, ils étaient entrés dans une zone de turbulences et de perturbations profondes. Quand l'avait-on embrassée comme ça pour la dernière fois ? se demanda Sara en s'agrippant aux épaules de Flynn. Jamais, en fait. Jamais avec autant de science ; jamais avec ce mélange de force et de délicatesse. Sara se sentait à la fois dominée par une force presque brutale et choyée comme une reine.

Elle pensa soudain qu'elle était folle de le laisser faire ; folle d'aimer ses baisers ; folle de rêver d'aller plus loin encore. Non, jamais elle n'avait connu un tel bonheur. C'était une expérience toute nouvelle. Un territoire encore vierge qui ouvrait devant elle des horizons immenses et tellement prometteurs !

Flynn embrassa ses paupières closes, puis il laissa glisser sa bouche entrouverte le long de son cou. Un long frisson parcourut Sara. Les mains de Flynn passèrent tout naturellement sous sa chemise et vinrent caresser sa peau nue.

Alors même qu'elle frémissait de plaisir, sa conscience vint la rappeler à l'ordre. A quoi jouait-elle ? A imiter ces mannequins si sveltes que l'on voyait dans les publicités, emportées par l'élan d'une passion admirablement jouée ?

— S'il vous plaît, murmura-t-elle, polie comme à l'ordinaire. Je crois qu'il vaudrait mieux nous arrêter.

— Y a-t-il vraiment urgence ? chuchota Flynn d'une voix rauque.

Mais ses doigts caressants atteignaient des points

vulnérables pour Sara : des endroits un peu trop enve-
loppés qu'elle aurait voulus plus fermes, plus tendus,
plus musclés.

— Je suis sérieuse, Flynn. Nous ne nous connaissons même pas !

Il rit doucement, ses lèvres caressant toujours la
peau de Sara.

— Ce n'est pas indispensable.

— Pour moi, si. Stop, Flynn !

Il s'arrêta, certainement au prix d'un effort surhu-
main. Etait-il aussi bouleversé qu'elle physiquement ?
Sara fut tentée de s'en assurer, mais la timidité et son
sens des convenances l'emportèrent.

— Je ne partage pas vos réserves, Sara. Mais s'il
faut faire connaissance, alors commençons tout de
suite, sans perdre de temps. A priori, cela ne devrait
pas nous prendre plus d'une heure. Ensuite...

Flynn conclut son discours par un baiser si éloquent
que Sara faillit en oublier ses exigences. Mais lorsque
ses mains se frayèrent de nouveau un chemin sous sa
chemise, la jeune femme se dégagea.

— Bon, procédons selon les règles, concéda Flynn
avec un soupir. Que désirez-vous savoir à mon sujet ?

Sara leva les yeux au ciel.

— Vous voulez peut-être que je vous fournisse un
questionnaire ?... Non, il faut que cela reste spontané.

— Vous avez raison. Soyons naturels et laissons
notre instinct s'exprimer librement. A ce compte-là, je
me fais fort de vous convaincre.

La jeune femme ramena nerveusement ses cheveux
dans sa barrette.

— Non, Flynn. Je suis désolée... Je me suis laissé
emporter et j'ai peur de vous avoir donné une fausse
idée de moi. En fait, je ne suis pas du tout disposée à
aller plus loin.

— Je vois. Nous devrons nous limiter aux baisers tant que nous demeurerons des inconnus l'un pour l'autre ?

Elle hocha la tête.

— Oui... Ou plutôt, non, murmura-t-elle en rougissant. Je n'ai pas dit non plus que je donnais le feu vert pour les baisers.

— Faisons un autre bout d'essai, voulez-vous ? Cela vous aidera peut-être à mieux vous situer par rapport au problème.

Sara rougit jusqu'aux oreilles.

— Non, ce n'est pas nécessaire.

— Alors quoi ? Nous optons pour le parcours classique et je vous invite à dîner ce soir ?

— Pourquoi pas ? répondit Sara en se demandant si tout cela était bien raisonnable.

— Après quoi, rien ne nous empêchera plus de nous mettre en ménage, vous et moi ?

— Flynn !

— Je plaisantais, Sara. En fait, je pensais plus prosaïquement à la chambre que vous voulez louer. A présent que nous sommes des alliés...

— Alliés est un grand mot...

— Ecoutez, je vous propose un compromis. Un marché dont nous pouvons sortir gagnants l'un et l'autre. Si j'ai bien compris tout à l'heure, il vous faut de l'argent pour votre maison. De mon côté, j'éprouve le besoin impérieux de dormir dans un lit. Je vous propose donc cinq mille dollars.

Sara commença par éclater de rire. Puis elle fronça les sourcils.

— Ne me dites pas que vous me proposez cinq mille dollars pour occuper cette chambre quelques jours, le temps d'épingler votre trafiquant !

377

— Ce ne sera pas seulement pour la chambre. J'achète également votre coopération. Il me faut Benny Fortrell. Si vous m'aidez à mettre la main dessus, je partage avec vous la prime que me vaudra sa capture.

Sara hésita.

— Vous voulez dire que vous m'engagez comme assistante ?

Flynn hocha la tête.

— Oui. Enfin... pas en permanence.

— Non, non, naturellement. Juste pour le cas Fortrell ?

— Juste pour le cas Fortrell, oui. Pourquoi pas ?

Ils scellèrent leur pacte d'une poignée de main, et Sara lui remit la clé de la chambre. Dès que Flynn eut tourné les talons, la jeune femme esquissa un pas de danse sur le tapis du salon. L'aventure ne durerait qu'un temps, et elle n'en parlerait à personne. Mais pendant quelques jours, cette « brave petite McAllister » allait vivre l'existence aventureuse d'une authentique chasseuse de primes !

6.

— Dis-moi que je rêve, Sara ! Tu as décidé de jouer les espionnes, c'est bien ça ? s'écria Nancy en s'effondrant sur une chaise de cuisine.

Sara réprima un sourire. C'était la première fois, en vingt ans d'amitié, qu'elle surprenait Nancy par une conduite audacieuse. Si elle n'avait pas été aussi pressée de se préparer pour son rendez-vous avec Flynn, elle aurait ouvert une bouteille de champagne.

— J'ai décidé d'aider Flynn à mettre la main sur Benny, rien de plus.

— Lequel Benny est en vérité Russell LeFleur ?

— Non, c'est le contraire, Nancy, expliqua patiemment Sara. Russell est son nom d'emprunt, et Benny Fortrell, son identité véritable.

— Oui, enfin... la question n'est pas là ! Ce que je retiens, moi, c'est que ce type circule sous un faux nom et qu'il est recherché par la police.

— Eh ! oui.

— Nous savons également qu'il possède au moins une arme. Celle que Flynn a trouvée dans sa chambre.

— Exact.

— Ecoute, Sara. Si ce Benny, alias Russell, se promène avec un revolver, ce n'est certainement pas par coquetterie. A mon avis, il n'hésitera pas à s'en servir, le cas échéant.

— Ce n'est pas exclu, en effet.

— Et toi, tu m'annonces tranquillement que tu vas faire équipe avec le dénommé Flynn et jouer les justiciers? Est-ce que tu ne serais pas un peu folle, par hasard?

— Inutile de crier comme ça, protesta Sara.

Elle prit deux chemisiers qu'elle venait de repasser et les compara en se demandant lequel ferait la plus forte impression sur Flynn.

— Il est indispensable que je crie, au contraire! Car tu planes sur ton petit nuage et j'en ai assez de parler dans le vide! Vas-tu cesser d'admirer ces chemisiers comme si tu n'avais rien de plus urgent à faire?

Nancy voulut lui arracher les cintres des mains, mais Sara tint bon.

— C'est une urgence, Nancy! Flynn doit passer dans moins d'une demi-heure et je n'ai même pas encore trouvé une tenue.

— Prends le bleu, trancha Nancy par automatisme. Enfin... s'il faut absolument que tu choisisses entre ces deux-là. Tu es sûre que tu ne caches rien de plus sexy au fond de tes placards? Quelque chose d'un peu moins raide? D'un peu moins sobre, peut-être?

— Non.

Nancy soupira.

— Bon. Dans ce cas, mets le bleu. Mais au moins, rentre-le dans ta jupe.

— Mais tu sais bien que ça me grossit! protesta Sara en fronçant le nez.

— Tu veux que je te dise où ils sont tes kilos en trop, Sara? demanda Nancy en portant un doigt à sa tempe. Tous dans ta tête, ma belle. Tu n'es même pas potelée. Juste superbe, un point c'est tout. Si seulement, tu acceptais de t'habiller autrement qu'en taille 46 et de...

— Ne commence pas, Nancy.

— Bon, d'accord. Mais quand même, Sara, ce n'est pas très raisonnable de te jeter à la tête de ce John Flynn.

Ce fut au tour de Sara de s'effondrer sur une chaise.

— Comment ? C'est toi qui me dis ça ? Voilà des années que tu me harcèles pour que je tombe dans les bras du premier venu ! Qu'il soit jeune, vieux, maigre, gras ou chauve, cela n'avait aucune importance à tes yeux. N'importe qui pouvait faire l'affaire, du moment qu'il était célibataire et doté d'un chromosome Y ! Et maintenant...

— Stop, Sara ! Je n'ai pas souvenir de t'avoir jamais recommandé un type armé jusqu'aux dents qui joue de la gâchette en traquant des repris de justice ! Que tu sortes avec lui, passe encore. Mais de là à t'associer avec un homme qui...

— Je ne m'associe pas avec lui, je l'assiste simplement sur cette affaire.

— Cette histoire ne me plaît pas, Sara. Et si tu courais un réel danger ?

— La vie en elle-même est dangereuse.

— Oh non... Voilà que tu t'exprimes déjà comme un chasseur de primes endurci !

Sara lui jeta un regard sceptique.

— Tu en connais beaucoup, toi, des chasseurs de primes ?

— A part toi et Steve McQueen... non, aucun, admit Nancy. Mais ce n'est pas une raison. Franchement, Sara, tout cela ne te ressemble pas.

Sara glissa un anneau d'or dans le lobe de son

oreille et poussa la porte de la salle de bains pour se regarder dans le miroir.

— Si ça ne me ressemble pas, tu devrais être contente, toi qui passes ton temps à me répéter que je devrais être plus audacieuse, moins routinière ; toi qui me supplies de m'écarter enfin du droit chemin le long duquel je me traîne, tristement obsédée par mon sens du devoir et l'opinion de mes voisins !

— C'est sans doute pour ça que je me sens tellement responsable, admit Nancy. Je ne voudrais pas qu'il t'arrive malheur à cause de mes conseils stupides.

Enfin, Sara cessa de faire des mines devant la glace et se tourna pour sourire à son amie.

— Je n'ai pas l'intention de m'exposer à des risques insensés, Nancy. J'ai juste envie de prendre les choses comme elles viennent, pour une fois. Cela doit bien faire dix ans que je ne suis pas sortie avec un homme dont les grands-parents n'ont pas connu les miens ! Je m'oxygène ! Je respire. Tu devrais être contente pour moi !

Nancy secoua la tête, consternée.

— Mais qu'a-t-il donc de si spécial, ton John Flynn, pour qu'une fille aussi raisonnable que toi se mette soudain à tenir des discours dignes d'une fille comme moi ?

« Bonne question, songea Sara. Aurais-je un faible secret pour les hommes dangereux ? » Non, non, c'était de la folie de penser des choses pareilles. Il devait y avoir une autre raison.

— Tu veux savoir ce qui m'enthousiasme tant dans cette affaire, Nancy ? C'est tout simple : l'argent. Flynn m'offre la possibilité de gagner cinq mille dollars. Tu parles d'une aubaine !

— Mmm... L'argent, je veux bien. Mais quelle

place tient le petit dîner romantique de ce soir dans votre partenariat ?

— Qui t'a dit que le dîner serait romantique ? Nous allons simplement mettre au point une stratégie de capture, rétorqua Sara, l'air faussement désinvolte. Je pense qu'il va m'expliquer ce qu'il attend de moi... en tant qu'assistante, entendons-nous bien.

— Et ça n'ira pas plus loin ? Tu en es certaine ?

— Absolument. Après la visite de Stuart, je me sens plus que jamais prise à la gorge. Je dînerais à la table du diable lui-même, si cela pouvait me permettre de garder ma maison.

Sara regarda sa montre et poussa un cri, brusquement.

— Oh, mon Dieu, je ne serai jamais prête à temps !

— O.K., O.K., j'ai compris : je débarrasse le plancher, annonça Nancy en se levant. Ça ne t'ennuie pas, alors, si je prends ce volume d'encyclopédie pour Katie ?

— Prends tout ce que tu voudras ! cria Sara en montant vivement l'escalier pour aller se changer.

— Merci... Et fais attention à toi, surtout !

— Tu oublies à qui tu t'adresses ! C'est moi, Sara McAllister, la prudence incarnée, comme chacun le sait.

Encore une certitude qui menaçait de voler en éclats, songea Sara en se débarrassant de son survêtement. Flynn l'avait embrassée deux fois, et depuis lors, les concepts de prudence et de sécurité ne figuraient plus en tête de ses priorités. Malgré tout ce qu'elle avait pu raconter à Nancy, elle savait que la sagesse ne serait pas au rendez-vous, ce soir, au cours de ce dîner avec Flynn. C'était, en tout cas, ce que laissait présager l'excitation qu'elle éprouvait à se préparer.

La sonnette de l'entrée tinta avant que Nancy ait réussi à trouver le volume qu'elle cherchait. Dire qu'elle regrettait d'être encore là aurait été inexact. En fait, elle avait pris son temps à dessein, dans l'espoir que John Flynn se présenterait chez Sara avec un peu d'avance. Le fait de voir M. le chasseur de primes en personne suffirait peut-être à calmer ses angoisses. Sara lui avait laissé entendre qu'il était doté d'un physique assez avantageux, mais Nancy émettait secrètement quelques réserves. Avec un long passé de célibat derrière elle, son amie n'était pas si bien placée pour juger de la beauté d'un homme, après tout.

— Ne t'inquiète pas, je vais lui ouvrir, cria-t-elle en entendant Sara pousser un appel à l'aide désespéré.

Son encyclopédie sous le bras, Nancy tira le battant, jeta un regard sur l'homme qui se tenait sur le seuil et demeura la bouche ouverte, comme pétrifiée.

— Oh, non ! chuchota-t-elle.

John Flynn — car ce concentré de charme et de virilité ne pouvait être que lui — haussa les sourcils.

— Pardon ?

— Mmm ?... murmura Nancy en songeant que, loin d'exagérer, Sara était restée, au contraire, très en dessous de la vérité.

— Vous avez dit « Oh, non ! »

— Ah vraiment ? C'est que je devais penser à autre chose. Vous êtes John Flynn, je présume ? Je suis Nancy, une amie... Sara va descendre dans une minute. Veuillez vous donner la peine d'entrer.

Le moral à cent pieds sous terre, Nancy précéda le visiteur jusque dans le salon. John Flynn n'était pas simplement beau : il était époustouflant. Il ne prenait pas des poses et ne s'habillait pas avec un raffinement exceptionnel. Elégance, charisme, sex-appeal, tout cela existait chez lui à l'état naturel. Rien d'étudié, rien d'acquis. Son charme était certifié d'origine.

Sara allait être écrasée, anéantie, pulvérisée en moins de temps qu'il ne fallait pour le dire.

Décidée à limiter les dégâts dans la mesure du possible, Nancy s'approcha de Superman. Il avait refusé de s'asseoir, ainsi que de boire un verre et, maintenant, il s'intéressait aux photos de famille de Sara qui trônaient sur le piano.

— Alors, Flynn ? Quels sont vos projets par rapport à Sara ? s'enquit Nancy d'un ton dégagé.

Il tourna vers elle ses yeux vert sombre pleins d'ironie.

— Pourquoi ? Vous pensez que mes intentions sont malhonnêtes ?

— En fait, je voulais juste savoir où vous comptiez l'emmener dîner. Mais puisque vous abordez vous-même le sujet...

— C'est Sara qui vous a mandatée pour mener cet interrogatoire ?

— Jamais de la vie ! Elle serait mortifiée d'apprendre que j'ai essayé de vous cuisiner.

— Dans ce cas, êtes-vous certaine que c'est un service à lui rendre ?

Si le ton de Flynn restait léger, Nancy perçut clairement ses réticences. John Flynn n'était pas un homme à qui l'on demandait des comptes.

— Je vous interroge parce que Sara est mon amie. Ma meilleure amie, même. Et je n'ai pas envie de la voir souffrir.

Flynn eut un sourire narquois.

— Nous n'en sommes pas là. Pour l'instant, il s'agit d'une simple invitation à dîner.

Nancy jeta un rapide coup d'œil du côté de l'escalier et se mordit la lèvre.

— C'est que... Sara n'est pas du style à... Oh, et puis zut, je n'ai pas envie de tourner autour du pot. Mon petit doigt me dit que Sara ne correspond pas au type de femme que vous invitez à dîner habituellement.

— Exact. Et alors? Partant de là, on peut supposer que je sors avec elle pour tromper mon ennui, parce que je n'ai pas d'autres distractions en vue.

— C'est à peu près ce que je pense, oui. Mais Sara ne mérite pas qu'on s'amuse d'elle, Flynn. Elle vaut mieux que ça.

Les yeux verts de Flynn étincelèrent.

— Parce que vous croyez que je ne le sais pas? protesta-t-il avec colère. Je suis parfaitement conscient de la valeur d'une femme comme Sara!

L'extrême véhémence de sa réponse laissa Nancy pantoise. Flynn esquissa un sourire.

— Désolé de m'être emporté. La journée a été longue. Et vous avez eu raison de vous inquiéter. Sara est votre amie et je ne suis qu'un inconnu de passage.

Il se pencha sur l'un des portraits de famille dans son cadre en argent.

— Ce sont les parents de Sara, sur ce cliché, avec elle?

Nancy acquiesça d'un signe de tête. Pauvre Sara! Elle qui se détestait tant sur cette photo! Flynn examina avec attention l'image d'une Sara plus jeune et considérablement plus volumineuse.

— Quel âge avait-elle, à l'époque?

— Presque dix-huit ans. La photo a été prise le soir du récital de fin d'année, juste avant que...

Nancy s'interrompit net, mais Flynn compléta pour elle.

386

— Oui, je sais. Elle m'a parlé de son blocage.

— Elle vous en a parlé ? A vous ?

Pour autant que Nancy puisse en juger, Sara n'évoquait jamais cette soirée. Ni avec elle, ni avec personne d'autre.

— Oui, acquiesça Flynn. Elle m'a confié certaines choses. Et vous pouvez partir le cœur tranquille. Je vais dîner ce soir avec Sara et nous en resterons là.

Intriguée soudain par un je-ne-sais-quoi dans le regard de Flynn, Nancy fut prise d'un doute terrible. Et si elle avait eu tort d'intervenir, avec ses gros sabots ?

— Ecoutez, Flynn. Je ne veux pas vous empêcher de la revoir, loin de là. Je pensais simplement...

— Non. Vous avez bien fait. J'ai compris, dès le moment où je l'invitais, que je commettais une erreur. Sara n'est pas une fille pour moi, je le sais. On peut se tromper une fois, mais si l'on récidive, on est impardonnable.

Excellent principe de conduite, se dit Flynn en prenant congé de Nancy. Pourtant, après avoir embrassé Sara une fois, il s'était empressé de recommencer, tout en sachant que c'était la dernière chose à faire. Et si la providentielle Nancy n'était pas venue le rappeler à l'ordre, que se serait-il passé ce soir ? Il avait pris le plus grand plaisir à tenir Sara dans ses bras. Un plaisir auquel il avait eu bien du mal à renoncer lorsqu'elle l'avait prié très poliment de mettre un terme à ses caresses. Depuis, il ne pensait qu'à reprendre au plus vite ce tête-à-tête délicieux. C'est dans ce but qu'il avait lancé cette invitation ridicule, et qu'il était allé jusqu'à lui proposer de partager sa prime avec elle. Flynn secoua la tête en faisant les cent pas. Incroyable, comme un homme peut se montrer idiot lorsqu'il désire une femme à ce point !

Flynn revint au portrait de famille et se mit à examiner l'image de la jeune fille. Malgré les quinze kilos superflus qui alourdissaient Sara, à l'époque, sa fragilité apparaissait déjà nettement. Sa beauté aussi était prête à s'épanouir. Mais les garçons de son âge ne devaient rien voir de tout ça... Sara n'avait pas parlé de son poids lorsqu'elle avait évoqué le récital, mais Flynn imaginait sans mal qu'elle avait dû passer par le doute, la honte, peut-être, et subir bon nombre de vexations. Brusquement, il éprouva le regret aussi poignant que ridicule de ne pas l'avoir connue en ce temps-là.

Il balaya cette pensée d'un sourire cynique. Comme si, à dix-neuf ans, il aurait pu lui être d'un secours quelconque! Lui qui venait d'être jeté à la porte par son oncle et qui était sur le point de s'enrôler dans l'armée par pur dépit! Songer à cette période noire avait le don de le rendre morose, et c'est avec soulagement qu'il entendit les pas de Sara dans l'escalier.

— Bonsoir, Flynn. Je vous ai fait attendre?

— J'ai pris mon mal en patience, répondit-il d'un air détaché, en se gardant bien de lui adresser le moindre compliment.

Il allait profiter de la soirée pour lui faire comprendre qu'elle n'était rien de plus pour lui qu'un moyen d'atteindre son but. Un but qui avait pour nom Benny Fortrell. A priori, il ne devrait pas avoir trop de mal à garder ses distances. La jupe sage qui s'arrêtait juste au-dessus du genou et le chemisier bleu sans fantaisie qu'elle portait ce soir n'incitaient pas vraiment à faire des folies.

Sara lui adressa un sourire réservé, en femme habituée à passer inaperçue. Elle était si touchante que Flynn lui prit la main sans réfléchir.

— Vous avez des cheveux magnifiques, Sara. Vous les laissez libres, parfois?

Il la regardait dans les yeux, avec le plus grand sérieux. Sara rougit, se déroba, mais se montra ravie.

— C'est un peu compliqué, parfois, de les porter si longs, murmura-t-elle. Je songe à les couper.

— Pas avant que je les aie vus défaits, en tout cas. Vous me le promettez, Sara ? chuchota-t-il en caressant doucement la paume de sa main.

Comme tout le laissait prévoir, elle acquiesça. Le regard, le chuchotement, la légère caresse : la méthode était quasi infaillible. Alors pourquoi l'avoir essayée sur Sara ? Maudissant son imprudence, Flynn lâcha sa main avec une brusquerie tout aussi impardonnable que la caresse qui l'avait précédée.

— Prête ?

— Prête. Je vais juste prendre une veste au cas où.

— Au cas où, oui... Prudence est mère de sûreté, acquiesça Flynn avec une ironie qu'il savait être le seul à pouvoir apprécier.

Dehors, il aida Sara à monter en voiture et se glissa derrière le volant.

— J'espère que vous avez faim, dit-il en prenant un grand sac sur le siège arrière. J'ai des frites, des double-cheese, des beignets de poulet, deux salades mixtes...

Sara lui jeta un regard noir.

— Vous ne trouvez pas que vous poussez le bouchon un peu loin, Flynn ?

— Non, pourquoi ? Vous n'aimez pas les hamburgers ?

— Le problème n'est pas là. Mais lorsqu'on m'invite à dîner, j'ai la naïveté d'imaginer autre chose que... ça !

— Allons, Sara, je ne vous croyais pas aussi snob... J'aurais pu vous impressionner en choisissant des plats chinois à emporter. Mais allez donc manger avec des baguettes dans une voiture aussi inconfortable ! Je sais que ce n'est pas gastronomique.

— Pas gastronomique ! Mais les frites sont tout juste tièdes, Flynn ! Et les hamburgers ne valent guère mieux !

— Ce n'était pas le cas lorsque je suis arrivé, mais passons... Nous n'allons pas nous étendre sur les vingt minutes que j'ai passé à faire les cent pas dans votre salon. Lorsque j'ai réfléchi à ce dîner, j'ai pensé que la Corvette présentait un avantage incomparable par rapport à tous les restaurants de la région.

— Quel avantage ? Des sièges-baquets ? marmonna Sara.

— Non. Une vue imprenable sur la porte de Benny.

Sara se mordit la lèvre en ouvrant de grands yeux.

— Mon Dieu, oui. Benny ! Je l'avais complètement oublié, celui-là. S'il était revenu pendant notre absence...

— Je savais que vous finiriez par vous ranger à mon avis, chère collègue. Et pour célébrer notre collaboration, j'ai tout de même prévu ceci.

Flynn se pencha et cueillit une bouteille, sous son siège.

— Du champagne ! s'exclama Sara.

— Laissez-moi deviner... Vous ne buvez jamais la moindre goutte d'alcool. Je me trompe ?

— Non... Enfin, pas d'habitude. Mais ce soir...

— Ce soir n'a rien d'habituel, n'est-ce pas ? compléta Flynn de sa belle voix traînante. Allons, Sara, baissez votre vitre.

Elle lui obéit avec un petit rire timide, et il fit sauter le bouchon dans le jardin du voisin.

— Pile dans le mille ! Je suis génial. Vous trouverez les verres dans la boîte à gants, Sara.

390

Suivit un étrange dîner froid au champagne qu'ils dégustèrent en prenant tout leur temps, comme s'il s'agissait d'un menu cinq-étoiles. Lorsque Flynn eut fait disparaître les reliefs du repas dans un grand sac en papier, il remplit de nouveau le verre de Sara. Elle le leva au-dessus d'elle et l'examina à la lumière d'un lampadaire.

— Des flûtes en cristal dans une boîte à gants, commenta-t-elle. Pourquoi, de votre part, cela me semble-t-il aller de soi ?

— Oui, pourquoi ? Je donne ma langue au chat.

Le regard bleu de Sara lui parut solennel.

— Parce que vous n'êtes pas homme à faire les choses à moitié, répondit-elle après un petit silence. Quand vous avez besoin de savoir quelque chose, vous écoutez aux portes. Si vous recherchez un fugitif, vous êtes prêt à dîner dans votre voiture pour ne pas perdre sa trace. Et il ne vous viendrait même pas à l'idée de boire du champagne dans des gobelets en plastique.

— Vous voyez cela comme une qualité ou un défaut ?

— Une qualité, bien sûr. Avoir une idée si précise de ce que l'on veut, et le courage de faire tout ce qu'il faut pour l'obtenir, ça me paraît extrêmement positif.

— C'est la même chose pour vous, avec votre maison.

Sara haussa les épaules.

— Pas tout à fait. Pour moi, sauvegarder le patrimoine des McAllister ressemble plus à une mission qui m'aurait été transmise. Vous voyez ce que je veux dire ? Alors que, vous, vous êtes constamment dans le désir, je ne fais qu'obéir aux ordres de ma conscience.

Elle se tourna vers lui, et l'émotion qui transparaissait dans ses yeux bleus étourdit Flynn comme l'aurait fait un alcool fort.

— Il existe parfois une grande différence entre ce que l'on doit et ce que l'on veut faire dans la vie, acquiesça-t-il à voix basse.

Le regard de Sara se fit rêveur.

— Vous savez que je n'ai pas toujours été raisonnable et timorée, Flynn ? Enfant, on me disait souvent que j'étais montée sur ressorts. Je faisais figure de fonceuse, vous pouvez imaginer cela ?

— Je veux bien vous croire. Rester calme lorsque quelqu'un tient un revolver braqué sur vous, exige une grande force intérieure. Beaucoup de femmes auraient pleuré, à votre place.

— Je n'ai pas le type.

— Pas le type à pleurer ? demanda Flynn, intrigué.

— Disons que je ne crois pas au pouvoir des larmes. Pas des miennes, en tout cas. Ça marche pour les filles qui sont minces et fragiles. Les charmeuses !

Flynn résista à la tentation de la prendre dans ses bras pour lui prouver à quel point elle pouvait être charmeuse.

— La dernière fois que j'ai fait quelque chose de vraiment osé, murmura-t-elle pensivement, j'avais huit ans.

Elle désigna au loin la lumière intermittente d'un phare.

— Debout sur les pédales de mon vélo, j'ai suivi une voiture de pompiers jusque-là.

Flynn hocha la tête.

— Ça fait loin, ça, pour une petite fille.

— Oui. J'étais épuisée, couverte d'ampoules, et je me suis pris une punition mémorable. Mais je n'ai rien regretté. Les voitures de pompiers ont toujours été mon point faible. D'habitude, je me contentais de les suivre des yeux. Mais là, tout à coup, j'ai foncé, et ma détermination était plus forte que la peur de me perdre, de me faire mal ou d'être grondée. Ce jour-là, il n'était pas question de revenir en arrière.

Les cheveux de Sara paraissaient dorés dans la lumière du lampadaire, et sa peau avait l'air douce, tellement douce... Flynn faillit oublier toutes ses résolutions pour la serrer contre lui. Mais elle les sauva l'un et l'autre en sortant de sa rêverie pour lui jeter un de ces sourires de petite fille dont elle avait le secret.

— Tout cela est loin, désormais, conclut-elle en soupirant.

— Oui, c'est loin. Mais la Sara fonceuse et casse-cou existe toujours quelque part.

— Oh ! non. Elle est morte depuis longtemps, celle-là.

C'est faux ! aurait voulu protester Flynn qui rêvait de la secouer par les épaules pour effacer enfin l'image trop négative qu'elle avait d'elle-même. Il désirait aussi par-dessus tout l'embrasser et reprendre leurs étreintes là où il les avait laissées tout à l'heure. Autrement dit, il était grand temps de mettre un terme à cette soirée un peu folle !

— Vous devez vous sentir mal dans cette voiture, dit-il en laissant son regard s'attarder sur ses longues jambes gainées de soie.

— Oh non, ça va très bien... Mais c'est vrai qu'il commence à être tard, ajouta-t-elle, comme à contre-cœur. Nous pourrions prendre un dernier verre à la maison ?

— Non.

Voyant son air peiné, Flynn se hâta de préciser.

— Il faut que je garde un œil sur Benny.

— Vous pensez rester assis dans cette voiture toute la nuit ?

Il secoua la tête en se levant pour l'aider à descendre de la Corvette.

— Pas toute la nuit. Sinon, je n'aurais pas loué la chambre. Mais pour le moment, je préfère surveiller la maison d'ici.

Une fois qu'il l'eut raccompagnée jusqu'à la porte d'entrée, elle lui adressa un sourire hésitant. Flynn lutta contre l'effet que cette timidité produisait sur lui. Elle avait passé l'âge d'être gauche et embarrassée, bon sang! Et lui était trop vieux pour s'émouvoir de ces choses-là!

— Vous n'avez pas la possibilité de faire la cuisine dans votre chambre, déclara Sara à brûle-pourpoint. Vous ne possédez pas de plaque chauffante?

Il secoua la tête.

— Pas la moindre, je vous le jure! Ma batterie de cuisine se limite à mes deux flûtes à champagne. Je vous promets de ne pas faire réchauffer des boîtes de conserve en secret. Croix de bois croix de fer, si je mens je vais en enfer!

Partagée entre la gêne et le rire, Sara se mordit la lèvre.

— Je ne disais pas ça à cause d'un quelconque règlement intérieur, Flynn! Je ne suis pas une vieille logeuse grincheuse. Je voulais simplement vous proposer de prendre vos repas ici avec moi. Comme nous sommes ensemble sur cette affaire...

« Allons Sara, sois gentille, facilite-moi la tâche. Conduis-toi en logeuse grincheuse. »

— Nous verrons, dit-il enfin, trop lâche pour refuser tout net.

Et comme elle restait sur le perron sans paraître le moins du monde pressée de rentrer chez elle, Flynn se résigna à prendre les choses en main. Pour le salut de

Sara, comme pour le sien, il ouvrit la porte-mousti-
quaire et désigna le vestibule d'un geste du menton.

— Vous pouvez rentrer vous coucher tout de suite,
Sara, décréta-t-il avec une rudesse qu'il jugea
d'emblée excessive. Car j'ai déjà décidé que je ne vous
embrasserais pas ce soir.

7.

— « J'ai décidé que je ne vous embrasserais pas ce soir » ! marmonna Sara en singeant l'attitude de Flynn.

Elle froissa son chemisier en boule et le jeta dans la corbeille à linge. Et puis quoi encore ? Il aurait dû essayer pour voir ! Quel plaisir elle aurait pris à le repousser ! Sara retira son lait démaquillant à l'aide d'un coton imbibé d'une lotion prévue à cet effet, puis elle adressa à son reflet une grimace résignée. Fulminer, tempêter et s'indigner ne changeait absolument rien au fond du problème : Flynn n'avait même pas eu envie de la prendre dans ses bras. Et si d'aventure, il avait tenté de l'embrasser, elle n'aurait rien fait pour l'en empêcher. Bien au contraire. Elle avait même traîné à dessein devant la porte, persuadée que d'une seconde à l'autre...

Sara respira un grand coup et s'interdit d'accorder une seule pensée de plus à ce goujat, ce macho, ce mufle caractérisé. Elle finit de se déshabiller dans le noir, enfila une chemise de nuit et se glissa dans son lit comme un animal blessé se terre au fond de sa tanière. Pourquoi avait-elle commis l'erreur stupide de louer sa chambre à ce rustre, pour commencer ?

Pourquoi ? Mais à cause de l'argent, bien sûr !

C'était une maigre consolation, mais une consolation quand même. Au moins souffrait-elle dans un but noble. Pour empêcher Stuart et Corinne de s'emparer de sa maison et d'abattre son saule pleureur, elle ne reculerait devant aucun sacrifice. Elle aurait même été prête à aller beaucoup plus loin, songea-t-elle avec une pensée venimeuse pour Flynn.

Enfin... L'expérience lui servirait de leçon. Sara se croyait échaudée, pourtant. Son père était un charmeur impénitent. Client assidu des casinos, il avait mené sa famille à la ruine sans en faire un cas de conscience. Puis l'épisode Stuart avait achevé de conforter Sara dans sa méfiance vis-à-vis de l'espèce masculine. A la réflexion, Stuart et Flynn ne manquaient pas de points communs : ils étaient beaux l'un et l'autre, et prêts à tout piétiner sur leur passage pour atteindre le but qu'ils s'étaient fixés. C'était à se demander lequel avait l'esprit plus mercenaire que l'autre !

Une seconde caractéristique rapprochait les deux hommes : ni Stuart ni Flynn n'avaient mâché leurs mots pour lui faire comprendre qu'ils ne voulaient pas d'elle...

Il ne lui restait plus qu'à tracer un trait sur le passé comme sur le présent et à essayer de s'endormir. Sara avait laissé la fenêtre entrouverte et, dans la nuit silencieuse, les sons discrets du dehors lui parvenaient avec une telle acuité qu'ils semblaient comme amplifiés. Un chien aboya au loin ; les feuilles frissonnaient sous la brise qui s'était levée au-dessus de l'océan tout proche ; un moteur grondait dans le lointain, des pneus glissaient sur l'asphalte.

Jamais Sara n'aurait reconnu le bruit de la voiture de Benny si elle ne s'était pas trouvée dans cet état de tension, de vigilance très particulière. Le cœur battant, elle entendit son locataire faire un créneau pour se ranger le long du trottoir.

Flynn se tenait-il aux aguets, lui aussi? S'il était resté dans sa voiture, il devait se préparer à agir. Mais à cette heure-ci, il dormait sûrement du sommeil du juste dans la chambre qu'elle lui avait louée! Retenant son souffle, Sara se concentra sur les bruits de la rue. Mais rien ne semblait indiquer que Flynn était entré en action. Dévorée par la curiosité, Sara sortit de son lit avec des gestes de Sioux et rampa jusqu'à la fenêtre pour éviter qu'une ombre suspecte ne se dessinât sur le mur. Ecartant légèrement les rideaux, elle vit que la Corvette était vide et la voiture de Benny occupée. L'homme qu'elle avait toujours connu sous le nom de Russell LeFleur finit par ouvrir sa portière et contourna le véhicule pour ouvrir le coffre.

Sara eut beau se tordre le cou dans tous les sens, pas moyen de voir ce que faisait Benny à l'arrière de sa Volvo. Aussitôt, elle se mit à imaginer le pire. Et si Fortrell avait repéré Flynn depuis le début? Il avait peut-être attendu qu'il relâchât sa surveillance pour passer à l'attaque. Qui sait si, dissimulé derrière le coffre ouvert de sa voiture, il n'était pas en train de mettre un silencieux sur son Magnum 45?

Un long frisson parcourut Sara. Elle s'était juré de ne plus jamais donner à Flynn les moyens de l'humilier. Cependant, ils n'en demeuraient pas moins unis dans leur mission. Elle pouvait donc difficilement rester là en simple spectatrice pendant que Flynn se faisait assassiner dans son lit. Pour commencer, elle ne lui souhaitait pas une fin aussi brutale. Et si Benny Fortrell prenait le large, qui lui verserait ses cinq mille dollars?

Convaincue qu'elle avait un rôle à jouer dans les événements qui se préparaient, Sara tâtonna dans le noir et trouva un pantalon de survêtement qu'elle enfila à la hâte en y rentrant sa chemise de nuit comme elle put. Rien à voir avec la tenue fracassante d'une héroïne de James Bond prête à se glisser dans la nuit pour rejoindre 007. Mais il s'agissait d'une urgence, après tout.

« Se glisser dans la nuit » n'était pas non plus le terme approprié pour décrire la façon dont Sara se propulsa par la fenêtre de la cuisine. « S'écraser sur le sol » aurait collé de plus près à la réalité. En tout cas, elle eut de la chance, pour une fois : elle tomba « à côté » et non pas « dans » la poubelle. Et comme elle était pieds nus, elle ne fit aucun bruit. « 007, me voici », songea Sara en se faufilant en direction de l'aile sud.

Dire qu'elle avait promis à Nancy de ne prendre aucun risque ! Et si elle se heurtait à Benny au moment précis où il tournerait à l'angle de la maison... Mais le dieu des chasseurs de primes était avec elle, et Sara sortit sa clé pour s'introduire sans encombre dans le hall d'entrée de l'annexe.

Avant même d'avoir refermé la porte, elle fut assaillie et maîtrisée dans le noir. Elle poussa un cri.

— Bon sang. Encore vous !

C'était Flynn. Elle aurait reconnu cette voix exaspérée n'importe où. C'était également la main de Flynn qui couvrait sa bouche, et ses bras qui se refermaient sur elle, tout comme la première fois. La même scène se reproduisait. Avec une différence, cependant : Sara n'était pas d'humeur à s'évanouir.

— Que diable êtes-vous venue fabriquer ici ? demanda-t-il tout bas.

Sara réussit à se dégager entièrement, à l'exception de son poignet toujours retenu par une espèce de bracelet métallique. Elle tendit la main vers l'interrupteur et alluma.

— Des menottes! se récria-t-elle. Vous m'avez mis des menottes, Flynn! On aura tout vu!

Pendant une fraction de seconde, elle entrevit l'expression meurtrière de son compagnon. Puis, vif comme l'éclair, il appuya à son tour sur l'interrupteur pour éteindre.

— Bravo, Sara. Excellent réflexe. Ouvrez donc la porte pendant que vous y êtes, et criez à Fortrell que nous l'attendons!

— Vous étiez déjà au courant? demanda Sara, déçue.

— Vous ne pensiez tout de même pas que j'attendais ici dans le noir pour le seul plaisir de m'enchaîner à vous?

Ainsi, l'autre bracelet métallique était fixé à son poignet à lui! Voilà donc pourquoi elle se trouvait brutalement ramenée contre Flynn chaque fois qu'elle tentait de s'éloigner!

— Vous ne pourriez pas regarder ce que vous faites avant de vous enchaîner au premier venu? maugréat-elle.

— Et vous? Vous ne pourriez pas rester à la place qui vous revient?

— A la place qui me revient? Nous avons passé un contrat, il me semble? Aux dernières nouvelles, nous étions encore associés.

Flynn grogna tout bas dans le noir.

— Sara! Par pitié... Je pensais que vous étiez assez intelligente pour comprendre que votre rôle dans l'affaire se bornait à éviter de vous trouver dans mes pattes au moment crucial.

— Alors là! Vous ne manquez pas d'aplomb! Je...

— Arrêtez de vous tortiller, à la fin! Comment voulez-vous que je défasse ces maudites menottes dans le noir si vous bougez tout le temps?

— Je me tortille parce que vous me tordez le bras.

— Estimez-vous heureuse. Si je ne me retenais pas, c'est sur votre cou que je m'acharnerais sans pitié.

— Merci! Alors que je viens de risquer ma vie pour venir vous prévenir de...

— Chut! murmura Flynn en lui plaquant de nouveau la main sur la bouche. Il arrive.

Retenant son souffle, elle tendit l'oreille et entendit les pas de Benny dans l'allée. Elle sentit les muscles de Flynn tendus à l'extrême, et comprit qu'il était prêt à bondir. Il émanait de lui une telle impression de puissance qu'elle en oublia presque d'avoir peur.

Benny s'immobilisa devant la porte et la clé tourna dans la serrure. Il poussa le battant.

— Aaaah!

Le cri de douleur fut lancé par Sara au moment où la bande métallique qui isolait le bas de la porte entailla ses doigts de pied nus.

— C'est vous, mademoiselle McAllister? s'exclama Benny, les yeux écarquillés, en tendant la main vers l'interrupteur.

Apercevant Flynn, Fortrell jura, repoussa le battant avec force, et prit la fuite. Flynn se lança à sa poursuite, entraînant Sara, toujours enchaînée à son poignet.

— Vite, Sara! Vite!... Mais remuez-vous, bon sang!

— Je ne fais que ça! cria-t-elle, hors d'haleine. Mais mon pied...

Son gros orteil saignait en abondance et Flynn lui faisait perdre l'équilibre en la tirant sans ménagement d'un côté puis de l'autre. D'ailleurs, autant le reconnaître : elle avait toujours été nulle au cent mètres.

La partie était donc bien inégale. Quelques secondes plus tard, la voiture de Benny démarrait bruyamment, et leur proie leur filait sous le nez. Flynn s'immobilisa si brusquement que Sara, emportée par son élan, se trouva propulsée de plein fouet contre son dos.

— Ce n'est pas vrai ! chuchota-t-il, effondré. Je le tenais. Je n'avais qu'à tendre le bras et il était fait comme un rat !

— Ça, c'est vrai ; il s'en est fallu de peu ! acquiesça Sara d'un air désolé.

Flynn la foudroya du regard.

— Et à qui la faute s'il m'a échappé ?

— C'est moi qui vous ai passé ces menottes, peut-être ?

— Si vous n'étiez pas venue vous mêler de ce qui ne vous regardait pas...

— Et si vous aviez pensé à me décrire votre plan avant de passer à l'action, nous n'en serions pas là !

— Quel plan ? Il n'y a pas de plan. Ni plan. Ni assistante. Ni rien du tout. Juste moi, et moi seul. Je sais ce que j'ai à faire et à quel moment je dois le faire. Est-ce clair ?

Tout à fait limpide, même. En temps ordinaire, Sara s'en serait tenue là. Elle aurait fait demi-tour en baissant la tête et serait rentrée chez elle pour noyer sa frustration dans un pot de pâte à tartiner au chocolat. Format familial, de préférence.

Au lieu de cela, elle regarda Flynn droit dans les yeux.

— Pas si vite, l'ami. Nous avons conclu un marché, vous et moi. Vous avez obtenu la chambre, et moi le droit de participer à la chasse et d'encaisser la moitié de la prime. C'est donnant donnant.

Flynn secoua la tête d'un air horrifié.

— Soyez charitable, Sara... Vous n'allez pas commencer à me faire du cinéma maintenant. Ce n'est vraiment pas le moment.

— Vous avez raison. Il faut partir à la poursuite de Fortrell sans tarder. J'ai quand même le temps de mettre un pansement sur mes orteils ?

— Vos orteils ?

Flynn fronça les sourcils et regarda les pieds nus de Sara. Il siffla doucement.

— Comment est-ce arrivé ?

— C'est Benny, quand il a poussé la porte. Vous ne pensiez tout de même pas que j'avais crié pour le seul plaisir de donner l'alerte ?

— Je croyais que vous aviez eu peur.

— Une légère appréhension, peut-être. Mais pas au point de hurler.

— Mmm... Vous feriez mieux de soigner ce bobo, en tout cas, décréta Flynn d'une voix légèrement radoucie. Il ne faudrait pas que ça s'infecte.

— Vous me laissez le temps, alors ?

Flynn trouva la clé, défit les menottes et les glissa dans sa poche.

— Vous disposez de tout le temps nécessaire, Sara. Vous pouvez même y consacrer le reste de votre vie, si cela vous chante. Occupez-vous de vos doigts de pied, de votre piano et de vos plantes vertes. Et ne vous inquiétez pas pour l'argent, lança-t-il par-dessus son épaule. Je vous enverrai un chèque.

La désinvolture avec laquelle il prononça cette dernière remarque eut raison des dernières hésitations de Sara. Elle regagna la maison en courant et sortit un désinfectant, du sparadrap et des compresses de son placard à pharmacie. Sans même s'accorder le temps de se changer, elle attrapa son sac à main, un chandail et une paire de chaussures, jeta l'ensemble dans un fourre-tout et ressortit aussi vite qu'elle était entrée. Elle rejoignit Flynn qui se dirigeait vers sa voiture à grands pas, tout en jetant son blouson sur ses épaules.

Il lui adressa un regard amusé.

— Où pensez-vous aller comme ça ?

— A vous de me le dire, Flynn. Là où vous irez, j'irai.

Il secoua la tête.

— Soyez raisonnable, Sara. Rentrez chez vous et restez à votre place.

— Ma place ? Qui vous donne le droit de décider quelle est ma place ?

— Ecoutez Sara, je ne vous renvoie pas à vos fourneaux. Prenez une semaine de vacances si vous éprouvez le besoin de vous aérer. Mais laissez-moi faire mon boulot.

— Désolée. Je prendrai des vacances si j'en ai envie. Et ma place est auprès de vous tant que vous n'aurez pas attrapé Benny .

Il rit de bon cœur et repartit. Mais comme Sara lui emboîtait le pas, il cessa de sourire et s'arrêta net.

— Sérieusement... Pourquoi cette comédie, Sara ?

— Je veux mon argent.

— Mais puisque je vous ai promis de vous envoyer un chèque ! Vous n'avez pas confiance en moi ?

Sara fit la moue.

— Confiance, confiance... Je me sentirai plus tranquille si je peux garder un œil sur vous. D'autre part, rien ne me prouve que vous ne recommencerez pas à faire n'importe quoi si je vous laisse seul pour capturer Benny.

— Moi ? Faire n'importe quoi ?

— Avouez que vous avez commis une grossière

405

erreur lorsque vous m'avez passé les menottes sans vous assurer d'abord que vous aviez bien affaire à votre pigeon. Ce n'est pas du travail de pro, ça, mon pauvre Flynn.

Il lui jeta un regard noir.

— Ah tiens... Vous vous considérez comme une experte en matière de capture, maintenant ?

— C'est une simple question de bon sens.

— En effet. Et ce même bon sens veut que nos chemins se séparent maintenant. A un de ces jours, Sara. Portez-vous bien.

Il remonta son sac de voyage sur son épaule et s'éloigna en direction de la Corvette.

— Je viens avec vous, Flynn.

— Je vous mets au défi d'essayer.

En trois pas, il avait atteint la voiture. Mais si Flynn était rapide, Sara avait sa détermination pour elle. C'était comme lorsqu'elle avait huit ans et qu'elle suivait le camion de pompiers. Elle avait envie de foncer, de foncer... Sans aucune chance de retourner en arrière.

Elle se laissa tomber dans la voiture au moment où Flynn mettait le contact. Leurs deux portières claquèrent simultanément.

— Vous croyez que ça va vous plaire, Sara, lorsque je vais employer la force pour vous sortir de là ?

Flynn n'avait plus du tout l'air de s'amuser. Et pourtant, Sara s'accrocha des deux mains à son siège.

— Je vous mets au défi d'essayer.

Le voyant hésiter, Sara se cramponna de toutes ses forces et se prépara au combat. S'il gagnait, l'humiliation serait totale et difficile à surmonter. Cependant, l'idée de sortir gentiment de la voiture ne lui traversa même pas l'esprit.

Après quelques instants d'un silence orageux, Flynn

se laissa aller contre le dossier de son siège et ferma les yeux.

— Ecoutez, Sara, je vais vous donner l'argent immédiatement. Tout ce que j'ai sur moi, en tout cas. Et pour le reste, je vous donne ma parole que...

— Ce n'est pas seulement une question d'argent, Flynn.

— C'est quoi, alors ?

— Je ne sais pas... Je me sens partie prenante, c'est tout. J'ai commencé à participer à cette capture et j'ai envie de la suivre jusqu'au bout.

— Bon sang, Sara, vous avez passé l'âge de courir derrière les camions de pompiers !

Les yeux de la jeune femme étincelèrent.

— Ce n'est pas à vous d'en décider, Flynn ! Vous n'avez pas à juger de ce que je dois faire ou ne pas faire à huit ans, à trente-deux ans ou à cinquante ! Vous n'avez pas non plus à me cataloguer, ni à m'assigner Dieu sait quelle place en me demandant de m'y tenir !

Pendant quelques secondes, Flynn la regarda en silence. Puis il jura tout bas en mettant le contact.

— Bon. Vous voulez du danger ? De l'aventure ? Vous avez envie d'échapper à votre train-train quotidien pour découvrir ce qui se trame dans les bas-fonds ? Eh bien, c'est parti, ma belle. Mais je vous préviens : vous avez tout intérêt à attacher votre ceinture !

La Corvette prit la direction du sud, et ils roulèrent pendant deux heures à un train d'enfer sans prononcer une parole. Il était tard, les orteils de Sara la torturaient, et Flynn avait l'air farouche d'un homme tendu vers son but et bien décidé à écarter tous ceux qui, d'aventure, viendraient se mettre en travers de sa route.

De guerre lasse, Sara se résigna à faire le premier pas.

— Je peux demander où nous allons?

— Il n'est pas interdit de poser la question. Mais je ne pense pas que j'aurais envie d'y répondre.

— O.K. Laissez-moi deviner, alors. Vous me direz si je suis brûlante, tiède ou glacée?

Il lui jeta un regard propre à la réduire au silence pendant encore cent kilomètres.

— Mon travail n'est pas une plaisanterie, Sara. Je n'ai pas de temps à perdre avec des enfantillages.

Elle se détourna avec un haussement d'épaules. Flynn n'avait-il pas « plaisanté », lui, lorsqu'il lui avait causé la frayeur de sa vie dans la chambre de Benny? Et la comédie qu'il avait jouée pour Stuart? Sans parler de sa super « invitation à dîner » de la veille, qui avait été, de loin, la plus grosse de ses farces.

Flynn ne dédaignait pas de s'amuser, de temps à autre. Mais à condition qu'il fût le seul à fixer les règles du jeu.

Sara se fit toute petite dans son siège-baquet en se demandant comment elle avait pu se fourrer dans un tel pétrin. Elle se retrouvait seule avec un homme qui devait se retenir pour ne pas la pousser par la portière. Partie pour une destination inconnue, elle emmenait pour tout bagage sa chemise de nuit, une veste en laine et un pantalon de survêtement. Plus une carte de crédit qui ne lui serait pas d'un grand secours, étant donné qu'elle frisait la limite de son découvert autorisé.

La situation n'était pas rose. Submergée par des problèmes insolubles, Sara coupa le fil avec la réalité et s'endormit. Elle se réveilla en sursaut lorsque la Corvette fit halte dans la nuit. Sara se frotta les yeux et vit que Flynn se préparait à descendre de voiture.

— Où sommes-nous ?

— Devant un relais routier. J'ai besoin d'un café si je veux continuer à rouler.

— Je viens avec vous ?

— Comme vous voudrez, rétorqua Flynn en faisant claquer sa portière.

Sara hésita. L'attitude de son compagnon d'aventure n'était pas des plus engageantes, mais une boisson chaude lui remonterait le moral. Et elle pourrait refaire son pansement dans les toilettes. Elle boutonna sa veste jusqu'en haut pour dissimuler sa chemise de nuit, et partit sur les traces de Flynn qu'elle trouva debout dans l'entrée, en train de l'attendre.

— Ça tombe bien que vous soyez là, Sara.

— Il me semblait bien que vous finiriez par goûter le charme de ma présence.

— Il n'est pas interdit de rêver, maugréa Flynn. J'ai surtout pensé qu'il serait judicieux de profiter de cette halte pour prendre un petit déjeuner. Cela m'évitera de m'arrêter une seconde fois.

— Un petit déjeuner ? Mais quelle heure est-il ?

— 4 h 30. Pourquoi ? Cela vous dérange ?

— Mais pas le moins du monde, répondit-elle avec un sourire suave avec lequel elle espérait bien mettre Flynn hors de lui. Laissez-moi juste le temps de me recoiffer et de...

— Plus tard. Commencez par passer votre commande.

— Mais Flynn, je ne peux pas entrer dans cet établissement avec la tête que j'ai. Mes cheveux...

— A votre place, Sara, je ne me soucierais pas trop de ma coiffure, conseilla Flynn avec un sourire mauvais. Vous devriez avoir d'autres sujets d'inquiétude en ce moment.

Réduite au silence par ces paroles chargées d'une sourde menace, Sara suivit Flynn dans la salle de restaurant. Qu'avait-il voulu lui signifier, au juste? se demanda-t-elle en ouvrant le menu plastifié. Qu'elle était si moche et débraillée que le fait qu'elle fût coiffée ou non ne changeait pas grand-chose à l'affaire? Ou qu'il comptait lui en faire voir de toutes les couleurs pour se venger de lui avoir imposé sa présence? Encore un nouveau problème insoluble à rajouter à la liste, songea-t-elle pendant que Flynn commandait un substantiel petit déjeuner à base d'œufs au bacon, de haricots blancs et de crêpes au sirop d'érable.

Des crêpes... Sara en avait l'eau à la bouche.

— Et pour vous, madame? demanda la serveuse.

La jeune femme eut un sourire stoïque.

— Deux œufs pochés, des toasts sans beurre et un thé nature, s'il vous plaît.

Aux toilettes, Sara refit son pansement, se passa un coup de brosse dans les cheveux et de l'eau fraîche sur la figure. Le résultat n'était pas éblouissant, mais elle se sentit quand même plus présentable.

— Alors, comment va ce pied? demanda Flynn lorsqu'elle fut retournée s'asseoir en face de lui.

— Bien mieux que je ne le craignais. Finalement, la coupure est superficielle.

— Tant mieux.

— C'est gentil de vous en inquiéter.

Flynn la dévisagea un instant.

— Puisque je suis condamné à travailler avec une assistante, j'aimerais autant en avoir une qui soit capable de se déplacer seule.

Le visage de Sara s'éclaira.

— C'est sérieux, alors? Vous m'acceptez comme associée?

410

— Parce que vous considérez que vous m'avez laissé le choix ?

— Vous l'avez dit vous-même, Flynn. Vous auriez pu me faire sortir de la voiture par la force. Ou filer à l'anglaise, tout à l'heure, pendant que je me pomponnais aux toilettes.

Flynn haussa les épaules.

— J'aurais pu, c'est vrai. Mais j'étais lié par un accord — à vos yeux, en tout cas. Comme j'ai eu le tort de ne pas définir dès le départ les limites du rôle que j'entendais vous faire jouer, il ne me reste plus qu'à respecter le contrat.

Les yeux de Sara brillaient d'excitation.

— Ce qui signifie que vous allez enfin me dire où nous allons ?

— En Virginie.

— Et pourquoi en Virginie ?

— Je soupçonne Benny de se diriger vers Norfolk. L'une des pièces qu'il doit écouler est trop rare et trop précieuse pour qu'il la propose à n'importe quel revendeur. Par contre, il a tout intérêt à s'en débarrasser rapidement, s'il veut mettre un peu de distance entre les tribunaux et lui.

— Et pour trouver preneur, il doit aller jusqu'en Virginie ?

— C'est une question de réseau. Il y a un type, à Norfolk, avec qui Fortrell a eu l'occasion de travailler à plusieurs reprises. Je suis persuadé que notre Benny a déjà vu ce détaillant récemment et qu'il a essayé de négocier son doublon. A présent qu'il se sent traqué, il va peut-être revenir à la charge en faisant quelques concessions sur les prix.

— Et pourquoi ne pas appeler la police de Norfolk pour lui demander de cueillir Benny à l'arrivée ?

Flynn lui jeta un regard de pure commisération.

— Pour commencer, je n'ai aucune preuve, c'est juste une idée comme ça. Et s'il y a une chose dont la police se méfie, c'est bien des intuitions d'un chasseur de primes. D'autre part, il y a l'argent. Notre argent, en l'occurrence.

— Notre argent ?

— Je peux difficilement demander à nos amis de la police de faire tout le travail, et me présenter ensuite à la caisse en réclamant ma prime.

Sara hocha la tête.

— C'est logique, en effet. Mais qu'est-ce qui vous dit que Benny n'a pas déjà vendu son doublon au prix fort, et qu'il ne s'apprête pas à couler des jours tranquilles à Zanzibar ou à Madrid ?

— C'est une possibilité, bien sûr. Dans mon métier, on travaille rarement avec des certitudes. Mais si ça peut vous rassurer, l'hypothèse me paraît peu crédible. Si Benny avait déjà écoulé sa pièce en or, il n'aurait eu aucune raison de retourner à Sutton Cove.

— Qu'est-ce qui vous fait dire cela ?

— Il n'avait rien de particulièrement précieux dans sa chambre.

— Alors pourquoi l'avez-vous attendu là ?

Flynn se mit à jouer distraitement avec la salière.

— Lorsqu'on recherche un homme en fuite, on est amené à faire des choix. Comme je ne peux pas être partout à la fois, je suis mon instinct. J'essaie de me mettre dans la peau d'un Benny Fortrell, et j'agis en conséquence.

Fascinée, Sara écoutait, les deux coudes sur la table, le menton en appui sur les paumes.

— Tout ça paraît tellement aléatoire ! Ainsi, un simple pressentiment vous suffit pour sauter au volant de votre voiture et parcourir des milliers de kilomètres ?

Flynn sourit en voyant qu'elle commençait à prendre goût à l'aventure.

— Dans ce cas précis, j'ai un indice concret pour conforter ma théorie, lui confia-t-il en sortant un papier de sa poche. J'ai trouvé ça près de la porte lorsque je suis retourné prendre mes affaires dans ma chambre. Benny a dû le laisser tomber dans sa fuite.

— Il s'agit d'un reçu, murmura Sara en l'examinant. Et ça vient de Norfolk. Mais qu'est-ce qui vous prouve que ce n'est pas moi qui ai perdu ce ticket ?

Le sourire de Flynn s'élargit.

— Je ne sais pas... Un pressentiment, là encore. J'ai admis d'emblée, et peut-être à tort, que vous étiez incapable de fréquenter une boîte de nuit qui aurait pour nom : A la Petite Chatte rose.

— Quelle perspicacité, mon cher Sherlock, marmonna Sara, écarlate.

L'arrivée providentielle de la serveuse détourna fort à propos l'attention de Flynn. Sara contempla le contenu de son assiette, soupira, et prit sa serviette en papier pour tenter d'absorber une partie de la graisse excédentaire.

— Ces œufs ne sont pas pochés, observa Flynn.

— Ils ont plutôt l'air d'être tombés dans un bain de mauvaise margarine, en effet.

— Et comment comptez-vous remédier à la situation ?

Sara jeta un coup d'œil du côté de la serveuse et la vit en grande conversation avec deux camionneurs.

— Vous avez commandé un plat ; on vous en apporte un autre, insista Flynn. Comment réagissez-vous ?

Comment elle réagissait? Par le silence, en temps ordinaire. Mais désireuse de faire bonne figure, Sara leva discrètement la main pour essayer d'attirer l'attention de la femme brune adossée au comptoir. Flynn attaqua ses crêpes avec appétit et la regarda gesticuler, s'agiter, puis lancer un « Excusez-moi, madame » qui demeura, lui aussi, sans effet.

Avec un sourire amusé, il finit par prendre son assiette.

— Bon. Je crois que je vais m'occuper de votre cas.

— Mais il ne faut pas vous déranger pour...

— Prenez une de mes crêpes, en attendant, et laissez-moi faire.

Flynn se dirigea tout droit vers la serveuse, lui tapota sur l'épaule et lui expliqua son problème. La femme brune l'écouta avec un sourire ébloui et hocha la tête. Sara se demanda si elle regardait Flynn avec ce même air d'adoration lorsqu'il lui adressait la parole, et conclut tristement que c'était sans doute le cas.

— Tout est réglé, vos œufs pochés arrivent, annonça-t-il en se rasseyant.

— Ce n'était pas plus compliqué que ça?

— Bien sûr que non! C'est ma leçon numéro un, Sara : lorsque vous désirez quelque chose dans la vie, commencez par le demander. Et à haute et intelligible voix, de préférence.

8.

La trêve instaurée dans le relais routier n'avait été qu'une parenthèse. Sara le comprit en regardant l'interminable ruban d'asphalte se dérouler vers l'horizon. Dès qu'il avait repris le volant, Flynn s'était replongé dans un mutisme obstiné. Son profil de granit indiquait clairement qu'il n'avait pas de temps à perdre en vaines paroles.

Logique, se dit Sara. Lui, au moins, savait ce qu'il faisait et pourquoi il était lancé à cent soixante kilomètres/heure au volant de sa Corvette. Pour elle, la situation n'était pas tout à fait aussi limpide. Le jour se levait et les premiers rayons du soleil se glissaient dans la voiture, éclairant sa vieille veste en angora sous laquelle se cachait une chemise de nuit en coton fané qui comptait déjà une bonne dizaine d'années d'existence. Sara se fit toute petite dans son siège en se demandant ce que Flynn pensait de sa tenue. Pourquoi, mais pourquoi s'était-elle mise en tête d'accompagner cet homme sur les chemins de l'aventure ?

Parce qu'elle croyait sincèrement pouvoir aider Flynn à capturer Benny ? Non, une telle prétention aurait été grotesque ! Elle avait agi de façon impulsive, irréfléchie. Mais que signifiait cette soudaine spontanéité chez une femme de trente-deux ans qui achetait ses collants et ses sous-vêtements en respectant une règle d'alternance stricte et qui programmait toutes ses sorties au moins un mois à l'avance ?

De là à conclure qu'elle était en train de changer, il n'y avait qu'un pas que la jeune femme était bien tentée de franchir. Car les circonstances n'y étaient pour rien. C'était bien Sara qui avait agi contrairement à ses habitudes les mieux ancrées. Et depuis quand ? Depuis que Flynn avait surgi dans sa vie sans crier gare, libérant chez elle des aspirations enfouies depuis si longtemps qu'elle les croyait mortes et oubliées.

Restait maintenant à définir une ligne de conduite. Soit elle continuait à imposer sa présence à Flynn, soit elle optait pour une solution plus raisonnable et lui demandait de la déposer dans la prochaine ville où elle attendrait un autocar pour rentrer.

Flynn la laisserait partir sans se faire prier. Il serait ravi, même, et ne se priverait pas de lui exprimer son soulagement. Quant à elle...

Elle ressentit une tension douloureuse derrière ses paupières tandis qu'elle s'imaginait revenant seule à Sutton Cove. Elle se retrouverait à la case départ. Avec le problème de sa maison à résoudre, ses moustiquaires à installer, son unique locataire en cavale et ses éternels problèmes financiers.

Et puis la solitude, surtout.

Même si elle avait un peu honte du caprice qu'elle avait infligé à Flynn, la veille ; même si l'aventure n'avait rien de raisonnable ; même si son compagnon restait muet comme une carpe et conduisait beaucoup trop vite, Sara ne se sentait pas seule en sa compagnie. Et pour le moment, elle ne demandait rien de plus.

Quand ils furent à une vingtaine de kilomètres de

Norfolk, Sara prit son courage à deux mains et rompit le silence qui avait duré toute la journée.

— Flynn ?

— Mmm ?

— Il faut que nous parlions.

« Ah non, ma belle, songea Flynn. Il ne "faut" pas que nous parlions, il "faut" que je retrouve Benny. » Et il était d'autant plus pressé de le faire qu'elle lui avait lancé cette accusation ridicule, la veille. Lui, John Flynn, saboter son boulot ! Non, mais sérieusement...

Quoi qu'il en soit, il avait passé un marché avec Sara qu'elle avait eu la mauvaise idée de prendre au pied de la lettre. Résultat : il était condamné à la traîner partout avec lui jusqu'à ce que Benny fût remis à la justice. Flynn s'était même préparé mentalement à prendre ses repas avec elle, à demeurer assis des heures d'affilée dans le même espace restreint, en sachant que cette proximité ne manquerait pas de lui inspirer toutes sortes d'idées périlleuses. Mais ses obligations s'arrêtaient là. Et s'il n'avait pas envie de parler, ce n'était pas elle qui déciderait du contraire.

— De quoi voulez-vous parler ? demanda-t-il cependant, d'un ton rogue.

— De mes vêtements.

Il la regarda brièvement et sans sourire.

— Vous avez quelque chose de précis à mentionner à leur sujet ?

— Au cas où vous ne l'auriez pas remarqué, ma garde-robe de voyage se limite à ce que j'ai sur le dos.

— Et alors ?

— Et alors, vous pouvez difficilement me demander de traverser la moitié du pays en chemise de nuit et en pantalon de jogging.

Avec une certaine satisfaction, Flynn discerna une petite note de désespoir dans sa voix. Pourquoi serait-il le seul à souffrir d'une intense frustration, dans cette histoire ?

— Et pourquoi pas, Sara ?

— Parce que ce n'est pas convenable, pour commencer.

— Cet argument-là ne me fait ni chaud, ni froid.

— Je m'en doute. Si vous étiez le moins du monde respectueux des convenances, vous ne passeriez pas votre temps à vous introduire chez les autres en crochetant leur serrure pour les menacer ensuite de votre revolver.

— Je ne vous ai jamais menacée de...

— Indirectement, si. En dirigeant votre arme sur moi, et en laissant entendre que vous pourriez être amené à tirer au premier faux pas.

— Je me rappelle pourtant vous avoir promis de ne pas utiliser ce revolver contre vous.

— Peut-être. Mais vous n'étiez pas convaincant pour un sou.

— Je ne suis pas responsable des idées que vous vous mettez en tête, Sara.

— Mais vous avez tout fait pour entretenir l'illusion. Braver les règles est votre péché mignon, Flynn. Il suffit de regarder à quelle allure vous roulez.

Il haussa les épaules.

— Tout le monde sait que la limitation de vitesse sur autoroute n'est donnée qu'à titre indicatif.

— Ah vraiment ? Je l'ignorais. Et le motard en uniforme qui s'apprête à nous rattraper ne doit pas être au courant, lui non plus.

— Le motard ?

Flynn émit quelques jurons bien sentis avant de

découvrir dans son rétroviseur que l'autoroute, derrière lui, était déserte.

— Très drôle, dit-il d'un ton cinglant.

— Révélateur serait un terme plus approprié. Apparemment, vous n'êtes pas tout à fait aussi indifférent aux règles que vous aimez le faire croire.

Flynn était affamé, épuisé, et des taches noires dansaient devant ses yeux. Il ne se rappelait pas avoir jamais été d'humeur aussi exécrable.

— Vous savez ce qui m'étonne, Sara ? C'est qu'une fille aussi recommandable que vous tienne tellement à passer du temps avec une brute amorale de mon espèce.

Il s'amusa de la voir un instant décontenancée. Mais Sara ne mit pas longtemps à se ressaisir.

— Vous savez pertinemment que je suis ici pour l'argent, Flynn... Et je veux absolument m'acheter une tenue correcte, ajouta-t-elle, très crâne, en le regardant droit dans les yeux.

Flynn ne se déroba pas. Il dut même faire un effort pour cesser de la regarder et se concentrer de nouveau sur la conduite, ce qui, à cent soixante kilomètres/heure, représentait un risque. Il jura en silence. Voilà pourquoi il avait pris la résolution de ne pas parler à Sara. Car il avait conscience du danger lié à son regard, à ses yeux immenses et bleus comme le ciel au-dessus de l'eau ; à ces prunelles si lumineuses qui étaient, sinon le miroir de son âme, du moins une fenêtre donnant accès à la femme que Sara cachait au fond d'elle-même.

Une femme courageuse, inventive et libre, qui n'avait pas peur de lui. C'était cette femme-là qui restait calme et posée, même lorsqu'elle se croyait en danger de mort. C'était elle également qui avait accepté son baiser et qui lui avait rendu ses caresses ; elle qui, maintenant, suivait le conseil qu'il lui avait donné le matin même : demander ce qu'elle voulait à voix haute et intelligible.

— Alors ? demanda cette femme.

Flynn évita de tourner la tête de son côté.

— Nous verrons, répondit-il sèchement.

Flynn gara sa voiture en épi devant le grand magasin et constata que les vitrines présentaient une grande variété d'articles : maillots de bain, casseroles, matériel de camping. Voilà qui devrait faire l'affaire, pensa-t-il. Et si Sara n'était pas contente, tant pis pour elle. Dans l'emploi du temps d'un chasseur de primes, les arrêts-shopping figuraient rarement comme une priorité incontournable.

— Allez-y, mais faites vite, recommanda-t-il.

— Impossible.

Cette fois, Flynn ne put s'empêcher de tourner la tête vers elle.

— Comment ça, impossible ?

— Je ne peux pas rentrer dans le magasin avec cette dégaine.

— Non, attendez... Vous voulez de nouveaux vêtements, mais vous ne pouvez pas les acheter car vous ne vous trouvez pas assez élégante dans ceux que vous portez actuellement ?

— Mais enfin, regardez-moi, Flynn : je ne suis même pas habillée à proprement parler, chuchota-t-elle. Regardez-moi !

La regarder ? Sûrement pas ! C'était précisément ce qu'il cherchait à éviter depuis le début.

— Vous ne voyez pas que je suis en chemise de nuit ?

Elle voulut lui apporter une preuve en déboutonnant sa veste de laine, et Flynn vit tout ce qu'il ne désirait pas voir. Les petites fleurs un peu passées, l'aspect duveteux du tissu, la peau tendre de sa gorge, et deux ombres tentatrices qu'il lui sembla deviner par transparence.

— Ça suffit, O.K.? Cessez de faire appel à... à ma compassion, compléta-t-il en passant nerveusement la main sur sa joue hérissée d'une barbe de deux jours.

— Je ne fais pas appel à votre compassion mais à votre bon sens.

— Mais qu'est-ce que vous voulez, alors? Un catalogue de vente par correspondance?... Ah non! se récria-t-il en lisant une muette supplication dans ses yeux. Ne comptez pas sur moi.

— S'il vous plaît, Flynn... Je vous ferai une liste. Cela ne vous prendra pas plus d'un quart d'heure, je vous le promets.

Ce n'était pas l'acte en lui-même qui choquait Flynn. Il avait déjà acheté des vêtements de femme. Des petites choses tout à fait frivoles, même. Mais il ne tenait pas à laisser son imagination se déchaîner sur Sara. Point final.

Il se tourna vers elle pour lui exprimer un refus ferme et définitif, mais son regard alla se perdre dans l'infini de ses yeux et y sombra comme dans une rivière sans retour.

— O.K. Mais faites-la brève, votre liste. Je vous laisse deux minutes pour l'établir.

Pendant qu'elle griffonnait hâtivement sur une enveloppe, Flynn regarda par la fenêtre en regrettant pour la première fois d'avoir arrêté de fumer. Ça l'aurait peut-être calmé d'en griller une en faisant les cent pas dehors.

Lorsqu'elle eut terminé, il prit le bout de papier et le parcourut des yeux. Parvenu au bas de la liste, il toussota.

— Pour le soutien-gorge... C'est bien un B que vous avez indiqué là ?

Elle rougit et hocha la tête. Flynn vérifia sa mensuration d'un regard appuyé. Juste pour le plaisir d'ajouter une « inconvenance » de plus à la longue série de ses méfaits...

— A vue d'œil, le B devrait convenir, en effet... A tout à l'heure, Sara.

— Attendez, s'exclama-t-elle en le retenant par le bras.

Un silence fracassant tomba soudain dans la Corvette. Simultanément, ils fixèrent le point de contact entre eux, comme si cette main de femme reposant sur une manche d'homme prenait soudain une signification démesurée.

— Je... je vais vous donner ma carte de crédit. Mais comme je ne suis pas très sûre de ce qu'il reste sur mon compte, pourriez-vous essayer de... ?

— Laissez tomber, trancha-t-il en ouvrant sa portière.

— Flynn, non ! Je ne veux pas que vous payiez pour mes vêtements !

Elle avait cette même voix embarrassée et un peu anxieuse qu'elle avait adoptée pour répondre à ce sinistre imbécile de banquier qui était venu négocier sa maison, la veille. Et pour des raisons qu'il préférait ne pas élucider, Flynn était prêt à dépenser des fortunes afin de la délivrer du carcan dont elle était prisonnière.

— Laissez tomber, je vous dis. Si cela vous paraît plus « convenable », je déduirai la somme plus tard, sur votre part de la prime.

— Et si nous ne retrouvons pas Benny ?

Il lui lança un petit sourire par-dessus son épaule.

— Faites-moi confiance.

La confiance... Ce n'était pas a priori le sentiment qu'inspiraient les hommes comme John Flynn. Ils éveillaient plutôt la curiosité, une soudaine fascination pour l'aventure et — à quoi bon le nier ? — une excitation proche du désir...

La combinaison classique, en somme, se dit Sara. A un stimulus donné, correspondait une réaction type. Et ce schéma de comportement remontait à la nuit des temps. Aujourd'hui, c'était l'arme à la ceinture, les sièges de cuir, et les chevaux cachés sous le moteur d'une voiture de sport. Hier, c'était plutôt l'odeur du sang frais, la massue dernier cri négligemment balancée sur une épaule, et la transe guerrière autour des restes encore fumants d'un mammouth.

Sara porta les mains à ses joues brûlantes. Drôle de consolation de se dire qu'elle réagissait comme ses sœurs de l'âge de pierre ! Les mœurs étaient pourtant censées avoir évolué depuis la préhistoire !

Flynn revint assez vite avec un sac dans chaque main. Un seul aurait suffi, estima Sara, s'il s'était borné à acheter les quelques effets inscrits sur sa liste. Flynn avait donc dû faire quelques extra. Mais lesquels ? Elle imagina des couleurs osées, des étoffes vaporeuses, peut-être même de la soie.

Lorsque Flynn lui tendit ses paquets, elle en cala un à ses pieds et plaça l'autre sur ses genoux. Le cœur battant, elle glissa la main dans le sac, soudain convaincue qu'elle allait trouver un petit dessous affriolant. Un geste aussi osé de la part de Flynn allait la mettre en colère, à coup sûr. Mais elle se sentait un peu émue quand même. Un sourire se dessina sur ses lèvres qui se figea en grimace lorsque ses doigts retrouvèrent le contact familier du tissu molletonné.

— Un survêtement, annonça-t-elle en sortant un sweat-shirt d'une horrible couleur jaune moutarde.

La déception qui lui serrait la gorge était un peu exagérée. Résolue à la surmonter, Sara observa avec un sourire forcé :

— Je n'avais pas inscrit de survêtement sur ma liste. J'avais mis deux jeans, quelques T-shirts et un pull.

— C'est un fait, mais je n'ai pas voulu prendre de risques pour les jeans. La vendeuse m'a dit qu'il valait mieux les essayer ; on ne sait jamais comment ils vont tomber.

— Alors vous avez joué une carte sûre : le survêtement, murmura Sara qui se sentait comme une épouse à qui l'on vient d'offrir un fer à repasser pour Noël.

Une réaction ridicule, au demeurant. Flynn et elle n'étaient pas mariés, loin de là. Et en plus, elle adorait les survêtements. Mais chez elle. Pas ailleurs. Et c'était peut-être là que se situait le problème, justement. Car en imposant sa compagnie à Flynn, elle avait fait un énorme pied de nez à ses habitudes et jeté sa sacro-sainte prudence par-dessus les moulins. Et pour en arriver à quoi ? A se voir renvoyée dans la peau de l'ancienne Sara, celle qu'elle avait voulu laisser derrière elle !

La jeune femme jeta un coup d'œil dans l'autre sac et fit la moue.

— Mais il n'y a que des tenues de sport, là-dedans !

— Des sous-vêtements aussi. Dans le fond.

Là encore, Flynn avait opté pour les valeurs sûres. Du cent pour cent coton. Blanc et sans fioritures. Des culottes tout ce qu'il y avait de plus triste et de plus sage. En bref, la goutte qui ne pouvait que faire déborder le vase.

— Donnez-moi la note, Flynn, ordonna-t-elle en tendant la main.

Il eut l'air confondu.

— Qu'est-ce qui vous prend, tout à coup ?

Sara prit le sweat-shirt jaune moutarde et le drapa devant elle.

— A votre avis, Flynn ?

— Ce n'était pas une boutique de haute couture. J'ai pris ce qu'ils avaient.

— Où ? Au rayon hommes ? Dans le secteur réservé aux rugbymen ?

Flynn commençait à donner des signes de malaise.

— Je reconnais que j'ai vu un peu large, mais cette tenue ne m'a pas semblé très différente de celle que vous portiez hier.

— Peut-être. Mais ça, c'était hier, et aujourd'hui, c'est aujourd'hui. Et maintenant, donnez-moi la note ou je jette ces deux sacs à la poubelle et je recommence de zéro.

Enfin munie de son papier, Sara ravala sa fierté et affronta la vendeuse pour demander un échange.

— Vous rendez tout, madame ?

— Tout.

Il était hors de question de garder quoi que ce soit qui pût lui rappeler l'image désespérante que Flynn s'était fait d'elle. Traversant le rayon sport sans un regard pour la marchandise exposée, Sara tâcha de se mettre dans la peau de Nancy, et tira quelques cintres comme si elle choisissait pour son amie et non pas pour elle-même. Pantalon cigarette, petits hauts décolletés aux couleurs franches, et même une large ceinture et des bottines à talons. Le tout en taille 2. Ni en 5 ni en 4 ni même en 3. Une taille 2 !

Encouragée par ces premiers résultats, elle se changea et se maquilla dans les cabines, puis elle hésita devant la vitrine du coiffeur en se demandant si Nancy lui pardonnerait une telle infidélité. Mais elle connaissait son amie. « Fonce, Sara ! » aurait-elle dit... Et Sara fonça.

Une demi-heure plus tard, Leonard, le coiffeur-visagiste, s'extasiait sur son œuvre.

— Magnifique ! C'est vous, entièrement vous. Vous étiez cachée et vous voici révélée. Ah, c'est superbe !

Et Sara qui, d'habitude, refusait de croire aux compliments qu'on lui faisait, fut à deux doigts de renchérir.

Dehors, Flynn attendait, appuyé contre le capot de la voiture, les bras croisés, la mine orageuse. Au moins n'était-il pas parti sans elle, se dit Sara en chaussant ses nouvelles lunettes de soleil. Elle vit le regard soudain attentif qu'il posait sur elle, et son cœur se mit à battre plus vite. Mais lorsqu'elle se dirigea vers lui, le regard de Flynn fut tellement éloquent qu'elle faillit esquisser un pas de danse. Il ne l'avait pas reconnue ! Flynn avait cru observer une passante séduisante, et il avait laissé transparaître son admiration, voilà tout.

Cette passante séduisante, c'était elle ! se répéta Sara, incrédule et ravie.

Elle se planta devant Flynn, et il l'examina posément, de la tête aux pieds. Puis il prit son air narquois.

— Alors ? On peut savoir à quoi vous avez passé tout ce temps ?

Sur le point de lui jeter son nouveau sac à main noir et fauve à la figure, Sara se ravisa en voyant un vrai sourire éclairer son visage.

— Vous êtes magnifique, Sara. Et je mentirais si je vous disais que je suis surpris. J'étais persuadé que si vous vous décidiez à mettre des vêtements à votre taille, vous seriez irrésistible. Voilà sans doute pourquoi je me suis cantonné aux survêtements.

Sara ouvrit de grands yeux.

— Parce que vous avez fait exprès d'acheter ces tenues grotesques ?

Il hocha la tête.

— Mais pourquoi ?

— Devinez, Sara.

Comme elle fronçait les sourcils d'un air pensif, il la poussa d'autorité vers la voiture.

— Vous aurez tout le temps de réfléchir à la question pendant le trajet jusqu'au Numismate.

— Le Numismate ? C'est votre vendeur de pièces de monnaie anciennes ?

— Exact, mon cher Watson. A moins que vous ayez prévu un autre programme, bien sûr. Un soin du visage et quelques séances d'U.V., peut-être ? Une petite visite chez la manucure ?

— Oh, cela pourra encore attendre un jour ou deux, rétorqua Sara d'une voix suave.

Elle se sentait légère ; elle se sentait jeune ; c'était comme si la vie s'ouvrait devant elle. Jamais, aussi loin qu'elle pût se souvenir, elle n'avait éprouvé pareille euphorie.

— Vous croyez qu'il va nous donner les informations que nous recherchons, votre revendeur ? demanda-t-elle en tournant la tête vers Flynn pour le plaisir de sentir la caresse de ses cheveux mi-longs dansant contre sa joue.

Si Flynn y passait les doigts, le plaisir serait bien plus fort, évidemment ! Mais ce n'était pas très sérieux de se laisser aller à de telles pensées.

— Oh, je crois que nous n'aurons aucun problème

pour le faire parler, rétorqua Flynn en laissant son regard s'attarder sur les jambes de sa compagne. Je vais pouvoir me servir de vous pour délier un peu les langues, maintenant que vous êtes habillée en femme fatale. Vous me servirez d'appât.

Sara réfléchit à la question et se demanda s'il y avait lieu de se sentir flattée. Passionnée par les romans policiers, elle savait que la compagne du héros se charge de distraire et de troubler l'adversaire. Or, Sara était persuadée que le seul effet qu'elle pouvait produire sur les hommes était de les faire bâiller ou prendre la fuite en courant.

Non, non et non ! Ça, c'était l'ancienne Sara. La nouvelle était capable de jouer les enjôleuses si les plans de son coéquipier l'exigeaient. Flynn se gara à proximité d'un magasin situé sur le port, et il poussa la galanterie jusqu'à aider Sara à descendre de voiture. La jeune femme oscilla un peu sur ses talons hauts mais réussit à garder l'équilibre. La plupart des échoppes alignées sur le front de mer vendaient des articles de pêche. Il y avait aussi des bars un peu louches, toute une faune à l'allure étrange, et l'air était imprégné de senteurs fortes qui évoquaient la pêche au grand large et de lointaines et inquiétantes aventures.

— Comme c'est excitant ! murmura-t-elle. J'avoue que j'avais un peu peur que vous me demandiez d'attendre dans la voiture.

— C'était mon intention, au départ. Ne me faites pas regretter d'avoir changé d'avis.

Le magasin Au Numismate était minuscule et d'aspect peu engageant. Exposées sur des plateaux, les pièces de monnaie reposaient dans des vitrines de verre mal éclairées. Impossible de distinguer les articles relégués dans les recoins sombres ainsi que dans l'arrière-boutique que l'on entrevoyait derrière un rideau en toile grossière pendu de guingois. Dieu sait ce qui pouvait se tramer de ce côté-là, se demanda Sara avec un léger frisson.

Stimulée par la présence de Flynn, elle fit de son mieux pour prendre un air de femme-appât. Et aussi extraordinaire que cela puisse paraître, l'homme qui se tenait vautré derrière le comptoir se leva, se gratta la poitrine, et s'approcha d'un air fasciné. Mais son expression se durcit dès qu'il aperçut Flynn.

— Vous cherchez quelque chose ? demanda-t-il sans chercher à dissimuler son hostilité.

— Une pièce.

— C'est un pas dans la bonne direction, maugréa le propriétaire.

Il n'avait vraiment pas l'air de vouloir vendre sa marchandise, songea Sara. C'était sans doute pour cette raison que les clients ne se pressaient pas dans sa boutique. Flynn sortit une photo de son portefeuille. Elle jeta un coup d'œil par-dessus son épaule et comprit qu'il lui montrait le doublon.

— Ce n'est pas chez moi que vous risquez de trouver ce genre de spécialités, bougonna le commerçant.

Flynn lui jeta un regard sarcastique.

— Je ne m'attendais pas à le voir exposé dans vos vitrines miteuses. Mais ça ne veut pas forcément dire que vous ne pouvez pas l'obtenir pour moi. Qu'en pensez-vous ?

L'homme soutint le regard de Flynn avec une mimique de dégoût.

— Je ne sais pas de quoi vous voulez parler.

— Vous en êtes bien sûr ? Jetez donc encore un coup d'œil sur la photo. C'est une beauté, n'est-ce pas ? Elle ne vous dit vraiment rien ?

Le propriétaire du Numismate contempla la pièce d'un air désabusé.

— J'ai d'autres spécimens en or à vous montrer, si ça vous intéresse, dit-il en haussant les épaules.

— Non.

— Et on peut savoir pourquoi vous y tenez tant, à ce doublon ? s'enquit le bonhomme en défiant Flynn du regard.

— Disons que je suis un... collectionneur.

Un sourire mauvais se dessina lentement sur les lèvres de son interlocuteur.

— C'est ça, oui. Comme moi je suis Peter Pan et votre copine, là, est Clochette. Peut-être qu'elle et moi, nous devrions...

Flynn ne le laissa pas terminer sa phrase.

— Ce n'est même pas la peine d'y songer, mon vieux.

D'un geste fulgurant qui laissa Sara stupéfaite, il attrapa l'homme par les pans de sa chemise et le tira sur ses pieds.

— Règle numéro un : on ne pose pas de questions sur la dame. Nous sommes d'accord ?

— A vos ordres, chef... C'est votre collègue ou votre bourgeoise ?

— Et voilà que vous recommencez, observa Flynn.

Sara admirait tout particulièrement le fait que Flynn gardât un total contrôle de lui-même. Cette situation lui donnait des frissons d'excitation. Elle avait l'impression d'être entrée de plain-pied dans l'un de ses romans policiers favoris. Mais dans les livres, ce genre de scène avait une chance sur deux de déboucher sur des actes de violence que Sara jugea urgent de prévenir.

— Vous savez, Flynn, peut-être que...

Il l'interrompit sans même jeter un regard dans sa direction.

— Pas maintenant, Sara. Ce monsieur et moi, nous sommes en train de négocier.

— Faux ! s'écria le vendeur de pièces anciennes. Je ne négocie pas avec les flics.

Sara secoua la tête.

— Mais il n'est pas à proprement parler un...

— Plus tard, Sara, coupa Flynn d'un ton un peu moins cordial. Je pense que ce monsieur veut dire qu'il ne collabore pas avec la police locale. Mais je n'opère pas sur le secteur. Tenez, regardez.

Flynn libéra l'homme pour lui présenter une carte.

— Vous voyez ? Département de police de Boston.

Sara comprit à ce moment-là que la stratégie de Flynn la dépassait. Pourquoi se faisait-il passer pour un policier de Boston ? Elle n'aurait su le dire, mais Flynn jouait admirablement son rôle.

Le vendeur de pièces anciennes se planta un cure-dents entre les lèvres et toisa Flynn avec insolence.

— Parce que vous croyez que ça change quelque chose ? Un poulet d'ici ou un poulet d'ailleurs, pour moi, c'est pareil. Qu'est-ce que j'en ai à faire de votre paroisse d'origine ?

— Ça, par contre, ça ne vous laisse pas indifférent ? répliqua Flynn en sortant une liasse de billets de cent dollars de sa poche.

Le marchand compta une fois, puis deux. Et il se montra un peu plus ouvert au dialogue.

— C'est une jolie somme, remarqua-t-il enfin. Mais vous savez combien il vaut, ce doublon ?

— Oui, je le sais. Et je sais aussi qui va se ramasser une belle fortune en l'écoulant. Mais pourquoi cette petite fouine de Fortrell serait-il le seul à s'en mettre plein les poches ?

Flynn jeta un regard autour de lui.

— En rentrant dans votre magasin minable, j'ai compris tout de suite que vous n'aviez pas acheté le doublon. Benny s'est simplement servi de vous pour que vous lui filiez un tuyau, c'est ça? Bon, j'imagine qu'il vous a promis une part du gâteau. Mais il suffit de vous regarder pour savoir que le pourcentage ne va pas vous mener loin. Vous ne seriez pas du genre à refuser un petit extra?

Poussant la liasse de billets, Flynn la plaça juste sous le nez du marchand.

— Vous n'avez qu'un nom à donner et tout ça est à vous.

L'homme s'humecta les lèvres.

— S'ils découvrent d'où vient la fuite, je vais le sentir passer, c'est moi qui vous le dis.

— Ne vous inquiétez pas pour ça. Je ne suis pas de ceux qui parlent. Vous pouvez compter sur moi.

— Vous, peut-être, mais la fille? Avec les femmes, je ne suis jamais tranquille, maugréa le bonhomme en jetant un coup d'œil à Sara.

— Elle fait ce que je lui dis de faire, décréta Flynn.

Eberluée, Sara tourna la tête vers son compagnon.

— Flynn!

— Plus tard, Sara.

Le marchand, qui n'avait pas quitté la liasse de billets des yeux, tendit vers elle une main hésitante. Flynn l'immobilisa.

— Doucement, l'ami. Le nom, d'abord, ensuite la petite récompense.

— Je ne peux même pas vous garantir qu'ils aient fait affaire. J'ai envoyé Fortrell chez un type qui revient de l'étranger. Il est de retour depuis peu de temps et...

— Inutile de me raconter sa vie. Son nom me suffira.

— Ivan Mulhouse. Il tient un commerce tout ce qu'il y a de plus chic et...

— Où ?

— Hé, calmez-vous ! J'allais vous le dire. Vous êtes tous les mêmes, vous les flics. Pressés et nerveux comme des puces. Il va pas s'envoler votre Fortrell ! Mulhouse a ouvert sa boutique à Miami. Un truc très classe sur Biscayne. L'immeuble s'appelle les Portes de la Mer.

— C'est tout ce que je voulais savoir. Merci.

Flynn libéra le poignet du marchand qui ramassa les billets et les fit disparaître prestement dans un portefeuille d'aspect graisseux.

— Mission accomplie, commenta Flynn avec un large sourire en sortant du magasin.

Sara partageait son enthousiasme, mais un détail la chagrinait, malgré tout.

— Alors ? Qu'est-ce que j'apprends ? Je suis censée vous obéir au doigt et à l'œil ?

Il bâilla et se massa les épaules.

— Oui, Sara.

— Comment ?

— Vous avez tenu à participer à cette poursuite ? O.K. Mais dans les scènes d'action comme celle-ci, vous vous tenez à carreau et vous vous conformez à mes ordres. Sinon, on arrête tout et je vous dépose au prochain arrêt d'autocar.

Elle fit la moue.

— C'est vous le pro, d'accord. Mais ce n'est pas la peine de crier sur les toits que je suis une fille disciplinée et docile. Surtout devant ce genre de type...

— Les individus comme lui n'attendent que deux

choses d'une femme. La première est l'obéissance. Quant à la seconde, je pense que vous n'auriez pas apprécié que je la mentionne devant lui.

Très digne, Sara se croisa les bras sur la poitrine.

— Vous voilà bien pudique, tout à coup! N'oubliez quand même pas que vous aviez l'intention de vous servir de moi comme appât!

Pour la première fois en trois jours, Flynn eut l'air choqué.

— Parce que vous avez vraiment cru que je vous utiliserais pour...? Non, je plaisantais, Sara. Je vous ai emmenée avec moi parce que j'ai estimé que c'était sans grand danger. Mais s'il y avait eu le moindre grabuge, je vous aurais sortie de là avant même que vous ayez eu le temps de voir venir quoi que ce soit.

— Ah bon...

Elle qui s'était sentie si intrépide et héroïque! Avec un léger soupir, Sara reprit sa place de passagère.

— Et maintenant? demanda-t-elle.

Flynn se frotta la nuque d'un geste las.

— Maintenant? Il n'y a rien d'autre à faire que de prendre la voiture et de continuer sur Miami. Je n'ai pas fini d'avaler du bitume.

Sara lui jeta un regard en coin et lui trouva soudain une mine à faire peur.

— Vous allez me laisser le volant, Flynn.

— Jamais.

— Ne soyez pas ridicule, je suis une excellente conductrice. Il y a déjà un moment que je songe à vous le proposer, mais vous n'étiez pas d'humeur très réceptive jusqu'à maintenant.

— Exact. Et ça n'a pas changé. En tout cas, pas de ce point de vue. Ne comptez pas sur moi pour laisser ma Corvette entre vos blanches mains. Il y a des limites à ce que je peux supporter, dans l'existence.

Sara leva les yeux au ciel.

— Je ne suis pas aussi ignorante des choses de la vie que vous semblez le penser, Flynn. Je suis consciente de la valeur que les hommes peuvent accorder à une voiture. Autrefois, mon père a eu une Buick qu'il appelait Bébé. Et chaque fois que ma mère voulait la prendre, il...

— Vous ne pouvez pas comparer une Corvette à une Buick, protesta Flynn, horrifié. Cette voiture, pour moi, est plus qu'une voiture. Je la considère comme ma seule famille. Ah, vous pouvez rire autant que vous voulez. Je ne possède pas de maison ni de jardin, comme la plupart des gens convenables. Mais cette Corvette, elle est à moi. Nous avons traversé des tas d'épreuves ensemble, et vous pouvez constater qu'il n'y a pas une égratignure sur la carrosserie.

— Et alors ? Je ne vous propose pas de rayer votre Corvette. Juste de la conduire.

— Quelque chose me dit qu'avec vous, conduire et rayer sont deux termes recouvrant un même concept.

— Vous êtes victime de préjugés datant d'un autre âge, Flynn. Voilà déjà quatorze ans que j'ai mon permis, et je n'ai jamais accroché personne. Pas la moindre petite collision à mon actif.

— Raison de plus pour que je vous refuse le volant. Si vous n'avez encore percuté personne en quatorze ans de conduite, les probabilités statistiques sont contre vous. Telle que je vous vois maintenant, vous êtes un accident en puissance, Sara McAllister.

— Si l'un de nous deux est un accident en puissance, c'est bien vous. Vous arrivez à peine à garder les yeux ouverts ! Allons, soyez raisonnable et accordez-vous une sieste.

Il lui jeta un regard sombre.

— Je suis sûr que vous ne savez même pas vous servir d'un levier de vitesse.

— Erreur. Je n'ai pas toujours conduit des automatiques. On peut même dire que je suis née à la conduite avec un levier de vitesse entre les mains.

Flynn soupira.

— Bon. Je sens que je vais le regretter amèrement, mais je vous accorde un essai. Un seul.

Entre le bolide de Flynn et la vieille berline qu'elle avait héritée de sa mère à dix-huit ans, il existait malgré tout quelques différences, Sara dut le reconnaître lorsqu'elle se retrouva installée face au tableau de bord ultrasophistiqué de la Corvette. Mais pas de panique, surtout ! Une voiture restait une voiture. Il n'y avait aucune raison pour que celle-ci ne fonctionnât pas comme ses petites sœurs.

Elle passa en première et effleura l'accélérateur. Mais Sara n'était pas encore tout à fait habituée à ses bottines à talons. Et elle était encore moins familiarisée avec la puissance tapie sous le capot d'une voiture de sport. La Corvette bondit en avant, coupant la route à une camionnette qui, par chance, devait être conduite par un expert doué d'excellents réflexes. L'accident fut évité de justesse. La voiture cala, néanmoins, et ils se retrouvèrent à l'arrêt au milieu de la chaussée. Flynn était vert.

— Inutile de redémarrer, j'ai compris. Je ne survivrais pas à une seconde tentative.

— Détendez-vous, Flynn. Le pire est passé. J'ai juste besoin de m'habituer à cette voiture.

— Je croyais que vous étiez née à la conduite avec un levier de vitesse entre les mains ?

Sara haussa les épaules.

— De l'eau a coulé sous les ponts, depuis. Et les

vitesses étaient au volant, pas au plancher. Mais ne vous désespérez pas. Je suis douée d'une excellente faculté d'adaptation.

Par une sorte de miracle, Sara réussit à les amener jusqu'à l'autoroute avec un minimum de secousses et de craquements. Flynn souffrit en silence pendant un moment, puis il ferma les yeux lorsqu'ils prirent enfin leur allure de croisière. Peut-être s'était-il endormi, tout simplement. Mais compte tenu du choc émotif qu'il avait subi peu de temps auparavant, Sara n'excluait pas l'hypothèse de l'évanouissement.

9.

Sara conduisit pendant plusieurs heures, tandis que Flynn dormait. Se conformant aux instructions, elle quitta la Virginie pour entrer en Caroline du Nord, et prit la direction du sud-est. Sur les panneaux qui jalonnaient l'autoroute, elle lut des noms de villes connus et en déchiffra d'autres dont elle n'avait jamais soupçonné l'existence.

Pendant que la Corvette filait dans un paysage toujours renouvelé, Flynn continuait de dormir.

Sara était ravie. Ravie de rouler vite, ravie de découvrir des horizons inconnus, ravie de ne pas savoir à quoi ressemblerait le monde dix kilomètres plus loin. Et pendant que Sara se réjouissait, Flynn dormait toujours.

Il n'ouvrit même pas un œil lorsqu'elle s'arrêta pour prendre de l'essence, étirer ses membres engourdis et laisser un message sur le répondeur de Nancy. Sans donner de détails, elle expliqua à son amie qu'elle était partie quelques jours et lui demanda d'annuler ses leçons pour le reste de la semaine.

Une fois le coup de fil passé, Sara se sentit un peu plus libre encore et d'autant plus euphorique. Comme si elle venait de prendre une réelle distance avec les contraintes et les responsabilités de la vie quotidienne. Et tant pis si cette parenthèse insouciante n'était pas destinée à durer.

En repartant, Sara eut quelques difficultés à passer en seconde, mais même le craquement de la vitesse ne suffit pas à tirer Flynn de son sommeil, ce qui prouvait bien qu'il était à bout de forces. Pour prolonger son repos, elle décida de continuer à rouler aussi longtemps que possible. Mais arrivée aux abords de Fayetteville, Sara commença à sentir les effets de la fatigue. Elle avait des crampes dans les jambes, la nuque raide, et son estomac criait famine. Il était temps de s'accorder une pause et de penser à s'alimenter. Mais, cette fois, ailleurs que dans un fast-food ou un relais routier !

Elle avait eu sa dose de nourriture préemballée. Ce qu'il lui fallait maintenant, c'était un vrai repas, pris à une vraie table de préférence recouverte d'une nappe en tissu, et servi dans une vaisselle élégante. Le tout à distance suffisante de l'autoroute pour que le fracas des semi-remorques cède enfin la place au chant des oiseaux.

Mais que dirait Flynn d'un tel projet ? Qu'il était frivole, bien sûr. Que Benny Fortrell, lui, ne traînerait pas en route. Et que la qualité des repas était bien le cadet de ses soucis. Le plus simple était donc de le mettre devant le fait accompli, décida Sara en quittant l'autoroute. S'il se réveillait, affamé, devant une charmante petite auberge de campagne, il ne refuserait pas de se restaurer sur place. Et ils auraient enfin la possibilité de se détendre et de parler calmement dans une atmosphère propice aux confidences. Une perspective tentante, à de multiples points de vue.

Obliquant sur la droite, Sara longea l'habituelle rangée de constructions en préfabriqué proposant des hamburgers ou des pizzas. Rien qui pût satisfaire, même de loin, ses rêves bucoliques. Si elle voulait trouver un petit restaurant situé hors des sentiers battus, il fallait commencer par s'éloigner de la grande route, ça paraissait logique.

Après avoir parcouru une dizaine de kilomètres, Sara tomba enfin sur le panneau qu'elle attendait. Elle se gara sur le bas-côté pour l'étudier de plus près. L'Auberge villageoise, annonçait-il. Au centre : le dessin d'une vaste maison blanche de style colonial. Dessous, en lettres d'or : « Cuisine raffinée et chambres d'hôte. »

Victoire ! se dit Sara. C'était exactement ce dont elle rêvait. La promesse d'une nourriture riche en vraies saveurs, pour commencer. Quant aux chambres d'hôte... Flynn n'aurait peut-être pas très envie de reprendre la route après un dîner copieux. S'étirer de tout son long sur un matelas confortable au lieu de dormir recroquevillée sur le siège de la Corvette serait une véritable bénédiction. Et peut-être, une fois qu'ils auraient partagé une bouteille de bon vin et discuté jusque tard dans la nuit, oui peut-être...

Les joues en feu, Sara s'interdit de rêver davantage. Au bout de cinq kilomètres, il suffisait de prendre à gauche, au feu. Le soir tombait lorsqu'elle repartit en direction du restaurant de ses rêves. Elle roulait déjà depuis quelque temps quand un feu orange clignotant apparut enfin dans la nuit. Sara fit halte au carrefour. Mais était-ce bien le carrefour annoncé ? Elle ne voyait aucun panneau, aucun nom de village. Et la petite route qui partait sur la gauche avait plutôt l'air de s'enfoncer en rase campagne que de mener à une ville, des maisons, et une auberge de style colonial.

Elle se mordilla la lèvre, hésitant à faire demi-tour. Oh, et puis zut ! Ce serait trop bête de reculer devant le premier obstacle, comme l'aurait fait l'ancienne Sara. Une aventure comme celle-ci ne se présentait pas deux fois dans l'existence d'une femme ordinaire. Jamais encore, elle n'avait pris ses repas dans des relais routiers ; jamais elle n'avait conduit de voiture de sport entre Norfolk et Miami. C'était même la première fois qu'elle quittait la Nouvelle-Angleterre en trente-deux ans ! Il serait dommage de ne pas tirer tout le parti possible de cette excursion.

D'une façon ou d'une autre, elle allait devoir se débrouiller pour atteindre son but. Et le plus tôt serait le mieux, d'ailleurs, car les signes de civilisation se faisaient rares, pour ne pas dire inexistants. Pas de lampadaires, pas de panneaux indicateurs, pas même une villa ou une ferme isolée. Juste une bande d'asphalte étroite et sinueuse, bordée des deux côtés par un fossé. Il faisait tellement noir, à présent, que Sara ne vit pas le fossé tout de suite. Si elle avait repéré ses maudites rigoles plus tôt, elle n'aurait sans doute pas poussé aussi loin. Ni roulé aussi vite. En vérité, elle ne découvrit l'existence du fossé qu'au moment où ses roues droites s'y enfonçaient... La voiture s'immobilisa net en position inclinée.

— Nom d'un chien ! Qu'est-ce qui se passe ? rugit Flynn en se redressant.

Il était enfin réveillé, nota Sara.

Après s'être frotté les yeux à deux reprises, il regarda autour de lui, les sourcils froncés, la mine orageuse.

— Où sommes-nous, Sara ? Vous pouvez me le dire ?

— Eh bien... J'ai quelques doutes, en fait.

— Quelques doutes ? Où est l'autoroute ?

— Là-bas, derrière, expliqua-t-elle avec un geste vague de la main. Ou peut-être plutôt sur la droite. Je ne sais plus exactement.

— Bon sang, mais vous vous moquez de moi ?

Flynn émit les mêmes qualificatifs classés X qu'il avait prononcés lorsque Benny Fortrell leur avait échappé, la veille.

— Comment avez-vous réussi le tour de force de vous perdre alors que vous n'aviez qu'à suivre l'autoroute ?

D'une voix hésitante, elle lui exposa les grandes lignes de son projet.

— Tout ça pour un dîner ? vociféra Flynn. Vous m'avouez que nous nous retrouvons au fond de ce trou noir, perdus et sans repère, parce que vous avez eu envie de prendre un repas dans un restaurant dont vous ne savez même pas ce qu'il vaut ?

— Crier ne sert à rien, Flynn, protesta-t-elle faiblement.

— Si ! hurla-t-il. Crier est très utile, car cela m'évite de casser quelque chose. Ou de frapper quelqu'un.

Il réussit à ouvrir sa portière et examina l'angle d'inclinaison de la Corvette d'un œil consterné.

— C'est une véritable catastrophe. Vous auriez pu me casser un essieu ! Me mettre un pneu en pièces ! Et je sens que mes jantes sont fichues, de toute façon.

— Ecoutez, Flynn, si votre stupide véhicule a souffert de l'incident, je paierai les réparations.

Il lui lança un regard meurtrier.

— Vous n'avez rien compris. Rien ! Sortez immédiatement de cette voiture.

Prise de panique, Sara contempla l'obscurité environnante.

— Flynn, soyez raisonnable. Je conçois que vous soyez contrarié, mais vous ne pouvez pas me laisser plantée là, seule en rase campagne, par une nuit sans lune, à des kilomètres de tout endroit civilisé.

— Qui parle de vous laisser seule ? Il est vrai que si j'avais eu un minimum de jugeote, je n'aurais pas... Mais bon, n'en parlons plus. Je veux que vous descendiez pour que je puisse pousser la voiture hors du fossé.

Sara ne se le fit pas dire deux fois. Elle suivit Flynn à une distance prudente tandis qu'il faisait le tour de la Corvette en secouant la tête et en prononçant toutes sortes d'imprécations émaillées de termes techniques. Puis il passa la main à l'intérieur pour actionner le levier de vitesse. Lorsqu'il se débarrassa de son blouson et le jeta par terre, Sara se précipita pour le ramasser. C'était la moindre des choses, étant donné les circonstances. Passant à l'arrière de la Corvette, Flynn se baissa et posa les deux mains à plat sur le coffre.

— Je peux vous aider? proposa-t-elle.

— Bien sûr.

Enfin une chance de se racheter! Sara se précipita pour se placer à côté de lui.

— Donnez-moi vos instructions, Flynn.

— Elles n'ont pas changé : tenez-vous à l'écart dans la mesure du possible, et surtout ne vous avisez plus jamais de vous mettre dans mes jambes.

Le moment était mal choisi pour riposter. Mortifiée mais muette, elle suivit ses conseils à la lettre. Quelques minutes plus tard, la voiture avait de nouveau les quatre roues sur le bitume et Flynn s'essuyait le front en se livrant à une nouvelle inspection minutieuse du véhicule. Il finit par annoncer presque à contrecœur que sa précieuse Corvette était indemne.

Sara, qui s'attendait au pire, éprouva un soulagement si intense qu'elle eut un bref accès de vertige.

— Ça va? demanda Flynn en la voyant chancelante.

— Très bien. J'ai juste eu très peur, c'est tout.

— Ecoutez, Sara...

Il soupira, détourna les yeux, puis les posa sur elle de nouveau.

— Je vous présente mes excuses. Je n'aurais pas dû être aussi agressif.

444

— Et moi, je suis désolée d'avoir roulé dans le fossé, murmura-t-elle en se demandant avec horreur si elle n'allait pas fondre en larmes. Je m'en veux d'avoir insisté pour prendre le volant. Je me maudis d'avoir eu la brillante idée de quitter l'autoroute dans l'espoir de trouver un petit restaurant calme et romantique. Et j'en arrive presque à regretter d'être ici.

— Pour ça, oui, vous pouvez le regretter !

Il s'interrompit et fit la grimace.

— Ce n'est pas ce que je voulais dire, Sara. Je suis beaucoup trop maniaque en ce qui concerne cette voiture. Je ne devrais pas y être aussi attaché. Mais c'est ainsi.

— Votre colère était justifiée, chuchota-t-elle en pressant les doigts sur ses paupières closes.

Cette fois, elle allait se mettre à pleurer, c'était sûr.

— Mais dites-moi, Sara... Vous cherchiez un endroit romantique, je crois ? Ou aurais-je mal entendu ?

Sara perçut le subtil changement de ton et nia tout en bloc.

— Vous avez mal entendu.

— Menteuse !

Le mot tenait plus de la caresse que de l'insulte. Et la voix de Flynn vibrait à son oreille comme s'il venait de chuchoter ces paroles de très près. Il s'était rapproché insidieusement, elle le comprit en rouvrant les yeux. De brefs frissons parcouraient sa peau, comme si un nuage d'électricité statique s'était refermé autour d'eux. Flynn laissa courir ses doigts dans les cheveux de Sara, lissant les mèches capricieuses qui auréolaient son visage. Cette caresse légère était délicieuse.

— Vous savez, Sara, murmura-t-il, vous avez pris des grands risques en quittant l'autoroute. Cela aurait pu vous coûter cher.

Elle dut prendre une longue inspiration avant de pouvoir répondre.

— Vous croyez?

— Vous auriez pu abîmer la voiture, pour commencer. Vous savez quels frais cela occasionne de réparer une Corvette, de nos jours?

— Non, répliqua-t-elle, fascinée par la forme de sa bouche que chevauchait fièrement sa belle moustache brune.

Une bouche si proche, si présente, au milieu de l'obscurité alentour... La nuit était tiède, suave et lourde. Sara inclina la tête, afin de mieux sentir la caresse de Flynn dont le pouce traçait la ligne de sa joue avec une indolence extrêmement sensuelle.

— Des frais énormes, Sara, répéta-t-il.

— Mais je n'ai pas commis de dégâts, protesta-t-elle, le souffle coupé.

— C'est vrai. Mais songez au temps que vous m'avez déjà fait perdre. Chaque minute gaspillée peut être fatale dans un métier comme le mien.

Il ne se montrait pas pour autant pressé de repartir, songea Sara tandis que les mains de Flynn se refermaient sur ses épaules. Il se comportait plutôt en homme qui a la nuit entière devant lui et qui compte en tirer le meilleur parti.

— L'heure est venue de payer, Sara, annonça-t-il en approchant les lèvres de son oreille.

— De payer? murmura-t-elle d'une voix à peine audible. Vous n'avez pas de chance. J'ai épuisé mes dernières réserves tout à l'heure, chez le coiffeur.

— Oh non, vous n'avez pas épuisé toutes vos réserves, Sara. Je pense qu'elles sont à peine entamées, au contraire.

Il prit doucement la tête de la jeune femme entre ses mains et se mit à la regarder comme s'il la voyait pour la première fois.

446

— Et vous pensez pouvoir mettre toutes ces potentialités inexploitées en valeur? demanda-t-elle avec une lueur de défi dans les yeux.

Le regard de Flynn exprima une légère surprise. Il ne s'attendait pas à une réaction aussi audacieuse de la part de Sara. Elle non plus, d'ailleurs. Elle était même la première étonnée...

Flynn eut un sourire un peu sauvage.

— Il se pourrait que j'aie le savoir-faire requis, en effet, acquiesça-t-il d'une voix soudain rauque.

Ce serait le moment ou jamais de prendre peur, songea Sara. Mais pour la première fois, elle flirtait avec un homme sans se sentir paralysée par la timidité ni submergée par le doute. Cela venait peut-être de sa coiffure, ou de ses nouveaux vêtements, ou des deux à la fois, mais lorsque Flynn l'observait de sous ses paupières mi-closes, elle se sentait belle, fascinante et désirable.

— Je vais vous libérer, Sara, annonça-t-il en se penchant sur ses lèvres. De vous-même, j'entends...

Sara n'avait pas oublié que Flynn l'avait déjà embrassée à deux reprises. Le souvenir de leurs précédentes étreintes ne l'avait pas quittée une minute, en réalité. Mais son troisième baiser se révéla en tout point différent des deux premiers. La lenteur, la patience en furent d'emblée absentes, et même la douceur manqua à l'appel. Dès l'instant où Flynn l'attira avec force contre lui, il laissa éclater son désir. Sans fard et sans la moindre retenue.

Ils étaient adultes l'un et l'autre, et Flynn ne chercha pas un seul instant à cacher ce qu'il avait en tête. Face à cette approche directe, Sara se trouva tiraillée par les sentiments les plus contradictoires. A côté de la rengaine familière du doute et de la peur, remontaient tous les interdits venus de son enfance, les avertissements mille fois répétés dont les mères abreuvent les adolescentes, les théories rebattues sur ce qui est ou non convenable lorsqu'on est fille et issue d'une famille « respectable ». Et Sara avait beau tourner le problème dans tous les sens, faire l'amour sur le capot d'une voiture stationnée au beau milieu de la voie publique avec un homme que l'on connaît depuis deux jours à peine, n'entrait pas et n'entrerait sans doute jamais dans la catégorie des activités cautionnées par les dames bien-pensantes de Sutton Cove.

Mais les caresses de Flynn réveillaient également d'autres voix chez Sara. Des voix plus neuves, plus personnelles ; des voix qui, longtemps, avaient été réduites au silence, parce que son éducation, ses habitudes, ses inhibitions les avaient étouffées dans l'œuf. La bouche de Flynn s'attarda du côté de son oreille, et la chaleur de son souffle la fit rire et frissonner à la fois. Puis elle sentit la pointe de sa langue se glisser à l'entrée du conduit si sensible, et un gémissement de plaisir mourut dans sa gorge. Flynn lui défit sa ceinture et la jeta dans la voiture. Puis il roula lentement sa chemise jusque loin au-dessus de la taille.

Paupières closes, Sara oublia le contexte pour se concentrer sur l'univers dont Flynn lui ouvrait toutes grandes les portes. La fraîcheur de l'air nocturne sur sa taille créait un curieux contraste avec ces mains d'homme brûlantes qui s'appropriaient chaque millimètre de sa peau. Elles montèrent plus haut, toujours plus haut, et finirent par cueillir ses seins dénudés au creux de leurs paumes. Sara émit un léger son de gorge et sentit monter la panique.

Juste au moment où elle commençait à remporter la bataille qu'elle avait engagée contre elle-même, Flynn orienta ses explorations vers des lieux plus sensibles

448

encore. Ses doigts longs et fins qu'elle avait admirés tandis qu'il manœuvrait le levier de vitesse couraient désormais sur elle, avec la même assurance, la même sensibilité, la même adresse.

Sara se mit à trembler. Seigneur, elle n'avait pas pensé qu'il irait aussi loin, aussi vite. Elle aurait voulu continuer à fermer les yeux pour se laisser porter par le courant qui l'entraînait. Flynn avait glissé sa cuisse entre les siennes, et ce geste si suggestif éveillait en elle une frénésie secrète.

Mais lorsque la pression de sa jambe se fit plus insistante, l'élan qui la soulevait retomba brusquement, et la clameur du désir se tut, ne laissant derrière elle qu'un vide vertigineux.

— Non, protesta Flynn d'une voix altérée. Non, ne t'arrête pas maintenant, Sara.

Elle demeura un instant interdite. Sans qu'elle eût bougé ni émis le moindre refus, il avait perçu le changement qui s'était produit en elle. Comment avait-il pu anticiper ce qui venait à peine de prendre forme dans ses propres pensées ? Etaient-ils à ce point en symbiose, tous les deux ?

— Tu ne peux pas me dire non, maintenant, Sara. Ou en tout cas, pas pour les mêmes raisons que la dernière fois.

Il cessa de la caresser sous ses vêtements et leva la tête pour scruter son visage. Pour la première fois, elle le vit troublé, presque incertain, comme s'il avait du mal à se ressaisir.

— Je sais que tu n'es pas sûre de toi, Sara. Mais c'est normal, chacun de nous a ses failles secrètes et ses raisons de douter.

Elle voulut se détourner, mais il la retint fermement contre lui.

— J'ai vu ta photo, sur le piano. Et je devine sans mal pourquoi tu te raidis quand je te touche. Mais tes craintes n'ont plus de raison d'être, Sara. Tu es devenue une femme très belle. Et pas qu'à moitié désirable. Entièrement désirable.

— Très enveloppée, surtout, protesta-t-elle, les bras croisés sur la poitrine, dans une attitude presque défensive.

— Et ce serait un mal, selon toi?

— Tu lis les magazines féminins, parfois?

— Jamais.

— Ça explique la naïveté de ta question. Je sais que j'ai changé depuis l'époque où la photo a été prise. Mais je ne ressemble en rien à une femme capable d'éveiller des fantasmes.

Flynn secoua la tête.

— Cela montre à quel point tu ignores tout des miens. Si tu veux la vérité, tu es identique, trait pour trait, à la femme dont le corps et le visage m'obsèdent depuis deux jours.

— Vraiment? murmura-t-elle, encore incrédule mais ne demandant qu'à se laisser convaincre.

— Vraiment. Mais je te signale tout de suite que je n'ai pas l'intention de te dévoiler le contenu de mes obsessions pour autant. Je ne suis pas d'humeur à palabrer, si tu veux le savoir.

Flynn laissa glisser les mains sur ses hanches.

— Je te sens partagée, Sara. Ce qui se conçoit très bien, vu les circonstances. Je veux bien que tu aies des doutes à mon sujet, que tu hésites à franchir le pas. Mais je ne veux pas que ce soit le manque de confiance en toi qui t'arrête.

Les mains sur ses hanches, Flynn la serra un instant dans ses bras, et elle sentit contre elle la marque tangible, brûlante de son désir.

— Tu vois l'effet que tu produis sur moi ? J'ai envie de toi, Sara.

Le même geste venu de n'importe quel autre homme que Flynn lui aurait paru déplacé et à la limite de la vulgarité. Mais avec Flynn, Sara éprouva une sorte de reconnaissance émue, au contraire. Il lui souleva les cheveux pour lui masser la nuque.

— Tu me rends fou, Sara, avoua-t-il en pressant ses lèvres contre son front. Je suis ému, troublé, et cela ne me ressemble pas. Je suis prêt à parier que cela ne te ressemble pas non plus, et que tu aurais préféré un tout autre genre d'individu pour te faire vibrer comme tu vibrais il y a quelques minutes.

— Il se peut que nous n'ayons pas le choix en la matière, murmura Sara.

— Si, ma belle, le choix, nous l'avons toujours. Tu te souviens de ce que je t'ai dit, ce matin, dans le relais routier : pour obtenir ce que l'on désire, il suffit parfois de le demander. Eh bien, toi, tu n'as pas cessé de me demander de te prendre dans mes bras, de te caresser, depuis l'instant où tu es montée dans cette voiture. Tu l'as fait d'une manière subtile mais insistante.

Sara vit rouge.

— J'aimerais bien savoir ce que tu sous-entends !

— Je ne sous-entends rien, j'observe, c'est tout. Et j'ai toute l'expérience requise dans le domaine qui nous occupe.

— Qui oserait en douter ?

Flynn laissa ce sarcasme sans réponse.

— Nous sommes adultes, tous les deux, Sara. Quand je t'ai embrassée la première fois, chez toi, nous avons déclenché quelque chose. Maintenant, le processus est en marche, et ce qui nous arrive ce soir en découle. Ce qui m'amène à la règle numéro deux, celle que je n'ai pas encore mentionnée.

— La règle numéro deux?

— Bien sûr. Après la première règle, vient la seconde. Logique non? Voici donc le deuxième principe conducteur, version Flynn : « Avant de chercher à obtenir quelque chose, assure-toi que tu sais vraiment ce que tu veux. » C'est le moment de me regarder droit dans les yeux, Sara. Suis-je réellement celui que tu désires?

Le oui qui résonna en elle était si éclatant, si spontané que Sara crut un instant l'avoir crié à voix haute.

— Quand la question est posée aussi crûment, balbutia-t-elle, c'est un peu difficile de...

— Non, ce n'est pas difficile, Sara. Il n'y a rien de plus simple, au contraire. Car mon offre est claire. Pas de promesses, pas de roses rouges, pas de serments. Avec moi, Sara, ça n'ira pas plus loin.

Profondément meurtrie, Sara se mordit la lèvre.

— Je traduis : je suis assez bonne pour te distraire une nuit ou deux, mais pour le long terme, inutile de rêver. Sara McAllister n'a pas les qualités requises.

Flynn secoua la tête.

— Erreur, Sara. Les qualités, tu les as. Toutes. Ce n'est pas toi que je remets en cause. Je t'avertis tout simplement qu'il n'y a pas de place pour une femme dans ma vie. Inutile de me demander pourquoi, c'est comme ça.

Il laissa descendre un doigt caressant le long de sa gorge.

— Je peux te rendre heureuse cette nuit, Sara. J'en ai la possibilité et j'en ai le désir. Je veux te montrer que tu es belle... je te révéler toute une partie de toi dont tu ignores sans doute jusqu'à l'existence. Mais je tiens également à ce que les règles du jeu soient clairement établies, cette fois.

— Autrement dit, tu me proposes une brève...

— Oui, c'est d'amour physique que je te parle, Sara. Je te promets la sécurité, je te promets le plaisir. Mais mon engagement s'arrête là ; ça n'ira pas plus loin entre nous.

Le type même de proposition que la morale de Sutton Cove considérait comme une offense. Aucune femme qui se respecte n'accepterait qu'on la traite de cette manière. Mais Sara n'était pas indignée. Elle luttait contre le désir d'acquiescer, au contraire.

Un élan venu du plus profond d'elle-même la poussait à prendre le pari, à aller de l'avant, à tenter le grand plongeon. Depuis toujours, elle avait opté pour la voie du moindre risque. Mais avec Flynn, son éternelle prudence apparaissait désormais comme un carcan stérile et étouffant. Pourquoi ne pas accepter de se mettre en péril, une fois dans sa vie ? Les quelques nuits passées avec lui brilleraient peut-être au firmament de sa mémoire comme les étoiles les plus durables ? Et qui sait si Flynn, de son côté, ne reviendrait pas sur sa décision ?

Allons donc ! protesta vigoureusement la voix du bon sens. Comme si une simple Sara McAllister avait la moindre chance de parvenir à un résultat que des légions de femmes plus belles, plus intrépides et surtout plus minces avaient cherché en vain à obtenir !

Le silence s'installa. Flynn avait un regard légèrement ironique. S'il avait essayé de l'embrasser, Sara n'aurait pas pu lutter contre son instinct. Mais comme il attendait sans rien dire, ses peurs, ses inhibitions et sa bonne éducation reprirent le dessus.

Elle se sentit timide et embarrassée, soudain. Flynn était tellement sûr de lui lorsqu'il parlait de lui donner du plaisir. Mais dans quelle mesure était-elle censée jouer un rôle actif dans l'histoire ? D'une femme de trente-deux ans, on pouvait légitimement attendre qu'elle fît preuve de savoir-faire. Or, son bagage était dérisoire. Et si Flynn se désintéressait d'elle après une première expérience décevante, comment supporterait-elle d'effectuer le reste du voyage avec lui?

Sara s'humecta les lèvres.

— Nous pourrions peut-être nous accorder encore un petit moment de réflexion, qu'en penses-tu? suggérat-elle en évitant son regard.

Flynn eut un petit rire.

— Il me semblait bien... Allez. En voiture, maintenant.

« Descends de voiture, Sara. Monte dans la voiture, Sara. » Quelle traversée du désert! Après ce qui s'était passé entre eux, le silence de Flynn lui parut encore plus oppressant qu'à l'ordinaire.

— A droite! dit-elle d'un ton brusque lorsqu'il regagna la route qu'elle avait quittée au feu orange clignotant.

— A droite?

— J'ai tourné à gauche, tout à l'heure, en venant, donc si tu veux regagner l'autoroute, il faut que tu prennes à droite.

— Si je veux regagner l'autoroute, oui.

Sara lui jeta un regard en coin.

— Et où voudrais-tu aller, sinon sur l'autoroute? demanda-t-elle en retenant son souffle.

— Tu désirais dîner à l'Auberge villageoise, n'est-ce pas? Eh bien, nous y allons. Mais surtout, ne me demande pas pourquoi. Car je ne le sais pas plus que toi.

454

10.

Après quelques recherches infructueuses, ils découvrirent que l'embranchement pour l'auberge se situait à cinquante et non pas à cinq kilomètres du panneau qu'avait vu Sara. Dans la lumière déclinante, elle avait mal lu les indications, se dit-elle, accablée.

Quant à Flynn, il eut tout le temps, pendant le trajet, de se demander pourquoi il agissait à l'encontre de ses intérêts en perdant ainsi des heures précieuses. Pourquoi acceptait-il de passer une soirée entière dans un restaurant « romantique » avec Sara pendant que Benny prenait tranquillement de l'avance avec le doublón ? L'irritation de Flynn fut d'autant plus vive qu'il ne trouva aucune réponse à sa question. Enfin... aucune réponse acceptable.

Et pourtant, cela devenait presque un comportement type chez lui : céder aux envies irraisonnées de Sara plutôt que de poursuivre ses propres buts avec la ténacité et l'obstination du chasseur qu'il était dans l'âme.

Quitte à perdre du temps, il aurait pu l'occuper de façon beaucoup plus agréable qu'en s'infligeant un dîner interminable dans Dieu sait quel établissement campagnard. Pourquoi s'était-il senti obligé de mettre Sara en garde, tout à l'heure, sur la petite route déserte ? Il est vrai qu'elle aurait éprouvé d'amers regrets si elle s'était donnée à lui sur le capot de sa Corvette. Mais il aurait pu saisir ce qui était à prendre, sans en faire un cas de conscience. Ce n'était pas l'envie qui lui manquait, pourtant. Le désir qu'il avait de Sara le déroutait par sa violence. Il avait rarement ressenti un besoin aussi impérieux de s'enfouir et de se perdre dans l'obscur refuge d'un corps féminin.

Raison de plus pour mettre la main sur Fortrell au plus vite afin de ramener Sara à la place qui était la sienne : chez elle, à Sutton Cove, dans sa grande maison qui se délabrait doucement. Si Flynn avait du mal à comprendre pourquoi elle exerçait une telle fascination sur lui, il savait très bien, en revanche, ce qu'elle espérait trouver auprès d'un individu de son espèce. Pour une femme comme Sara, « chasseur de primes » était synonyme d'aventure, et elle comptait sur lui pour bouleverser sa petite existence routinière. Elle voulait des moments forts, du suspense, le grand frisson du vrai danger.

Dans le feu de leurs étreintes, il pouvait amener Sara à oublier ses grandes idées sur l'amour, l'âme sœur et le mariage. Mais les flammes de la passion physique ne brûlent qu'un temps. En quittant Sara, il ne voulait pas garder d'elle l'image d'une femme défaite et rongée par les regrets —voire la honte et le dégoût de soi. Non, il fallait que cette histoire se termine au plus vite. Et qu'il se débrouille, dorénavant, pour garder ses distances. Il se concentrerait entièrement sur Fortrell. Et rien ne le détournerait plus du but à atteindre.

A part le dîner de ce soir, bien sûr...

A l'Auberge villageoise, leur hôte, vêtu d'un complet noir très strict, les guida solennellement jusqu'à une table en retrait dans un petit salon. L'auberge était une ancienne plantation reconvertie, expliqua-t-il en leur indiquant leurs places. Et rien qu'à la manière dont il gonfla la poitrine en leur tendant le menu, Flynn comprit qu'ils ne pourraient faire moins que de le consulter scrupuleusement de la première page à la dernière. Encore dix minutes de gaspillées, pour le moins...

En face de lui, Sara souriait dans la douce lumière orangée. Le regard de Flynn tomba sur le bougeoir en cuivre qui trônait au milieu de la table. Atmosphère d'époque, chandeliers : voilà qui promettait encore vingt minutes de plus. Nul doute que le rythme de la vie dans cette campagne n'avait pas connu d'accélération notable depuis l'époque reculée où toute l'économie locale tournait encore autour de la mélasse.

— A quoi penses-tu ? demanda Sara.

Flynn contempla son visage et la trouva... radieuse. Or, ce n'était pas un adjectif qu'il employait couramment. Il jeta un bref coup d'œil sur les murs lambrissés et les meubles style *Autant en emporte le vent*.

— Je me disais que tu as eu la main heureuse, Sara, répondit-il en se forçant à sourire à son tour. C'est un lieu pas comme les autres.

— Oh, Flynn, je suis contente ! Tu avais l'air lugubre, alors j'ai cru que tu te mordais les doigts d'être venu.

— Moi, non, je suis enchanté ! protesta-t-il en souriant au serveur stylé qui leur apportait les « mise en bouche ».

De la mousse de caviar et des toasts. Temps perdu : un quart d'heure.

Lorsqu'ils eurent commandé, Flynn allait céder à la tentation de regarder sa montre lorsque Sara posa la main sur son bras.

— Et si nous parlions ?

— Je ne comptais pas maintenir un silence monacal pendant tout le repas. Tu pensais à un sujet particulier ?

— Oh, pas spécialement... Tu m'as bien dit l'autre fois que tu n'avais pas gardé de très bonnes relations avec ta famille ?

Flynn eut un sourire incrédule.

— Et c'est ce que tu appelles ne pas avoir de sujet particulier en tête ?

— Je me posais simplement la question, murmura Sara en rougissant.

— Premièrement, je n'ai pas de mauvaises relations avec ma famille ; je n'ai pas de famille du tout. Nuance !

— Ce n'est pas possible, Flynn. On a toujours quelqu'un quelque part.

— Non, personne. Ou du moins, personne avec qui je me reconnaisse des liens de parenté. Et maintenant, tu vas me demander pourquoi ?

Avait-elle réellement des yeux d'un bleu aussi intense ou était-ce l'éclairage à la bougie qui faisait cet effet ?

— Je ne veux pas être indiscrète, murmura Sara.

— Je sais exactement ce que tu veux. Tu as envie de reconstituer les morceaux du puzzle et de cerner ma personnalité de plus près. Tu te dis qu'il existe des éléments précis qui ont fait de moi l'homme que je suis maintenant, et que je ne t'aurais pas parlé comme je l'ai fait tout à l'heure, sur la route, si j'avais eu une enfance normale. Quel genre d'homme, à notre époque redevenue si conformiste, admet ouvertement qu'il ne vit que des aventures sans lendemain ?

Sara haussa les épaules.

— En fait, je voulais simplement te connaître un peu mieux. Je pensais que nous pourrions être... amis.

La simplicité de son aveu ébranla Flynn. Qu'avait-il à perdre, au fond, en satisfaisant la curiosité de sa compagne ? Le résumé de sa vie passée tenait en quelques lignes.

— Je ne me souviens pas de mon père, Sara. Il a été l'un des premiers soldats à tomber au Viêt-nam. Tout ce qui me reste de cette époque, ce sont des images de ma mère en larmes et une impression diffuse de peur, de tristesse, de désarroi.

Evoquer cette période lointaine affecta Flynn plus qu'il ne l'aurait pensé. Il se taxa de sentimentalisme. Tout venait de Sara et de la façon dont elle le regardait, avec ses grands yeux d'un bleu trop pur qui semblaient souffrir à travers lui.

Il but une gorgée d'eau et décida d'abréger encore son récit.

— Devenue veuve, ma mère a trouvé un emploi de secrétaire médicale. Mais elle avait du mal à joindre les deux bouts avec un enfant à charge. Pour compléter ses revenus, elle travaillait plusieurs soirs par semaine dans un petit bar-restaurant du centre. Pas dans un bouge, non. Nous n'étions pas tombés si bas. C'était un endroit ordinaire, fréquenté par des gens quelconques. Parfois, lorsque la soirée s'annonçait calme, elle m'emmenait avec elle et je l'aidais à essuyer les verres ou bien je faisais mes devoirs dans l'arrière-salle.

— Tu avais quel âge ?

— Treize ans.

Son regard croisa celui de Sara et il détourna les yeux. Pourquoi se mettre en tête que son histoire affectait sa compagne ? Elle le connaissait à peine.

— Un soir, alors qu'elle était de congé, son patron l'a appelée pour effectuer un remplacement.

— Et elle a accepté ? demanda Sara comme le silence s'éternisait.

Frappé de mutisme sous la chape de plomb des souvenirs, Flynn tressaillit.

— Oui, oui, bien sûr. Elle ne disait jamais non. Je l'ai accompagnée jusqu'à la porte, comme d'habitude, et elle m'a embrassé en me disant de ne pas l'attendre et de laisser une lumière allumée, si j'avais peur.

Flynn s'interrompit, cherchant comment boucler son récit pour en finir au plus vite. Mais il savait avec une certitude étouffante que ce raccourci n'existait pas. Qu'il n'y avait pas et qu'il n'y aurait jamais moyen de sortir de cette gangue obscure.

— Elle n'est jamais revenue, conclut-il d'une voix dure. Au cours de la soirée, un type qui avait des comptes à régler avec le patron a déboulé dans le restaurant avec un pistolet semi-automatique au poing. Il a tiré dans la masse et trois personnes sont tombées sous les balles. Ma mère était l'une d'elles.

Il sentit plus qu'il ne vit la réaction de Sara. Elle était choquée, émue jusqu'aux larmes, étrangement présente.

— C'est affreux, Flynn.

— Disons que ce ne sont pas des souvenirs que j'évoque volontiers.

— Je pense à ce que j'ai éprouvé quand mes parents sont décédés, chuchota-t-elle. Je ne parviens même pas à imaginer ce qu'aurait été ma vie si cela m'était arrivé à treize ans.

— Oh, ça dépend en grande partie de ceux qui prennent la relève, rétorqua Flynn d'une voix soudain pleine d'amertume. Le lendemain des funérailles, mon oncle Roger et ma tante May sont venus poser leurs valises chez moi. Comme deux vautours sur des ruines

460

encore fumantes. Ils ont parcouru la maison de la cave au grenier et pris tout ce qui les intéressait. Le reste est parti dans un dépôt-vente. Je venais de perdre ma mère et je me retrouvais sans rien, hormis un sac de vêtements et une chambre en sous-sol dont ils m'ont généreusement laissé l'usage. Sans se priver de me faire remarquer que je leur devais tout, d'ailleurs.

— Du jour au lendemain, ils t'ont enlevé tout ce qui vous appartenait ? demanda Sara, horrifiée.

Flynn haussa les épaules.

— Ils ne devaient même pas imaginer qu'un enfant pût être attaché aux objets du quotidien. Mais je me suis senti dépossédé, comme si j'avais été soudain rayé de la carte. Sans passé. Sans racines.

La main de Sara vint se poser sur la sienne, promettant une forme de consolation dont Flynn avait appris à se méfier.

— Je crois que je peux imaginer ce que tu as ressenti, murmura-t-elle. De son vivant, mon père avait accumulé des dettes de jeu à notre insu. Après son décès, ma mère et moi avons dû vendre certains objets qui étaient dans la famille depuis des générations. J'ai eu l'impression que l'on m'arrachait une partie de moi-même.

— Et cet imbécile de Bowers fait des pieds et des mains pour te prendre ce qui te reste, compléta Flynn, les sourcils froncés.

Elle hocha la tête.

— La situation ne sera pas facile pour moi si ça doit arriver. Mais c'est tellement insignifiant à côté de ce que tu as subi.

— Non, ce n'est pas insignifiant, Sara. Il n'existe pas d'unité de mesure pour la souffrance. Elle est personnelle et chacun porte la sienne comme il le peut.

Elle leva vers lui un regard empreint d'une singulière tristesse.

— Et toi, tu as apprivoisé la tienne en adoptant une philosophie très simple : tu t'interdis d'aimer.

Flynn fit mine d'applaudir.

— L'analyse est juste et pertinente, Sara. Bravo. Tu veux un soupçon de mousse de caviar sur un toast ?

— Non, merci. Que sont devenus ton oncle et ta tante ?

— Aucune idée. Je suis parti à dix-huit ans et je n'ai jamais plus regardé en arrière.

— C'est à ce moment-là que tu es devenu chasseur de primes ?

— Pas immédiatement, non. J'ai suivi un parcours assez chaotique qui m'a conduit dans différents pays et m'a amené à occuper diverses fonctions que tu trouverais sans doute moins recommandables encore que le métier que j'exerce aujourd'hui.

— Je n'ai pas une mauvaise opinion de ton métier, Flynn.

— Bien sûr que si ! bougonna-t-il, irrité de se voir accorder la moindre importance à son éventuelle approbation.

Sara l'examinait d'un air pensif qui ne lui disait rien qui vaille.

— Je suis revenu sur mes préjugés envers les chasseurs de primes, avoua-t-elle avec un sourire adorable. Mais ce qui me frappe, tu vois, c'est que tu prennes un maximum de risques dans ta vie professionnelle et jamais aucun dans ta vie privée. Comme si, en t'attachant à quelqu'un, tu avais peur de...

— Peur de perdre ? C'est exact, et je n'en fais pas mystère. Les précautions, c'est mon domaine. A part l'engin honteusement surévalué qui nous attend sur le parking et pour lequel j'ai succombé dans un moment de faiblesse, je m'en suis toujours tenu au même principe : pas d'attachement, pas de souffrance. Je suis libre et je l'assume.

Manifestement effarée, Sara secoua la tête.

— Libre de quoi ? De vivre dans le carcan d'une solitude imposée ? Tu n'as pas peur de te dessécher, à la longue ?

L'ombre d'un sourire effleura les lèvres de Flynn.

— Laisse tomber les grandes manœuvres, Sara. D'autres s'y sont essayées avant toi, et toutes se sont heurtées à un échec. Chantez-moi les louanges du couple tant que vous voudrez ; je ne suis pas preneur. Et ce n'est pas la peine de me psychanalyser en long, en large et en travers pour m'amener à examiner mes vieilles blessures à la loupe. Je sais que j'ai peur. Mais cette peur, je la regarde en face ; elle fait partie de moi et je l'accepte. Je suis même très fier d'avoir réussi à tenir mon cap si longtemps en évitant les écueils affectifs et les tempêtes émotionnelles en tout genre. Tu vois, Sara, que ce n'est pas une question de fuite ou de refoulement, pour employer un jargon à la mode. Si je n'ai ni femme, ni foyer, ni enfant, c'est par un choix conscient et délibéré.

— Je comprends, murmura Sara.

Plongeant son regard dans ses yeux magnifiques, il vit bien qu'elle ne comprenait pas vraiment, et que son parti pris d'indifférence lui paraîtrait toujours contre nature.

Mais ça, c'était le problème de Sara. Pas le sien.

Sara pouvait se targuer d'avoir atteint ses buts lorsque, tard dans la soirée, ils quittèrent l'Auberge villageoise pour retrouver la Corvette sur le parking : le dîner avait été sublime, et Flynn lui avait fait des confidences concernant son passé. Et pourtant, elle sortait du restaurant avec un sentiment de vide que même l'exquise variété du chariot des desserts n'avait pas su combler. Mais ça, elle le savait déjà depuis longtemps. Il existe certaines faims que les plus divines sucreries ne parviennent pas à apaiser...

Flynn lui avait tenu un discours d'une clarté et d'une fermeté exemplaires. Au vu de la forte attirance physique qui existait entre eux, il tenait manifestement à multiplier les mises en garde. Elle était avertie, et bien avertie. Partant de là, il ne lui restait plus qu'à composer avec la réalité telle qu'elle se présentait.

Lorsque Flynn s'enferma dans son mutisme habituel, Sara n'en prit pas ombrage. Elle était épuisée et ne demandait qu'à dormir. Mais le repos prolongé n'était manifestement pas inscrit au programme de la nuit. A peine assoupie, elle fut réveillée en fanfare par un tintamarre assourdissant que couvraient à peine les jurons énergiques de Flynn.

— Le pot d'échappement ! vociféra-t-il dès qu'elle ouvrit un œil. C'est le bouquet !

Ils découvrirent à leurs dépens que pour faire réparer une Corvette en pleine nuit dans un coin de campagne reculé, il fallait s'armer de patience. Pas moins de quatorze heures plus tard, après un véritable parcours du combattant que Flynn avait enduré dans un silence de plomb, le regard rivé sur sa montre, ils repartirent enfin en direction de Miami.

Luttant contre l'épuisement, Sara tint compagnie à Flynn aussi longtemps qu'elle le put. Mais la fatigue l'emporta et ses yeux se fermèrent tout seuls. Elle se réveilla au bruit désormais familier des pneus bourdonnant sur l'asphalte. La première chose qu'elle vit sur le bord de la route fut une affiche représentant une boisson géante. « Venez faire le plein de fraîcheur à Frontière Sud », proclamait le panneau aux couleurs éclatantes.

Les paupières closes, Sara s'imagina dégustant un jus d'ananas frais sur une terrasse ombragée. Puis elle songea au plaisir qu'elle éprouverait à se laver autrement qu'à la sauvette, dans les toilettes des stations-service. Inutile d'aborder le sujet, cependant. Après le dîner de la veille et l'épisode du pot d'échappement, Flynn ne serait pas d'humeur à s'arrêter plus longtemps qu'il n'était strictement nécessaire. Nul besoin d'être fin psychologue pour deviner que ni les douches ni les jus d'ananas frais n'entraient pour lui dans la catégorie des nécessités absolues.

Le regard rivé sur le paysage, Sara chercha vainement à retrouver la joie sans partage qu'elle avait ressentie la veille. Hier, avec le vent de la vitesse dans ses cheveux en liberté, elle s'était dit que tout était possible, désormais. Mais depuis sa conversation au restaurant avec Flynn, la réalité reprenait ses droits. L'horizon semblait un peu moins bleu, un peu moins vaste.

Regrettait-elle pour autant d'être partie à l'aventure ? Non. Jamais de la vie. La preuve, c'est qu'elle éclata de rire en découvrant un quatrième panneau fantaisiste annonçant qu'ils approchaient de « Frontière Sud ».

Flynn tourna les yeux vers sa passagère et la salua d'un sourire.

— Alors, la marmotte ? Je commençais à croire que tu allais faire le tour du cadran.

Sara s'étira, heureuse de trouver Flynn de si charmante humeur.

— Pourquoi riais-tu, Sara ? Tu fais des rêves humoristiques ?

— Non. Je m'amuse à suivre les publicités pour « Frontière Sud ». C'est une vraie bande dessinée ! De quoi s'agit-il exactement ?

— A l'origine, Frontière Sud se résumait à un magasin de souvenirs placé à la limite entre la Caroline du Nord et la Caroline du Sud. Puis deux motels ont vu le jour, suivis par quelques restaurants. Partant de là, d'autres boutiques ont poussé comme des champignons, le tout sous l'impulsion d'un certain Pedro, un grand mégalomane qui s'est intronisé tsar de Frontière Sud. Cela donne un lieu assez délirant situé à des kilomètres et des kilomètres de tout centre urbain digne de ce nom. C'est le secret de la popularité de cette espèce de complexe touristique un peu baroque, si tu veux mon avis. Lorsqu'on a parcouru une longue distance sans s'arrêter, même une halte à Frontière Sud paraît attrayante.

— Tu ne peux pas savoir comme je suis contente que la proposition vienne de toi ! observa Sara d'un air innocent.

— La proposition ?

Il lui jeta un regard en coin.

— Ah non, ma belle. Ce n'est même pas la peine d'y penser.

— Juste une petite halte, Flynn.

— Sara, pour l'amour du ciel, c'est un vulgaire piège à touristes avec des attractions ridicules, de gros bonshommes vêtus de bermudas à fleurs immortalisant sur pellicule des bambins coiffés de toques en fourrure de castor, dans les bras de bobonne parée pour l'occasion d'un T-shirt marqué « J'ai Survécu à Frontière Sud ».

466

Sara haussa les épaules.

— Je suis sûre que ça va m'amuser. Sois gentil, Flynn. Arrête-toi quelques minutes à Frontière Sud.

— Pour quoi faire ?

— Pour des raisons strictement personnelles, répondit-elle en levant le menton.

— Ce genre de problème personnel peut se résoudre dans n'importe quelle station-service sans que nous ayons à quitter l'autoroute, rétorqua Flynn, implacable.

— Mais il faut que je trouve une carte postale pour envoyer un mot à Nancy, Flynn ! Cela ne me ressemble pas de quitter Sutton Cove à l'improviste. Elle va se faire un sang d'encre !

— Si tu lui envoies une carte d'un endroit aussi nul que Frontière Sud, elle aura de bonnes raisons de s'inquiéter pour toi.

— S'il te plaît, Flynn. Juste dix minutes.

Il leva les yeux au ciel.

— Bon. Dix minutes, alors. Mais pas une seconde de plus.

Frontière Sud ne ressemblait à rien de ce que Sara pouvait connaître, même par le biais d'un reportage télévisé. Ce temple kitsch, entièrement voué au culte du tourisme, affichait partout le portrait et les calembours de son grand prêtre : le fameux Pedro. Tout était clinquant, excessif, vulgaire. Mais un vent de folie douce soufflait sur l'ensemble, et tant de mauvais goût poussé à l'extrême finissait presque par séduire. Sara, qui aurait été horrifiée en temps ordinaire, se surprenait à rire des fantaisies mégalomanes du grand Pedro.

Résistant à la tentation de s'attarder dans les rayons, la jeune femme se hâta à travers un magasin de souvenirs grand comme un stade de football et se dirigea droit vers les cartes postales. En route vers la caisse, elle arracha deux T-shirts de leurs cintres pour les offrir aux enfants de Nancy en rentrant. Le tout en quelques minutes.

Flynn consulta sa montre.

— Pas mal. Tu as cinq minutes de retard sur l'horaire, mais étant donné la configuration des lieux, il aurait fallu un athlète au sommet de sa forme pour parcourir ce hall de gare dans les délais prévus.

Ils sortirent sous les arcades, et Sara huma l'air chargé de senteurs prometteuses.

— Tu as faim? demanda Flynn.

— Pas spécialement, répondit-elle stoïquement.

— Tiens... Comment se fait-il, alors, que j'entende ton estomac gargouiller?

— Compte tenu du fond sonore, j'en conclus que tu as l'ouïe particulièrement fine.

Le sourire de Flynn se fit mystérieux.

— Je fonctionne à l'intuition, ma chère. Il suffit que je me concentre pour savoir ce que tu penses, ce que tu souhaites, ce que tu ressens.

Leurs regards se croisèrent et demeurèrent enchaînés l'un à l'autre.

— Comment expliques-tu cela, Sara? demanda-t-il d'une voix un peu rauque.

— Soit tu es un médium qui s'ignore, murmura-t-elle. Soit...

Flynn reprit son masque désinvolte.

— En tout cas, puisque nous avons faim l'un et l'autre, pourquoi ne pas tester le restaurant mexicain? C'est l'endroit rêvé pour ce genre d'expérience, non?

— Absolument! C'est parti pour des *tacos*, façon Pedro. Il suffit de suivre les bons signaux lumineux.

A défaut d'être gastronomique, le repas fut plaisant,

et l'ambiance détendue. Flynn commanda un café après le dessert, mais il avait les traits tellement tirés par la fatigue que Sara se demanda si une simple dose de caféine lui permettrait de tenir encore une nuit.

— As-tu remarqué les deux motels, de l'autre côté de la route ? demanda-t-elle innocemment en portant sa tasse à ses lèvres. Il y en a un avec piscine qui n'a pas l'air mal du tout.

Flynn lui jeta un regard noir.

— Tu ne songes tout de même pas à passer la nuit au milieu de cette kermesse ? Sans compter que cela mettra encore quelques centaines de kilomètres de plus entre Benny et nous.

— Benny doit s'arrêter pour dormir, lui aussi. Il n'a personne pour le relayer au volant, ne l'oublie pas. Alors que toi, tu peux te reposer de temps en temps, grâce à moi.

— S'il te plaît, Sara, ne contrarie pas ma digestion en me rappelant mon triste sort.

— Eh bien, justement ! Songe que si nous prenons une chambre à l'hôtel, tu pourras conduire demain toute la journée sans entendre craquer une seule fois les vitesses de ta Corvette. Le rêve, non ?

Flynn frotta sa joue râpeuse.

— Là, tu touches une corde sensible. Continue comme ça et je vais finir par céder.

— Sérieusement, Flynn, imagine que tu t'endormes au volant, à la vitesse où tu roules. Tu as réfléchi aux conséquences ?

— Jamais, à vrai dire. Je suis toujours parti du principe que ce qui doit arriver arrive. Mais je reconnais que je n'ai pas le droit de tenir ce genre de raisonnement quand la sécurité d'une autre personne est en jeu. Nous dormirons donc ici ce soir. Mais attention, Sara :

demain, au lever du jour, nous filons. Et plus d'arrêts fantaisistes avant Miami ! C'est clair ?

— Limpide, mon capitaine !

Trop heureuse d'avoir obtenu gain de cause, Sara promit de se lever à l'heure qui lui conviendrait. Elle lui aurait même volontiers promis la lune s'il la lui avait demandée. L'hôtel avec piscine affichait malheureusement complet, et ils durent se rabattre sur son concurrent. Pendant qu'elle attendait dans la voiture, Flynn se dirigea vers la réception à grands pas. Sara songea soudain qu'il ne lui avait pas précisé s'il comptait prendre une ou deux chambres. Peut-être trouverait-il tout naturel d'en choisir une à deux lits ? La perspective de passer la nuit seule avec Flynn dans un espace réduit fit battre le cœur de Sara plus vite.

Comme l'absence de son compagnon se prolongeait, l'imagination de la jeune femme se déchaîna. Et s'il louait une chambre avec un seul lit, comment réagirait-elle ? Un frisson courut sur les bras nus de Sara. Etait-ce ce qu'elle désirait, au fond ? Tomber dans les bras d'un homme qui s'était escrimé à lui prouver par A + B qu'ils n'avaient aucun avenir ensemble ? Sara ne savait plus très bien ce qu'elle voulait et ce qu'elle ne voulait pas, en l'occurrence. Pourquoi ses sentiments devenaient-ils si confus, si compliqués ?

Elle se remémora quantité de films qu'elle avait vus — des films dans lesquels un homme et une femme que rien, a priori, ne destinait à se rencontrer se retrouvent obligés, par le hasard ou la fatalité, à partager le même lit. Et si cela devait se passer ce soir pour Flynn et elle ? Même si l'hôtel était à moitié vide, il pouvait abuser de sa crédulité et lui affirmer qu'il avait dû faire des pieds et des mains pour leur trouver un endroit où dormir. Flynn en serait capable. Il était capable de tout.

Sara se demandait comment elle se comporterait si Flynn tentait ce genre de manœuvre, lorsqu'il vint ouvrir sa portière.

— Ça y est, j'ai réservé, annonça-t-il. Il y a juste un petit problème.

Elle ne parvint pas à réprimer tout à fait le sourire entendu qui lui venait aux lèvres.

— Laisse-moi deviner... Il ne leur reste qu'une seule chambre, c'est ça?

Il secoua la tête.

— Non, ils en ont encore deux à nous proposer. Le seul ennui, c'est qu'elles ne sont pas voisines. Alors à toi de choisir. Tu préfères le rez-de-chaussée ou le dernier étage?

11.

« Je me moque d'avoir une chambre au premier ou au dernier étage. Ce que je veux, c'est rester avec toi ! » Ce cri, qui monta tout droit du cœur de Sara, était l'expression d'une déception intense. Depuis le début du voyage, ils ne s'étaient pour ainsi dire pas quittés, et l'idée d'avoir à passer une nuit entière loin de Flynn la plongeait dans un état de tristesse qui ne laissait rien présager de bon quant à la séparation définitive qui s'annonçait...

Sous le regard interrogateur de Flynn, elle haussa les épaules avec indifférence. Il n'avait certainement pas envie de savoir qu'elle s'attachait un peu plus à lui d'heure en heure !

— Je prendrai la chambre du haut, si ça ne te dérange pas.

Une fois seule dans ses appartements, Sara ouvrit les robinets de la douche en grand et s'attarda sous le jet bienfaisant jusqu'à épuisement des réserves d'eau chaude. Puis elle sortit de son sac la vieille chemise de nuit en flanelle qu'elle portait en quittant Sutton Cove. Mais au moment où elle allait l'enfiler, quelque chose en elle se rebella.

— Non, dit Sara à voix haute en lançant la chemise à l'autre bout de la pièce. Non, non et non.

Pour plus de sûreté, elle alla ramasser la chemise de nuit et la fourra dans la corbeille à papier. Voilà. Elle se sentait déjà un tout petit peu plus libre. Cette triste vieillerie constellée de petites fleurs fanées était devenue comme le symbole de l'ancienne Sara. Et si elle n'était pas naïve au point de penser qu'elle avait jeté définitivement son passé aux oubliettes, elle ne voulait pas non plus réintégrer son ancienne coquille tout de suite.

Evitant le reflet de sa nudité dans le miroir, Sara fouilla parmi ses acquisitions récentes et sélectionna une grande chemise jaune vif qui lui arrivait à mi-cuisse. Elle trouva que la couleur lui allait bien. Aussi bien que les cheveux courts, les bottines à talons, et le fait de partir à l'improviste pour poursuive un escroc jusqu'à l'autre bout du pays.

Nancy avait raison, au fond. Il y avait des tas de choses plus agréables à faire dans la vie que d'entretenir une vieille maison et de se comporter en femme rangée et respectable. Sara se mit à arpenter la chambre de long en large en se demandant ce qu'elle allait faire du reste de sa soirée. Regarder un film à la télévision ? Ecouter la radio ? Non, elle était beaucoup trop énervée pour demeurer aussi passive.

Or, elle savait pertinemment que la cause de son agitation était à rechercher quelques étages plus bas, dans une chambre qui donnait sur le parking. Elle imagina Flynn allant et venant dans la pièce, dispersant ses vêtements ici et là. Il avait dû se diriger tout droit vers la douche, lui aussi. Sara imagina des épaules d'homme, de la mousse savonneuse glissant sur une peau brune. Il lui sembla même sentir la chaleur humide de la salle de bains tandis que Flynn sortait de la douche, le corps ruisselant de milliers de gouttes translucides, un sourire lascif aux lèvres, les bras tendus vers la femme dont la silhouette se profilait à l'entrée de la cabine. Sara s'avança et...

Les joues en feu, elle mit fin à ce fantasme inconvenant. Jamais encore, elle ne s'était surprise à construire des scénarios pareils ! Qu'est-ce qui ne tournait pas rond chez elle ?

Rien. Tout tournait parfaitement rond, au contraire.

Elle prenait brusquement conscience du fait que ses pensées, ses rêveries n'étaient pas contre nature. Et d'ailleurs, Flynn n'était pas, comme elle l'avait cru, le grand responsable de son agitation. Il n'avait fait que jouer le rôle de catalyseur. Le vrai problème venait de Sara. De ses remises en cause, du changement qui s'opérait en elle. Il était étrange qu'après avoir vécu toutes ces années en pilotage automatique, elle en vînt soudain à remettre en question jusqu'aux principes conducteurs de son existence. Qu'attendait-elle de la vie ? Que désirait-elle vraiment ?

Si Nancy la voyait maintenant, elle éclaterait sans doute de rire en se félicitant d'avoir enfin devant elle une personne humaine. Puis son amie lui demanderait de but en blanc si elle avait envie de Flynn. A cette question, Sara répondrait oui sans hésiter. Un oui franc et massif.

Après avoir éclairci ce point essentiel, Nancy voudrait savoir s'il valait la peine que l'on s'intéresse à lui. Là encore, Sara acquiescerait sans l'ombre d'une hésitation. Un homme qui pouvait la regarder dans les yeux et affirmer qu'elle était belle ; un homme qui ne s'énervait qu'à peine lorsqu'elle envoyait sa Corvette bien-aimée dans un fossé, et qui décidait même après cela de faire un détour de plus de cent kilomètres pour l'emmener dîner dans un restaurant de son choix... oui, un tel homme était digne d'être désiré. Et beaucoup plus que cela, même...

Le troisième problème que Nancy aurait soulevé si elle avait été là aurait, par contre, embarrassé Sara. Elle entendait d'ici la voix énergique de son amie :

— Puisque tu as envie de lui et qu'il en vaut la peine, qu'est-ce que tu attends pour passer à l'action?

A ce stade, une âpre lutte s'engagerait au fond du cœur de Sara entre le désir et les convenances. Combien de fois Nancy n'avait-elle pas prédit que l'on inscrirait sur sa tombe : « Sara McAllister, la femme qui, sa vie durant, a toujours fait ce que les autres attendaient d'elle »? Aujourd'hui, le souvenir de ces taquineries n'amenait aucun sourire sur les lèvres de Sara. Nancy était dans le vrai. Et ses traits d'humour recouvraient une réalité détestable que Sara était impatiente de transformer.

Au fond, n'avait-elle pas choisi la voie de la facilité en adoptant cette image de femme respectable, éternellement soucieuse des normes et des on-dit? Sans doute avait-elle voulu porter dignement le nom d'une famille dont elle était désormais l'unique représentante. Mais entretenir le patrimoine McAllister tout en muselant ses espoirs et ses rêves, c'était aussi éviter de prendre des risques; c'était opter pour les apparences et renoncer à la vraie Sara.

Comme elle enviait Flynn d'avoir su faire des choix clairs dans l'existence! Elle avait maintenant la certitude que c'était bien lui qu'elle voulait. Mais aurait-elle le courage de demander ce qu'elle désirait, tout simplement? Ce n'était pas tant la crainte d'un rejet qui faisait hésiter Sara. Malgré son manque d'expérience, elle savait que Flynn avait envie d'elle. Mais elle avait tellement peur de le décevoir!

Sara soupira et maudit sa propre lâcheté. Au bout du compte, il n'existait que deux attitudes possibles, dans la vie : on pouvait soit attendre et espérer, soit tendre la main et essayer de prendre. La seconde voie impliquait, évidemment, un nombre incalculable de risques... Depuis l'épisode Stuart, Sara avait soigneusement évité de s'exposer à un nouvel échec. Finalement, le reproche qu'elle avait adressé à Flynn valait tout autant pour elle-même : du point de vue affectif, ils avaient joué la carte de la sécurité l'un et l'autre. Seulement voilà : ce qui était délibéré pour Flynn, était resté inconscient chez elle..

Mais qui sait si le bonheur d'aimer Flynn ne compenserait pas largement la tristesse qu'elle éprouverait à le perdre ? Certains dangers valaient la peine d'être affrontés, non ?

Rasé, douché et rafraîchi, Flynn s'allongea sur son lit, croisa les mains derrière la nuque et fixa le plafond. Pourquoi perdait-il son temps dans ce trou sinistre, au lieu de courir les routes, à la poursuite de Benny Fortrell ?

Parce qu'il n'était plus seul en cause. Parce qu'il tenait compte des besoins et des préférences de Sara ! Et en quel honneur, s'il vous plaît ? Parce qu'il la voulait dans son lit et qu'il n'arrivait pas à se libérer de cette obsession. Et lorsqu'il disait « lit », ce n'était qu'une façon de parler, car un capot de voiture aurait aussi bien fait l'affaire. Quoi qu'il en soit, ce désir exacerbé et hautement déraisonnable l'empêchait de réfléchir et de prendre des décisions rationnelles. Si bien qu'au lieu de foncer droit sur Miami, il prolongeait la torture en s'infligeant des dîners interminables et des nuits à l'hôtel dans des complexes touristiques bondés.

Flynn finit son verre de jus de fruits en songeant qu'il se serait volontiers consolé avec une boisson un peu plus stimulante. Mais il se méfiait de l'alcool et de ses conséquences. Il avait tout intérêt à garder les idées claires s'il voulait partir du bon pied le lendemain. C'était le moment ou jamais de reprendre le contrôle de la situation.

Perdu dans ses pensées, Flynn entendit à peine que l'on frappait à la porte de sa chambre. Il faut dire que les coups étaient plutôt timides, comme si la personne qui se tenait dans le couloir n'était pas tout à fait certaine de désirer obtenir une réponse. Un sourire cynique joua sur ses lèvres tandis qu'il se levait pour enfiler le jean qu'il avait jeté sur le dossier d'une chaise. Il savait, avant même d'ouvrir, à quelle visiteuse nocturne il aurait affaire.

— Salut, dit Sara.

— Salut.

Appuyant une épaule nue au montant de bois laqué, il prit le temps d'examiner la jeune femme avec une lenteur presque cruelle. Rien ne lui échappa, ni ses yeux écarquillés par l'anxiété, ni ses pieds nus, ni la grande chemise jaune vif qui lui arrivait à mi-cuisse. Flynn avait l'intention de rester de marbre, mais, déjà, ses pensées s'égaillaient comme des feuilles mortes soulevées par le vent. Il ressentit simultanément l'envie de lui caresser la joue et celle de lui claquer la porte au nez pendant qu'il pouvait encore se contrôler.

— Je peux faire quelque chose pour toi, Sara?

Elle releva le menton et le regarda crânement.

— Je veux passer la nuit ici.

Il réussit, Dieu sait comment, à demeurer impassible. Il se pouvait qu'il eût mal entendu ou que la langue de Sara eût fourché. Ou peut-être avait-elle peur, tout simplement, de dormir seule au dernier étage?

— Que dois-je comprendre par là, Sara?

— Rien... Ou du moins si, je demande ce que je désire, comme tu me l'as conseillé.

— Et ton désir, en l'occurrence, est de dormir avec moi?

478

Le sourire de Sara prit Flynn au dépourvu.

— Dormir, oui, éventuellement. Mais de préférence pas tout de suite.

Là, il n'y avait plus la moindre ambiguïté. Surtout lorsqu'elle le regardait avec ces grands yeux voilés d'un je-ne-sais-quoi de timide et de voluptueux à la fois.

« Sara, ma prude et convenable Sara, sois gentille... Ne me fais pas ce coup-là. Pas maintenant... »

Flynn croisa les bras sur sa poitrine.

— Sois raisonnable, Sara. Je t'ai déjà exposé mes vues sur la question. Tu sais comment les choses se passent, avec moi.

— J'en suis consciente et j'apprécie ta franchise. A présent, je suis tes recommandations. J'ai pris ma décision et je viens te demander ce que je désire. A toi de me répondre oui ou non.

Il soupira.

— Ce que tu veux réellement de moi, je ne peux pas te le donner, Sara. Et nous allons l'un et l'autre au-devant des pires complications.

— J'ai l'impression que tu as du mal à te décider, rétorqua Sara avec une moue charmante. Si tu me laissais entrer, je pourrais peut-être t'aider à faire pencher la balance d'un côté ou de l'autre.

— Tu joues un jeu dangereux, ma jolie.

Le second sourire de Sara ne surprit pas Flynn autant que le premier. Il le ressentit plutôt comme une caresse, cette fois.

— Retourne dans ta chambre, Sara, lui dit-il d'une voix sèche.

Il la vit tressaillir et hésiter, mais elle resta courageusement sur ses positions.

— Tu devrais savoir que je déteste recevoir des ordres, rétorqua-t-elle sans se démonter.

— Tu préférerais peut-être que je formule les choses de manière plus subtile ? Comme toi, lorsque tu me dis pudiquement que tu aimerais « passer la nuit avec moi » ? Mais nous savons l'un et l'autre que tu demandes infiniment plus que cela, Sara. Ce que tu veux n'a rien à voir avec une simple nuit de câlins. Tu espères une relation durable, des promesses. Et je t'ai déjà dit que...

— Du plaisir, Flynn. Rien que du plaisir. C'est d'amour physique que je te parle. Tu m'as promis des sommets de volupté, et je viens t'annoncer que j'accepte ta proposition. Mais si tu ne penses pas pouvoir tenir tes engagements...

Sur un léger haussement d'épaules, elle commença à rebrousser chemin. Flynn la retint par le poignet.

— Je peux tenir mes engagements.

— Alors où est le problème ?

— Tu es certaine de savoir où tu vas, cette fois ?

— J'ai eu le temps d'y réfléchir.

Elle était convaincue. Catégorique. Et pourtant, Flynn était persuadé qu'il s'agissait d'un leurre. Il savait que les femmes comme Sara McAllister ne se donnent pas dans le seul but de passer quelques moments agréables, faits d'échanges et de plaisir. Mais il était conscient aussi de la somme de courage que Sara avait dû rassembler pour venir frapper à sa porte. S'il la repoussait maintenant, et même s'il le faisait par grandeur d'âme, il ne ferait que l'humilier. Et la force, l'authenticité qu'il avait vues grandir en elle depuis deux jours seraient brisées. Peut-être à jamais.

Finalement, il avait lutté en vain depuis le début. Lorsqu'elle avait poussé la porte de la chambre de Fortrell pour tomber tout droit dans ses bras, la roue du destin avait tourné. Tout était déjà joué dès le départ. Tôt ou tard, il serait amené à faire souffrir Sara. Mais au point où ils en étaient arrivés, il serait tout aussi cruel de la blesser maintenant que demain ou dans deux jours.

Prenant les deux mains de la jeune femme dans les siennes, Flynn l'attira contre lui et referma la porte du pied.

Il résista à la tentation de la renverser immédiatement sur le lit. Elle était douce et fraîche, et tellement tentante ! Il l'enlaça et prit sa bouche en un baiser fougueux qui était à la fois un avertissement et l'aveu presque brutal de son désir. Lorsque, enfin, il se détacha de ses lèvres pour la regarder, il se sentit sombrer dans l'océan de ses yeux chavirés et en perdit le souffle.

— Sara, chuchota-t-il. Je ne suis pas un cadeau pour toi. Tu le sais.

Elle secoua la tête.

— Tu es le plus beau cadeau que j'aie jamais reçu. Regarde ce que tu as fait. Tu n'as rien remarqué ? Aucun changement ?

— Depuis trois jours, je ne vois que toi, avoua-t-il, comme à contrecœur. Et crois-moi, cela me complique assez l'existence.

— Alors, tu t'es aperçu que je n'étais plus la même. Tu as entrebâillé des portes pour moi, et cette nuit, tu peux les ouvrir tout à fait.

« Mais demain ou après-demain, je risque de te les claquer au nez, ces portes. Et ce sera aussi dur pour moi que pour toi », se dit-il. Aurait-elle toujours une aussi charmante opinion de lui lorsqu'il la déposerait devant chez elle pour la laisser seule avec le souvenir d'une nuit sans sommeil passée dans une chambre d'hôtel à Frontière Sud ?

Tandis que ses mains se promenaient sur ses épaules et le long de sa nuque, il la vit fermer les yeux, avec un petit sourire presque étonné. Sara n'avait pas l'habitude d'être touchée, caressée par un homme, Flynn l'avait déjà noté à plusieurs reprises. Mais il ferait ce qu'il fallait pour que cela change. Demain, au lever du jour, elle serait accoutumée à son contact, et sa peau apprivoisée réagirait au plus subtil de ses effleurements. Flynn sentit décroître en lui le besoin purement sexuel de prendre et de ravir. Qu'au moins, ces instants restent gravés dans leur mémoire comme une parenthèse inoubliable.

Ils n'avaient pas d'avenir ensemble, d'accord. Mais pour cette nuit, il était prêt à l'oublier, à faire comme si aucun obstacle ne se dressait cntre eux. Cette nuit serait pur plaisir. Il allait la passer à adorer le corps de Sara, à lui accorder toute l'attention qu'elle méritait.

Se penchant vers son oreille, il murmura cette promesse sans craindre de mentionner certains détails provocants. Puis il sourit en sentant une chaleur nouvelle émaner de son corps.

— Flynn, il se peut que...

D'un doigt posé sur ses lèvres, il l'exhorta au silence.

— Ne parle pas... Concentre-toi sur tes sensations...

— Mais...

Cette fois, il se servit de sa bouche pour la faire taire, et elle se suspendit à son cou en émettant des petits sons très doux qui montèrent à la tête de Flynn comme une ivresse. Sans cesser de l'embrasser, il la guida vers le lit.

Puis, tout en gardant son regard plongé dans le sien, il glissa une main sous ses genoux pour la soulever dans ses bras. Elle se raidit, tout comme la première fois, et l'inquiétude assombrit son visage. Flynn s'y attendait. Il ne fut pas étonné non plus de voir le doute désormais familier assombrir le bleu sublime de ses yeux. Flynn se pencha pour prendre ses lèvres, bien décidé à chasser pour toujours ce genre d'inquiétude de son esprit.

Il l'embrassa jusqu'à ce que sa tension se relâche et

qu'elle s'abandonne contre lui, en toute confiance. Alors seulement, il la déposa sur le lit. Allongés face à face, ils se regardèrent avec une intensité presque douloureuse.

La chemise de Sara était fermée par un nombre incalculable de boutons minuscules qu'il aurait pu arracher d'un seul mouvement du poignet. Mais il prit le temps de les défaire un à un, saluant d'une caresse ou d'un baiser chaque centimètre de peau qu'il découvrait. Puis il la libéra entièrement et prit ses seins à pleines mains. Sara poussa un petit cri. Flynn, lui, émit un grognement de délice, et le tout se fondit dans un rire partagé.

— Tu es belle, chuchota-t-il. Belle et douce. Regarde... Tu es faite pour te loger dans le creux de ma paume...

Elle eut un petit sourire hésitant.

— Tu as de grandes mains.

— J'ai juste les mains qu'il faut, murmura-t-il en se penchant pour goûter une pointe rosée.

Il sentit battre son cœur sous ses lèvres et fut saisi d'une émotion violente qui ne ressemblait en rien au besoin physique de prendre et de conquérir. En continuant de taquiner ses seins du bout de la langue, il laissait ses mains partir à l'aventure, explorant le creux de sa taille et la courbe ronde de sa hanche. Ses doigts hésitèrent aux abords d'une minuscule culotte de soie. Refrénant son impatience, Flynn remonta vers ses épaules.

— Viens là, murmura-t-il en la faisant agenouiller pour retirer sa chemise.

Le premier réflexe de Sara fut de croiser les mains sur sa poitrine, mais il arrêta son geste en la retenant par le poignet. Le lit était placé juste en face du miroir, et ce mouvement brusque fit bouger leur reflet. La réaction de Flynn à une Sara à demi nue, agenouillée devant une glace, fut instantanée et très charnelle.

Il se plaça derrière elle, face au miroir. La pâle lumière de la lampe placée sur une table d'angle dessinait leurs deux silhouettes dans la pénombre. L'air était chargé, électrique. Flynn laissa glisser ses mains de ses épaules à ses seins et la sentit trembler contre lui.

— Regarde comme tu es belle, Sara, dit-il d'une voix rauque. C'est magnifique ce que tu me fais ressentir.

Il passa le pouce sur une pointe durcie, puis, la sentant alanguie, en attente, il jugea qu'il pouvait prolonger sa caresse jusqu'au triangle de soie noire entre ses cuisses.

— Oh, Flynn...

Elle ferma les yeux et sa tête tomba en arrière. Mais il lui souleva la nuque pour ramener son attention vers le miroir.

— Regarde, Sara... Regarde-nous tous les deux...

Il parcourut de ses paumes les plages offertes de son corps, en lui murmurant qu'il aimait la toucher, qu'il la désirait de mille manières. Chacune de ses caresses faisait naître une intimité plus grande en créant une subtile alchimie entre leurs peaux frissonnantes. Alors, le désir de la capturer au plus secret de son être se fit irrépressible. Il s'aventura enfin sous la barrière de soie noire et, en croisant le regard de Sara dans le miroir, il vit tout ce qu'il pouvait espérer. Elle était heureuse, elle était belle. Elle ne doutait plus ni d'elle-même ni de lui.

C'est ce que doit ressentir un noyé lorsqu'il cesse de lutter et s'abandonne à la force inexorable qui l'entraîne, songea Sara. C'était comme si elle flottait sur une mer tiède et infinie, emportée vers un tourbillon encore invisible qui l'absorberait bientôt corps et âme. Jamais elle n'avait éprouvé pareilles sensations. Elle avait l'impression d'être à la fois très faible et très lucide, plus éveillée qu'elle ne l'avait jamais été. Cédant à la langueur, elle laissa partir sa tête en arrière, jusqu'à ce qu'elle repose contre la poitrine de Flynn. Le plaisir lui alourdissait les paupières, et pourtant elle ne voulait pas les fermer tout à fait. Il lui était impossible de détacher les yeux du reflet de leurs deux corps enlacés.

Etrangement, Sara ne trouvait rien de choquant à cette image. Une telle impudeur pouvait surprendre de la part d'une femme habituée à jeter une serviette-éponge sur le miroir de la salle de bains chaque fois qu'elle prenait une douche. Mais toutes les rondeurs et les défauts qui l'horrifiaient d'ordinaire semblaient avoir disparu brusquement. Ça devait être un effet de la lumière. Ou peut-être, plus simplement, un effet de Flynn. Nichée contre son torse puissant, elle se sentait belle — presque fragile.

Peu à peu, les caresses de Flynn se firent plus fermes, plus rapides, plus rythmées, et Sara perdit pied. Tout son être était concentré sur un seul point brûlant, théâtre d'un chaos de sensations vertigineuses. Elle aspirait aux sommets, à la délivrance que promettaient les doigts de Flynn. Et elle en était si proche déjà qu'elle poussa un gémissement de protestation lorsque sa main ralentit son va-et-vient et finit par se dégager doucement.

— Non, chuchota-t-elle dans un râle. Non, s'il te plaît...

Même lorsqu'il la tourna contre lui pour la couvrir de baisers, elle continua à gémir de frustration.

— Je suis désolé... désolé, chuchota Flynn en se penchant sur ses lèvres. Mais, pour cette première fois... je voudrais être en toi pour sentir ton plaisir.

L'impudeur de cet aveu embrasa Sara d'un feu plus intense encore.

— Oh oui... Oui, je le veux aussi. Viens.

— Alors aide-moi, murmura-t-il en prenant les mains de Sara pour les amener à sa taille.

Sous ses paumes ouvertes, le jean de Flynn était si tendu qu'elle sentait à travers le tissu la chair dure palpiter sous ses doigts. Tremblante d'impatience, elle fit descendre la fermeture Eclair et le libéra de ses entraves. Flynn acheva de se dévêtir en un tournemain avant de la renverser sur le lit pour se placer au-dessus d'elle. Les yeux noyés dans les siens, Sara sourit. Elle aimait sa chaleur, sa puissance, sa force ; elle aimait son poids sur elle, et la sensation qu'il lui donnait d'être belle et généreuse.

Aveuglée par le désir, elle s'arc-bouta en un mouvement d'invite silencieuse. Flynn glissa un genou entre les siens, et Sara ouvrit pour lui le havre tiède de ses cuisses. D'un geste rapide, il écarta le triangle de soie noire sans même le retirer, et se logea en une suite de lents glissements dans le creux apprivoisé de sa chair.

Jamais Sara n'avait éprouvé une joie aussi intense. Il était en elle, il la remplissait de lui-même. Ce fut entre eux comme la fulgurance des retrouvailles, une explosion de volupté pure. Dès cet instant, elle perdit le sens du temps et du lieu. Elle était enfin libre. Libre d'elle-même ; libre du passé ; libre de l'avenir, même. Avec Flynn pour unique référence, elle se laissa porter, soulever par le bouillonnement de la passion, jusqu'à ce que l'univers implose sur un cri, sur un nom répété comme une supplique. Alors elle sentit les bras de Flynn se tendre de façon presque convulsive, et il se mit à trembler tandis qu'elle recueillait son plaisir en elle — comme des cercles concentriques qui allaient en s'élargissant sur les eaux calmes d'un étang.

Flynn était abasourdi. Pour la première fois, en atteignant l'extase, il avait eu le sentiment de se perdre lui-même. Aimer Sara avait été comme du feu et de la glace ; à la fois sa plus grande défaite et sa plus belle victoire. L'expérience avait été si complète et si intense qu'il n'aspirait plus qu'à une chose : serrer Sara dans ses bras et ne plus lâcher prise. Ce besoin aussi impérieux qu'inattendu procura à Flynn une frayeur de tous les diables. Il s'arracha littéralement à l'étreinte de la jeune femme et se redressa, en nage et le cœur battant.

— Il me faut une cigarette, déclara-t-il sans la regarder.

— Je ne savais pas que tu fumais.

Il se passa la main dans les cheveux.

— Moi non plus. Mais il me faut une cigarette quand même.

Et un temps de respiration, surtout. Il devenait de plus en plus urgent de reprendre le contrôle de la situation.

— Je vais aller faire un tour dans le hall. J'ai repéré un distributeur de cigarettes en passant, tout à l'heure.

Sortant du lit où Sara reposait voluptueusement entre les draps froissés, il prit la précaution d'enfiler son jean avant de se tourner vers elle. Après avoir court-circuité la phase des tendresses d'usage, il se préparait à essuyer sa contrariété, sa déception, peut-être même son mépris. Mais à sa grande stupéfaction, il la trouva bien disposée, avec un sourire amusé aux lèvres.

— Qu'y a-t-il de si drôle ?

— Toi.

Son sourire était serein, superbe. Mais ce n'était plus tout à fait le même sourire qu'avant. Il se parait désormais d'un certain mystère, songea Flynn. Comme si elle savait quelque chose qu'il ignorait encore. Et cette pensée avait tout pour le mettre mal à l'aise.

— Si ça ne te dérange pas trop, Flynn, peux-tu me rapporter une boisson fraîche, s'il te plaît ?

— Bien sûr. Tu as une préférence ?

— Aucune... Ah ! Juste une chose, encore, lança-t-elle au moment où il posait la main sur la poignée de la porte.

Il risqua un coup d'œil dans sa direction.

— J'ai l'impression que tu n'as pas envie de parler de ça, dit-elle en désignant d'un geste large le lit où elle trônait comme une reine.

Nue et abandonnée dans les draps, elle était tellement irrésistible que Flynn lutta contre la tentation de se jeter sur elle pour tout reprendre de zéro. Et voilà que Sara eut ce même sourire énigmatique.

— Tu vois, Flynn, je veux quand même que tu saches que jamais je n'ai éprouvé pareil...

— Oui, oui, la coupa-t-il, pressé de l'interrompre avant qu'elle eût prononcé l'irréparable. Eh bien, moi non plus, figure-toi.

12.

Pauvre Flynn. Sara était convaincue qu'il allait traverser une phase éprouvante. Cela dit, la situation n'était pas simple pour elle non plus. Mais il paraissait d'ores et déjà évident qu'il connaîtrait de plus grandes difficultés d'adaptation.

Pour commencer, les hommes étaient moins lucides sur eux-mêmes que les femmes. Sara avait retrouvé cette théorie dans d'innombrables magazines. Et Nancy, qui avait longuement étudié l'âme masculine, était également de cet avis. « Question sentiment, les types ne voient pas plus loin que le bout de leur nez », répétait-elle inlassablement. Or, Flynn semblait particulièrement inapte à décrypter le sens de ses propres émotions.

Découvrir qu'il était amoureux d'elle allait lui faire un choc. Un sacré choc, même. L'équivalent d'un coup de batte de base-ball asséné sur le crâne. Avec un soupir de compassion, Sara se pelotonna sous les draps. Pauvre Flynn !

Pour elle, la prise de conscience avait été soudaine, presque brutale, mais ni douloureuse ni effrayante pour autant. A l'instant où Flynn était venu en elle et où leurs regards s'étaient rencontrés, quelque chose s'était passé entre eux qui ressemblait à une révélation. L'amour s'était manifesté, en somme. Sous sa forme la plus pure et la plus rare.

Sara avait su, alors. Et ce savoir du cœur avait eu une fulgurance, un éclat aussi intenses que la jouissance physique qu'il avait précédé de peu. Elle s'était sentie grisée, soulevée, ravie sur tous les plans à la fois, et l'expérience était inoubliable. Mais si le plaisir avait culminé pour retomber ensuite, son enchantement, lui, s'était prolongé.

Flynn l'aimait. Sara avait accueilli cette découverte avec un grand frisson de joie. Avec exaltation, même. Mais elle avait prévu d'emblée que son amant ne partagerait pas son enthousiasme, et encore moins son analyse de la situation. Qu'il se voilerait les yeux, freinerait des quatre fers et multiplierait les prétextes pour ne pas admettre l'évidence.

Pour commencer, qui dit amour dit dépendance, et Flynn n'accepterait pas de se sentir vulnérable. Après la tragique disparition de son père, puis de sa mère, il estimait avoir déjà payé un tribut assez lourd. Et même si l'idée l'avait effleuré qu'il pourrait un jour tomber amoureux, il n'avait certainement pas imaginé qu'il succomberait pour une Sara McAllister. De même qu'elle n'avait pas prévu de donner son cœur à un chasseur de primes solitaire qui courait d'un bout à l'autre du pays en traquant de dangereux escrocs. Mais Sara s'était déjà réconciliée avec cette bizarrerie du destin. Le cœur a ses raisons que la raison ignore. Et tôt ou tard, il faudrait que Flynn s'inclinât à son tour devant l'inéluctable.

Nul doute qu'il essaierait de lutter, de nier et de se défendre, mais même sa volonté de fer demeurerait impuissante face à un sentiment dont les racines s'enfonçaient si loin dans les profondeurs de son être. Par chance, Sara était intimement persuadée que tout finirait pas rentrer dans l'ordre. Sinon, elle aurait eu toutes les raisons de s'inquiéter après la façon dont Flynn s'était arraché à son étreinte pour s'esquiver sous un prétexte futile. Mais c'était la soudaineté même de sa fuite qui avait convaincu Sara qu'il était bouleversé. Pourquoi un non-fumeur comme lui aurait-il ressenti la nécessité d'allumer une cigarette s'il n'avait éprouvé que de l'indifférence envers la femme qu'il venait d'accompagner jusqu'aux plus hauts sommets du plaisir ? Non, Flynn avait été touché de façon radicale et irréversible, tout comme elle. Et Sara avait confiance, même si elle prévoyait que leur chemin serait semé d'embûches.

Elle avait découvert à la lumière de ses récentes aventures que sous ses airs timides et effarés, elle cachait un cœur plein de courage, et même un fonds de témérité. Avec un pareil tempérament de lutteuse, elle pouvait se battre pour Flynn. Sara se préparait à rencontrer quantité d'obstacles mais, d'une façon ou d'une autre, elle finirait par les vaincre. Même si Flynn et elle devaient être amenés à se perdre, ils se retrouveraient. C'était inévitable. Or, face à ce qui est déjà écrit, on peut choisir de lutter et de perdre, comme Flynn le ferait certainement, ou accepter son destin avec confiance. Sara choisit cette dernière alternative sans l'ombre d'une hésitation.

Flynn revint bientôt avec deux canettes et un paquet de cigarettes qui n'avait pas été entamé. Sara but une gorgée d'orangeade, tandis que son compagnon avalait sa bière d'un trait. Lorsque, enfin, il se décida à tourner les yeux dans sa direction, elle accueillit son regard interrogateur avec un sourire doux-amer.

— Alors? demanda-t-il d'une voix sombre. Tu as l'intention de passer le reste de la nuit ici?

— Ça te ferait plaisir?

— C'est de ton désir qu'il s'agit en ce moment, Sara. Tu es venue ici de ta propre initiative, ne l'oublie pas.

— Je ne l'oublie pas. Et je prolongerais volontiers mon séjour entre tes draps. A condition que tu me tiennes compagnie, bien sûr.

— Où voudrais-tu que j'aille?

— Je ne sais pas... Tu as l'air sur le qui-vive, prêt à prendre tes jambes à ton cou.

Il secoua la tête.

— Je reste.

— J'en suis ravie.

Sara posa sa canette vide sur la table de chevet et roula sur le côté pour lui faire une place. Voyant qu'il hésitait encore, elle ne put s'empêcher de sourire.

— Comme tu l'as sans doute constaté, Flynn, je n'ai pas une grande expérience des nuits à deux dans des hôtels de passage. Mais j'ai souvent entendu dire que les regrets ne venaient généralement que le lendemain matin. Pourquoi ne pas attendre jusque-là pour faire grise mine? Tirons plutôt parti du temps qui nous reste.

Elle avait raison, songea Flynn, vexé d'avoir eu besoin d'un rappel à l'ordre dans un domaine dont il se flattait pourtant de bien connaître les règles. Et dire que c'était à Sara — la prude et décente Sara — que revenait le privilège de lui donner une leçon! Mais il fallait se rendre à l'évidence: la femme qui reposait sur son lit avec un abandon presque lascif n'avait l'air ni coincée ni même convenable. La nouvelle Sara qui venait de se révéler à lui était confiante en elle-même et sûre de son pouvoir de séduction. Et elle l'attendait. Lui. Flynn.

Dieu sait, pourtant, qu'il l'avait prévenue. Il n'avait pas mis de gants pour lui faire comprendre qu'il était un cas désespéré. Mais malgré ses mises en garde, elle n'avait pas eu peur de se donner à lui. La panique qui s'était emparée de Flynn glissa au loin, cédant la place au désir de s'enfoncer de nouveau dans l'océan de délices que promettait son corps alangui. Mais cette fois, la sensation était moins brûlante, plus variée, et surtout moins aveuglante. Ils allaient prendre le temps de savourer leur plaisir, sans hâte.

Lorsque Flynn se glissa dans le lit et prit Sara dans ses bras, une émotion à laquelle il ne sut donner un nom s'insinua en lui comme un fleuve tiède, large et lent. Il se sentait à la fois démuni et très fort. Mais le plus étrange pour lui, c'est qu'il n'était pas seul. Il avait connu d'exquises jouissances et passé des nuits inoubliables. Mais même dans les moments d'intimité physique les plus poussés, il n'avait jamais perdu conscience d'être lui-même, John Flynn, un homme séparé de tout. Jamais, avec aucune femme, il n'avait fait l'expérience du vrai partage. Avec Sara, il était en phase, averti des moindres subtilités de son désir. Pour la première fois, il avait le sentiment de flotter dans un monde entièrement défini par l'odeur d'une femme, les battements de son cœur, la force de son sourire. Si bien que les jeux de la chair prenaient une dimension différente. Il n'était pas tant désireux d'assouvir un besoin que de prendre et de donner quelque chose d'immense et d'indéfinissable, qui semblait capable de réparer le passé et d'ouvrir les portes de l'avenir.

A Sara, il voulait offrir la douceur, la consolation, la joie. Comme si, en la couvrant de caresses, il pouvait lui restituer tout ce dont elle avait été privée depuis toujours. Tandis qu'il embrassait sa gorge, puis son ventre, en s'acheminant lentement vers la combe secrète de sa féminité, il sentit à la soudaine tension de ses muscles que, là encore, il sortait du domaine restreint de ses expériences passées. Or, Sara méritait mieux que les quelques amants inaptes qu'elle avait dû connaître et qui n'avaient su, manifestement, que lui passer sur le corps. Flynn opta pour une approche moins directe ; il était bien décidé à contourner sa résistance afin de lui ouvrir de nouveaux champs de sensations.

Lorsque ses lèvres se furent attardées à loisir sur les rondeurs voluptueuses de son ventre, il retira le petit triangle de soie noire et remonta lentement le long d'une cuisse entrouverte. Quand enfin, sa bouche trouva le cœur brûlant de son être, Sara tressaillit et voulut se dérober. Mais Flynn avait son expérience des femmes pour lui. Il fit usage de ses connaissances pour achever de briser ses défenses déjà affaiblies. Très vite, il l'amena à la limite du plaisir et la maintint ainsi, palpitante et à bout de souffle, jusqu'à ce qu'elle criât de joie et d'étonnement, le corps tout entier parcouru de longs frissons.

Puis, arrivé à l'extrême limite de ses résistances, Flynn vint en elle, et ils culminèrent ensemble avant de sombrer, toujours enlacés, dans un sommeil sans rêve. Au petit matin, ils refirent encore une fois l'amour. Il est vrai qu'ils n'avaient pas encore repris pied dans la réalité, se dit Flynn pour tenter de minimiser l'événement. Mais le retour sur terre fut une épreuve.

Moins d'une demi-heure plus tard, ils se querellaient déjà sur le parking...

Flynn voulait prendre la route sans attendre une

seconde de plus. Pendant que Sara se douchait et s'habillait, il avait fait l'acquisition d'un lot de beignets et estimait que cet achat judicieux allait leur permettre de tenir jusqu'au soir sans arrêts-repas. Mais Sara était montée sur ses grands chevaux. Elle refusait tout net de s'alimenter de cette « manière déplorable ». Une telle concentration de mauvaise graisse dépassait son seuil de tolérance. Il était hors de question qu'elle partît de là sans une boîte de céréales et une bouteille de lait.

Flynn, qui était fatigué et particulièrement irritable, envisageait de la prendre sous le bras pour la faire monter dans la voiture de force lorsqu'un vieux monsieur, qui avait observé la scène du seuil de la chambre voisine, s'approcha en faisant des grands moulinets avec les bras, comme un agent de la circulation.

— Holà, holà, mes amis, il ne faut pas vous énerver comme ça ! Savez-vous qu'en quarante-sept ans de mariage, nous ne nous sommes jamais disputés au sujet du petit déjeuner, ma femme et moi ?

— Ce n'est pas une question de petit déjeuner, répliqua Flynn sèchement.

— Nous sommes très pressés, voyez-vous, confirma Sara dans un élan de solidarité.

Le vieil homme secoua la tête.

— Et alors ? Du temps, qui en a, dans le monde où nous vivons ? On ne nous le donne pas. Inutile d'espérer le trouver non plus. Le temps, ça se prend, tout simplement.

Le vieillard se tourna vers Flynn en brandissant un index accusateur.

— Si vous ne voulez pas écouter votre charmante épouse, retenez au moins ce que vous dit un ancêtre comme moi : le petit déjeuner est la base incontournable d'une journée réussie. Faites l'impasse dessus et vous verrez que les contrariétés s'enchaîneront aux catastrophes, et vice versa.

Flynn aurait pu répondre que le mal était fait. Pour lui, contrariétés et catastrophes étaient déjà inscrites au programme du jour. Si au moins cet inconnu n'avait pas estimé d'emblée que Sara et lui étaient mariés... Mais la méprise n'avait rien de surprenant, dans le fond. Il ne viendrait à l'idée de personne de confondre une femme comme Sara avec une fille que l'on ramasse pour la nuit. Elle avait l'air honnête et affectueuse, et ferait sans doute une épouse idéale. Mais pas pour lui. Jamais pour lui !

Les regrets du matin annoncés par Sara commençaient à le submerger lorsqu'une coquette vieille dame avec un chapeau à fleurs et des gants blancs vint les rejoindre en trottinant.

— Ah, te voilà, Charlie. Je te cherchais partout.

— Voyez-vous cela ! dit le vieux monsieur en faisant un clin d'œil à Sara. Après quarante-sept ans de mariage, ma Violet ne peut toujours pas se passer de moi. Mais tu sais bien que je ne suis jamais très loin. Je t'attendais pour aller déjeuner, ma beauté.

La vieille dame reçut le compliment avec un sourire rayonnant. L'espace d'une seconde, Flynn la vit à travers les yeux de son mari, et découvrit le charme radieux qui se cachait sous ses rides. Au même moment, Dieu sait pourquoi, sa colère retomba. Il attendit que Charlie ait offert son bras à Violet pour se diriger vers la salle de restaurant du motel, puis il se tourna vers Sara avec un haussement d'épaules.

— Je propose un compromis : je t'emmène en voiture jusque-là-bas, et tu cours acheter une boîte de céréales.

— Deux boîtes de céréales, trancha Sara qui avait manifestement appris à ne plus jamais céder sans négociations préalables.

Flynn ne put s'empêcher de rire.

— Tope-là, collègue. Marché conclu.

Pendant la dernière partie du trajet, Sara se garda bien de formuler la moindre exigence. « Plus d'arrêts fantaisistes », avait-elle promis à Flynn, et elle respecta ses engagements. Ils mangèrent dans la voiture, dormirent dans la voiture, ne s'interrompant que pour quelques brèves escales extrêmement prosaïques. Elle n'oublierait pas de sitôt ce parcours interminable. Jamais elle n'avait vu défiler autant de bitume en si peu de temps.

Lorsqu'ils arrivèrent aux abords de Miami, Sara se sentait aussi fatiguée qu'après une chevauchée de deux jours dans le désert. Elle avait les reins brisés, le dos en compote et des douleurs musculaires un peu partout. Flynn ne valait guère mieux, mais il avait appris à n'en rien laisser paraître, expliqua-t-il à Sara lorsqu'elle s'étonna d'être la seule à se plaindre tout le temps.

Une telle habileté à dissimuler ce qu'il ressentait avait quelque chose de diabolique qui n'était pas fait pour rassurer Sara. Et pourtant, malgré ses crampes et ses courbatures, elle se surprenait presque à regretter qu'ils fussent déjà si près du but. Si Benny Fortrell se trouvait effectivement à Miami, comme Flynn semblait le penser, ils n'allaient pas tarder à le débusquer dans sa retraite. Et dès qu'il serait aux mains de la justice, Sara ne serait plus liée à Flynn par aucun contrat.

Si elle avait été aux commandes, elle leur aurait

accordé quelques journées de repos bien mérité sur une plage gorgée de soleil. Juste le temps de se frayer un chemin dans le cœur de Flynn et de le marquer au fer rouge. Ce qui n'aurait été qu'un juste retour des choses, car il lui avait fait subir un traitement en tout point analogue.

S'il le fallait, Sara était disposée à poursuivre les recherches pendant quelques semaines encore, quitte à traquer Fortrell dans les bayous de la Louisiane, les plaines de l'Idaho ou les neiges de l'Alaska. N'importe quel report d'échéance serait bon à prendre. Elle se faisait fort de convaincre Flynn qu'ils avaient été conçus pour finir leurs jours ensemble. Mais pour cela, il lui fallait encore quelques jours... et quelques nuits.

Elle s'étonna de voir Flynn sillonner les rues de Miami comme s'il y avait passé toute sa vie.

— Tu connais bien cette ville ?

— Oui. Comme beaucoup d'autres... Avec ce métier, je suis chez moi partout.

Sara sourit.

— Et moi qui ne suis jamais allée nulle part ! Quel drôle de couple nous faisons !

Ce mot « couple » lui valut un regard mauvais de la part de Flynn.

— Tu n'es pas comme d'habitude, aujourd'hui, Sara.

— Non, c'est vrai. Je suis heureuse.

Elle jeta un coup d'œil à son compagnon et songea que c'était près de lui qu'elle désirait passer le reste de son existence. Mais elle ne voulait exercer aucune pression sur Flynn. Il fallait que la prise de conscience vînt de lui et qu'il fît spontanément le chemin qu'elle avait parcouru la première.

Malgré ces résolutions, ses yeux devaient briller

d'un éclat un peu trop vif car Flynn restait sur la défensive. Ils traversaient une phase difficile, Sara le savait bien. Même s'ils avaient réussi, jusqu'ici, à éviter le conflit ouvert, Flynn avait fort à faire pour lutter contre son attirance. La plupart du temps, il se montrait méfiant, irascible, tendu.

Sara s'efforça d'alléger l'atmosphère en ramenant la conversation sur un terrain plus neutre.

— Il n'y a pas beaucoup de gens qui mènent une vie comme la tienne, Flynn. Jeter ses affaires dans un sac, partir pour deux jours, trois jours ou un mois, sans savoir quand on reviendra ni même où on dormira le lendemain.

— C'est mon métier, Sara. Je ne pars pas sur une impulsion, pour briser la monotonie d'une existence routinière. Je ne saute pas en pleine nuit dans la voiture d'un quasi-inconnu.

— Comme je l'ai fait moi-même, c'est ce que tu veux dire ?

Flynn lui jeta un regard en coin.

— Ce n'est pas ainsi que tu vois les choses ?

— Je ne sais pas. J'ai du mal à m'expliquer pourquoi je suis venue. Cela me ressemble si peu d'imposer ma compagnie à quelqu'un.

— Je sais.

— Mais je n'ai pas pu m'en empêcher. C'est comme si j'avais été poussée par une force qui dépassait ma volonté. J'ai eu l'impression d'obéir à...

Sara s'interrompit, consciente qu'elle allait prononcer un mot chargé de connotations terrifiantes pour Flynn. Mais il était déjà trop tard pour revenir en arrière. Il attendait la fin de sa phrase avec des yeux brillants d'ironie.

— Comme si j'obéissais à la voix du destin,

acheva-t-elle en évitant de tourner la tête dans sa direction.

Les pneus de la Corvette crissèrent lorsque Flynn prit un virage sur les chapeaux de roue. Ils s'enfoncèrent dans un parking jouxtant un immeuble vertigineux dont les vitres réfléchissantes étincelaient sous le soleil de midi.

— Alors? Que penses-tu de ma théorie? demanda Sara imprudemment.

— Rien.

Les lèvres serrées, Flynn gara la Corvette en malmenant son levier de vitesse.

— Tu préfères te dire qu'il s'agit d'un caprice de femme seule qui ne sait pas quoi faire de sa vie, c'est ça?

Là, elle allait trop loin. Flynn tira le frein à main d'un geste brutal et se tourna vers elle.

— Tu veux vraiment savoir ce que je pense, Sara? Je crois que tu es venue avec moi parce que tu es à la recherche de quelque chose, murmura-t-il d'une voix grondante en l'attirant contre lui.

Il l'embrassa avec agressivité d'abord, pour la punir de Dieu sait quoi — d'exister, peut-être. Mais ses intentions initiales lui sortirent rapidement de l'esprit. Et le baiser qu'il avait voulu implacable s'adoucit dès l'instant où il sentit la bouche de Sara frémir et s'écarter sous la sienne.

Lorsque, enfin, il se détacha d'elle, il lui fallut quelques secondes pour reprendre son souffle.

— J'espère que tu finiras par trouver ce qui te manque, dit-il d'une voix dure.

Sara dut faire un effort pour ne pas se laisser distancer par Flynn tandis qu'il se dirigeait à grands pas vers l'immeuble des Portes de la Mer. Il était d'humeur exécrable, soit. Mais ce n'était pas grave. C'était peut-être même un bon signe. Ils débouchèrent sur une galerie où s'alignaient de très jolies petites boutiques. Un coup d'œil sur les vitrines, et Sara comprit qu'elle devrait se contenter d'admirer. Tout cela était sobre, dépouillé, du dernier chic, et totalement inaccessible. De toute façon, Flynn, n'aurait qu'une hâte : monter au dernier étage où se trouvaient les salles d'expositions du dénommé Ivan Mulhouse, négociant en bijoux, pierres précieuses et petits objets d'art.

Sara eut un choc en apercevant son reflet dans un miroir. Au cœur de ce décor qui atteignait des sommets d'élégance, une femme qui venait de passer un jour et demi dans une voiture avec les mêmes vêtements sur le dos ne pouvait que faire triste mine. D'ailleurs, Flynn n'avait pas meilleure allure.

Pressée de sortir de là, elle ouvrit de grands yeux lorsque Flynn lui saisit la main et l'entraîna d'autorité dans l'un des magasins.

— Mais qu'est-ce que tu fais ? chuchota-t-elle, effarée, en croisant le regard méfiant d'une vendeuse qui les prenait manifestement pour des bandits de grand chemin.

— J'ai décidé que tu avais besoin d'agrandir ta garde-robe.

— Tu es fou, murmura-t-elle.

— Je commence, en effet, à me poser des questions sur ma santé mentale. Mais c'est sans rapport avec ce qui nous occupe pour le moment.

Sara secoua la tête.

— Ces vêtements ne sont même pas faits pour être portés, Flynn ! Ils sont conçus pour rester en vitrine.

— C'est parfaitement ridicule. Nous allons changer cela.

Avec un sourire forcé — uniquement destiné, comprit Sara, à donner le change à la vendeuse —, il s'approcha d'un portant circulaire. Sans l'ombre d'une hésitation, il sélectionna un tailleur en lin jaune paille et le tendit à Sara.

— Puis-je vous aider? demanda sèchement la vendeuse en se précipitant pour intervenir.

— Oui. Madame voudrait essayer ceci.

Madame n'avait qu'une envie, en vérité, c'était d'envoyer le tailleur à la figure de son compagnon et de le laisser seul pour s'expliquer avec le cerbère de service. Mais Flynn avait l'air tellement irrésistible avec ses joues ombrées d'une barbe de deux jours et ses cheveux en bataille que Sara n'eut pas le cœur de le planter là, même s'il lui avait choisi une tenue inadaptée, tant du point de vue de la couleur que de la taille.

— C'est une délicate attention de ta part, reconnut-elle sans parvenir à réprimer un sourire ému.

— Ce n'est pas délicat du tout. Je fais mon boulot, point final. Allons, dépêche-toi, Sara.

Son boulot. Elle aurait dû y penser. Ivan Mulhouse ne leur aurait sans doute même pas laissé franchir le seuil de ses salons s'ils étaient arrivés habillés comme des romanichels.

— Une fois que tu l'auras enfilé, garde-le sur toi, ordonna Flynn tandis qu'elle se dirigeait vers la cabine, escortée de près par la vendeuse qui ne quittait pas sa marchandise des yeux.

— Et s'il n'est pas à ma taille? s'enquit Sara, toujours pessimiste.

Il laissa glisser sur elle un regard long et minutieux. Un regard d'amant, songea Sara en frissonnant. Il l'examinait en homme qui avait la géographie de son

502

corps bien en tête et qui aurait pu décliner de mémoire chaque courbe et chaque creux...

— Sois sans crainte. Il t'ira, décréta-t-il enfin.

Quelques minutes plus tard, Sara dut lui donner raison. Non seulement, le tailleur tombait à la perfection, mais la couleur mettait son teint et ses yeux en valeur. Profitant du miroir et de la solitude, elle cueillit dans son sac sa brosse et son nécessaire de maquillage, et se refit une beauté en un temps record.

Elle sortit transformée et découvrit que la vendeuse grincheuse l'attendait avec un ravissant sourire pour lui annoncer que « monsieur » avait déjà payé son achat et qu'il la retrouverait dans l'entrée. Sara prit place sur un banc capitonné et observa les allées et venues. Ici, toutes les audaces semblaient permises. Femmes en tenues hautement fantaisistes, hommes d'affaires vêtus de blanc : Miami, fidèle à sa réputation d'insolence, affichait un style bien à elle.

Sara ne prêta guère attention à un homme en complet gris traditionnel qui venait de pénétrer dans l'immeuble. Jusqu'au moment où elle s'aperçut que cet individu d'allure officielle qui traversait le hall à grands pas n'était autre que Flynn !

Pas l'ancien Flynn qu'elle s'était mise à aimer et qui ne se départissait jamais de son jean passé et de sa veste de cuir. L'homme qui s'approchait d'elle en imposait. Et cette impression de puissance qui émanait de lui augmentait encore son pouvoir de séduction. Pour la première fois depuis leur nuit au motel, Sara sentit le doute l'envahir.

Flynn lui prit les deux mains et l'examina pendant quelques secondes qui lui parurent durer une éternité. Puis il lui décocha un sourire complice et elle put respirer de nouveau.

— Pas mal, chère collègue. Pas mal du tout, même.

— Je pourrais en dire autant de toi. Le costume est neuf, je présume ?

— Non point. Il fait partie de mes réserves secrètes. Je le garde dans mon coffre pour les urgences.

Sara secoua la tête.

— C'est une vraie malle aux trésors, le coffre de cette Corvette. Et ça ? demanda-t-elle en désignant un paquet qu'il tenait à la main.

— Ça, c'est neuf, en revanche. Et je l'ai acheté pour toi.

Intriguée, Sara jeta un coup d'œil sur le contenu.

— Un sac à main ! Et des chaussures d'été assorties au tailleur !

Sara s'assit et Flynn l'aida à retirer sa bottine pour essayer les escarpins.

— C'est du trente-sept et demi, précisa-t-il. Quelle est la taille que tu prends normalement ?

— Du trente-sept et demi, répondit-elle en glissant le pied dans la chaussure. Comment as-tu deviné ?

— Je n'étais pas vraiment sûr, en fait. Mais c'était la seule paire qu'il leur restait et qui me paraissait devoir convenir à peu près. J'imagine que c'est...

Il s'interrompit et ils se regardèrent.

— ... un heureux hasard, compléta Flynn.

— ... le destin, acheva Sara.

Parvenu devant le fief d'Ivan Mulhouse, au douzième étage, Flynn sortit soudain une paire de lunettes cerclées d'écaille de la poche de son veston et acheva de se rendre méconnaissable en les installant sur son nez.

— Tu es cadre supérieur dans une société d'assurances; tâche de donner le change, recommanda-t-il à Sara juste avant de pousser la porte.

— Mais Flynn, tu aurais pu m'avertir ! Comment veux-tu que je...

Un silence feutré régnait dans le salon où ils venaient de pénétrer. Choquée par le son de sa propre voix, Sara se tut brusquement. Pendant que Flynn se livrait à Dieu sait quelles tractations avec l'hôtesse, elle regarda autour d'elle avec curiosité. Aucune comparaison avec le Numismate. La salle d'attente était décorée avec un goût sans faille, et les peintures à l'huile dans leurs cadres dorés avaient un petit air d'authenticité qui ne trompait pas. Elle contempla la salle d'exposition avec sa grande table centrale et ses murs tapissés de tiroirs aux poignées en cuivre délicatement ouvragées qui abritaient les collections de M. Mulhouse. Le commerce auquel on se livrait ici devait être hautement profitable, songea Sara. A moins qu'Ivan Mulhouse n'arrondît ses fins de mois en trafiquant des pièces volées, comme le marchand de Norfolk l'avait laissé entendre.

— M. Mulhouse va peut-être nous recevoir dès maintenant, annonça Flynn en se tournant vers Sara pendant que la secrétaire décrochait le téléphone.

Sara ouvrit de grands yeux et s'éloigna de quelques pas pour s'entretenir avec Flynn à mi-voix.

— Que lui as-tu raconté pour obtenir un rendez-vous aussi rapidement ?

— Que nous représentions la Compagnie d'Assurance nationale et que Mulhouse nous avait été recommandé par une personne de confiance. Nous cherchons, en effet, un expert pour estimer les bijoux et objets de valeur couverts par les nombreuses polices que souscrivent nos assurés d'Amérique du Sud.

Voilà qui paraissait compliqué à souhait. Peu rassurée, Sara se demanda quel rôle elle était censée tenir dans cette fable.

— Dis-moi, Flynn, c'est bien gentil. Mais s'il se contente de nous parler bijoux et expertise, comment saurons-nous si Benny s'est mis en rapport avec lui ?

— L'essentiel, c'était d'entrer dans la place, rétorqua Flynn tout bas. Crois-tu qu'on nous aurait laissé passer cette porte si j'avais expliqué que nous étions ici pour mettre en doute l'honnêteté du patron ?

Il se tourna vers l'hôtesse qui raccrochait le téléphone pour annoncer avec un sourire éclatant :

— M. Mulhouse va vous recevoir immédiatement. Veuillez me suivre, s'il vous plaît.

La mince jeune fille blonde les introduisit cérémonieusement dans le bureau du maître des lieux. Un homme de haute taille se leva pour les accueillir et vint leur serrer la main. Sara fut impressionnée par son allure. Ses cheveux argent lissés en arrière dégageaient un front altier, et son costume gris perle immaculé lui conférait beaucoup de sérieux et d'élégance. Aux yeux de Sara, il avait plutôt l'air d'un avocat ou d'un juge que d'un vulgaire receleur.

— Si vous n'avez pas besoin de moi pour l'instant, monsieur Mulhouse, j'en profiterai pour descendre déjeuner, annonça discrètement la secrétaire.

— Faites, Stéphanie. Mais pensez à transférer les appels dans le service. Je ne voudrais pas être dérangé pendant que je m'entretiens avec M. Flynn et sa charmante collègue.

— Je vous présente Sara McAllister, dit Flynn. Elle est chargée de coordonner les expertises et traite les sinistres touchant nos clients à l'étranger.

Sara était au pied du mur. Il ne lui resta plus qu'à

peindre un sourire de cadre supérieur sur ses lèvres et à prier pour que Mulhouse ne lui posât aucune question.

— Ce sont de hautes responsabilités, madame McAllister, s'exclama ce dernier en lui serrant la main d'un air admiratif. Et qui vous a conseillé de vous adresser à moi ?

Oh, non ! songea Sara, persuadée qu'ils allaient être démasqués d'une seconde à l'autre..

— Vincent Blais, répondit Flynn sans hésitation. De Maxwell, Blais & Schiffer.

— Vincent ! Ah, mais oui, certainement ! C'est un garçon très brillant.

— Le meilleur, acquiesça Flynn.

Ouf ! Avec un imperceptible soupir de soulagement, Sara se laissa aller contre le confortable dossier de son fauteuil. Flynn savait ce qu'il faisait. Ce n'était pas la première fois qu'il avait recours à pareil subterfuge, et il avait dû se documenter au préalable. A l'évidence, son rôle à elle consistait à se taire en prenant un air compétent, et à acquiescer ici ou là d'un sourire ou d'une remarque sans conséquence.

— Madame McAllister ?

Le cœur battant, Sara se redressa d'un bond.

— Oui, monsieur Mulhouse ?

— Je vous demandais à qui vous vous adressiez habituellement pour vos expertises.

— Eh bien... Voyez-vous...

Affolée, elle chercha le regard de Flynn qui lui répondit par un clin d'œil. Il n'avait même pas l'air inquiet !

— Dans notre système actuel, répondit Sara sur une soudaine inspiration, tout le travail est effectué sur place, par nos propres spécialistes.

Mulhouse fronça les sourcils.

— Vous avez recours à des services internes ?

— Internes, oui, confirma Sara.

— Et ce fonctionnement un peu particulier ne génère-t-il aucun conflit, aucune contestation ?

— Des contestations incessantes, si, acquiesça Sara avec un sourire triomphant. D'où notre présence ici, à M. Flynn et à moi. N'est-ce pas, John ?

— C'est cela même, renchérit Flynn, saisissant la perche tendue pour reprendre la conduite des opérations.

Bien décidée à ne pas manquer une seconde de la conversation, cette fois, Sara écouta avec une attention soutenue. Flynn expliqua à Mulhouse qu'ils étaient venus en émissaires et qu'ils effectuaient une rapide visite préliminaire dans le seul but de prendre contact. Leur proposition parut enchanter Mulhouse. Et même lorsque Flynn avança un montant d'honoraires que Sara trouva dérisoire, il ne perdit rien de son enthousiasme initial. Gagnée par l'impatience, la jeune femme se demandait quand et comment Flynn se déciderait à laisser tomber une allusion concernant Benny ou le doublon. Mais à sa grande surprise, il se leva, écourtant ainsi l'entretien.

— Nous reprendrons contact avec vous dans la semaine, assura-t-il à Mulhouse tandis qu'ils échangeaient une poignée de main par-dessus le bureau.

— Et vous ne vous inquiétez ni de ma licence ni de mes qualifications ? demanda l'expert, stupéfait.

— Nous nous occuperons de ces détails par la suite. La recommandation d'un homme tel que Vincent Blais vaut pour moi toutes les garanties. Je suis persuadé que votre collaboration avec la Compagnie d'Assurance nationale se présente sous les meilleurs auspices.

— Absolument, acquiesça Mulhouse en se rengorgeant... Madame McAllister, ce fut un plaisir. J'espère être amené à vous revoir fréquemment ici.

— J'en serai ravie, répondit Sara qui se demandait à quoi rimait cette mascarade.

Mulhouse s'apprêtait à les escorter jusqu'à la porte mais Flynn s'y opposa fermement.

— Non, ne vous dérangez surtout pas, monsieur Mulhouse. Nous retrouverons notre chemin. Nous avons déjà suffisamment abusé de votre temps.

— Comment cela ? Mais bien au contraire ! Ce n'est jamais du temps perdu que d'accueillir de nouveaux clients.

— Certes. Mais il ne serait pas juste que les nouveaux vous accaparent aux dépens des anciens, objecta Flynn d'un air sévère. Or, je suis persuadé que vous prenez vos responsabilités très à cœur, monsieur Mulhouse.

— Absolument ! renchérit ce dernier qui tenait manifestement à prendre Flynn dans le sens du poil. Puisque vous voulez bien m'excuser, je vais me remettre à mes dossiers.

Dès que la porte capitonnée du bureau se fut refermée sur Ivan Mulhouse, Sara protesta d'une voix sifflante.

— Mais qu'est-ce qui t'a pris, tout à coup ? Parti comme il l'était, il nous aurait raconté toute sa vie ! Et toi, tu prends congé avant même d'avoir appris quoi que ce soit.

— Détrompe-toi, murmura Flynn en lui saisissant le bras pour l'entraîner vers la réception. J'ai appris que Mulhouse était un peu trop désireux de se charger de ces expertises. Il est même prêt à les effectuer pour trois fois rien.

— Et pourquoi cet empressement, à ton avis ?

— Bonne question. Mon hypothèse est la suivante : ce type de contrat lui donnerait accès à des informations précieuses. Il saurait exactement ce qui est à prendre et chez qui. Partant de là, il ne lui resterait plus qu'à dresser son catalogue personnel. Et quoi de plus agréable que de faire son petit marché tranquillement, à domicile ?

— Parce que tu penses qu'il est lui-même l'instigateur de certains vols ?

— Je ne l'exclus pas, en tout cas.

Flynn examina le cadre luxueux d'un regard méprisant.

— Je crois que notre ami Mulhouse est un homme éclectique. Il dirige un réseau multi-services, si tu veux mon avis.

— O.K., chuchota Sara. Mais que devient Benny, dans l'histoire ? Nous ne savons même pas s'il s'est effectivement mis en rapport avec notre bonhomme.

— Mulhouse n'est pas le premier imbécile venu, Sara. C'est un fin renard, passé maître dans l'art du double jeu. Je n'aurais rien pu tirer de lui, même si nous nous étions éternisés. J'ai donc décidé d'employer une méthode classique mais qui a fait ses preuves, annonça Flynn en passant derrière le bureau de la secrétaire pour feuilleter son carnet de rendez-vous.

Le regard rivé sur la porte du bureau de Mulhouse, tout au fond du couloir, Sara se mordilla la lèvre et refréna une folle envie de s'enfuir en courant. Et si la jeune fille blonde revenait pendant que Flynn parcourait tranquillement son agenda ?

— Ça y est, j'ai trouvé, chuchota-t-il enfin. Il a vu Benny, ou plus précisément Russell LeFleur, la semaine dernière. Et il y a un numéro de téléphone. Ici même. A Miami.

Sara luttait pour ne pas céder à la panique. Mulhouse allait sortir de son cabinet de travail d'une seconde à l'autre, elle le sentait !

— Flynn... Dépêche-toi ou je vais hurler !

Il prit encore le temps de chercher un stylo dans sa poche et de noter les coordonnées de Benny. Puis ils quittèrent les luxueux salons du négociant. Sara poussa un long soupir de soulagement en montant dans l'ascenseur.

— Rien ne nous prouve que Benny est revenu à Miami depuis la semaine dernière, objecta-t-elle. Et nous savons encore moins s'il est descendu à la même adresse.

— Mais nous avons une piste, et c'est déjà beaucoup. De plus, notre Benny est un vieux garçon qui aime ses habitudes. J'imagine qu'il doit garder le même point de chute lorsqu'il se rend quelque part.

Sara frissonna. Pas moyen de maîtriser le tremblement qui l'agitait. C'était même encore pire maintenant, avec le contrecoup.

— J'étais morte de peur, avoua-t-elle d'une toute petite voix. J'ai cru que mes nerfs allaient lâcher.

Avec un sourire amusé, Flynn la prit dans ses bras.

— Il ne fallait pas t'inquiéter. Je n'aurais pas pris des risques insensés alors que tu étais avec moi. Et tu t'es parfaitement débrouillée, entre parenthèses. Pour une novice, tu as eu une présence d'esprit étonnante.

Blottie dans les bras de Flynn, Sara commençait à revivre.

— Avoue que tu m'as mise au pied du mur. Je ne savais même pas où tu voulais en venir avec ton histoire d'expertises.

Elle le sentit plus qu'elle ne le vit sourire.

— Je peux bien te l'avouer maintenant : au départ,

je ne savais pas très bien où j'allais. Ce que je cherchais, c'était un prétexte pour entrer en conversation avec Mulhouse, de manière à me faire une idée du personnage.

— Tu es fou, protesta Sara en levant la tête pour lui jeter un regard sévère. Il aurait pu tout aussi bien être dangereux. Ou cacher un pistolet chargé dans le tiroir de son bureau.

— Oh, mais je ne doute pas que notre ami Mulhouse soit redoutable. Et je suis persuadé qu'il garde sous la main une arme toute prête à servir. Mais il n'a pas été amené à l'utiliser, et c'est tout ce qui nous intéresse. En tout cas, nous sommes tombés à point, en ce qui concerne la secrétaire, commenta-t-il alors que l'ascenseur atteignait le rez-de-chaussée. Son absence m'a drôlement facilité la tâche.

— Ne me dis pas que tu aurais essayé de feuilleter l'agenda au nez et à la barbe de cette fille ! se récria Sara tandis que les portes de la cabine s'ouvraient.

Flynn haussa les épaules.

— J'aurais bien trouvé un moyen. Mais ça n'a pas été nécessaire. Nous avons eu une chance inouïe d'arriver juste au bon moment.

— De la chance, oui, murmura Sara en soutenant crânement son regard. Ou quelque chose d'approchant...

13.

En sortant de l'immeuble des Portes de la Mer, Flynn et Sara déjeunèrent rapidement dans un petit restaurant au bord de l'eau, puis ils épluchèrent l'annuaire pour trouver l'adresse correspondant au numéro de téléphone relevé par Flynn. Ils commencèrent, en toute logique, par la rubrique des motels et des pensions de famille. Sara crut qu'ils n'en finiraient jamais, mais la chance (ou quelque chose d'approchant) était une fois de plus de leur côté, car ils tombèrent assez rapidement sur la série de chiffres que Flynn avait inscrite sur son carnet.

L'hôtel Océan, dont Benny avait confié le numéro de téléphone à son ami Mulhouse, était un taudis d'aspect particulièrement louche. Mais, par chance, le réceptionniste qui transpirait abondamment dans sa chemise en Nylon vert pomme était un monsieur très ouvert. Avec un brin de persuasion et un billet de cent dollars, Flynn obtint de lui tout ce qu'il désirait savoir : que M. LeFleur séjournait effectivement chez eux en ce moment mais qu'il s'était absenté pour la journée. Et que leur client à l'énorme moustache passait l'essentiel de ses soirées dans une boîte à la mode appelée le BlackJack.

Flynn envisagea de tendre un piège à Benny en l'attendant directement sur place. Mais il jugea qu'ils courraient un trop grand risque. Fortrell était sûrement sur ses gardes et prêt à s'enfuir à la première alerte. La solution la plus sûre, d'après Flynn, consistait à se rendre au BlackJack le soir même. Benny aurait peu de chance de les repérer dans un endroit sombre, bondé et probablement envahi par la fumée des cigarettes.

Au grand soulagement de Sara, Flynn ne lui proposa pas de s'installer à l'hôtel Océan. Elle aurait encore préféré dormir une nuit de plus dans la voiture que de dormir dans un endroit aussi sordide !

Flynn fixa son choix sur un hôtel plutôt coquet, pas très loin de là, et leur prit d'office une seule chambre. Sara sourit et ne dit rien, estimant que chaque journée qui passait apportait un progrès. Sans même prendre le temps d'admirer la vue, elle jeta son sac sur le lit et se dirigea en droite ligne vers la salle de bains. Elle se sentait si euphorique et délassée au sortir de la douche qu'elle laissa ses vêtements propres pliés sur une chaise et se contenta de nouer un drap de bain autour de sa taille pour déambuler dans la chambre.

— Cela t'ennuierait de me mettre un peu de lait corporel dans le dos, Flynn ? demanda-t-elle négligemment.

Il semblait pétrifié. Pendant quelques secondes, il la détailla en silence, puis il lui prit le flacon des mains et le posa d'autorité sur une commode.

— Je ne crois pas que ce soit une très bonne idée, Sara. Nous avons assez joué avec le feu comme cela.

Elle leva vers lui un visage désemparé.

— Après tout ce qui s'est déjà passé, un peu plus, un peu moins...

— Non, ma belle, c'est une mauvaise stratégie,

crois-moi. A force de tenir ce genre de raisonnement, regarde où nous en sommes arrivés !

Cette fois, Sara trouva le courage de le regarder dans les yeux.

— Et où en sommes-nous, au juste, selon toi ?

Une ombre noire et impénétrable obscurcit le visage de Flynn, et le cœur de la jeune femme se serra.

— Nous en sommes là où nous avons toujours été, Sara. Autrement dit, nulle part. Rien n'a changé pour nous, sauf le décor. Et rien ne changera jamais, tu le sais depuis le début.

Il se détourna pour se diriger vers la salle de bains.

— Je vais prendre une douche, maintenant. Et si tu tiens à ton bonheur, arrange-toi pour être habillée quand je sortirai de là.

Sara tenait à son bonheur. Et elle tenait tout autant à celui de Flynn. Mais comment lui faire comprendre que les deux étaient liés ? Elle n'avait malheureusement pas le quart de l'expérience dont bénéficiaient la plupart des femmes de son âge. Quant aux petites ruses dites « féminines », elle ne les avait jamais pratiquées. Et il était sans doute trop tard pour entreprendre pareil apprentissage.

D'ailleurs, honnêtement, pouvait-on espérer ensorceler un homme comme Flynn à coups de caprices, de minauderies, de faux mystères et autres battements de cils ? Sara était convaincue qu'il voyait à travers ces simples artifices. Il le lui avait confié lui-même, au demeurant. Des femmes plus compétentes qu'elle, avec une solide connaissance des choses de l'amour, avaient déjà tenté de le prendre dans leurs filets. Sans résultat.

Sara n'avait pas la prétention de se comparer à ces femmes-femmes, à ces beautés averties qu'elle imaginait mondaines et rompues aux règles de la séduction. Néanmoins, elle avait la certitude profonde et inexplicable qu'elle était *la femme* qui convenait à Flynn. Alors à quoi bon ruser, ramper, biaiser et manœuvrer? Tôt ou tard, les yeux de Flynn se dessilleraient d'eux-mêmes. Il ne lui restait plus qu'à se raccrocher à cette idée et à garder jusque-là un moral d'acier. En priant très fort pour que son intuition fût juste, car elle se sentait de moins en moins capable de recommencer à vivre comme autrefois.

Lorsque Flynn sortit de la salle de bains, Sara était assise près de la fenêtre et arborait une tenue blanche et noire un rien provocante, qu'elle jugeait adaptée pour passer une soirée dans une boîte de nuit « chaude » de Miami.

— Je vois que tu as suivi mon conseil, observa-t-il avec une moue vaguement dédaigneuse, comme s'il avait été déçu de ne pas la trouver nue et renversée sur le lit.

Ainsi, elle avait eu tort de renoncer à ses projets de séduction! Sara l'aurait volontiers étranglé. Il avait tout de même un sacré toupet! Après la façon dont il l'avait repoussée, il se permettait encore de la regarder de travers! « Destin, accomplis-toi! implora Sara en silence. Car ce n'est vraiment pas une sinécure de contenter un homme. »

— J'ai mis une tenue un peu habillée de manière à ce que nous puissions partir sans tarder pour le Black-Jack, annonça-t-elle en se levant.

— Si « nous » voulons partir pour le BlackJack? demanda Flynn en finissant de glisser un T-shirt noir dans un jean de même couleur.

— C'est exact... collègue.

— Désolé, beauté, mais ce soir je joue en solo.

— Une seconde, Flynn. Si tu crois que je suis venue jusqu'ici en voiture pour me morfondre dans une chambre pendant que tu...

— Pendant que je risque ma vie à essayer de mettre la main sur un type armé et dangereux. C'est ce que tu voulais dire ?

— ...pendant que tu termines seul ce que nous avons commencé ensemble...

— Sois raisonnable, Sara...

— Eh bien, tu te trompes, poursuivit-elle, imperturbable.

— Tu restes ici, Sara.

— Je viens avec toi, Flynn.

Il enfila son blouson de cuir sur son T-shirt pour dissimuler son revolver, et prit les clés de la voiture sur la commode.

— Je suis sérieux, Sara.

— Pas tant que moi.

Et il pouvait lui parler danger tant qu'il voudrait, sa décision était prise. Il était inutile d'essayer de prouver à Flynn qu'elle lui était indispensable, si elle se laissait écarter des scènes d'action pour un oui ou pour un non.

— Si tu ne m'emmènes pas, j'appelle un taxi.

— Et comment comptes-tu le régler ? Tu n'as pas d'argent.

D'un geste orgueilleux, elle rejeta ses cheveux en arrière.

— Je me débrouillerai.

Il lui jeta un regard noir.

— Bon sang, Sara, tu m'épuises ! Pourquoi faut-il que tout se transforme en lutte avec toi ?

— Peut-être parce que ça en vaut la peine, répliqua-t-elle d'une voix suave. On lutte généralement pour ce qui est rare et cher.

— Dans ce cas, ta valeur doit excéder toute la masse monétaire américaine, grommela-t-il en s'effaçant pour laisser Sara sortir de la chambre.

La jeune femme le précéda en souriant. Etre comparée à l'ensemble de la masse monétaire américaine pouvait être considéré comme un compliment, après tout.

Sara ouvrit de grands yeux en pénétrant dans le BlackJack. Encore une expérience neuve pour elle ! Le club était sombre, sonore, surpeuplé. Hommes et femmes y venaient pour se rencontrer et pour s'amuser bruyamment. Les plus gros débordements étaient endigués par une équipe de videurs bâtis comme des armoires à glace qui gardaient les portes et se tenaient à certains points stratégiques de la salle. Au lieu de choisir une table, Flynn se dirigea droit vers le bar. Encore une première pour Sara ! Mais qu'à cela ne tienne. Elle se percha sur un tabouret, sourit à son voisin — un jeune homme au crâne rasé, entièrement vêtu de cuir et qui comptait au moins vingt boucles dans chaque oreille — et commanda un whisky sans sourciller.

— Un double, s'il vous plaît. Du Jack Daniels.

Flynn se contenta d'une bière et sourit en la voyant avaler une première gorgée de liquide ambré.

— Tiens... Ça n'a pas l'air de passer. Tu veux que je demande au barman de t'apporter un Coca-Cola pour l'adoucir ?

— Jamais de la vie, répliqua Sara en toussant et en essuyant ses yeux qui se remplissaient de larmes. Ça fait partie du métier. Les vraies chasseuses de primes boivent leur whisky sec.

— Parfait. Pendant que tu en es encore capable, aide-moi à inventorier la salle pour essayer de repérer

Fortrell. Je commence dans le coin derrière toi, et tu prends la moitié de la pièce qui est dans mon dos. Comme ça, nous aurons l'air de discuter, ça fera plus naturel.

Sara s'étrangla avec une nouvelle gorgée de whisky et hocha la tête.

— Je savais bien que tu finirais par avoir besoin de moi, dit-elle. Tu commences à apprécier ma présence, j'espère ?

— J'ai de la peine à contenir mon enthousiasme, bougonna Flynn. Commence par travailler, Sara. Tu te vanteras quand tu auras trouvé notre escroc.

La tâche était moins aisée qu'on aurait pu le penser. La moitié de salle dont était chargée Sara comprenait l'entrée de la discothèque, et avec le va-et-vient incessant des gens qui arrivaient et de ceux qui partaient, elle ne savait pas où donner de la tête.

— Sois discrète, Sara. Ne plisse pas les yeux comme ça.

— Bah... Les gens penseront que je cherche un partenaire pour la soirée. C'est le genre de la maison, non ?

— C'est un fait... Ça y est, je l'ai dans mon champ de vision, annonça Flynn, le visage impassible. Ne te retourne surtout pas, Sara.

— Où est-il ?

— A l'autre extrémité du bar. Si tu veux, tu peux jeter un coup d'œil maintenant. Mais dépêche-toi et ne te fais pas remarquer.

Benny se tenait seul devant le comptoir et observait une bande de très jeunes gens qui dansaient près de lui. Comme s'il avait été averti par un sixième sens, cependant, il tourna la tête et son regard rencontra celui de Sara au moment précis où elle l'observait. Comme dans un film au ralenti, elle vit ses yeux écarquillés se poser alternativement sur elle, puis sur Flynn. Sara entendit son compagnon jurer derrière elle lorsque Fortrell se jeta sur le côté. Il s'éloigna, souple et rapide comme un chat, pour se fondre dans la foule.

— Ah non, mon vieux. Cette fois-ci, tu ne m'échapperas pas, lâcha Flynn tout en plongeant à son tour entre les danseurs... Bon sang, je crois qu'il vient de prendre une sortie de secours !

Flynn s'arrêta brusquement, et Sara, qui arrivait dans son sillage, s'immobilisa juste derrière lui. Il lui jeta un regard noir.

— Tu voulais te rendre utile, collègue ? Eh bien, c'est le moment ou jamais de faire tes preuves. Je veux que tu m'aides à franchir ce mur qui me barre l'accès.

Impressionnée par le gabarit de l'adversaire, Sara se mordilla la lèvre.

— Comment Benny s'y est-il pris pour surmonter l'obstacle ?

— Le videur doit le connaître. Il s'est simplement écarté pour le laisser filer. Mais mon petit doigt me dit qu'il sera nettement moins coulant avec moi.

Le pianiste avait cessé de jouer, mais le bruit de fond restait assourdissant. Sara s'éclaircit la gorge.

— Ce type a l'air costaud, Flynn. Même à deux, je doute que nous puissions en venir à bout...

— Je ne te demande pas de le vaincre par K.O. Juste de distraire son attention quelques instants. Je veux que tu l'éloignes de cette porte pour me laisser le temps de partir à sa suite sans me faire remarquer. Ensuite, tu attendras ici que je revienne te chercher.

Sara demeura bouche bée.

— Mais je ne saurai jamais faire une chose pareille ! Je...

Flynn se pencha pour planter un baiser sur ses lèvres.

— Tu trouveras un moyen. J'ai confiance en toi. Tu as toujours été bien inspirée, jusqu'ici.

Toujours bien inspirée ? songea Sara, consternée, en regardant Flynn s'éloigner. Comme si elle avait une longue expérience de détournement de videur derrière elle ! De sa vie, elle n'avait séduit un homme, et il faudrait qu'elle commence par cet Adonis musculeux bâti comme une forteresse et dont le Q.I. devait avoisiner le zéro absolu !

« Ça ne va peut-être pas être facile. Mais Flynn compte sur toi. »

Exact. Flynn avait besoin d'elle. Cette pensée galvanisa Sara. Sans savoir ce qu'elle allait dire ou faire, elle se dirigea d'un pas ferme vers la sortie de secours. Comme chaque fois qu'elle était dévorée par la nervosité, elle se mit à fredonner un air. En l'occurrence, il s'agissait d'un morceau de Jerry Lee Lewis interprété par le pianiste du BlackJack juste avant qu'il s'interrompît pour prendre une demi-heure de pause au bar. Alors qu'elle se plantait face à la montagne de chair et de muscle qui gardait la porte, Sara nota qu'il tapait du pied en mesure, comme s'il avait en tête la même musique qu'elle. Brusquement, elle sut comment elle allait l'aborder.

— Salut, toi, susurra-t-elle en s'adossant contre le mur, à côté de lui.

Pendant quelques secondes, le videur se contenta de la regarder de haut en bas, ses bras énormes croisés sur sa poitrine de déménageur. Puis, au grand soulagement de Sara, il esquissa un sourire.

— Bonjour.

— Je t'observe depuis le début de la soirée, murmura-t-elle en se penchant un peu plus près.

— Tiens donc... Et pourquoi ça?

— Figure-toi que je te trouve... comment dire? Fascinant.

— Ah oui? dit-il, ravi.

— Tu dois être tellement fort, chuchota-t-elle en roulant des yeux extasiés... C'est quoi, ton nom?

— Todd.

Sara se rapprocha encore de quelques centimètres.

— Todd... Eh bien, vois-tu, Todd, toi et moi, nous avons quelque chose en commun.

— Toi et moi? Et quoi donc?

— La musique, Todd... La bonne musique. Je peux te dire que tu es un grand amoureux de cet art.

— C'est vrai.

Il avait l'air aussi ébahi que si elle avait deviné sa date de naissance et le second prénom de son arrière-grand-père.

— Comment tu sais ça, toi, dis donc?

Sara haussa les épaules.

— Je suis très, très observatrice, Todd. Maintenant, j'aimerais savoir quelle est ta chanson préférée.

— Ça, c'est facile. *Too Sexy*. Tu sais, un morceau de rock qui...

Notant les signes désespérés de Flynn derrière le large dos de Todd, Sara l'interrompit.

— Je ne te crois pas! C'est ma chanson préférée aussi.

— Wouah! s'exclama Todd, dûment impressionné par ce signe du destin.

Rassemblant son courage, Sara lui prit la main.

— Je veux que tu viennes avec moi, Todd.

— Mais c'est que je ne peux pas m'éloigner d'ici, moi!

— Juste une minute.

La bouche en cœur, Sara battit des cils.

— Il faut que je te joue notre chanson au piano. Il le faut absolument.

Elle arrondit les lèvres et battit des cils de plus belle. Qui eût cru que ces petites ruses que l'on dit féminines requéraient un pareil effort musculaire ?

— J'ai envie de me mettre au piano pour toi, Todd. S'il te plaît... Au moins le début du morceau !

Comme elle le tirait par le bras, elle sentit enfin sa masse s'ébranler.

— Bon... Allez, si c'est juste pour une minute..

Sara l'entraîna sans demander son reste. Seulement, lorsqu'ils atteignirent le piano, elle comprit dans quel pétrin elle s'était fourrée. Quinze ans auparavant, elle avait été foudroyée par un trac insurmontable dans une salle moins pleine que celle-ci. Déjà, le sang se pétrifiait dans ses veines et un grand vide se faisait dans ses pensées. Le cœur battant, Sara reconnut les signes avant-coureurs d'un blocage. Jamais elle ne pourrait jouer devant une foule pareille !

— Eh bien, qu'est-ce que tu attends ? s'impatienta Todd.

— Je ne sais pas... Je me dis qu'il faut peut-être d'abord demander la permission. Si jamais le pianiste...

— T'inquiète pas pour Jake. Si tu es avec moi, pas de problème.

Sara se força à sourire.

— Dans ce cas...

Les jambes lourdes comme du plomb, elle grimpa sur la petite estrade et laissa ses doigts courir sur les touches. Sara avait les mains glacées et raides, et elle n'était même pas certaine de retrouver la mélodie de *Too Sexy* qu'elle n'avait entendue qu'à une ou deux reprises. D'autre part, le piano était peut-être mal accordé, et il aurait fallu qu'elle s'échauffât, et... et même si elle avait mille raisons de ne pas jouer, elle devait le faire quand même, pour continuer à accaparer l'attention de Todd !

En rejetant les cheveux en arrière, Sara nota, stupéfaite, que Flynn n'avait pas tiré parti de l'occasion pour s'éclipser. Il attendait, debout, le regard rivé au piano. Sara comprit qu'il était malade d'angoisse pour elle. A tel point qu'il avait tout laissé en plan : sa poursuite, sa prime, sa réputation, pour s'assurer d'abord qu'elle allait s'en sortir. Ce garçon-là était peut-être incapable de dire « je t'aime », mais quand il s'agissait de le prouver, il n'avait pas son pareil.

Le grand froid qui s'était emparé de Sara céda la place à une sensation de légèreté, de bien-être, de confiance qui se communiqua jusqu'au bout de ses doigts. Spontanément, ils se mirent à danser sur les touches. Et qu'importe si des centaines de personnes pouvaient l'entendre ? Ce que les gens penseraient de sa manière de jouer lui était indifférent, désormais. Elle jouait pour Flynn. Parce qu'elle l'aimait ; parce qu'il avait besoin d'elle.

Les premières notes du morceau rendirent un son encore hésitant, mais à mesure que la chanson prenait forme dans sa tête, elle s'enhardit, improvisa et se perdit peu à peu dans sa création.

Debout près de la porte, Flynn se répéta pour la centième fois qu'il avait plus urgent à faire que de rester là à tendre l'oreille. Mais c'était plus fort que lui : dès l'instant, où il avait vu Sara s'approcher du videur, il avait compris qu'il lui demandait l'impossible. A sa grande stupéfaction, cependant, elle avait réussi à manipuler M. Muscle comme une experte.

Flynn allait en profiter pour partir à la poursuite de Benny lorsqu'il remarqua que Sara entraînait sa conquête vers le piano. C'était donc de cette manière qu'elle avait réussi à vaincre sa vigilance : en lui proposant d'interpréter un morceau pour lui ! Incapable de l'abandonner en si fâcheuse posture, Flynn demeura pétrifié sur place. Il ressentait jusque dans ses propres muscles la peur panique que Sara devait éprouver.

Si elle faisait un blocage, comme tout le laissait prévoir, elle aurait des problèmes avec son armoire à glace qui semblait déjà irritée par ses hésitations. Et si jamais elle avait besoin de lui... Non, Flynn ne pouvait pas la laisser en plan maintenant, alors qu'elle s'apprêtait à affronter une épreuve aussi critique. Et tant pis si Fortrell lui filait entre les doigts une fois de plus.

Plus tard, lorsque Sara aurait disparu de sa vie, il retrouverait les bons réflexes. Mais en attendant, il devait s'accommoder des comportements contre nature qu'elle ne cessait d'induire en lui. Les premières mesures de piano, dominant à peine le brouhaha des voix alentour, parvinrent enfin jusqu'à lui. Il imagina les doigts de Sara effleurant timidement les touches. Elle avait des mains magnifiques. Flynn avait gardé des images inoubliables de cet après-midi à Sutton Cove où il les avait vues prendre vie sur le piano.

Il écouta jusqu'au moment où le morceau trouva sa richesse, son rythme et ses couleurs. Il avait vécu si près de Sara, dans une fusion si étroite, qu'il devinait pratiquement tout ce qu'elle ressentait. Il déchiffra ses craintes, ses tensions, puis sa joie lorsqu'elle remporta la bataille contre la peur et que la musique se mit à chanter librement sous ses doigts.

Regardant autour de lui, Flynn s'aperçut qu'il n'était pas le seul à écouter. Les gens, peu à peu, interrompaient leur discussion pour se tourner vers le piano, attirés par l'exubérance et la générosité du jeu de Sara. Longtemps voué au secret, son talent éclatait enfin au grand jour. Sara était belle et forte, et tout à fait capable de s'en sortir sans lui. Pleinement rassuré sur le sort de sa compagne, Flynn se glissa hors de la boîte de nuit.

Il dévala une suite de marches en béton et se trouva arrêté par une solide porte blindée. Inutile d'insister de ce côté-là, les serrures étaient solides. Tant mieux, songea Flynn. Car Fortrell s'était sans doute heurté au même obstacle. Ensuite, l'escroc avait été obligé de remonter pour essayer de trouver une autre issue. Et si Benny avait perdu du temps à chercher, Flynn avait peut-être encore une chance de le rattraper.

Trois étages au-dessus du BlackJack, l'escalier donnait sur une autre porte, également close. Restait la petite fenêtre placée très haut, juste sous le plafond. La vitre était cassée et des morceaux de verre jonchaient encore le sol, preuve que le bris du carreau était récent. Fortrell qui n'était pas très grand, et plus tout jeune non plus, avait dû souffrir pour atteindre l'ouverture, songea Flynn avec satisfaction. Lui-même se hissa sans peine sur le rebord et se laissa glisser à l'extérieur. Il aperçut son fugitif qui descendait précautionneusement l'échelle d'incendie.

— Stop, Fortrell ! Inutile d'essayer de vous sauver. De toute façon, j'ai quelqu'un pour vous intercepter en bas.

Fortrell leva la tête et ricana.

— Qui ça ? Mon ancienne logeuse ? Et vous croyez m'effrayer avec des menaces pareilles ?

— Vous pouvez rire tant que vous voudrez, rétorqua Flynn, impassible, en dégringolant les barreaux à sa suite. Mais c'est fichu pour vous, Fortrell. Vous avez perdu la partie, faites-vous une raison.

— Encore faudrait-il que vous mettiez la main sur moi ! Mais je commence à croire que votre réputation est usurpée, Flynn. Jusqu'ici, vous ne m'avez pas tellement impressionné, pour un chasseur de primes soidisant infaillible.

Lâchant l'échelle de métal qui s'interrompait à quelque mètres au-dessus du sol, Benny Fortrell roula en boule sur le bitume. « Allons, sois sympa, Benny. Casse-toi une jambe, pour me faire plaisir ! » Mais l'escroc se releva souplement et partit au pas de course pour disparaître à l'angle du bâtiment. Flynn accéléra et sauta avant même d'avoir atteint le dernier échelon. Il atterrit sur ses pieds, se lança dans la direction qu'avait empruntée Benny et se retrouva dans une allée obscure qui débouchait sur une sorte de terrain vague, lequel faisait office de parking pour le BlackJack.

Frappé par le silence qui régnait dans la ruelle, Flynn eut une pensée pour Sara et son piano. Une seule petite pensée, à vrai dire, mais ce fut pourtant une pensée de trop. Car Benny profita de la fraction de seconde pendant laquelle il avait relâché sa vigilance pour lui bondir dessus par-derrière.

Flynn jura tout bas. C'était la troisième erreur stupide qu'il commettait sur une même poursuite. Lui qui, généralement, faisait des parcours sans faute !

— Alors, Flynn ? Je croyais que vous étiez couvert par une acolyte armée jusqu'aux dents ? commenta Benny en lui fourrant le canon de son arme entre les omoplates. Qu'a-t-il bien pu lui arriver, à votre assistante de choc ? Se serait-elle accordé une pause pour se remettre du rouge à lèvres ? Dommage. Ça m'aurait pourtant amusé de voir la digne Mlle McAllister transformée en superflic.

— Laissez tomber les sarcasmes, Benny, et passez-moi plutôt votre arme. De toute façon, vous êtes cuit. Vous ne pourrez plus le fourguer, votre doublon. J'ai parlé à Mulhouse.

— Vous avez vu Mulhouse ?

Benny paraissait soudain un peu moins sûr de lui.

— Bien sûr ! Comment vous aurais-je retrouvé, sinon ? Je lui ai promis une partie de la prime offerte pour votre capture. Il s'est montré ravi de ma proposition.

— La récompense offerte pour ma capture ? Vous avez vendu la peau de l'ours avant de l'avoir tué ! Je ne voudrais pas être désagréable, mais vous êtes plutôt en mauvaise posture, monsieur le justicier. Dans quelques jours, l'avis de recherche lancé contre moi arrivera à expiration, et il sera trop tard pour toucher la prime.

— Pour la prime, peut-être. Mais je ne renoncerai pas à mettre la main sur vous pour autant. Une fois que je suis lancé, je vais jusqu'au bout, Benny. Vous êtes averti.

Fortrell soupira.

— C'est bien ce que je redoutais. Vous êtes tenace et hargneux comme un roquet, et c'est ce qui va causer votre perte. Je regrette infiniment, mais je vais être obligé de vous supprimer, Flynn. Vous savez que je ne suis pas du genre à refroidir un type pour un oui ou pour un non. Mais avouez que vous avez cherché ce qui vous tombe sur le coin de la figure — ou plus exactement, ce qui va vous transpercer la cage thoracique dans quelques secondes.

Flynn l'entendit armer son revolver.

— Je regrette, murmura Benny, qui ne paraissait pas tourmenté par les remords de manière excessive.

Les nerfs tendus à se rompre, Flynn regarda autour

de lui et fit un rapide bilan de la situation. Elle n'était pas brillante. Impossible d'atteindre son propre revolver. Le bras tendu, Benny tenait le sien pointé contre son dos. S'il tentait une rapide volte-face, Flynn avait quatre-vingt-dix-neuf chances sur cent de se faire cueillir par une balle avant d'avoir atteint son but. Mais c'était ça ou rien, de toute façon. Il se concentra, se préparant à saisir le poignet de son adversaire dans une contre-attaque fulgurante lorsque la voix de Sara s'éleva à l'autre bout de la ruelle.

— Flynn?

— Tiens... Notre noble héroïne arrive juste à point, on dirait, remarqua Fortrell en ricanant. Vous êtes un homme chanceux, John.

Flynn sentit une main de fer se refermer sur sa poitrine.

— Sara! hurla-t-il. Retourne au BlackJack. Cours! Vite!

— Continuez à avancer jusqu'ici ou vous ne reverrez pas votre ami vivant! cria Fortrell.

— Sauve...

Une grimace de douleur tordit le visage de Flynn. Benny venait de lui enfoncer le canon de son revolver dans le flanc gauche, avec une violence qui le laissa plié en deux, le souffle coupé.

— Puisque votre équipière daigne enfin se montrer, le moins que nous puissions faire, c'est de nous porter à sa rencontre, décréta Benny en lui imprimant une poussée dans le dos.

Flynn fit une vingtaine de pas avant de voir Sara. Elle progressait centimètre par centimètre, en s'appuyant d'une main contre le mur. Dans son visage livide, ses yeux paraissaient immenses et terrifiés. Et Flynn qui, depuis des années, ne connaissait plus la peur, fut foudroyé par une terreur viscérale qui lui scia les jambes et le laissa au bord de la nausée.

— Fortrell ? murmura-t-il, soudain prêt à toutes les concessions.

— La ferme, Flynn. C'est moi qui cause, maintenant... Approchez, approchez, mademoiselle McAllister. C'est une surprise de vous rencontrer par ici, dites-moi !

Muette d'angoisse, Sara le salua d'un signe de tête.

— Vous aimez Miami, mademoiselle McAllister ?

— C'est-à-dire que... Nous venons juste de poser nos valises et...

— Et vous n'avez encore rien vu ? Monsieur Flynn, où sont vos manières ? Traîner une charmante jeune femme aussi loin de chez elle, et ne pas consacrer une heure à lui faire visiter les environs ? Mais soyez sans crainte, mademoiselle. Vous êtes en bonnes mains, désormais.

Flynn voulut protester mais Benny le frappa une fois de plus entre les côtes.

— Je vous en prie, non ! Ne lui faites pas de mal ! supplia Sara en se précipitant vers eux.

— Reste où tu es, Sara ! cria Flynn. Surtout, ne te rapproche pas.

— Ne faites donc pas attention à lui, mademoiselle McAllister. Savez-vous que vous lui avez sauvé la vie, tout à l'heure, par votre intervention providentielle ? Si vous voulez continuer de protéger votre nouvel ami, il suffit de vous conformer à mes ordres.

— Ne l'écoute pas, Sara. Il te raconte des histoires ! Je le connais. Il n'a jamais tué personne de sang-froid.

— Pas encore, riposta Benny, très calme. Mais si je devais commettre mon premier vrai meurtre, je ne serais pas assez fou pour laisser un témoin derrière moi. Est-ce que je me fais bien comprendre ?

Frappé d'horreur, Flynn ne put que hocher la tête. Benny sourit.

— Le fait est que je n'éprouve pas le désir de tuer qui que ce soit. Tout ce que je demande, c'est qu'on me laisse tranquille. Or, je pense que si chacun de nous y met un peu du sien, nous pouvons trouver une solution pacifique qui arrangera tout le monde. Qu'en dites-vous, mademoiselle McAllister ? Vous acceptez de venir avec moi de votre plein gré ? Ou préférez-vous que je vous abatte tous les deux sur-le-champ ?

— Je vous accompagne, murmura Sara, livide.

— Jamais ! protesta Flynn en se retournant dans un élan de fureur pour faire face à Fortrell.

— Ça fait un vote pour et un vote contre, résuma Benny, tout sourire. Avec le mien, nous passons à deux voix pour. Madame me tiendra donc compagnie pour le restant de son séjour à Miami.

— Tu vas le regretter, Fortrell, lâcha Flynn entre ses dents.

— Vous devriez apprendre à perdre un peu plus gracieusement, mon cher Flynn... Et maintenant, sortez votre revolver et laissez-le tomber à vos pieds.

— Je ne suis pas armé.

Le doigt de Benny se crispa sur la gâchette.

— Attention ! Je ne vous conseille pas de faire le malin avec moi.

Exaspéré, Flynn jeta un coup d'œil à Sara. Elle le regardait d'un air implorant et ne demandait manifestement qu'une chose : qu'il s'inclinât devant cet escroc. Tout en lui se révoltait à cette pensée. S'il avait été seul, il aurait tenté sa chance, et au diable les conséquences. Mais avec Sara, il ne pouvait pas prendre les mêmes risques. S'il devait lui arriver quoi que ce soit par sa faute...

La mort dans l'âme, il déposa son arme sur le sol, et Fortrell ordonna à Sara de la récupérer pour la lui remettre.

— Parfait. Maintenant, nous allons partir faire une petite virée, tous les deux. Quant à vous, Flynn, je vous conseille de vous tenir tranquille. Vous avez un endroit où on peut vous joindre ?

Flynn acquiesça d'un signe de tête.

— A notre hôtel. Sara a le numéro de téléphone.

— Bon, je vous appellerai là-bas pour vous indiquer où vous pouvez la récupérer. Mais attention ! Tel que je vous connais, je sais que vous allez être tenté d'agir. Retenez quand même qu'une intervention de votre part serait nécessairement fatale à votre amie. J'ai une balle là-dedans qui vous est destinée, précisa Fortrell en désignant son revolver. Ce serait dommage pour Mlle McAllister si elle devait la prendre entre les deux yeux.

— Si elle m'est destinée, emmenez-moi avec vous et laissez Mlle McAllister ici.

Benny ricana.

— Oh non, Flynn, je ne suis pas masochiste. Pourquoi m'encombrerais-je d'un otage aussi indocile que vous ? Et puis j'avoue que je suis curieux d'apprendre comment ma respectable logeuse s'est découvert soudain la fibre aventureuse. Elle me racontera comment elle en est arrivée à frayer avec un triste personnage comme vous.

Un triste personnage et un funeste imbécile, surtout, songea Flynn, anéanti. Comment avait-il pu prendre le risque d'entraîner Sara dans ce traquenard ? Son sang ne fit qu'un tour lorsqu'il vit Fortrell placer le canon de son arme contre la tempe de Sara, là où la peau était si fragile.

— Allons-y, maintenant, mademoiselle McAllister, vous voulez bien ?

Flynn était affolé. Il n'y aurait pas de témoins si Benny partait seul avec Sara dans sa voiture. Et s'il lui prenait idée de se débarrasser d'elle, pour éviter de compliquer sa fuite inutilement ? A priori, Benny Fortrell n'était pas un tueur. Mais pouvait-on prévoir la réaction d'un homme aux abois ? Et il existait encore un autre danger : Fortrell tenait en son pouvoir une femme séduisante. Il était libre de faire de Sara ce qu'il voulait. Or, s'il se mettait en tête de...

Flynn vit rouge. De toute façon, ce serait au-dessus de ses forces de rester à tourner en rond dans une chambre d'hôtel en regardant le téléphone. S'il arrivait quoi que ce soit à Sara par sa faute, il ne se le pardonnerait jamais. Il se força, cependant, à patienter quelques instants avant de se glisser à son tour vers le parking. Tapi à l'angle du bâtiment, il se plaqua contre le mur, juste à temps pour voir s'ébranler une berline blanche. Un véhicule de location, sans aucun doute. Voilà pourquoi ils n'avaient pas reconnu la Volvo de Benny lorsqu'ils avaient fait le tour des voitures en stationnement avant d'entrer au BlackJack. Flynn courut jusqu'à la Corvette, démarra en trombe, mais ne quitta le parking que lorsqu'il jugea qu'ils avaient pris une avance suffisante.

Il attendit que Benny eût bifurqué à droite, sur l'un des axes principaux qui traversaient Miami, pour lancer la Corvette dans une rue parallèle. Il avait la conviction que la berline blanche se dirigeait vers l'autoroute. Flynn accéléra en se félicitant de connaître aussi bien les lieux. Il ne lui restait plus qu'à tourner à gauche au bon carrefour pour rejoindre la bretelle d'accès à l'autoroute, et croiser de nouveau le chemin de Fortrell. Car c'était là qu'il avait décidé d'agir.

Même si Benny se doutait qu'il ne resterait pas les bras croisés, il n'avait sûrement pas prévu qu'il interviendrait avant même qu'ils eussent quitté la ville. Flynn estima que l'effet de surprise devait jouer en sa faveur. Avec un peu de chance, il trouverait un moyen pour lui couper la route. L'incident devrait attirer rapidement une foule de témoins et même, avec un peu de chance, la police de Miami.

Ensuite, il pourrait bien arriver n'importe quoi, Flynn s'en moquait. Une seule chose lui importait : arracher Sara des griffes de Fortrell. Cette idée fixe le taraudait, le remplissait d'une rage meurtrière. Ce que recouvrait la subite frénésie qui s'était emparée de lui, Flynn préférait ne pas le savoir. Il réfléchirait à cela plus tard, lorsque Sara aurait regagné Sutton Cove et qu'il serait de nouveau capable d'aligner deux pensées cohérentes.

Il quitta la rue parallèle pour rejoindre le grand axe, ralentit à peine en atteignant l'angle de la rue et dut freiner d'autant plus brutalement lorsqu'il s'aperçut qu'il avait tourné à gauche un pâté de maisons trop tard. Il avait manqué le départ de la rampe !

Il jeta un coup d'œil sur sa gauche et vit que la berline blanche s'apprêtait à déboîter pour prendre la voie rapide. Flynn hésita. S'il laissait Benny s'engager sur l'autoroute, il ne pourrait pas agir avant longtemps. En revanche, s'il se lançait maintenant en prenant suffisamment de vitesse pour franchir la barrière qui le séparait de la rampe en contrebas, il saisirait littéralement Benny au vol.

De toute façon, il n'avait pas le choix.

Flynn fit rugir son moteur pour s'assurer de sa puissance, puis il passa une vitesse et appuya à fond sur l'accélérateur. Sans une pensée pour les dommages irréversibles qu'il s'apprêtait à infliger à sa voiture, il fonça et sentit ses quatre roues quitter le sol...

14.

Sara écarquilla les yeux et poussa un cri : franchissant une barrière métallique, la voiture de Flynn déboucha soudain sur leur droite, à la vitesse d'un boulet de canon. Benny hurla et se mit debout sur sa pédale de frein. Mais la collision était inévitable. Sara se cramponna à la poignée, et ferma les yeux en attendant le choc.

Tout se passa en quelques secondes. Il se produisit un grand vacarme, et une secousse terrible assortie d'un fracas de verre brisé. Puis, de nouveau, le silence. Lorsque Sara souleva les paupières, ce fut pour constater qu'elle était encore entière. Fortrell, lui, avait eu moins de chance. Sa tête avait heurté le pare-brise et un filet de sang coulait sur son front. Les mains toujours agrippées au volant, il semblait avoir du mal à reprendre ses esprits.

Flynn, songea-t-elle, soudain. Qu'était-il advenu de Flynn ?

Il fallait sortir de là. Le retrouver. Vite. Ses mains tremblaient si fort qu'elle dut s'y prendre à deux fois pour détacher sa ceinture. Mais déjà, la portière s'ouvrait, et Flynn était là, tout près, son visage penché sur elle. Lui aussi s'en était sorti indemne !

— Flynn, chuchota-t-elle comme il la prenait dans ses bras pour la tirer hors de la voiture. Tu es vivant...

— J'ai sauté de la Corvette avant qu'elle vous percute. Rien de cassé, Sara ? Tu n'as pas perdu connaissance, n'est-ce pas ?

Il l'examina d'un regard rapide, hocha la tête avec satisfaction, puis contourna la voiture au pas de course pour extirper Benny de son siège. Sans grand ménagement, compte tenu de son état, estima Sara. Comme s'il tenait une poupée de chiffons, il le plaça face au mur de ciment qui bordait la rampe d'accès et lui passa les menottes après l'avoir désarmé. D'un geste triomphal, il sortit une petite boîte de la poche de Benny et la lança à Sara.

Le fameux doublon ! comprit la jeune femme. Puis Flynn recula d'un pas et attrapa Benny par les pans de sa chemise ensanglantée pour le soulever à hauteur de son visage.

— Cette fois, c'est fini et bien fini, mon vieux. Je te tiens.

Quelques minutes plus tard, les forces de l'ordre arrivaient sur les lieux. Une fois informés de la situation, les policiers se montrèrent très coopératifs. Quant aux prouesses acrobatiques de Flynn, elles suscitèrent les commentaires les plus admiratifs. Faire voler une voiture ne semblait pas à la portée du premier conducteur venu.

— Tout de même, vous allez la regretter, votre Corvette ! Quel crève-cœur d'avoir à sacrifier une voiture pareille, observa l'un des jeunes officiers en se tournant vers le véhicule accidenté.

Sara observa l'automobile fétiche de Flynn et constata qu'elle était irrécupérable. Choquée, elle leva vers son propriétaire un regard interrogateur.

— Ce n'est qu'une voiture, après tout, répondit-il en haussant les épaules.

La Corvette ? Une simple voiture ? Etait-ce bien Flynn qui venait de lancer cette réflexion ?

— Je n'en reviens pas ! s'exclama le doyen des policiers. Pendant plus de trois secondes, vous avez dû être propulsé, avec les quatre roues décollées du sol. C'est un sacré numéro de cascadeur que vous nous avez fait là, monsieur.

En les entendant discuter, Sara se remit à trembler de plus belle. Maintenant qu'elle comprenait exactement ce qui s'était passé, elle avait beaucoup plus peur, rétrospectivement, qu'au moment précis où l'accident s'était produit. Si elle avait su d'avance à quels dangers ils étaient tous exposés...

D'instinct, elle tourna les yeux vers Flynn et leurs regards demeurèrent rivés l'un à l'autre.

— Il existe certains risques qu'on ne peut pas éviter de prendre, répondit Flynn à l'officier.

Laissant les policiers et Benny dans deux voitures de patrouille garées devant l'hôtel, Flynn et Sara montèrent en courant dans leur chambre. Le temps de plier bagage et de faire leurs réservations, et ils rejoindraient l'aéroport, toujours sous escorte policière. Il n'y avait pas de temps à perdre s'ils voulaient être à Boston avant l'expiration du délai fixé pour la prime.

En sortant de la salle de bains, où elle venait de jeter ses articles de toilette dans un sac, Sara entendit Flynn confirmer l'horaire du vol et, aussitôt, elle s'alarma.

— Tu as bien dit Providence ? demanda-t-elle tout bas lorsqu'il eut reposé le combiné.

— Providence, oui.

— Mais je... je croyais que nous allions tous à Boston.

— Benny et moi, oui. Mais toi non, Sara. C'est ici que nos routes se séparent.

Et voilà ! Ils arrivaient au terme de leurs aventures. Et Flynn la renvoyait dans ses foyers sans même lui faire l'aumône d'un petit délai supplémentaire. Etait-ce la fin d'un chapitre ou la conclusion de leur histoire ? Sara se força à garder la tête haute, même si elle se sentait totalement effondrée.

— Je pensais que je pourrais au moins t'accompagner jusqu'à Boston, murmura-t-elle d'une voix brisée par l'anxiété. Je serais juste restée quelques jours et...

Mais Flynn secouait déjà la tête.

— Non, ça ne peut pas marcher, Sara.

— Tu crois ? Entre nous, ça ne fonctionnait pourtant pas si mal, dans l'ensemble...

— Parce que nous avons vécu une parenthèse. Un rêve. Mais c'est sans rapport avec la réalité.

— Et alors ?

— Et alors, s'emporta Flynn, la vie n'est pas un rêve ! Elle est réelle, avec des pertes réelles, des désastres réels, des souffrances réelles et...

— Je sais tout cela.

— ... et il n'existe qu'une seule conduite sensée à adopter en ce bas monde : elle consiste à se protéger pour éviter d'en prendre plein la figure. Ça, tu ne le sais pas encore, Sara, mais tu ne vas pas tarder à l'apprendre. Je regrette. J'aurais préféré que tu gardes tes illusions. Mais ce n'est pas moi qui t'ai demandé de venir. Et je n'ai jamais été partisan de toutes ces escales prolongées au cours desquelles nous nous sommes comportés en dépit du bon sens. Je n'avais certainement pas l'intention non plus de...

538

— De quoi ? insista Sara après un silence embarrassé. De tomber amoureux de moi ?

Les mâchoires de Flynn se crispèrent.

— Je ne suis pas amoureux de toi.

— Menteur !

— Sois logique, Sara. Si je t'aimais, je ne te renverrais pas dans tes foyers.

— Au contraire ! Si tu ne te sentais pas en danger, tu me garderais encore quelque temps avec toi, jusqu'à ce que la lassitude s'installe. Mais tu as peur, Flynn. Peur de me laisser prendre une trop grande place dans ta vie et de ne plus être capable de dire stop.

La bouche de Flynn se tordit en une grimace dédaigneuse.

— Ridicule !

— Oui, je suis d'accord avec toi, Flynn. Il s'agit d'une attitude assez grotesque, en effet. Je n'osais pas te le dire car je ne voulais pas te blesser, mais ce n'est ni très malin ni très adulte de ta part.

Avec un soupir exaspéré, Flynn se détourna pour aller s'accroupir à côté de son sac de voyage.

— Assez perdu de temps comme ça, Sara. Nous sommes attendus en bas.

Il se dirigea vers le bureau et, le dos tourné, griffonna quelques mots sur un bout de papier qu'il lui tendit. Intriguée, Sara le prit et le parcourut des yeux.

— Qu'est-ce que ça signifie ? demanda-t-elle en découvrant qu'il s'agissait d'un chèque tiré sur le compte personnel de Flynn pour un montant exorbitant. Pourquoi une somme pareille ?

— Oh, cela n'a rien d'équivoque, rassure-toi. Ce chèque couvre ta moitié de la prime, plus la récompense offerte par la salle des ventes pour le doublon. J'estime que tu l'as mérité.

— Mais comment peux-tu te permettre de me verser tout cet argent alors que tu n'as encore rien touché ?

— Je n'ai pas besoin d'attendre la prime pour la bonne raison que j'ai moi-même rédigé l'avis de recherche.

— Je ne comprends pas.

— En fait, je ne suis plus chasseur de primes qu'à mes moments perdus. L'essentiel de mon travail est maintenant d'ordre juridique et se passe dans un bureau.

Sara tombait des nues.

— Mais pourquoi ne m'as-tu rien dit de tout cela ?

— Je n'en voyais pas l'utilité.

Le cœur lourd, Sara regarda le chèque.

— Avec ça, je pourrais racheter ma maison tout entière.

— C'est plus ou moins ce que j'avais en tête. Investis cet argent dans des travaux, et remets la demeure de tes parents en état. Puis tu retrouveras intacte la vie que tu menais avant de me connaître. Avec les soucis financiers en moins.

C'était absurde. Tellement absurde... Sara serra les poings pour réprimer le cri qui montait en elle. C'était comme un raz de marée de désespoir qui menaçait de la submerger.

— Rien ne sera plus comme avant, Flynn, murmura-t-elle. Ni pour toi ni pour moi.

— Bien sûr que si, protesta-t-il sans grande conviction. Tu étais dans une mauvaise passe lorsque je t'ai rencontrée. Tu avais besoin de te changer les idées.

— Autrement dit, la parenthèse est terminée et il ne me reste plus qu'à revenir aux choses sérieuses ? Mais toi, Flynn... tu comptes m'oublier ? Le plus vite possible ?

Elle crut voir une ombre de tristesse obscurcir son visage. Mais il se ressaisit et haussa les épaules en souriant.

— Le temps fera son œuvre.

Si la même scène s'était déroulée une semaine plus tôt, Sara se serait inclinée sans un mot ; elle en aurait conclu que ses rêves d'avenir avec Flynn étaient illusoires, et se serait même interdit d'espérer. Mais aujourd'hui, elle ne se reconnaissait plus dans la femme passive et résignée qu'elle avait été.

Sara se rapprocha de Flynn et glissa les deux mains, paumes ouvertes sous le cuir de son blouson.

— Que fais-tu ? demanda-t-il d'un ton méfiant.

Elle sourit tendrement.

— Ce que je fais ? Comme d'habitude : je te complique l'existence.

— Sara...

— Puisque tu veux m'oublier le plus vite possible, je te sabote le travail comme je peux. Car j'ai envie de t'offrir un dernier souvenir mémorable.

Nouant les doigts derrière sa nuque, elle amena le visage de Flynn contre le sien. Malgré ses réticences initiales, il ne lui opposa qu'une résistance symbolique. Et il mit dans son baiser au moins autant de conviction que Sara.

Lorsqu'il releva la tête d'un mouvement brusque, ce fut elle qui reprit sa bouche.

— Voyons, Flynn... C'est un peu court comme baiser d'adieu !

— Sara ! gronda-t-il lorsqu'elle se haussa sur la pointe des pieds, pour trouver la position où leurs deux corps s'emboîtaient à la perfection.

— Tu veux vraiment que je m'arrête ? chuchota-t-elle en lui pétrissant le dos avec une sensualité tantôt lente, tantôt exaltée qui le faisait trembler et frissonner tour à tour.

— Oui, répondit-il au moment où elle aspirait doucement sa lèvre inférieure entre les siennes. Enfin, non... Sara, que veux-tu de moi, à la fin ?

— A ton avis ?

Le regard de Flynn s'enflamma.

— Oublierais-tu qu'une demi-douzaine de policiers ainsi qu'un ex-escroc en fuite s'impatientent en bas ?

— Raison de plus pour ne pas perdre une minute.

Dans les yeux assombris de Flynn, brillait un désir teinté d'incrédulité. Il semblait à la fois charmé, choqué et follement excité par son audace. Attirant Sara contre lui avec force, il murmura contre sa bouche entrouverte :

— Je ne t'aime pas.

— Prouve-le, chuchota-t-elle.

Il la prit vite et presque avec férocité, sans faire usage du lit qui ne se trouvait pourtant qu'à quelques pas. Peut-être pour la convaincre de la nature purement charnelle de son attirance. Ou parce que la tension des événements de la nuit l'électrisait encore. Ou alors, tout simplement, parce qu'il était dévoré par l'impatience. Ce qui était également le cas de Sara.

Avec des gestes fébriles, ils tiraient sur des boutons, se débattaient avec des fermetures Eclair, négligeant de se déshabiller pour se cantonner à l'essentiel. Les yeux clos, la nuque renversée, Sara savoura un instant la morsure des lèvres de Flynn sur sa gorge, la pression possessive de ses mains qui parcouraient ses cuisses, pour s'attarder puis se perdre à leur jonction.

Le regard chaviré, elle chuchota son nom et il la souleva pour s'enfouir en elle. La perfection de leur étreinte sidéra Sara. C'était comme au premier jour du

542

monde. Rejetant la tête en arrière, elle se cramponna aux épaules de Flynn et noua les jambes autour de sa taille, se soulevant et retombant, suivant passionnément son rythme. Le plaisir qui montait en elle avait l'acuité poignante d'un adieu. C'était peut-être la dernière fois qu'elle recevait Flynn ainsi ; peut-être la dernière fois qu'ils s'aimaient...

Sara ferma les yeux. Elle aurait voulu repousser l'échéance et ne jamais arrêter de faire l'amour, mais la lente spirale du plaisir se resserrait, se précipitait inexorablement. Se sentant partir, elle appela Flynn et il vint avec elle, ses mains serrant ses hanches comme pour les briser. Il émit une sorte de râle, et un ultime frisson parcourut en même temps leurs peaux brûlantes, comme s'ils ne formaient plus qu'un seul corps.

Avec une infinie douceur, Flynn la reposa sur ses pieds, et elle leva vers lui un visage éperdu. Tout ce que Sara désirait y lire se trouvait inscrit dans ses yeux verts : « Je t'aime, Sara. J'ai besoin de toi. Je te veux pour toujours avec moi. »

Naturellement, il ne prononça aucune de ces paroles. Sara n'en attendait pas tant, d'ailleurs. Elle n'aurait même pas su dire si l'aveu qu'elle voyait dans le regard de Flynn rendait la séparation plus aisée ou plus difficile encore à accepter.

— Je regrette, dit Flynn. C'est une erreur.

— Bah ! Une de plus, une de moins... chuchota Sara d'une voix tremblante en remettant de l'ordre dans ses vêtements.

— Sara ?

— Oui ? murmura-t-elle en retenant son souffle.

Elle se rapprocha et attendit d'un air interrogateur pendant qu'il finissait de boucler sa ceinture.

— Il y a une chose encore que je voudrais te dire...

Ne recommence pas à te dénigrer, à te sous-estimer comme avant. Et sois confiante, surtout. Car tout ira bien pour toi. Tu as changé, Sara.

— Je le sais.

— Changé réellement.

— Je le sais.

— Pas seulement tes cheveux, tes vêtements, insista Flynn en fronçant les sourcils, comme s'il avait peur de ne pas se faire comprendre. Je te parle de ton moi profond, de la personne qui est à l'intérieur. Tu vas très bien t'en sortir toute seule.

— Oui, ça aussi je le sais, acquiesça Sara avec une conviction sincère.

D'une main tremblante, elle lui caressa le visage et sentit que son cœur se brisait.

— Mais toi, Flynn, chuchota-t-elle, que vas-tu devenir ?

544

15.

Pour Sara, Sutton Cove fut comme un retour au noir et blanc après une très belle parenthèse en couleurs. Même dans la maison où elle avait vécu toute sa vie, elle se retrouvait soudain en terre étrangère; tout lui paraissait terne, médiocre, fastidieux. Elle se savait désormais capable d'endurer toutes sortes d'épreuves. A condition que Flynn fût à ses côtés.

Enfin... il finirait par revenir sonner à sa porte. Sara le sentait par toutes les fibres de son être. N'avait-elle pas lu dans ses yeux les promesses qu'il refusait d'exprimer? Elle recommença à donner ses leçons de piano, tailla sa haie et sa pelouse, et jugea que non, décidément, ce mode de vie ne lui ressemblait plus. Mais si des changements radicaux s'imposaient, Sara manquait encore d'énergie pour les entreprendre. Flynn d'abord. Le reste suivrait tout naturellement...

Sara fit l'acquisition d'un répondeur pour le cas où il appellerait pendant les rares moments où elle ne campait pas près du téléphone. Elle prit également l'habitude de filtrer ses appels pour éviter d'occuper la ligne inutilement. Cette nouvelle manie exaspéra Stuart qui continuait à la harceler quotidiennement pour savoir quand et à quel prix elle comptait lui céder sa maison.

Irritée d'entendre la voix de Stuart chaque fois qu'elle espérait celle de Flynn, Sara en oublia ses bonnes manières et finit par signifier vertement à son banquier qu'elle lui ferait signe dès que sa décision serait prise et qu'il n'avait qu'à prendre patience en attendant. C'était trop énervant, à la fin ! Comment aurait-elle pu lui fournir une réponse ? Tant que Flynn gardait le silence, son existence était en suspens.

Une semaine passa ainsi. Puis une seconde. Et une troisième encore. Le chèque de Flynn trônait sur le piano telle une icône, symbole de la foi absolue que Sara plaçait en son retour. Ses élèves et son jardin meublaient sa vie en surface. A l'intérieur, elle était devenue comme une page blanche.

La ville entière bruissait de rumeurs au sujet de la « brave petite McAllister » partie du jour au lendemain avec un grand méchant chasseur de primes. Sara les laissait parler. Elle était convaincue qu'elle n'avait jamais rien fait d'aussi intelligent depuis ses huit ans que de quitter sa maison en chemise de nuit sur les douze coups de minuit pour sillonner le pays en compagnie de Flynn. Quant à ses voisins, ils pouvaient penser ce qu'ils voulaient. C'était leur problème.

La seule à qui Sara confia le détail de ses aventures fut Nancy, bien sûr. Son amie applaudit, la félicita pour son courage et sa nouvelle coiffure, et l'entraîna dans une expédition shopping dont Sara ressortit avec toute une collection de nouvelles tenues. Flynn n'allait pas tarder à arriver, maintenant, et elle voulait être belle pour l'accueillir.

Elle continuait de se sentir différente. Comme si une coquille s'était brisée et qu'une nouvelle femme en était sortie. Jour après jour, d'ailleurs, Sara refaisait le même constat : l'existence qu'elle avait menée jusqu'à présent ne lui convenait plus. Et pourtant, elle ne prenait toujours aucune mesure, aucune décision. Car si elle était prête à rejeter le passé, elle ne savait pas encore quelle forme donner à l'avenir. Sa vie resterait entre parenthèses tant qu'elle n'aurait pas de nouvelles de Flynn.

Sara n'aurait su dire à quel moment l'éclat de sa nouvelle personnalité commença à se ternir. Le changement se fit de façon graduelle et insidieuse. Changement n'était pas le mot, d'ailleurs. Car c'était l'inverse qui se produisait : petit à petit, tout ce qu'elle avait construit pendant ces quelques jours avec Flynn se désagrégea et tomba dans l'oubli.

Au début, Sara n'en eut même pas conscience. Un jour, elle enfila machinalement l'un de ses vieux survêtements en se levant. Puis, un après-midi, alors qu'elle avait promis de jouer un morceau en public à l'occasion de la petite fête qu'elle organisait chaque année avec ses élèves, elle rangea ses partitions en décidant qu'au fond elle ferait comme chaque année et resterait parmi les spectateurs. Tout bien réfléchi, elle ne se sentait pas encore prête pour se produire devant des parents d'élèves et des amis.

Elle examina le chèque de Flynn qui jaunissait lentement sur le piano. Bientôt, il serait trop tard pour l'encaisser, alors qu'attendait-elle encore ? Que Flynn se sentît obligé de lui téléphoner pour l'inciter à le mettre en banque ?

Etait-ce donc cela qu'elle désirait ? Que Flynn se manifestât parce qu'il s'inquiétait pour elle ? Qu'il arrivât une fois de plus en sauveur ?

Non.

Malgré l'indécision qui supplantait peu à peu la calme assurance dont elle avait fait preuve à Miami, Sara gardait au moins cette certitude : elle voulait que Flynn vînt à elle librement et de son plein gré. Parce qu'il l'avait choisie.

Il fallait donc porter le chèque à la banque. Et le plus vite serait le mieux. D'autant qu'elle avait perdu son locataire et que les factures continuaient à s'amonceler. Puisqu'elle avait enfin les moyens de sauver sa maison, il aurait été idiot de laisser ses finances partir à vau-l'eau. L'heure était sans doute venue de faire établir quelques devis.

Décidée à battre le fer pendant qu'il était chaud, Sara appela la banque et demanda un rendez-vous avec Stuart pour le lendemain matin.

Son ex-fiancé se montra très aimable et accepta même de bouleverser son emploi du temps pour la recevoir. Il semblait convaincu qu'elle allait enfin accepter son offre, et Sara ne dit rien qui pût le détromper. Encore une de ses anciennes habitudes qui montrait le bout du nez, se dit-elle en reposant le combiné : elle reculait devant les explications pénibles.

Le lendemain matin, elle enfila une très jolie robe blanche, courte et moulante, que Nancy lui avait conseillé de mettre pour sa visite à la banque.

— Tu es libre, Sara ! Tu n'as plus besoin de leur argent, alors pourquoi t'habiller comme si tu postulais pour un emploi dans leurs bureaux ? En te voyant là-dedans, Stuart va être époustouflé.

Epoustouflé, Stuart ? se demanda Sara en contemplant son reflet dans le miroir de sa chambre. Si cette tenue convenait si bien à sa nouvelle personnalité, comme le prétendait Nancy, pourquoi avait-elle l'impression de voir l'ancienne Sara cachée derrière des vêtements trop serrés ?

548

Renonçant à la petite robe blanche, elle ouvrit sa penderie et tira le premier cintre qui lui tomba sous la main. En quittant la maison, la jeune femme se souvint d'avoir porté ce même tailleur bleu la dernière fois qu'elle était allée voir Stuart, moins d'un mois auparavant. Mais elle n'envisagea même pas de rentrer se changer. Stuart Bowers pouvait penser d'elle ce qu'il voulait. Sara s'en souciait comme d'une guigne. Sur ce plan-là, au moins, le changement était irréversible : elle ne voyait plus son ex-fiancé que comme un médiocre bureaucrate pétri des préjugés les plus mesquins.

La journée était belle et Sara partit à pied, coupant à travers le parc pour flâner sur les quais. Les eaux étincelantes du port lui rappelèrent Miami. Et, bien entendu, Flynn. Mais qu'est-ce qui n'était pas prétexte au souvenir, depuis son retour ?

Suffit ! décida Sara. Elle ne voulait pas s'abîmer dans la nostalgie et les regrets. Elle avait décidé d'être forte et confiante et de garder la tête haute. Flynn finirait par revenir.

En longeant l'ancienne conserverie de poissons avec ses bardeaux fanés, elle songea qu'il était question depuis des années de l'aménager pour y ouvrir un restaurant et quelques boutiques, comme cela s'était fait avec succès à Boston et à Newport. Mais personne, à Sutton Cove, n'avait eu le courage et l'énergie nécessaires pour s'atteler à ce projet.

A la banque, ce fut tout juste si Stuart ne déroula pas le tapis rouge pour Sara. Il se dérangea personnellement pour l'accueillir et la complimenta sur son vieux tailleur comme s'il s'agissait du dernier modèle de chez Chanel. Dire que, pendant quelques mois, elle avait été fiancée avec cet homme-là !

— Tu es certaine que tu ne veux pas que je te fasse apporter un café, Sara ?

— Non, merci, vraiment. Je ne voudrais pas abuser de ton temps.

— Mon temps t'appartient. Ce n'est pas seulement la philosophie de la banque, mais la mienne également.

— Je te remercie, Stuart. Mais j'aimerais en venir rapidement à l'affaire qui nous occupe.

— Tu n'es pas la seule, crois-moi. Je t'avoue que je ne m'attendais pas à trouver en toi une aussi farouche négociatrice. Mais je savais que tu ne résisterais pas à ma dernière offre. Naturellement, je ferai expertiser la maison au préalable. Mais je suis persuadé que tout est en parfait état.

— Oh, mais non ! protesta vivement Sara en songeant qu'il restait peut-être encore une chance pour que Stuart renonçât de lui-même à son projet. Tout est à revoir, chez moi. Le toit fuit, la chaudière fait un bruit effroyable en hiver, comme si elle allait exploser d'une seconde à l'autre, l'isolation est défectueuse, les cheminées ont besoin d'être gainées et...

— Sara, s'il te plaît...

Stuart l'interrompit avec un sourire protecteur.

— Une vieille maison est une vieille maison, Sara. Je sais ce qui m'attend. Je comprends qu'une femme seule puisse être inquiétée par le cliquetis d'une chaudière, mais il ne me faudra pas trois mois pour tout remettre en état. D'ailleurs, tu connais Corinne. Elle n'accepterait pas de vivre autrement que dans les meilleures conditions de confort.

— Je l'imagine volontiers.

Sans se départir de son air affable, Stuart sortit une liasse de documents de la pile qui se trouvait en attente sur son bureau.

— Puisque nous sommes parvenus à un accord, Sara, j'ai pris la liberté de préparer le compromis de vente. Il ne nous reste plus qu'à signer et l'affaire sera conclue.

— Tu n'aurais pas dû faire cela, Stuart, protesta-t-elle, découragée.

— Allons, allons... J'ai tenu à te simplifier la tâche dans la mesure du possible. Nous sommes un peu plus que des amis, toi et moi.

Erreur, songea-t-elle. Nous ne sommes même pas amis.

— Et à ce titre, poursuivit Stuart sur un ton plein de sollicitude, je tiens à te dire à quel point je suis heureux que tu aies renoncé à ces excentricités avec le dénommé Flynn. Et je crois que je ne suis pas le seul à le penser. Tous, à Sutton Cove, nous sommes soulagés de te voir revenue à la raison.

Revenue à la raison...

Bien sûr ! Comment n'y avait-elle pas pensé ? Elle avait cherché un terme pour désigner les renoncements successifs, les retours en arrière, les concessions au passé qui se multipliaient depuis quelque temps. Et ce terme, voilà que Stuart venait de le lui fournir : elle était « revenue à la raison ». Autrement dit, elle recommençait à agir conformément à ce que les autres attendaient d'elle. Son tailleur bleu était raisonnable, voilà pourquoi Stuart l'avait complimentée à son sujet. Ne pas jouer au piano en public était raisonnable. Et même le fait de garder sa maison apparaîtrait comme une décision raisonnable, maintenant qu'elle disposait de la somme versée par Flynn.

Tout ce qui était prudent, timide, médiocre, appelait généralement le qualificatif de « raisonnable ». La voiture de Sara, ses chaussures, la nourriture stockée dans son réfrigérateur étaient éminemment raisonnables. Et c'était sans doute aussi très raisonnable de sa part d'attendre passivement à Sutton Cove que Flynn revînt à la raison de son côté.

Mais combien de temps encore pourrait-elle tenir ainsi ?

Pas une seconde de plus ! se dit Sara dans un éclair de lucidité. Elle songea à la soirée au BlackJack, à l'euphorie qui l'avait saisie lorsqu'elle avait joué une libre version de *Too Sexy* et que la salle entière avait retenu son souffle. Elle s'était sentie si forte, ce jour-là, et si riche ! Riche d'un millier de rêves !

Or, ces rêves, il fallait qu'elle s'y tînt, avec ou sans Flynn. Il l'avait aidée à sortir de son carcan, à découvrir la vraie nature de son désir, loin de toute idée de devoir et de contrainte. Et voilà qu'au nom de son amour pour lui, elle se laisserait enfermer de nouveau dans sa vieille coquille poussiéreuse ?

Non. Ce ne serait pas très judicieux de sa part de se momifier dans l'attente. Elle avait plus urgent à faire. Quant au legs des McAllister, elle pouvait continuer à le faire vivre. Mais pas nécessairement sous la forme d'une vieille maison pleine de courants d'air. Ses parents avaient des défauts, certes, mais ils lui avaient aussi transmis des valeurs, des traits de caractère qu'elle avait désormais fait siens. L'humour et la compassion de son père, la fierté et la détermination de sa mère lui avaient été donnés en partage. Sara comprit que son héritage réel était là. C'était un acquis sur lequel elle pouvait s'appuyer, et non une obligation qui pesait sur ses épaules.

— Tu as raison, dit-elle brusquement.

Stuart, qui avait entrepris de la chapitrer longuement sur son escapade avec Flynn, dut s'interrompre au

552

beau milieu d'une phrase. Il lui jeta un regard contrarié.

— Pardon ?

— Tu as raison sur tous les points, Stuart. Pour moi, pour mon tailleur, pour le compromis de vente.

— Pour ton tailleur ? répéta-t-il, sidéré.

Sara réprima un sourire.

— Désolé, Stuart, ma langue a fourché. Je voulais dire ma maison, bien sûr. Car je tiens à vous la céder dès que possible, à Corinne et à toi. Je ne connais personne au monde qui la mérite plus que vous deux. Une vraie famille comme vous a besoin de place. Et d'une piscine, cela va de soi... Je mettrais juste une petite condition supplémentaire, ajouta-t-elle en se penchant sur le bureau de Stuart avec un sourire étincelant qui prit le banquier au dépourvu.

— Quelle condition ? demanda-t-il, sur la défensive.

— Je veux que tu m'aides pour monter un financement. J'ai l'intention d'acheter la conserverie, sur le port.

— La vieille conserverie ! Mais que diable en ferais-tu ?

— J'ai décidé d'ouvrir un bar dans le coin qui donne sur la rivière.

— Un bar !

Stuart se leva pour s'avancer vers elle d'un air consterné. Un peu plus et il appelait l'hôpital psychiatrique pour qu'on vînt la chercher avec une camisole de force, songea Sara en jubilant.

— Un piano-bar, plus exactement. Il y aura des tables en terrasse où je servirai un plat du jour. Et une piste de danse à l'intérieur. Le week-end, je ferai venir des groupes. La semaine, en revanche, je jouerai moi-même.

Pauvre Stuart. Cette fois, il était vraiment dépassé par les événements.

— Ecoute, Sara, sois raisonnable. Je sais que tu as traversé une mauvaise passe. Ce sont tes nerfs qui te jouent des tours en ce moment. Je...

— Non. C'est moi qui parle, Stuart. Et j'irai même plus loin que ça. Je veux rénover la conserverie tout entière et proposer des espaces commerciaux en location. J'ai envie que ça bouge à Sutton Cove.

Stuart leva les yeux au ciel.

— Mais enfin, c'est ridicule ! Dans moins de trois mois, tu seras sur la paille, ma pauvre Sara.

— On parie ?

Il lui jeta un regard atterré.

— Réfléchis un peu ! Pour qu'un tel projet aboutisse, il faut que tu trouves des gens intéressés, prêts à investir leur temps et leurs deniers ! Comment comptes-tu convaincre d'autres personnes de participer à l'aventure ?

— C'est simple. Je vais leur poser la question. C'est la règle numéro un, Stuart, précisa Sara en se levant pour partir. Quand on désire quelque chose, il faut commencer par le demander. A haute et intelligible voix, de préférence.

16.

Des rangées de bougies blanches ornaient les rebords des fenêtres, et un grand sapin avait été dressé sous la véranda. Mais Flynn n'avait pas besoin de ces décorations pour se rappeler que Noël était proche. Il avait réussi à traverser l'été et surmonter tant bien que mal les brumeuses langueurs de l'automne, mais décembre avait donné le coup de grâce. Il ne se sentait pas de taille à survivre aux fêtes de fin d'année.

Planté sur le perron de la maison McAllister, Flynn essuya ses paumes moites sur son éternel jean noir. Zut. Il aurait peut-être dû faire un effort d'élégance pour impressionner Sara? Un sourire joua au coin de ses lèvres. Trop tard. Sara s'était déjà fait une idée de lui depuis longtemps. Depuis le jour où il l'avait ramassée, à demi évanouie, dans la chambre de Benny Fortrell.

Il y avait huit mois de cela, et de l'eau avait coulé sous les ponts. Beaucoup d'eau, même... Car Flynn avait mis du temps à prendre sa décision. Mais cette fois, c'était du solide et il savait où il allait. Tout bien pesé, il préférait prendre le risque d'aimer Sara que de passer le reste de sa vie comme un somnambule.

Aujourd'hui, donc, Flynn se retrouvait devant sa

porte. Dieu sait que cette démarche lui coûtait, mais il ne reculerait pas, même à la dernière minute. Devant Sara, il mettrait son cœur à nu. Ensuite... ensuite, ce serait à elle de décider.

Il tira sur la sonnette et reconnut son tintement désuet, aussitôt suivi par un cri de contrariété assorti d'un juron bien senti.

— Mais qu'est-ce qui se passe encore ? On ne peut donc jamais être tranquille ?

La voix qui venait de s'élever était indubitablement masculine. Et, à en juger par le ton, l'individu en question se sentait chez lui ! Pour Flynn, le choc fut total, comme un coup de couteau reçu en pleine poitrine. Il croyait avoir envisagé tous les scénarios possibles lorsqu'il s'était représenté ses retrouvailles avec Sara. Mais celui-là, il n'y avait même pas pensé.

La porte d'entrée s'ouvrit à la volée, et Flynn demeura interdit.

— Bowers ! murmura-t-il, incrédule.

— Flynn ? s'exclama le banquier d'un air tout aussi ahuri.

— Que faites-vous dans cette maison ? demanda Flynn avec une parfaite impolitesse.

Mais il ne se sentait pas d'humeur à échanger de courtoises platitudes avec l'homme qui lui avait volé la femme de sa vie !

— Je vis ici, figurez-vous, rétorqua Stuart Bowers en balançant une énorme clé à molette sur son épaule, avec la désinvolture d'un joueur de golf maniant son club.

Il habitait ici ? Avec Sara ? Un monstrueux fracas métallique s'éleva soudain de la cuisine, comme si quelqu'un venait de faire tomber une pile de casseroles.

— Ça t'ennuierait de mettre une sourdine ? vociféra Bowers.

Pas de réponse.

Il ne se permettait tout de même pas de parler à Sara sur ce ton ? Une rage froide s'empara de Flynn.

— Je veux parler à Sara. Tout de suite.

Stuart haussa dédaigneusement les sourcils.

— A quel sujet ?

— Cela ne vous regarde pas. Allez la chercher.

— Hé là, doucement. Et si vous surveilliez un peu vos manières ? Ce n'est pas moi qui suis venu sonner à votre porte pour demander toutes sortes de services.

— Ce ne sont pas des services que je veux, c'est Sara. Est-elle ici, oui ou non ? s'enquit Flynn en se penchant pour essayer de distinguer ce qui se passait à l'intérieur.

Stuart se plaça de façon à lui bloquer la vue.

— Ecoutez, j'ai une canalisation qui fuit et je n'ai pas que ça à faire. Si vous commenciez par me transmettre la requête que vous désirez adresser à Sara, je pourrais éventuellement...

Flynn fit un pas en avant et eut le plaisir de voir son adversaire reculer d'autant.

— J'ai une idée, Bowers. Retournez donc boulonner ce que vous avez à boulonner, et laissez-moi parler à Sara. Je...

De nouveau, un vacarme alarmant retentit dans la cuisine, suivi comme en écho par les pleurs bruyants d'un nourrisson.

— Et voilà ! Tu entends ce que tu as fait, Corinne ? rugit Stuart, exaspéré.

Une jeune femme blonde et échevelée déboucha en courant dans le vestibule. Ses traits anguleux étaient tirés par la fatigue et elle avait l'air à bout de nerfs.

557

— Tu n'as rien de mieux à faire que de rester ici à bavarder ? lança-t-elle à son mari d'une voix suraiguë. J'ai déjà rempli toutes les casseroles et les bassines que j'ai pu trouver. A présent, l'eau ne sort plus seulement du tuyau, mais également du réservoir au-dessus des toilettes.

— Ce n'était pas le cas, tout à l'heure. Tu as touché à quelque chose ?

— Non, à rien. Je n'ai touché à rien ! Est-ce ma faute si cette maison tombe en ruines ?

— C'est ça... Tu ferais mieux d'aller chercher le bébé, bougonna Stuart.

— Pas question. C'est ton tour.

— Non, mais tu rêves ou quoi ? Tu as déjà essayé de réparer une canalisation et de bercer un nourrisson en même temps ?

— C'est ton problème.

Ils hurlaient tous les deux, et le bébé commençait, lui aussi, à donner très sérieusement de la voix. Flynn sourit.

— Et vous ? Qui êtes-vous ? demanda Corinne en lui jetant un regard noir.

Il s'efforça de ne pas laisser transparaître son hilarité.

— John Flynn. Je cherche Sara McAllister.

— Elle ne vit plus ici. Elle a eu le bon sens de quitter cette masure avant que tout s'écroule... Vas-tu, oui ou non, aller chercher ton fils ? cria-t-elle à l'intention de Stuart.

— C'est bon, c'est bon, marmonna ce dernier en se dirigeant vers l'escalier.

— A cette heure-ci, vous trouverez Sara dans sa boîte, indiqua Corinne d'un ton glacial.

— Dans sa boîte ?

— Son piano-bar, quoi. C'est sur le port. Vous ne pouvez pas le manquer.

Flynn la remercia, prit congé et lança avant de partir :

— Ah, j'oubliais... Félicitez votre mari de ma part pour l'achat de la maison. Je sais à quel point il en rêvait.

Le piano-bar Chez Sara procura à Flynn un choc dont il n'était pas près de se remettre.

Tout au long de ces huit mois, il s'était demandé, le cœur plein de remords, si Sara s'en sortait sans lui. A long terme, la brève incursion qu'il avait faite dans son existence avait-elle été salutaire ou néfaste ? Il n'eut qu'un pied à mettre dans le piano-bar pour avoir la réponse.

Sara ne luttait pas pour survivre ; elle ne végétait, ne stagnait ni ne dépérissait ; elle ne se vautrait pas non plus dans la tristesse et dans le chocolat à tartiner en attendant le retour hypothétique du valeureux John Flynn, chasseur de primes à ses heures. Il avait eu la faiblesse de penser qu'elle devait trouver le temps long sans lui, mais elle n'avait sans doute pas eu l'occasion de s'ennuyer souvent au cours de ces derniers mois. Non seulement Sara s'en tirait très bien sans lui, mais elle avait trouvé l'épanouissement sur le plan professionnel. En bref, elle avait pleinement réussi sa vie.

Mais si Flynn était estomaqué et admiratif, il n'était pas à proprement parler dépaysé en découvrant le bar de Sara. Car ce décor simple, chaleureux, coloré, portait si fortement l'empreinte de sa propriétaire qu'il avait l'impression de le connaître déjà, et de retrouver un endroit familier.

Le regard de Flynn tomba enfin sur Sara, assise derrière le demi-queue sur lequel elle avait joué pour lui, un lointain après-midi d'avril. Il avait dû faire mine de la menacer pour qu'elle acceptât de s'asseoir derrière le clavier, ce jour-là. Huit mois plus tard, la même Sara se produisait en public tous les soirs, et elle adorait ça. Flynn le voyait à l'abandon qui se lisait sur son visage magnifique. A deux autres reprises, seulement, il avait surpris ce même air de volupté sur ses traits, mais les circonstances, alors, étaient d'ordre plus intime...

Songer à la nuit d'amour qu'il avait passée avec Sara inspira à Flynn toutes sortes d'idées impétueuses. Il aurait voulu l'arracher à son piano et à ses admirateurs, et l'entraîner loin de tous ceux qui l'accaparaient.

Toutefois, Flynn n'envisagea pas un instant d'obéir à ces instincts sauvages. Tout d'abord parce qu'il avait trop de respect pour Sara, et ensuite parce qu'il était de moins en moins persuadé qu'elle apprécierait une telle intrusion de sa part! Et chaque seconde qui passait, chaque accord plaqué sur les touches noires et blanches, voyaient diminuer l'assurance de Flynn.

Face à une réussite aussi éclatante, les doutes et les incertitudes fondaient sur lui comme l'eût fait une armée ennemie. Pour l'ancienne Sara, même un cas désespéré comme lui avait pu faire illusion. Mais la nouvelle Sara se montrerait peut-être plus exigeante. Y avait-il encore une place pour lui dans l'existence qu'elle s'était forgée?

Plus Flynn réfléchissait à la question, et moins il était sûr de sa réponse. Mais au moment où il allait sombrer dans le défaitisme, Sara leva les yeux et son regard croisa le sien. Les doutes de Flynn se dissipèrent si vite qu'il en arriva à se demander s'il les avait jamais éprouvés.

Il y aurait toujours une place pour lui dans la vie de Sara, tout comme il y avait une place pour elle dans la sienne. Il le savait comme il savait que deux et deux font quatre. C'était tout simple; simple comme seule une évidence peut l'être.

Ils étaient destinés l'un à l'autre, songea Flynn. Et même ce mot terrible de « destin » ne lui inspirait plus aucun effroi. Plutôt de la reconnaissance, même.

Le cœur battant à se rompre, il vit les doigts de Sara courir une dernière fois sur le clavier. Elle se leva, et une vingtaine de spectateurs qui n'attendaient que ce signal vinrent entourer le piano. Immobile à l'autre bout du bar, Flynn attendit qu'elle eût fini de recevoir les compliments des uns et des autres. Il n'avait pas envie de se mêler à la foule de ses admirateurs. Ce qu'il avait à lui dire ne concernait qu'eux deux. Enfin, elle vint à lui. Un sourire éclatant éclairait son visage. Son regard était plongé dans le sien. Flynn voulait la prendre dans ses bras et l'embrasser jusqu'à en perdre le souffle. Mais lorsqu'elle arriva à sa hauteur, il n'osa même pas lui effleurer la main, tant il avait peur de ne plus pouvoir s'arrêter s'ils échangeaient ne fût-ce qu'un baiser.

— Tu es là, chuchota-t-elle.

Prudent, Flynn fourra les mains dans les poches de sa veste.

— Tu n'as pas l'air étonnée.

Pas étonnée, non. Mais heureuse, vibrante d'enthousiasme, exactement comme Flynn rêvait de la trouver.

— Non, je ne suis pas surprise. Je savais qu'un jour ou l'autre, tu viendrais. Oh! Flynn... Qu'est-ce qui t'a retenu si longtemps?

Il haussa les épaules.

— J'avais un travail intérieur à effectuer. Le cheminement a été long et laborieux.

— Mais maintenant, tu es en accord avec toi-même ? demanda-t-elle en retenant son souffle. Tu as réglé tes problèmes ?

— Tous ceux que je pouvais résoudre seul, oui. Le reste est entre tes mains. A quelle heure seras-tu libre, au fait ?

— Quand je l'aurai décidé, Flynn. Je suis chez moi.

— C'est ce que j'ai cru comprendre. Toutes mes félicitations, Sara. C'est arrivé quand ?

— Le déclic s'est produit au BlackJack, à Miami. C'est là que j'ai eu une inspiration.

Flynn regarda autour de lui avec une admiration mêlée de fierté.

— Il t'a fallu plus que de l'inspiration pour parvenir à un tel résultat.

Sara exultait. Elle songea aux nuits sans sommeil, aux phases de découragement, aux milliers de coups de fil qu'elle avait dû passer en six mois. Mais ces angoisses appartenaient déjà au passé. Et l'approbation de Flynn était infiniment plus précieuse à ses yeux que le tohu-bohu et les applaudissements de l'inauguration officielle.

— Tu es incroyable, murmura Flynn.

— Ça m'a aidée à tuer le temps, avoua Sara. Et figure-toi que ce n'est qu'un début.

En quelques mots, elle lui exposa ses projets concernant le reste du bâtiment.

— Drew, le mari de Nancy, supervise les travaux à plein temps, maintenant que je peux le payer. Nous avons déjà douze locataires, en comptant le futur salon de coiffure de Nancy.

— Et vous avez combien d'emplacements disponibles ?

— Trente. Le conseil municipal commence enfin à

me soutenir. Mais le manque de fonds continue à poser problème.

— Qui s'occupe du financement ?

— Pour l'instant, la banque d'ici, principalement.

— Bowers, autrement dit !

Sara ne put s'empêcher de rire de la grimace dégoûtée de Flynn.

— Oui, je sais, je sais... Mais j'ai commencé avec les moyens du bord. Et depuis que le piano-bar est ouvert, je suis tellement occupée que je n'ai plus le temps de faire les démarches nécessaires.

— Si tu le désires, Sara, je suis prêt à t'aider...

Un lent sourire s'épanouit sur le visage de la jeune femme. Dès l'instant où elle avait vu Flynn assis à l'extrémité du bar, elle s'était demandé s'il était simplement de passage ou s'il arrivait avec armes et bagages pour une installation définitive. Or, la proposition qu'il venait de lui faire pouvait être considérée comme une réponse.

— Je te dis ça, mais ne te sens surtout pas obligée d'accepter, se hâta de préciser Flynn. Je ne voudrais pas te donner l'impression que je profite de toi en me greffant sur un projet déjà florissant, alors que tu as fait toute la partie ingrate du travail.

— Jamais je ne penserais une chose pareille de toi.

Il sourit.

— Le financement, c'est un peu mon domaine. J'ai des relations ici et là. Si tu te fies à mes intuitions...

— Je me fie à tout ce qui vient de toi, déclara Sara à qui la présence de Flynn procurait toute une gamme de sensations délicieuses. Mais peux-tu m'expliquer ce que nous faisons ici tous les deux, à parler capitaux et investissements ?

— Du diable si je le sais.

Sara alla chercher son manteau, échangea quelques mots avec le barman et rejoignit Flynn qui l'attendait à l'entrée. Ils firent quelques pas, puis il s'arrêta enfin. Pour la prendre dans ses bras, pensa Sara qui n'attendait que ça. Mais il se contenta de prendre dans sa poche la clé d'une vieille Ford Bronco garée le long du trottoir.

— Elle est à toi ? s'exclama Sara en détaillant les taches de rouille et les multiples éraflures.

— Ma foi, oui... Elle n'a pas très fière allure, mais elle roule. Que demander de plus à une voiture ?

— Je ne t'ai pas toujours connu aussi philosophe, remarqua Sara en lui indiquant la route à suivre. En fait, je pensais que tu t'empresserais de racheter une Corvette.

Flynn haussa les épaules et fit craquer ses vitesses sans sourciller.

— Ça a été mon premier réflexe, en effet. Je suis allé voir une demi-douzaine de concessionnaires. Eh bien, tu peux rire de moi tant que tu veux, mais je ne me reconnaissais dans aucune de ces voitures neuves. Elles me paraissaient vaines, prétentieuses, superficielles. Ma vieille Corvette, elle, avait un passé ; des tas de souvenirs y étaient liés. Je savais tout cela mais je ne voulais pas en tenir compte, au début. Au contraire, j'espérais bien prendre autant de plaisir à conduire une autre voiture, rien que pour me prouver que tout, en ce bas monde, peut être remplacé. Mais rien à faire. Je ne parvenais pas à me décider.

Sara hocha la tête et retint son souffle.

— Au début, ça m'a mis en colère, poursuivit Flynn. Car cette incapacité à faire le deuil de ma Corvette semblait confirmer mes vieilles croyances : que le plaisir d'aimer ne compense jamais le regret qui accompagne sa perte.

Sara sentit son estomac se nouer. Etait-ce le fin mot de l'histoire ? En avait-il conclu qu'entre eux, aucun espoir n'était permis ?

— Mais au bout de quelque temps, murmura Flynn, j'ai tout de même constaté que si la voiture était à la casse, les souvenirs, eux, me restaient. Nombre de ces souvenirs étaient liés à toi, Sara. Et je n'aurais voulu les effacer pour rien au monde. De même, je ne parvenais pas à regretter ce qui s'était passé entre nous. Ce que nous avons vécu ensemble, je ne l'aurais pas rayé de mon existence pour un empire. Là, j'ai commencé à revenir sur les tragédies de mon enfance, et j'en arrivais, finalement, toujours aux mêmes conclusions : que la mémoire, elle, demeure.

— Autrement dit, Flynn ?

— Autrement dit, je reviens sur mes théories d'autrefois. Je reviens sur tout ce que j'ai pu t'affirmer concernant les relations de couple. Je reconnais que j'ai du mal à me passer de toi. Bon sang, Sara, je...

— Stop ! Arrête-toi là, Flynn.

Malmenée une fois de plus, la vieille Bronco s'immobilisa non sans quelques secousses et soubresauts.

— Qu'est-ce qu'il y a ? demanda-t-il, l'air vaguement décontenancé.

— Rien. Nous sommes arrivés chez moi.

Leurs regards se rencontrèrent.

— De jour, la maison paraît plus jolie, expliqua Sara. Lorsqu'on voit la terrasse en caillebotis et la plage en contrebas...

— C'est charmant, chez toi, dit Flynn. Pas très grand, mais très agréable.

Elle se tourna vers lui avec un sourire un peu timide.

— Il y a bien assez de place pour deux.

— Et pour un éventuel troisième?

La question remplit Sara de joie.

— Aucun problème. Nous construirons des annexes au fur et à mesure de nos besoins...

— Que demander de mieux?

— Flynn?

— Mmm?

— Tu avait commencé à me dire quelque chose, avant que je t'interrompe. Ça commençait par « Bon sang, Sara, je... »

La main de Flynn caressa son épaule et alla se loger au creux de sa nuque.

— Je m'apprêtais à prononcer une déclaration fatidique.

— Prononce-la, alors, chuchota-t-elle en se renversant pour mieux lui offrir ses lèvres.

— Eh bien... Bon sang, Sara, je t'aime! Ça te va?

— Magnifiquement, murmura-t-elle.

Enfin, il l'embrassa, avec ce qu'il fallait de conviction pour rattraper les huit mois qu'ils avaient perdus. Mais lorsque les mains de Flynn commencèrent à courir sur son corps avec trop d'insistance, elle secoua la tête.

— Viens avec moi.

Contenant mal son impatience, il la suivit le long de l'allée bordée d'arbres qui menait au garage. Elle sortit la commande automatique de son sac, et la porte se souleva sans bruit. Flynn poussa une exclamation stupéfaite en découvrant une voiture de sport noire.

— Pas possible! Mais c'est une Corvette!

Abandonnant Sara sans un regard en arrière, il alla inspecter le véhicule. « Réaction typiquement masculine », aurait diagnostiqué Nancy en levant les yeux au ciel. Sara le regarda procéder avec un sourire affectueux.

— C'est incroyable ! Elle est absolument identique à celle que j'avais, déclara Flynn avec enthousiasme.

Sara hocha la tête et referma la porte du garage de l'intérieur, ce qui eut pour effet d'éteindre automatiquement le plafonnier.

— Hé, protesta Flynn. Je ne vois plus la voiture !

Elle s'approcha pour se coller tout contre lui et lui glissa les clés dans la main.

— Ouvre donc la portière. Il y a toute la lumière qu'il faut à l'intérieur.

Flynn suivit son conseil. Mais comme Sara était pressée contre lui, il n'accorda qu'un regard distrait à l'intérieur du véhicule. Finalement, songea Sara, il y avait quelque chose de plus fascinant encore pour un homme que le tableau de bord d'un bolide.

— Tu me surprendras toujours, Sara. Qui aurait cru que tu irais un jour t'acheter une Corvette ?

Le cœur de Sara battit plus vite.

— Je ne l'ai pas achetée pour moi. Elle est à toi, Flynn.

Flynn demeura un instant incrédule.

— A moi ? Mais tu ne savais même pas si...

Sara posa un doigt sur ses lèvres.

— Mais bien sûr que si, je le savais.

— Comment ? C'est impossible. Comment pouvais-tu avoir de telles certitudes alors que j'étais moi-même encore dans le doute ?

— C'est la règle numéro trois, Flynn. Pour obtenir ce que l'on désire.

Un sourire amusé fit danser sa moustache brune.

— Et quelle est-elle, cette troisième règle ?

— Ne renonce jamais à l'espoir. Et c'est ce que j'ai fait.

Flynn secoua la tête et prit son visage entre ses mains pour le couvrir de baisers.

— Tu es étonnante, chuchota-t-il en laissant aller et venir ses lèvres contre les siennes... Et extraordinaire... Et belle... et irrésistiblement attirante...

— Et j'ai une mémoire infaillible, compléta Sara.

Il lui jeta un regard étonné.

— Justement, le souvenir me revient d'une soirée semblable à celle-ci, où nous nous tenions adossés contre une voiture...

Avec un grand rire complice, Flynn l'attira à lui, et ses hanches épousèrent les siennes.

— Je crois que nous nous tenions plutôt de cette façon, non ?

— Tout à fait, acquiesça Sara, soudain à bout de souffle. Et depuis, je me suis toujours demandé s'il y avait réellement moyen de faire l'amour dans une voiture aussi petite.

— C'est comme pour beaucoup de choses, chère madame Flynn. C'est une question de détermination, de ténacité... et d'amour, bien sûr.

Sara sourit et, d'un coup de hanche, ouvrit complètement la portière.

— C'est ce que j'espérais t'entendre dire. Et maintenant, assez discuté. En voiture, Flynn !

Chère lectrice,

Vous nous êtes fidèle depuis longtemps?
Vous venez de faire notre connaissance?

C'est pour votre plaisir que nous avons
imaginé un rendez-vous chaque mois
avec vos auteurs préférés, vos
AUTEURS VEDETTE dans les
collections Azur et Horizon.

Les AUTEURS VEDETTE vous
donneront rendez-vous pour de
nouveaux livres vedette.

Pour les reconnaître, cherchez
l'étoile ... Elle vous guidera!

Éditions Harlequin

La **COLLECTION AZUR**

Offre une lecture rapide et

- ☑ *stimulante*
- ☑ *poignante*
- ☑ *exotique*
- ☑ *contemporaine*
- ☑ *romantique*
- ☑ *passionnée*
- ☑ *sensationnelle!*

COLLECTION AZUR...des histoires
d'amour traditionnelles qui vous
mènent au bout monde!
Cinq nouveaux titres chaque mois.

COLLECTION HORIZON

Des histoires d'amour romantiques qui vous mènent au bout du monde!

Découvrez la passion et les vives émotions qu'apportent à la Collection Horizon des auteurs de renommée internationale!

Captivantes, voire irrésistibles, ces histoires d'amour vous iront assurément droit au coeur.

Surveillez nos trois nouveaux titres chaque mois!

ROUGE PASSION

**De fiévreuses histoires
d'amour sensuelles!**

**De provocantes histoires
d'amour passionnées et
romantiques qu'on lit d'une
seule traite. Aventureuses,
parfois humoristiques, et
sensuelles, elles mettent en
vedette des hommes et des
femmes d'aujourd'hui.**

**ROUGE PASSION...
trois nouveaux titres
chaque mois.**

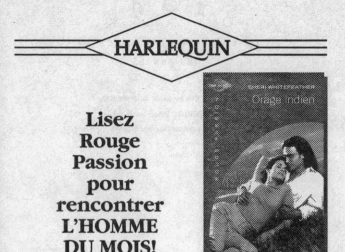

Composé et édité
PAR LES ÉDITIONS HARLEQUIN
Achevé d'imprimer en février 2005

BUSSIÈRE

GROUPE CPI

à Saint-Amand-Montrond (Cher)
Dépôt légal : mars 2005
N° d'imprimeur : 50040 — N° d'éditeur : 11119

Imprimé en France